MICHELLE PAVER

Née au Malawi, en terre africaine, Michelle Paver a grandi et vit à Wimbledon, en Angleterre. Diplômée de l'université d'Oxford, elle a exercé la profession d'avocat et se consacre désormais pleinement à l'écriture. Après l'immense succès de ses deux précédents titres outre-Manche, *Jamaïca* est son troisième roman et le premier à être traduit en français (Belfond, 2004). Elle est également l'auteur de *L'orchidée sauvage* (Belfond, 2005). Son dernier ouvrage, *Une femme de caractère*, est paru en 2006 aux éditions Belfond.

D1173066

L'ORCHIDÉE SAUVAGE

DU MÊME AUTEUR
CHEZ POCKET

JAMAÏCA

MICHELLE PAVER

L'ORCHIDÉE SAUVAGE

Traduit de l'anglais par
Michèle et Jérôme Pernoud

BELFOND

Titre original :
FEVER HILL
publié par Bantam Press,
a division of Transworld Publishers, Londres

Tous les personnages de ce livre sont fictifs
et toute ressemblance avec des personnes réelles,
vivantes ou mortes, serait pure coïncidence.

© Michelle Paver 2004. Tous droits réservés.
© Belfond 2005 pour la traduction française.
ISBN 978-2-266-15961-6

Première partie

JAMAÏQUE, 1903

Chapitre 1

D'après les médecins, elle souffrait de tuberculose, et la faute en revenait à de petites créatures invisibles qu'ils appelaient des « bacilles ». Mais la vérité était différente, Sophie le savait.

Elle était malade parce que l'arbre *duppy*[1] essayait de la tuer. C'était Evie, la fille de la blanchisseuse qui le lui avait dit ; et elle en connaissait un rayon sur ces choses-là, car sa mère était une sorcière.

L'année suivante, celle de ses douze ans, Sophie guérit. Mais elle continuait à faire des cauchemars à propos des arbres duppies. Alors, une nuit, son beau-frère l'emmena dans les collines pour lui en montrer un. Cameron montait son grand hongre bai et Sophie son nouveau poney, Puck. Arrivés devant l'arbre majestueux qui se dressait dans une clairière sur les pentes d'Overlook Hill, ils s'assirent sur ses grosses racines enchevêtrées. Là, ils mangèrent les bananes plantains frites et les crêpes que Madeleine leur avait préparées.

1. Tous les mots en italique suivis d'un astérisque sont en créole de Jamaïque (*N.d.T.*).

9

Sophie n'était pas très rassurée mais elle savait qu'elle n'avait rien à craindre, puisque Cameron était là.

Dans le bleu du clair de lune, elle contempla les allées et venues des petits lézards sur l'énorme tronc, le scintillement des lucioles dans le feuillage ; elle écouta le bourdonnement des mouches de manguier et la stridulation des grillons.

— Regarde, Sophie, lui indiqua Cameron, un serpent jaune…

Et elle aperçut une queue qui disparaissait derrière une racine.

En réalisant que des dizaines de bestioles trouvaient refuge dans les branches au-dessus de sa tête, elle comprit qu'elle s'était trompée sur cet arbre. Sûrement, il n'avait pas voulu la tuer. À compter de ce jour, elle n'eut plus peur des arbres duppies. Au contraire, ils se mirent à la passionner, et elle entreprit d'en faire pousser un dans un pot.

— Seuls les imbéciles ne changent pas d'avis, commenta Cameron en riant.

Maddy sourit à son mari et aida sa jeune sœur à trouver une place dans la véranda pour le petit arbre en pot. Hélas, il dépérit et finit par mourir. Maddy proposa à Sophie : « Pourquoi ne pas essayer, à la place, quelque chose qui pousse *sur* les arbres duppies ? » Elles achetèrent un livre sur les orchidées de Jamaïque, et Cameron emmena Sophie dans la forêt pour y chercher ses premiers spécimens.

À présent, assise dans le train qui franchissait bringuebalant les collines, en route vers Montego Bay, Sophie se remémorait ce temps-là. Elle ressentit envers Cameron et Maddy un soudain pincement d'amour – d'amour et aussi d'inquiétude. Elle avait besoin de s'assurer qu'ils allaient bien et étaient heureux. De dissiper la vague impression qu'elle avait éprouvée, en lisant la dernière lettre de Maddy, que quelque chose clochait.

Chassant cette idée de sa tête, elle tourna les yeux vers les prairies qui défilaient derrière la vitre. L'herbe verte ondulait doucement sous la brise, tandis qu'ici et là, des vaches blanches paissaient tranquillement. Une femme noire marchait sur un chemin poussiéreux, portant sans effort sur sa tête un grand panier d'ignames. « Je suis chez moi », songea Sophie. Elle pouvait à peine y croire. Voilà trois ans qu'elle rêvait de ce retour en Jamaïque ; chaque nouvelle lettre qui lui arrivait d'Eden ravivait son mal du pays. Puis, enfin, c'était arrivé : l'année scolaire s'était terminée, elle avait embarqué à Southampton, quitté l'Angleterre. Maintenant, elle en était à la dernière étape de son voyage. Kingston était déjà loin derrière elle, ainsi que Spanish Town et les Quatre-Chemins. Tous ces noms bien-aimés. Combien d'heures avait-elle passées, enfant, allongée sur le tapis persan dans le bureau de son grand-père à Fever Hill, à regarder la grande carte multicolore accrochée au mur ?…

Sur la banquette d'en face, Mr Van Rieman s'éclaircit la gorge.

— Si on en croit cet article, dit-il en agitant son journal, le planteur de sucre jamaïcain est une espèce en voie de disparition. Il paraît que, depuis la libération des esclaves, des centaines de plantations ont été transformées en fermes d'élevage, ou purement et simplement laissées à l'abandon.

Il dévisagea Sophie par-dessus ses lunettes cerclées de métal, ses petits yeux brillant d'une curiosité maligne.

— Je suppose, Miss Monroe, que ce destin-là ne guette pas le domaine de votre beau-frère ?

Elle secoua la tête.

— Cameron réussit toujours à maintenir Eden à flot, déclara-t-elle d'une voix ferme.

— Tant mieux, murmura Mr Van Rieman, sans pouvoir cacher une légère déception.

— Eden…, intervint sa femme d'un ton enjoué. Quel nom charmant !

Sophie lui lança un regard reconnaissant, et fut presque prête à pardonner les coups de pied vicieux que le petit Theo n'avait cessé de lui infliger chaque fois que sa maman regardait ailleurs.

Le train s'arrêta à Appleton pour la halte du déjeuner et ils descendirent, un peu ankylosés, sous le clair soleil de novembre. Toute la Jamaïque déferla aussitôt sur eux, comme une vague. Une meute de *pickneys** se ruèrent dans leurs jambes en riant. Le quai était encombré de colporteurs vantant leur marchandise : « Biscuits au beurre ! Prunes de paradis ! Toutes les sortes de mangues ! Poissons-chats, mooris ! »

Sophie s'imprégna de l'âcre odeur de poussière rouge et des accents familiers du patois. Mrs Van Rieman agrippa le bras de son mari et se plaignit de la destination qu'il avait choisie pour leurs vacances. Elle n'avait encore jamais vu autant de Nègres de sa vie.

Mr Van Rieman leur ouvrit la route en direction de l'hôtel de la Gare, avec l'air d'un missionnaire débarquant dans une contrée reculée d'Afrique noire. À deux reprises, il fit part de son étonnement que la Jamaïque ne soit pas dotée d'un bon guide de voyage. À l'évidence, dans son esprit, un pays que le Baedeker n'avait pas encore touché de son aile salvatrice restait irrémédiablement barbare.

Le déjeuner fut un moment pénible : les Van Rieman questionnaient Sophie d'une voix retentissante, tandis que le reste des convives se taisait pour mieux écouter. Pourtant, Sophie leur répondit du mieux qu'elle le put car le couple d'Américains s'était montré fort aimable avec elle lorsqu'ils l'avaient rencontrée devant le guichet à Kingston – même si, au départ, l'idée d'une jeune fille de dix-neuf ans voyageant seule les avait manifestement choqués.

— Si j'ai bien compris, Miss Monroe, demanda Mrs Van Rieman, vous avez dix ans de moins que votre sœur, et celle-ci est mère de deux petits enfants ?

Sophie avait la bouche pleine de poivrière, aussi se contenta-t-elle de faire oui de la tête.

— Et vous ? continua son interlocutrice, les yeux malicieux. Un petit ami, déjà ?

— Non, répondit Sophie, avec un sourire gêné.

Une femme assise à la table voisine lui lança un regard compatissant.

— Miss Monroe est au-dessus de telles broutilles, voyons, commenta Mr Van Rieman. Miss Monroe est une intellectuelle, elle a l'intention de faire sa médecine…

— Oh ! j'y pense seulement, murmura Sophie. Il y a une clinique près du domaine de mon beau-frère, et je me disais que je pourrais m'y initier un peu, voir si ça me plaît…

Elle rougit ; pourquoi était-elle allée leur raconter cela ? Mais elle parlait toujours trop quand elle était embarrassée. C'était un de ses plus grands défauts.

— Vous avez passé votre petite enfance à Londres, n'est-ce pas ? résuma Mrs Van Rieman. Ensuite, comme vous aviez de la famille ici, vous êtes venue en Jamaïque…

Sophie acquiesça ; puis, parce que la proximité de sa maison la rendait décidément bavarde, elle expliqua :

— C'était aussi parce que j'étais malade. Maddy a pensé que les tropiques me feraient du bien. J'avais la tuberculose.

Il y eut un petit silence, puis Mr Van Rieman répéta lentement :

— La tuberculose...

Sa femme porta la main à sa gorge, et les autres clients se concentrèrent sur leur assiette.

— La tuberculose du genou, s'empressa d'expliquer Sophie. C'est cela qui m'a fait m'intéresser à la médecine. Mais j'en suis débarrassée depuis sept ans, il n'y a plus aucun risque d'infection.

— Bien sûr, murmura Mrs Van Rieman.

Le serveur arriva avec un plateau de fruits. Sophie tendit la main vers une sapotille, et le petit Theo en fit autant ; mais sa mère interrompit son geste, puis adressa un sourire nerveux à Sophie.

— Trop acide, bredouilla-t-elle.

Sophie regretta de ne pas être restée dans le train en plaidant une migraine. Ou, au moins, de ne pas s'être tue un instant plus tôt. À côté d'elle, la jambe de Theo battait la mesure contre le pied de la table.

— Tu avais une attelle ? glapit-il de sa voix haut perchée.

— Theo, chut ! lui intima sa mère.

— Oui, mais tu en avais une ou pas ?

— Oui. Une grosse, en fer, que j'ai dû porter tout le temps pendant deux ans. Je la détestais.

— Et tu tombais souvent ? demanda Theo, un soupçon de dédain dans la voix.

— Pas au début, parce que je n'avais pas le droit de me lever. Je restais allongée dans la véranda à lire. Après j'ai pu me déplacer avec des béquilles. Là, oui, je suis tombée.

— Et tu boites ?

— *Theo !* répéta Mrs Van Rieman.

— Non, prétendit Sophie.

En fait, ça lui arrivait, quand elle était fatiguée ou mal à l'aise. Mais elle n'allait pas le claironner à toute la clientèle de l'hôtel. Ils s'apitoyaient déjà assez sur elle – la petite dernière de la famille, malade, enfermée dans ses livres, et qui n'avait même pas de petit ami…

— Mais si tu enlevais jamais l'attelle, comment tu faisais pour te laver ?

— Ça suffit ! lança Mrs Van Rieman d'un ton coupant, et le sujet de l'attelle fut abandonné.

Pendant qu'ils rejoignaient le train, Sophie fut tentée de prendre congé des Van Rieman et de changer de compartiment ; mais cela les vexerait sans doute. Aussi se réinstallèrent-ils tous à leurs places, avec des sourires guindés de part et d'autre, et elle se plongea dans la contemplation du paysage, de plus en plus impatiente d'arriver.

Peu à peu, les pâturages laissaient la place aux champs de canne. Ils étaient désormais dans le pays du sucre, et l'odeur lourde de la mélasse s'infiltrait jusque dans le compartiment.

« Quelqu'un a déjà commencé la récolte », songea Sophie, et elle prit une profonde inspiration avec le sentiment d'être vraiment de retour chez elle.

Les noms familiers défilaient : Ginger Hill, les Sept-Rivières, Catadupa. Au loin, elle apercevait les inquiétantes silhouettes gris-bleu des Cockpits – une région rude et sauvage de collines étrangement bosselées, parsemées de dolines traîtresses, qui la fascinait quand elle était enfant. Son pouls s'accéléra. De l'autre côté des Cockpits, et faisant face à la mer, il y avait Eden.

Le train s'arrêta à Montpelier, dernière station avant Montego Bay, qui n'était plus qu'à une quinzaine de kilomètres. Mr Van Rieman en profita pour aller dans le compartiment de troisième classe, poser une question à leur guide ; Mrs Van Rieman se rendit aux toilettes de la gare, laissant – visiblement à contrecœur – son fils en compagnie de Sophie.

Tous deux s'installèrent pour attendre en haut du perron de la gare, à l'ombre d'un grand fromager. Ils contemplèrent un moment l'animation de la petite ville, le lent passage des charrettes à bœufs remplies de canne à sucre. Ensuite, Theo revint à la charge.

— Alors, tu faisais comment pour te laver ?

— Je ne me lavais jamais, répondit Sophie sans tourner la tête.

Theo réfléchit quelques secondes, puis lâcha :

— Je parie que c'est même pas vrai.

Sophie garda le silence.

— J'aime pas la Jamaïque, ajouta-t-il.

— Ça ne m'étonne pas. C'est un pays qui fait peur aux petits garçons.

— J'ai pas dit que j'avais peur !

— Eh bien, tu devrais. La Jamaïque est pleine de fantômes.

— Hein ?

Il cligna des yeux, incrédule.

— Il y en a qui habitent des grottes dans les collines, affirma-t-elle d'un ton calme, mais en général, ils vivent dans des arbres comme celui qui est derrière toi.

Theo se retourna et contempla l'arbre avant de rétorquer :

— N'importe quoi ! C'est juste un vieil arbre !

— Non, c'est un arbre duppy. Demande aux gens, tu verras. *Duppy*, c'est le nom jamaïcain pour « fantôme ». Tu vois tous les plis dans le tronc ? C'est là-dedans qu'ils vivent. Ils en sortent la nuit et ils rendent les gens malades.

Le garçon déglutit avec peine. Sophie commençait à trouver ça amusant.

— Même moi, poursuivit-elle, je croyais que c'était un arbre duppy qui m'avait rendue malade. Mais ensuite un garçon très courageux a arrangé les choses pour moi, et après je suis allée mieux.

Theo avait pâli, cependant il tint bon.

— Courageux comment ? demanda-t-il.

— Terriblement. Avant de venir ici, c'était un petit garnement des rues de Londres, et il disait tout le temps des gros mots.

— Il s'appelait comment ?

— Ben.

— Et après, il a fait quoi ?

— Personne ne le sait. Il s'est occupé de l'arbre duppy, et ensuite on ne l'a plus revu.

Theo réfléchit un moment puis dit :

— Est-ce que l'arbre l'a pris ?

— C'est très possible, oui.

Les épaules de Theo s'étaient affaissées, et il fixait le fromager bouche bée. Sophie faillit se laisser fléchir, et avouer qu'on avait aperçu le garçon peu de temps après, travaillant comme mousse sur un vapeur le long de la côte. Mais elle se rappela les coups de pied furtifs de Theo et se tut.

— Il avait l'air de quoi ? murmura Theo.

— Qui ça ?

— Le garnement qui a disparu, Ben…

Elle haussa les épaules.

— D'un garnement.

De l'autre côté de la rue, un jeune palefrenier sauta à bas de sa voiture pour vérifier le harnachement de ses chevaux, et quelque chose dans son allure rappela Ben à Sophie.

Étrange, comment fonctionnait la mémoire. Voilà une éternité qu'elle n'avait pas repensé à lui, et soudain elle le revoyait physiquement ou presque. Mince comme un chat de gouttière, des cheveux noirs et crasseux, un visage sale aux traits creusés, fendu de deux yeux verts effilés. Il fascinait la petite Sophie âgée de dix ans, qui aurait donné n'importe quoi pour faire impression sur lui.

— Tu en connais un sacré rayon sur la Jamaïque, murmura Theo avec une soudaine humilité.

De nouveau, elle sentit un pincement de remords.

— En fait, commença-t-elle, il y a quelque chose que j'ai oublié de te dire sur les duppies et les arbres duppies : ils n'attaquent jamais les Américains. C'est contre leurs règles.

Theo leva vers elle un regard hésitant.

— Mais comment ils pourront savoir que je suis américain ?

— Ils le savent toujours.

Il hocha la tête, et ses lèvres reprirent un peu de couleur.

— Viens, reprit Sophie, rejoignons ta maman.

Elle lui prit la main et s'apprêta à y aller, mais se retourna pour jeter un dernier coup d'œil vers le jeune palefrenier. Il attendait son maître et sa maîtresse, qui arrivaient dans la rue. Le cœur de Sophie fit un bond dans sa poitrine. Le maître et la maîtresse en question n'étaient autres que Cameron et Madeleine.

Oubliant toutes les convenances, elle cria leurs noms.

— Maddy ! Cameron ! Ohé !

Mais ils ne l'entendirent pas, et une charrette chargée de canne à sucre les lui cacha alors en s'interposant entre elle et eux.

Abandonnant Theo, Sophie releva le pan de sa jupe et descendit en courant l'escalier de la gare jusqu'à la rue. Elle attendit avec impatience que le lourd attelage de bœufs soit passé ; puis, quand la poussière rouge fut retombée derrière les roues de celui-ci, elle les vit de l'autre côté de la chaussée. Maddy, aussi belle que dans son souvenir, sa magnifique chevelure noire enfermée sous un grand chapeau de paille, sa ravissante silhouette enveloppée dans un cache-poussière de soie bronze, son préféré. Elle s'appuyait sur le bras de Cameron, qui était penché vers elle ; elle s'essuyait les yeux et acquiesçait de la tête, se forçant visiblement à sourire.

Sophie ouvrit la bouche pour appeler de nouveau, mais la referma. Quelque chose n'allait pas ; Maddy avait l'air bouleversée.

À ce moment, Cameron se tourna pour dire un mot au palefrenier, et Sophie eut un choc : ce n'était pas son beau-frère. Cameron était grand et large d'épaules ; il avait trente ans passés, des cheveux blonds rebelles et des traits qui, sans être fins, dégageaient une grande impression de force et un charme indiscutable. L'homme à qui sa sœur s'agrippait – s'agrippait littéralement – avait lui aussi des cheveux blonds, mais il était bien plus mince et délicat de traits ; en outre, tout comme Maddy, il n'avait pas encore trente ans. Sophie ne l'avait jamais vu auparavant.

Ses pensées se bousculèrent dans son esprit : que se passait-il donc, et où était Cameron ?

— Miss Monroe ? la héla Mrs Van Rieman, qui arrivait derrière elle. Le train va partir… Quelque chose ne va pas ?

Sophie pivota pour lui répondre, mais sa voix fut couverte par le bruit d'une autre charrette à bœufs. Puis, quand elle se tourna de nouveau et qu'une fois encore la poussière fut retombée, la voiture et le palefrenier, avec sa sœur et le jeune homme blond, étaient partis.

Soudain, elle était terriblement pressée d'atteindre Montego Bay ; cependant, comme Mr Van Rieman l'en informa avec une grimace, le train était retardé. Un wagon s'était renversé à la sortie de Montpelier, et son chargement de bois de campêche s'était répandu sur les rails. Il faudrait au minimum une demi-heure pour dégager la voie.

Sophie se mit à faire les cent pas sur le quai, en tâchant de se raisonner. Rien de vraiment grave n'avait dû survenir, sans quoi Maddy ne lui aurait-elle pas envoyé un télégramme ?

Ils durent attendre presque trois quarts d'heure avant de repartir, mais le train commença enfin sa lente descente dans les plaines de la côte nord de l'île. Ils traversèrent des hectares de champs de canne verts qui brillaient dans la brise. Sophie compta les minutes jusqu'à ce qu'ils arrivent à destination.

À la vue de Montego Bay qui s'étendait devant eux – avec ses coquettes maisons aux toits rouges, ses palmiers royaux et le chatoiement de la mer couleur turquoise –, Mrs Van Rieman poussa une exclamation de plaisir. Sophie remarqua à peine le paysage. Maddy et Cameron seraient sûrement à la gare, comme ils l'avaient promis. Peut-être que le jeune homme aux cheveux blonds serait également là. Quoi qu'il en soit, tous ces mystères s'éclairciraient certainement…

Le train pénétra en gare dans un nuage de vapeur et de poussière. Le quai était bondé de colporteurs dont la couleur de peau allait du marron clair au brun foncé. Mrs Van Rieman attira fébrilement Theo près d'elle en lui ordonnant de ne pas s'éloigner, et put à peine répondre aux adieux et aux remerciements précipités de Sophie.

Puis, d'un seul coup, ils furent là tous les deux et, de soulagement, elle en chancela presque sur ses jambes. Maddy dans son cache-poussière de soie couleur bronze, montant les marches du quai avec un sourire radieux sur le visage ; et Cameron, qui s'approcha de Sophie et la souleva du sol en l'étreignant fortement. Le jeune homme au fin visage, lui, n'était visible nulle part.

— Oh, comme je suis soulagée ! s'exclama Sophie, quand Cameron l'eut reposée au sol et qu'elle eut repris sa respiration. Je t'ai vue à Montpelier, commença-t-elle à expliquer à Maddy. J'ai crié, mais tu es partie sans m'entendre…

— À Montpelier ? l'interrompit Maddy en riant. Désolée, mais ce n'était pas moi. Cameron, tu veux bien dire au porteur de faire attention avec cette malle ? Telle que je connais Sophie, elle doit être remplie de livres et peser une tonne.

— Mais, Maddy, je t'ai vue, insista Sophie, très étonnée.

— Donc, maintenant, j'ai un double à Montpelier, c'est ça ? Comme c'est amusant !

— Mais…

— Sophie, j'ai passé tout l'après-midi à faire des courses à Montego Bay… Allez, viens, tu dois être épuisée, et nous avons tellement de choses à nous raconter ! Je n'arrive pas à y croire : trois ans ! Cameron va nous suivre à cheval, toute la voiture sera pour nous et tes bagages. Braverly te mitonne un repas spécial, et les enfants sont restés à la maison pour te préparer une surprise. Ils sont fous d'excitation. Viens vite…

Chapitre 2

Malgré sa fatigue, Sophie se réveilla tôt, et avec une impression de malaise qu'elle n'arrivait pas à dissiper.

Dès qu'elle eut ouvert les yeux, elle tira la moustiquaire puis revint s'allonger, et resta la tête sur l'oreiller à regarder le soleil réchauffer le carrelage de terre cuite. Le chuintement des chaussures de toile des domestiques sur le sol, le pépiement des tiaris qui nichaient sous la corniche… Elle s'imprégnait du mélange de cire d'abeille, de jasmin et de feu de bois qui composait l'odeur familière d'Eden – rassurante, mais aussi lourde, aujourd'hui, d'une obscure menace.

« Arrête de te faire du souci. Profite plutôt du bonheur d'être rentrée à la maison ! »

De vieux souvenirs remontèrent à sa mémoire : quand elle se levait à l'aube, dans cette même chambre, et qu'elle descendait à la rivière pour y rejoindre Evie, sa meilleure amie, venue de Fever Hill en passant à travers les champs de canne. Ensemble, elles partaient vers un endroit dans les bois connu d'elles seules ; là, elles demandaient aux esprits de débarrasser Evie de ses taches de rousseur, d'empêcher le bacille de se réintroduire dans le genou de Sophie… et de veiller sur Ben Kelly, où qu'il se trouvât.

Se retournant, Sophie pressa son visage contre l'oreiller. Pourquoi pensait-elle à lui maintenant ? On aurait dit que son esprit était irrésistiblement attiré par tout ce qui était trouble, confus, inexpliqué. Ce garçon qui avait été un temps son ami, mais qui était parti sans même un au revoir. Ou encore sa sœur, et la manière étrange dont elle s'était comportée la veille…

Sophie gagna la fenêtre. Sa chambre, située à l'est, donnait sur une jungle de philodendrons aux feuilles géantes et d'amandiers sauvages ; on apercevait les écuries, au pied du chemin en pente. À travers le feuillage vert-doré d'une fougère arborescente, elle vit Cameron monter sur son cheval et dire quelques mots à Moses, le palefrenier. Avec sa culotte de cheval, sa veste de chasse et ses bottes, il avait son allure habituelle : pressé, habillé à la hâte, mais débordant de vitalité et d'énergie.

« Si quelque chose allait de travers, songea Sophie, est-ce que ça ne transparaîtrait pas à coup sûr dans son apparence ? »

Elle se détourna de la fenêtre et parcourut des yeux la pièce familière. Avec quel soin sa sœur l'avait préparée pour son retour : de nouveaux rideaux de futaine, bleu et blanc ; un bureau abondamment pourvu d'encre et de papier ; de l'eau de Cologne et de l'eau de rose sur la tablette du lavabo ; et, sur l'étagère, une longue rangée de livres.

C'était un mélange hétéroclite, composé avec autant d'affection que d'incohérence par une personne n'ayant elle-même guère de goût pour la lecture. Un Thomas Hardy ; *La Révolution française* de Carlyle ; un ouvrage sur Florence Nightingale… Madeleine avait dû dévaliser la bibliothèque de leur grand-père à Fever Hill. Pareille marque de délicatesse et d'attention pouvait-elle venir à quelqu'un dont l'esprit était troublé, coupable ?

Autre geste touchant, Madeleine avait apporté la grande carte du nord de l'île qui se trouvait dans le bureau de Jocelyn, et elle l'avait accrochée de façon à la rendre visible depuis le lit. Tout en reprenant place sous les couvertures, Sophie réentendit la voix âpre et volontaire de son grand-père lui narrant l'histoire de la famille. Comment Benneit Monroe et son ami Nathaniel Lawe étaient arrivés en Jamaïque en 1655 pour combattre les Espagnols, puis s'étaient partagé le nord de l'île. Benneit Monroe avait pris les terres à l'ouest de Falmouth, et Nat Lawe – l'ancêtre de Cameron – celles à l'est. Mais, Jocelyn insistait là-dessus, ils n'avaient jamais abandonné leurs biens « au pays » : le domaine des Lawe dans le Dumfriesshire et l'énorme manoir des Monroe, Strathnaw, aux allures de caserne. Sophie ne le connaissait que par le tableau accroché derrière le bureau de Jocelyn : si austère, si fascinant aussi !

Quand elle était enfant, elle aurait voulu que le conte de fées soit resté intact, que rien n'ait changé depuis cette époque. Quelle tristesse d'apprendre qu'après la Grande Révolte des esclaves de 1832 la fortune des Lawe avait périclité, et qu'ils avaient dû vendre d'abord Burntwood, puis Arethusa, enfin leur domaine de là-bas, « au pays » !

— Ensuite, Cameron a redressé la situation, lui avait déclaré Jocelyn, avec un éclair de fierté dans ses yeux délavés par le soleil.

— Mais, et nous ? s'était inquiétée Sophie en fronçant les sourcils. Il n'y a plus de garçons chez les Monroe, n'est-ce pas ? Juste Maddy et moi. Donc…

— Donc quoi ? avait rétorqué Jocelyn. Quand je ne serai plus là, tu auras Fever Hill et Madeleine aura Strathnaw.

— Mais...

— Sophie, dans le meilleur des cas, on ne peut rien prévoir au-delà de deux générations. La terre reste dans la famille, c'est tout ce qui compte pour moi.

Pour lui peut-être, pour elle non. Elle aurait voulu que ce soit garanti pour toujours. Mais apparemment, même avec la terre, « pour toujours » n'existait pas.

Elle repensait à tout cela, allongée dans son lit, en essayant d'entendre de nouveau la voix de son grand-père. Il lui semblait impossible que Jocelyn Monroe ne soit pas en train de l'attendre à Fever Hill...

... et il semblait tout aussi impossible que Madeleine trompe Cameron : elle l'aimait et il l'aimait. Il devait y avoir une autre explication, rassurante, innocente. Maddy était allée à Montpelier pour faire une surprise à son mari, lui acheter un cadeau d'anniversaire, ou quelque chose de ce genre.

En se mettant sur le côté, Sophie croisa alors le regard de sa mère, qui la fixait depuis le daguerréotype pâli, dans son cadre de voyage en cuir.

Rose Durrant avait été belle – une beauté fière aux cheveux sombres, comme Maddy. Elle était morte à la naissance de Sophie. Celle-ci ne la connaissait qu'à travers les témoignages et les récits de la famille. La routine, la stabilité, Rose avait rejeté tout cela. Elle avait défié les conventions et ruiné des vies – y compris la sienne propre – en se sauvant en Écosse avec le fils, marié, de Jocelyn.

Sophie riva son regard à celui de sa mère. « Le problème avec les Durrant, lui avait dit un jour une amie de la famille, c'est qu'ils allaient toujours trop loin... »

Maddy avait-elle hérité de sa mère davantage que sa beauté saisissante et son talent pour la photographie ? Était-elle, elle aussi, allée trop loin ?

À force de retourner toutes ces pensées dans sa tête, Sophie finit par se rendormir. Et dans ses rêves, ce ne fut pas son grand-père – sévère, aimant, sûr comme un roc – qui lui rendit visite, mais la fantasque et mystérieuse Rose Durrant.

Lorsqu'elle se réveilla de nouveau, il était presque midi ; la fraîcheur du petit matin avait laissé place à la chaleur de la mi-journée. La maison semblait calme et vide, mais elle entendit Madeleine qui appelait les enfants dans le jardin. Elle s'habilla rapidement et sortit dans le grand hall, qui servait de salon, de salle à manger et aussi de débarras.

Dans l'agitation de son arrivée, la veille au soir, elle n'avait guère fait attention au décor ; mais maintenant, elle constatait avec tristesse l'impression de délabrement qui régnait dans la maison. Partout, on notait des traces d'usure : les tissus étaient élimés ; la grande et vieille table d'acajou portait toujours les marques datant de l'époque où Cameron vivait ici en célibataire, sous un toit qui fuyait. Sur le buffet bas, en plus du désordre habituel – une lampe-tempête au verre ébréché, un zèbre d'enfant en velventine avec une oreille manquante –, figurait une pile de draps à repriser. Visiblement, l'argent ne coulait pas à flots à Eden. Aujourd'hui pas plus qu'hier.

Sophie songea qu'elle en était responsable pour une bonne part : Madeleine et Cameron s'étaient saignés aux quatre veines pour l'envoyer étudier à Cheltenham, même s'ils n'y avaient jamais fait allusion. La seule façon qu'elle avait trouvée de les en remercier avait été d'inventer un prétexte pour rester en Angleterre pendant les vacances, afin d'économiser le voyage de retour en Jamaïque.

Elle promena un regard affectueux sur la chère vieille maison qui l'entourait. Sa maison Boucle d'Or, comme elle l'appelait, car, malgré la pagaille, tout paraissait toujours y être à la bonne taille et la bonne place. Comparée à beaucoup de demeures jamaïcaines, celle-ci n'était pas très grande – avec seulement un étage habitable, plus un sous-sol où se trouvaient des resserres et la chambre noire de Maddy. Le bureau de Cameron et les chambres entouraient le salon central ; une galerie au sud-est conduisait aux salles de bains et à la cuisine.

Quand elle était enfant, Sophie estimait que c'était le modèle idéal d'habitation. Il n'y faisait jamais ni trop chaud ni trop froid, car, se trouvant à deux cents mètres au-dessus des plaines, elle recevait la brise de mer pendant la journée et la brise de terre qui venait des collines pendant la nuit. Oui, c'était bien sa maison Boucle d'Or.

Eden avait été construite par un Durrant. Une nuit de 1817, après une soirée très arrosée, le grand-père de Rose avait pris son cheval, était monté dans la forêt vierge, et avait fait le serment d'édifier une maison à cet endroit.

Qui d'autre qu'un Durrant aurait eu l'idée de fonder un domaine ici, au bord des Cockpits ? Qui d'autre qu'un Durrant aurait échoué dans le métier de planteur, si lamentablement qu'il avait dû laisser ce domaine retourner à la forêt vierge ?

Lorsque Cameron l'avait racheté en 1886, cela faisait vingt ans qu'Eden n'était plus qu'une ruine. Dans son enfance, Sophie imaginait souvent la demeure telle qu'elle devait être alors : belle et mystérieuse, presque d'un autre monde, avec ses jalousies aux lattes chantournées rongées comme de la dentelle, ses hautes pièces lambrissées envahies par des plantes grimpantes et un figuier étrangleur.

Mais si, à l'époque, cette image tenait à ses yeux du conte de fées, elle comprenait aujourd'hui ce qu'elle pouvait contenir de menace latente. Et Madeleine ? Était-elle davantage une Durrant qu'une Monroe ? Son goût pour le secret venait-il de là ?

Sophie sortit sur la véranda et trouva sa sœur assise dans un des grands canapés en rotin, en train de raccommoder la housse d'un coussin. Madeleine leva les yeux vers elle et lui sourit ; puis elle remarqua son expression inquiète et son regard se troubla. Enfin, elle baissa la tête vers la housse de coussin et la lissa sur son genou pour la défroisser.

— Braverly t'a gardé ton petit déjeuner, annonça-t-elle à Sophie. Mais il va bientôt être l'heure du déjeuner, donc tu ferais mieux d'attendre, non ?

Sophie acquiesça.

— Tu ne vas pas être contente, mais… (Madeleine s'interrompit pour couper le fil entre ses dents.)… j'ai accepté une invitation à prendre le thé chez les Traherne. Je sais que ça sera une corvée pour ton premier jour ici, mais Sibella voulait te souhaiter la bienvenue – en tout cas, c'est ce qu'elle a dit. En fait, je pense qu'elle désire te demander d'être demoiselle d'honneur à son mariage. J'espère que ça ne t'ennuie pas trop ?…

« J'espère que ça ne t'ennuie pas trop ? » Depuis quand Maddy était-elle si cérémonieuse avec elle ?

— Pas du tout, s'entendit-elle répondre, avec une politesse affectée qui l'étonna elle-même. Je serai heureuse de la revoir.

Elle balaya du regard la grande véranda, avec son simple toit de bardeaux de cèdre. Ici au moins, rien n'avait changé. La mangeoire à oiseaux était toujours suspendue à l'entrée de la chambre de Madeleine et Cameron. Il l'y avait mise aux premiers jours de leur mariage, pour que sa femme puisse regarder les colibris depuis son lit. Les coussins écossais que Sophie avait aidé à coudre étaient toujours là : rouge et vert aux couleurs des Monroe, bleu et jaune pour les Lawe. Elle se rappelait quand elle se battait furieusement avec contre les chiens, devant Madeleine et Cameron qui riaient trop pour pouvoir protester.

« Tout est pareil qu'avant, songea-t-elle, et le nœud qu'elle avait dans la gorge se desserra un peu. Non, il ne peut rien y avoir de vraiment grave. Il y a une explication à tout cela – simplement, je ne la connais pas encore. »

Elle se retourna pour regarder le jardin. Un joli perron de marbre blanc, à double révolution, descendait vers une pelouse à l'herbe verte et drue. Mais, au pied des marches, elle avait bruni à force d'être piétinée, car même si la porte d'entrée se trouvait de l'autre côté de la maison, les cavaliers en faisaient toujours le tour pour venir attacher leurs chevaux ici.

Oui, tout était pareil qu'avant : plus loin dans le jardin, les éclairs de couleur des colibris zébraient sur leur passage une jungle d'hibiscus et de fougères arborescentes. Les strelitzies orange vif et cobalt, le bleu-gris des plumbagos… Tout en bas de la pelouse coulait la Martha Brae, aux rives noyées sous les héliconias écarlates et les bambous géants. Au-delà encore, passé le chatoiement vert des champs de canne et l'entaille rouge de la route serpentant vers Falmouth, on apercevait la mer qui miroitait.

Sophie saisit à deux mains la balustrade chauffée par le soleil.

— Cameron est parti de bonne heure, remarqua-t-elle.

— Pour lui, c'était tard, répondit Madeleine avec un soupir. Je ne le vois pas beaucoup, mais je préfère ne pas penser à ce que ce sera au moment de la récolte.

— Je croyais qu'il avait engagé un contremaître pour Fever Hill...

— Il en a un, Oserius Parker. Mais tu connais Cameron : il faut qu'il aille tout voir par lui-même, sans quoi il n'arrive pas à se détendre.

— Ce n'est pas sa faute, il est comme ça, ne put s'empêcher de répondre Sophie nerveusement.

— Bien sûr, commenta Madeleine, surprise. Ce n'était pas une critique...

Sophie hocha la tête. En dessous d'elle, sur une feuille de bananier, un petit lézard vert la fixait avec son œil rond de vieillard.

— Sophie, commença doucement Madeleine, ne te fais pas de souci...

Sophie pivota et regarda sa sœur dans les yeux.

— Alors, pourquoi est-ce que tu ne me dis pas ce que tu faisais à Montpelier ?

Madeleine soupira.

— Parce que je n'étais *pas* à Montpelier.

— Mais...

— Sophie, arrête !

Elles restèrent quelque temps ainsi, les yeux dans les yeux ; puis Madeleine secoua la tête, comme pour chasser une pensée désagréable, et retourna à sa couture.

— Je te le répète, tu n'as pas à te faire de souci.

Ravalant sa colère, Sophie revint à la contemplation du jardin. En bas, près de la rivière, elle aperçut une tache rouge. Belle émergea des bambous – petite, les cheveux aussi sombres que ceux sa mère et l'air décidée –, en éternuant et en se frottant les yeux. Elle portait une robe-chasuble en serge écarlate dont Madeleine disait qu'elle était indestructible, et facile à repérer de loin. Un costume marin bleu la suivait de près : Fraser, six ans, grand et blond comme son père. Puis ce fut un chiot mastiff, avec des oreilles couleur caramel qui s'agitaient à chacun de ses bonds. Des enfants heureux, grandissant dans une maison heureuse et sûre. Si Madeleine faisait quoi que ce soit qui mît cette sécurité en péril, songea Sophie, elle ne le lui pardonnerait jamais.

L'instant d'après, elle eut honte d'avoir pensé une chose pareille.

— Vous avez un nouveau chien, commenta-t-elle pour faire diversion.

— Oui, Scout, répondit Madeleine, qui parut soulagée. Un vrai casse-pieds, mais les enfants l'adorent.

— Et Abigail, où est-elle ?

— Elle dort sûrement quelque part au sous-sol. Elle n'a jamais vraiment pardonné à Cameron de l'avoir exilée de notre chambre.

Sophie traça du doigt un cercle sur la balustrade, puis lança :

— Hier, à Montpelier…

— Oh, Sophie, arrête !

— … j'ai vu quelqu'un qui ressemblait à Ben.

— Quel Ben ?

— Notre Ben. Ben Kelly. Celui d'il y a longtemps.

— Oh, mon Dieu ! murmura Madeleine. N'en parle pas à Cameron, d'accord ?

— Et pourquoi pas ?

— Tu ne te rappelles pas ? Il n'a jamais compris comment nous avions pu être amies avec ce… genre de garçon.

— C'est la vraie raison pour laquelle tu ne veux pas que j'en parle ?

— Hein ? Bien sûr, voyons ! Qu'est-ce que tu as dans la tête, enfin ?

Un silence nerveux s'ensuivit. Dans le jardin, Belle émergea des buissons de croton en riant et criant à tue-tête, son grand chapeau de paille oscillant au rythme de sa course. Scout sur ses talons, elle sauta sur une corde qui pendait entre deux tilleuls sauvages et commença à se balancer avec, toujours à grands cris.

Sophie suivait des yeux l'aiguille de Madeleine, qui allait et venait, en songeant combien c'était étrange qu'elles n'aient plus jamais reparlé ensemble de Ben, ni des anciens jours de Londres. Pas plus que de cousine Lettice, le sévère petit dragon qui les y avait élevées. Madeleine n'évoquait pas non plus son enfance en Écosse, leurs parents, ni leurs premiers jours à Fever Hill. Et pas davantage les deux fines cicatrices qui entouraient ses poignets, et qu'elle dissimulait sous une paire de minces bracelets d'argent.

Jusque-là, Sophie avait toujours cru que sa sœur réservait de tels sujets à Cameron ; aujourd'hui, elle se demandait si Madeleine parlait, parlait *vraiment* à qui que ce soit. Elle avait toujours eu un tel goût pour le secret. Mais peut-être cela lui avait-il permis de survivre à toutes ces épreuves.

Dans la voiture qui les ramenait de la gare, la veille au soir, elles n'avaient cessé de bavarder pendant tout le trajet. Cameron, à cheval à côté d'elles, les écoutait en souriant, de ce demi-sourire qu'il arborait toujours. En y repensant maintenant, Sophie se rendait compte qu'elle avait animé l'essentiel de la conversation et que Madeleine, en réalité, en avait dit fort peu.

Sur la pelouse, Belle était tombée de sa balançoire et s'était égratigné le genou. Elle s'assit par terre et scruta sa jambe pour voir si ça saignait. Son frère vint se pencher sur elle pour regarder et Scout s'en mêla aussi, fourrageant pour glisser son nez entre eux deux.

Sophie regarda Madeleine qui cassait, imperturbable, un autre fil avec ses dents, et elle sentit à nouveau un léger malaise. Maddy ressemblait tellement à sa mère : ses cheveux noirs brillants, ces beaux yeux également noirs, cette grande bouche rouge à la courbe moqueuse. « Le problème avec les Durrant, c'est qu'ils allaient toujours trop loin. »

Pour le déjeuner, Braverly s'était surpassé en l'honneur de Sophie. Crabes de terre noirs, cuits avec du riz et des pois ; purée de patates douces et salade d'avocat ; et comme dessert, son fameux pudding à la noix de coco, saupoudré de vanille écrasée et baigné du rhum doré d'Eden, produit dans la distillerie de Maputah.

Sophie fut presque soulagée de ne pouvoir questionner davantage sa sœur. Cameron était revenu, et les enfants avaient harcelé Madeleine jusqu'à ce qu'elle les autorise à manger avec leur tante Sophie.

— Quand tu étais en Angleterre, questionna Belle, tu as vu le roi ?

— La neige, on peut en manger ? s'enquit de son côté Fraser.

— Et le Koh-i-noor, il est grand comment ?

Il fallut attendre que Poppy, la nurse, les ait emmenés faire leur sieste, et que le café soit servi dans la véranda, pour que la conversation redevienne possible.

Mais une trêve tacite fut alors conclue entre Sophie et sa sœur.

— Je voulais te demander, lui dit Madeleine – levant les sourcils, comme quand on feint d'attacher de l'importance à une question apparemment futile –, tu as pensé à te faire faire des cartes de visite ?

— Oh, zut ! lança Sophie, en imitant son manège. J'ai complètement oublié.

Cameron alluma un cigare et se renversa dans son fauteuil, en les regardant d'un air amusé.

— Ce n'est pas grave, déclara Madeleine d'un ton enjoué, tu n'auras qu'à en prendre des miennes. Et nous pouvons envoyer un télégramme chez Gardner's pour leur demander de t'en faire en urgence.

— Oh oui, bonne idée.

« Mon Dieu, pensa Sophie, voilà que nous nous parlons comme au théâtre. Maddy, qu'est-ce qui se passe ? »

— Je sais que c'est une corvée, poursuivit Madeleine en évitant de croiser son regard, mais tu vas devoir faire des visites de politesse.

Sophie acquiesça, docile.

— Les Mordenner et les Palairet, et la vieille Mrs Pitcaithley, et Olivia Herapath. Et grand-tante May. Ce sera une épreuve, mais tu ne peux pas y échapper.

— Non, bien sûr.

— Et Clemency, aussi. Même s'il est difficile d'appeler ça une visite de politesse.

— Comment va-t-elle ?

— De moins en moins bien, hélas. Même Cameron n'arrive à rien avec elle. Peut-être que tu parviendras à faire un miracle…

— Hum, j'en doute. Mais… pourquoi ne quitterait-elle pas Fever Hill pour venir vivre avec nous ? Je veux dire, elle ne pourra pas toujours rester seule dans cette grande maison…

— Bien sûr que non, intervint Cameron, mais essaie donc de l'en faire sortir…

Sophie reposa sa cuillère.

— Et si je la vendais ? lança-t-elle sur une impulsion. Elle serait bien obligée d'en partir.

Il y eut un silence. Madeleine la regardait d'un air horrifié ; Cameron se contentait de la fixer pensivement.

Elle avait dit cela sans réfléchir, et maintenant elle se demandait pourquoi elle l'avait dit – sinon parce que, peut-être, si Clemency venait s'installer avec eux, cela ferait une personne de plus pour distraire Maddy, et l'empêcher de penser au jeune homme au fin visage de Montpelier.

— Mais tu ne vas pas la vendre, n'est-ce pas ? répliqua calmement Cameron.

— Non, mais je pourrais. Je veux dire, on peut y réfléchir. Et si Eden a besoin d'argent…

— Non, nous n'en avons pas besoin, déclara-t-il d'un ton ferme.

— Et aussi… tu n'aurais plus besoin de travailler aussi dur. Et Maddy… (Elle prit une grande inspiration.)… Maddy ne serait plus tout le temps seule.

— Qu'est-ce que ça veut dire ? demanda Madeleine d'un ton brusque.

— Oh, c'était juste une idée, murmura Sophie.

— Voyons, Sophie, argumenta Cameron, même en admettant que tu veuilles vendre, quelle sorte de tuteur je serais si je te laissais gaspiller si vite ton héritage ?

— Est-ce que ce n'est pas une vision assez victorienne des choses ? rétorqua Sophie en souriant.

Il rit.

— Sans doute. Mais alors, je *suis* victorien.

— Nous pourrions parler d'autre chose, s'il vous plaît ? demanda sèchement Madeleine.

Il y eut de nouveau un lourd et pénible silence.

Maddy posa le petit couvercle, incrusté de perles, sur le pot de lait pour le protéger des mouches ; elle éloigna Scout du plateau du café et ordonna à Belle, subrepticement réapparue au bas de l'escalier, au bout de la véranda, de retourner immédiatement dans son lit pour continuer sa sieste. Puis elle saisit sa tasse et remua nerveusement son café.

Cameron chassa d'une chiquenaude une fourmi de son genou, se renfonça dans son siège et se plongea ostensiblement dans la contemplation de l'horizon. Oui, il sentait bien la tension qui régnait entre les deux sœurs ; mais non, il n'entendait pas s'en mêler pour être pris entre deux feux.

Lorsqu'elle jugea que le silence avait assez duré, Madeleine lissa sa jupe sur ses genoux et se leva.

— Bien, fit-elle d'un ton brusque. Je dois aller m'habiller, les Traherne nous attendent pour quatre heures.

Une demi-heure plus tard, Sophie se battait avec le corsage de sa robe d'après-midi quand un bouton sauta et traversa la pièce. Bon sang, pourquoi est-ce que tout allait de travers ? Elle ne parvenait même pas à boutonner cette maudite robe…

Elle se jeta sur le lit, les joues en feu et furieuse contre elle-même. Maddy et elle ne se disputaient jamais, d'habitude. Et surtout, il n'y avait jamais entre elles ces longs silences, ces dérobades, ces dissimulations.

Dans le miroir, son reflet la regardait avec colère. Un tourbillon de cheveux brun clair – la couleur de la poussière, songea-t-elle avec répugnance –, des yeux eux aussi couleur poussière, ces sourcils sombres et masculins, une bouche trop grande qui devenait vite maussade lorsqu'elle était fatiguée. Et à présent, pour couronner le tout, cette fichue robe. Pourquoi n'en avait-elle pas commandé une nouvelle en Angleterre, quand elle en avait l'occasion ? Et pour ce qui était de ce foulard vert pâle, non, il ne lui ferait pas une année encore, comme elle l'avait pensé à tort. Il ne lui allait pas du tout : il lui creusait les joues et lui faisait le teint jaunâtre. Sans compter ce corsage qui lui tirait sur le cou…

— Bon Dieu ! s'exclama-t-elle, en tentant à nouveau de l'ajuster.

On frappa un coup à sa porte, et Maddy passa la tête dans l'embrasure.

— Je peux entrer ?

Sophie se releva et se tourna pour lui faire face avant d'écarter les bras dans un geste exaspéré.

— Affreux, n'est-ce pas ?

Madeleine l'examina de haut en bas.

— Tu exagères toujours…

— Pas cette fois, non.

— Si, je t'assure. Tu l'as juste mal boutonnée derrière, c'est pour cela qu'elle est de travers.

Sophie soupira, et sa sœur passa derrière elle pour remettre les boutons en place.

— En plus, il en manque un.

— Je sais. Il a sauté, il est au fond de la penderie.

— Dès que j'aurai fini, tu iras le chercher et je le recoudrai. Ce sera l'affaire d'une minute.

Pendant qu'elle attendait, Sophie repensa à toutes les fois, dans le passé, où sa sœur avait arrangé les choses pour elle. Les rênes cassées de son âne en peluche bien-aimé. La couverture déchirée de son journal d'anniversaires. La muserolle qu'elle avait tricotée trop large pour son poney, et que Maddy avait réussi à rattraper. Des années à prendre soin d'elle, à remédier à ses problèmes.

Alors, quelle importance qu'elle lui ait menti à propos de Montpelier ? Quelle importance ?

— Ça y est, annonça Madeleine en lui faisant une petite caresse. Il ne nous reste plus qu'à recoudre ce bouton.

Chapitre 3

— Telle que je connais Rebecca Traherne, murmura Maddy à sa sœur, tandis qu'elles suivaient le maître d'hôtel à travers la vaste et sonore salle de bal, ce sera plus anglais que nature. Tu vas voir, un vrai thé dans le Kent.

— Sauf pour les domestiques, souffla Sophie, alors qu'elles passaient devant un grand valet de pied noir portant la livrée de la maison, azur et argent.

À sa propre surprise, elle se sentait nerveuse et mal à l'aise. Elle avait oublié à quel point Parnassus était une demeure imposante. Énorme bâtisse de trois étages en pierre de taille dorée, elle dominait la route de la côte menant à Falmouth, et donnait sur des hectares de jardins à l'italienne et de parterres à la française. Le contraste avec Eden était total.

Au moment d'atteindre la galerie, Madeleine s'arrêta et lança un regard rapide à Sophie.

— Je sais combien tu détestes ce genre de mondanités. Tu crois que ça va aller ?

Sophie en fut touchée.

— Ça ira, oui.

— N'oublie pas combien tu impressionnes tout le monde par ton intelligence, et les études que tu as faites en Angleterre.

Sophie la regarda avec surprise ; elle l'avait dit si spontanément qu'elle paraissait s'inclure dans ce « tout le monde ».

— Moi aussi, je suis impressionnée par eux. Parce qu'ils sont tous si beaux et si bien habillés.

Madeleine eut un petit rire ironique.

Il faisait trop chaud pour prendre le thé dans le parc ; on avait dressé de petites tables dorées dans la grande galerie au sud, transformée en un jardin intérieur d'orangers et de fougères en pots. C'était frais, raffiné et, comme Madeleine l'avait prédit, typiquement anglais. Rebecca Traherne avait la hantise de paraître vulgaire, et elle fuyait les usages jamaïcains pour être plus britannique que nature.

La porcelaine était du Wedgwood, le thé venait par bateau de chez Fortnum, les biscuits sablés avaient été préparés selon une recette donnée par les cousins écossais de Mrs Herapath – donc doublement éprouvée, et par la tradition et par les relations aristocratiques de ladite Mrs Herapath. Seule la salade au homard portait l'empreinte de la Jamaïque, mais elle était éminemment respectable en tant que mets préféré de Sa Majesté le Roi à l'heure du thé.

Rien de tout cela, pensa tristement Sophie, n'aurait fait la moindre impression sur son grand-père. Jocelyn Monroe détestait les Traherne, qu'il considérait tous, à l'exception de sa belle-fille Clemency, comme d'insupportables parvenus. Et, aux yeux d'un Monroe qui pouvait remonter la trace de ses ancêtres jusqu'à sept cents ans en arrière, c'était bien ce qu'ils étaient.

Owen Traherne, maréchal-ferrant à l'origine, avait quitté Cardiff en 1704, acheté à bon prix un lopin de terre à l'ouest de Falmouth, et s'était transformé en gentleman. Les Traherne suivants avaient fait fortune dans le sucre, jusqu'à posséder des dizaines de milliers d'esclaves. Quand le gouvernement avait affranchi les esclaves en 1834, Addison Traherne avait vite compris que la classe des planteurs était promise à la ruine, et il s'était opportunément reconverti dans le prêt à intérêt. Il avait prospéré et s'était hissé au sommet de la bonne société du nord de l'île, grâce à un premier brillant mariage, puis un second qui ne l'était pas moins.

Son fils Cornelius l'avait imité, et était aujourd'hui l'homme le plus riche de Trelawny : financier avisé et gentleman planteur, il possédait de vastes champs de canne à Millfield et Waytes Valley, ainsi qu'un important élevage de bétail à Fletcher Pen.

Il avait aussi une longue liste de très jeunes maîtresses, que la bonne société feignait d'ignorer – tout comme elle se gardait d'évoquer (du moins publiquement) le fait que la troisième et très riche épouse de Cornelius, Rebecca, avait eu un grand-père ayant changé son nom de Salomon en Sammond.

— Tu te souviens de ce que Jocelyn disait ? glissa Madeleine à l'oreille de sa sœur, tandis qu'elles s'arrêtaient au seuil de la galerie pour contempler la foule des invités.

Sophie se pencha vers elle et, ensemble, elles imitèrent tout bas la voix de leur grand-père : « Parnassus ? Quel nom ridicule ! Pourquoi pas Olympus, tant qu'on y est ? » Elles rirent, peut-être encore un peu timidement, mais Sophie se sentit plus heureuse et détendue qu'elle ne l'avait été depuis Montpelier.

Tous les gens qui comptaient dans la région étaient présents, et elle connaissait chacun d'eux. Et parce qu'elle était une Monroe (illégitime, mais une Monroe), ils l'accueillirent à bras ouverts. Elle trouva cela très réconfortant.

Elle échangea quelques mots avec la belle Mrs Dampiere, de Spanish Town, salua fort civilement son ennemie d'enfance Amelia Mordenner. Après quoi elle s'assit à côté d'Olivia Herapath (née l'Honorable Olivia Fortescue de Fortescue Hall), pour essuyer un déluge de ragots ainsi que de questions – sincères et bienveillantes, mais lancées d'une voix tonitruante, sur « ce maudit genou ».

— Quoi, pas de tennis ? Toujours pas ? Vous n'êtes pas impotente, j'espère ?

Ensuite, elle se réfugia auprès de la vieille Mrs Pitcaithley, qu'elle alimenta en petits fours : les revenus de la chère vieille dame diminuaient chaque année et, *noblesse oblige*[1], elle préférait se priver elle-même plutôt que de voir son personnel manquer de quoi que ce soit.

— Tant de changements, murmura-t-elle, quand Sophie lui parla de Londres. J'espère que vous n'avez pas pris cet horrible métro ! Quelle affreuse chose sans air, et si peu convenable pour une jeune femme…

Enfin, Madeleine présenta sa sœur à toute une galerie de beaux partis. Mais Sophie fut soulagée de voir qu'ils se désintéressaient d'elle sitôt qu'elle déclinait poliment leur invitation à venir les regarder jouer au billard.

— Ne fais pas bande à part, lui dit Sibella, fondant sur elle dans un tourbillon de mousseline à pois jaune pâle.

1. En français dans le texte (*N.d.T.*).

— Pas du tout, j'ai juste…

— Viens, j'ai quelque chose à te montrer.

Elle l'emmena dans une antichambre où l'on pouvait converser plus aisément.

— C'est mieux ici, déclara-t-elle en s'éventant de la main. J'étais tellement pressée de t'avoir pour moi toute seule !

— Comment s'est fini le collège ?

— Oh, comme une vraie corvée…

— Tu es extrêmement jolie. Ça te réussit, d'être fiancée. Mes félicitations.

Sibella leva les yeux au ciel.

— Si j'avais su tout le travail que ça me donnerait, je ne l'aurais jamais fait.

Mais le compliment parut lui plaire.

De fait, elle était charmante : blonde, bien en chair, elle avait les yeux bleus légèrement saillants de son père et un petit nez mutin dont elle était fière, surtout parce qu'il ne ressemblait pas à celui de sa mère. Rebecca Traherne avait les cheveux sombres, le teint cireux ainsi qu'un nez proéminent ; et Sibella ne faisait pas mystère du mépris qu'elle éprouvait à son égard.

Fixant Sophie de ses grands yeux, elle lui serra les mains avec émotion.

— Tu veux bien être ma demoiselle d'honneur, n'est-ce pas ?

— Bien sûr, si tu le désires…

— Mais d'abord, il faut que je te pose une question. Tu n'es pas devenue une suffragette au moins ?

— Une quoi ?

— Une suffragette ! Tu sais, le vote pour les femmes… Tu ne t'es pas laissé embrigader par elles ?

— Non, penses-tu…

En réalité, Sophie avait bel et bien assisté à plusieurs meetings, mais il ne lui parut pas nécessaire de le mentionner.

Sibella poussa un soupir de soulagement.

— Dieu merci ! Je les déteste. Une bande de laiderons incapables de dénicher un mari. Et Mrs Palairet ne l'aurait jamais supporté.

Mrs Palairet, sa future belle-mère, était à la tête d'une des plus vieilles familles de Trelawny.

— En quoi est-ce que ma conduite regarde Mrs Palairet ? rétorqua Sophie avec une pointe d'irritation.

— Oh, Sophie, quelle question ! Tu vas être ma demoiselle d'honneur. Pense à quel point ça rejaillirait sur moi...

Sophie comprit qu'elle n'avait pas été choisie comme demoiselle d'honneur par amitié, mais parce qu'elle était une Monroe et qu'elle ajouterait du *cachet*[1] au mariage – sans être assez jolie pour faire de l'ombre à la mariée. Curieusement, elle n'en conçut pas de ressentiment. D'ailleurs, Sibella elle-même n'en avait sans doute pas conscience, car elle ne prenait jamais le temps d'analyser ses sentiments et ses motivations. Et on ne pouvait lui tenir rigueur d'avoir été élevée dans une famille considérant les autres sous le seul angle du profit qu'on pouvait en tirer.

Sibella entraîna Sophie vers une table sur laquelle étaient posés deux grands volumes à tranche dorée, somptueusement reliés en maroquin bleu pâle.

— Regarde, ici c'est mon livre de cadeaux. Est-ce qu'il n'est pas merveilleux ?

— Qu'est-ce qu'un livre de cadeaux ?

---

1. En français dans le texte (*N.d.T.*).

— Pour le mariage, voyons ! Il y a une colonne pour le donateur, une autre pour la description et la catégorie du cadeau, une pour la date du mot de remerciement... Et là, ajouta-t-elle en désignant l'autre livre, c'est le registre du trousseau.

Sophie l'ouvrit, en parcourut la première page et cligna des yeux.

— Grands dieux, Sib, douze douzaines de mouchoirs ? Qu'est-ce que tu vas faire de tout ça ?

— Oh, Sophie, d'où est-ce que tu sors ? Ce serait impossible d'en avoir moins ! Et Mrs Palairet approuve tout à fait, elle...

— Alors, si elle approuve...

Deux taches roses apparurent sur les joues rondelettes de Sibella.

— Apparemment, se moquer d'une amie est la dernière mode à Londres. Mais je dois te dire que je ne trouve pas ça amusant.

— Je ne me moquais pas de toi, assura hypocritement Sophie.

Sibella caressa le registre et fit la moue.

— Je veux juste que tout soit parfait, murmura-t-elle. Quand on épouse un Palairet, il faut être à la hauteur. Tu n'imagines pas l'angoisse que c'est pour moi.

L'espace d'une seconde, Sophie revit la jeune fille craintive et joufflue qui s'était cramponnée à elle lors de leur premier trimestre à Cheltenham.

— Rappelle-toi tout de même, répliqua-t-elle, que tu n'épouses pas Mrs Palairet mais Eugene.

— Je ne vois pas le rapport, dit Sibella nerveusement.

— Mais, Sib... tu l'aimes, n'est-ce pas ? insista Sophie.

— Bien sûr que je l'aime. Mais je ne vois pas ce que ça vient faire là-dedans.

Sophie ne répondit rien.

— Tu es trop romantique, plaida Sibella. Il s'agit de la vraie vie, pas d'un roman. Et c'est une affaire rudement sérieuse, crois-moi.

Sophie médita sur cette réponse. Pendant le trajet, elle avait questionné Madeleine sur le fiancé de Sibella. « Gros, content de lui, et aimant un peu trop le jeu, avait diagnostiqué sa sœur avec sa lucidité habituelle. Mais il se bonifiera sans doute avec le temps. »

— Où est Eugene ? s'enquit-elle. Je n'ai pas encore eu l'occasion de le féliciter.

— Là-bas, répondit Sibella, sans grande trace de tendresse dans la voix, avec ton beau-frère.

Sophie suivit son regard, et vit un gros jeune homme satisfait dans un costume de lin blanc – la description de Madeleine était cruellement précise –, en train d'expliquer quelque chose à Cameron qui réprimait un bâillement.

— Il a l'air très sympathique, déclara-t-elle en s'efforçant de paraître convaincue.

Sibella acquiesça sans cesser de caresser le registre de la main.

Au même moment, Cameron tourna la tête et parut chercher quelqu'un des yeux ; de l'autre côté de la galerie, Madeleine fit de même. Leurs regards se rencontrèrent, et ils se sourirent. À l'évidence, les autres invités avaient cessé d'exister pour eux. « Dieu merci ! pensa Sophie avec un soupir de soulagement. Tout va bien entre eux. »

Près d'elle, Sibella referma le registre du trousseau d'un geste sec, et son visage se renfrogna. Peut-être avait-elle, elle aussi, saisi ce regard.

— Sib, qu'est-ce qu'il y a ? questionna Sophie.

— Rien, répondit-elle en fronçant les sourcils. Retourne avec les autres. Je vais ranger ça.

Sophie la regarda avec tristesse. Sibella avait le même âge qu'elle et était, par sa naissance, tout en haut de l'échelle sociale. Elle n'avait nul besoin d'épouser quelqu'un qu'elle n'aimait pas, fût-ce un Palairet. Alors, pourquoi le faisait-elle ?

« Bien sûr que je l'aime », avait-elle affirmé un peu plus tôt. Il n'empêche qu'elle avait ajouté presque immédiatement : « Il s'agit de la vraie vie, pas d'un roman. Et c'est une affaire rudement sérieuse. »

« Est-ce que c'est vrai ? se demanda Sophie. Est-ce qu'on doit laisser derrière soi tout ce qu'il y a dans les romans ? »

Tout en réfléchissant à cette question, elle regagna la galerie ; là, elle prit une tasse de thé, se retourna pour chercher un siège libre – et se trouva en face du jeune homme au fin visage de Montpelier. Les bruits de la réception cessèrent d'un seul coup autour d'elle ; de surprise, elle en laissa presque tomber sa tasse et sa soucoupe.

Il était étonnamment beau, avec ses yeux bleu clair, ses traits délicats et ses boucles, blondes et soyeuses. Il la contemplait avec un léger sourire, comme s'il la connaissait.

— Je crains que vous n'ignoriez mon nom, remarqua-t-il d'une voix douce.

Elle ouvrit la bouche, mais ne trouva rien à lui répondre. Il lui tendit la main.

— Alexander Traherne.

Faisant passer maladroitement tasse et soucoupe dans sa main gauche, elle lui serra la main.

— Le frère aîné de Sibella ?

Il s'inclina.

— Pour vous servir.

Elle s'éclaircit la gorge.

— Vous étiez au loin, je suppose ?

— Eton, Oxford. Le circuit habituel. Et vous ?

— Le Ladies' College de Cheltenham.

— Ça veut dire que vous êtes une de ces horribles bas-bleus ?

— Horrible, sans nul doute.

— Mon Dieu, quel dommage ! Mais c'est bizarre que nous ne nous soyons jamais rencontrés. Ou peut-être que si ? Oui, en y repensant, je crois que oui… Il y a des années, quand je revenais pour les vacances. Je devais être le type même du sale petit fort en thème.

Il parlait trop, et elle se demanda s'il essayait de détourner son attention de quelque chose.

— Moi, dit-elle doucement, je vous ai vu hier à Montpelier.

L'espace d'une seconde, son sourire s'effaça, mais il se reprit vite.

— Comme c'est étrange ! répliqua-t-il. J'ai passé la journée aux courses à Mandeville. Une journée assommante.

— Vous en êtes sûr ?

Il rit.

— Hélas oui. J'ai perdu cinq cents guinées.

— Alors, je me demande qui j'ai bien pu voir à Montpelier.

— Moi aussi. Je dois avoir un sosie. Comme c'est intrigant !

Elle parvint à sourire.

— Vous avez raison. Je dois me tromper.

— En temps normal, je ne me hasarderais pas à suggérer qu'une dame puisse se tromper, mais dans le cas présent, je préfère le penser.

Il soutint son regard sans ciller, et ses yeux bleus étaient limpides comme l'azur ; mais elle savait qu'il mentait, et il savait qu'elle le savait.

— Oh ! regardez, s'écria-t-il avec une nuance de soulagement dans la voix, voici Davina qui vous cherche… Si vous éclaircissez ce mystère, faites-le-moi savoir.

— Je n'y manquerai pas.

Cette réponse lui valut un regard étonné tandis qu'elle s'éloignait.

Après avoir bavardé quelques instants avec la nouvelle venue, Sophie traversa rapidement la galerie et sortit dans le parc. Des invités se tenaient sous la pergola, aussi s'en éloigna-t-elle pour gagner le devant de la maison et descendre quelques marches de pierre jusqu'au grand parterre d'apparat, à droite de l'allée principale. Quand elle émergea de l'ombre des palmiers royaux, la chaleur tomba sur elle comme une masse, mais elle ne s'en soucia pas ; elle avait besoin d'être seule. Au premier banc qu'elle trouva, elle s'assit, en serrant les poings.

Cette fois, elle sentait la colère monter en elle contre sa sœur. À quoi diable jouait-elle ? *Alexander Traherne ?*

Après le regard qu'elle avait surpris entre Madeleine et Cameron, il ne pouvait guère s'agir d'une liaison ; mais il y avait sans nul doute quelque chose. Une intrigue, et si importante que Maddy devait la cacher à son propre mari, ainsi qu'à sa sœur.

« Qu'est-ce que tu fais, Maddy ? Tu as une idée des risques que tu cours ? Tu te rends compte que si le moindre bruit se répand, les gens sauteront tout de suite à la pire des conclusions ? »

Fermant les yeux, Sophie se força au calme. Le soleil lui brûlait les épaules, le bruit strident des grillons lui meurtrissait les oreilles.

Quand elle rouvrit les paupières, elle était toujours aussi en colère. L'éclat du soleil était tellement fort qu'il lui faisait mal aux yeux ; autour d'elle, le parterre semblait figé par cette lumière intense. Morne étalage de lavande grise et sèche, et de petits tilleuls trop bien taillés. À sa gauche, le sévère alignement des palmiers royaux projetait des ombres noires sur l'éclatante marne blanche de l'allée. Au loin, on apercevait les pavillons de pierre sans fenêtre qui marquaient l'embranchement avec la route de la côte ; et encore au-delà, la violente réverbération de la mer des Caraïbes.

Pas d'ombre ni de répit. « Eh bien, il ne fallait pas oublier ton ombrelle », se dit-elle avec irritation. Elle se leva et fit quelques pas le long du parterre, puis s'arrêta. Elle ne pouvait se décider à retourner dans la maison.

À sa droite, après le mur de pierre entourant le parterre, une allée séparait les jardins à la française des écuries situées derrière. En face de celles-ci, dans un vaste pré d'herbe sèche et brunie par le soleil, un palefrenier faisait marcher au pas une jolie petite jument baie, sans doute pour la calmer, sous le regard d'un groupe de garçons d'écurie, juchés sur des balles de paille.

Sophie remonta les marches et s'adossa au mur du parterre pour contempler la scène. Elle mit une main en écran devant ses yeux et ne tarda pas à froncer les sourcils. L'homme qui dressait la jument était le palefrenier qu'elle avait vu à Montpelier ! Elle reconnut sa silhouette et sa démarche : ce dos très droit, cette souplesse un peu féline qui lui rappelaient Ben Kelly. Mais il retira alors sa casquette pour s'essuyer le front du poignet, et elle se rendit compte qu'il ne ressemblait pas simplement à Ben Kelly : *c'était* Ben Kelly.

Elle n'en fut pas vraiment surprise. D'une certaine façon, elle avait aussitôt su que c'était lui, à Montpelier.

C'était Ben Kelly, et en même temps ça n'était pas lui. Le Ben Kelly dont elle se souvenait était un gamin des rues, maigre comme un clou, d'une quinzaine d'années à peine ; non, plus qu'un gamin, mais pas encore un adulte, malgré son visage endurci par une enfance passée dans les taudis. Le jeune homme qu'elle voyait maintenant pouvait avoir vingt et un ou vingt-deux ans ; et s'il était toujours aussi mince, il n'avait plus rien d'enfantin. Il était rasé de près, avec des cheveux drus et noirs, un beau visage mais rude et fermé, sans l'ombre d'un sourire.

Sophie se rappela ce que Madeleine avait répondu dans la véranda, quand elle lui avait dit qu'elle avait cru l'apercevoir à Montpelier : « Oh, mon Dieu ! N'en parle pas à Cameron, d'accord ? » Madeleine aussi avait su dès le début que c'était lui, mais elle le lui avait caché.

« Eh bien, cette fois, Maddy, pensa-t-elle avec colère, tu ne t'en sortiras pas comme ça. Et ce sournois d'Alexander Traherne non plus ! »

Elle s'éloigna du mur et fit quelques pas en avant.

— Donc, c'était bien toi à Montpelier ! lança-t-elle, et sa voix parut glisser sur les herbes sèches.

Il se tourna, et s'immobilisa net. Il n'était qu'à quelques mètres d'elle. Assez près pour qu'elle voie son visage se figer, ses yeux s'agrandir sous l'effet de la surprise.

— Bonjour, Ben. Tu te souviens de moi ? Sophie Monroe.

Il ne répondit rien ; il se tenait juste là, debout dans le soleil, et la contemplait fixement. La petite jument à côté de lui secoua sa crinière puis lui poussa l'épaule du nez, espiègle.

— Je t'ai aperçu hier, à Montpelier, répéta Sophie. Mais tu es reparti avant que j'aie eu le temps de traverser la rue pour te dire bonjour.

Encore une fois, il garda le silence. Puis il eut une brève inclination de la tête – en palefrenier parfaitement stylé – et, au grand étonnement de Sophie, il remit sa casquette et commença à ramener la jument vers les écuries.

— Ben ! cria-t-elle. Reviens ici !

Les garçons d'écurie interrompirent leur conversation et se tournèrent pour les regarder, mais Sophie les ignora.

— Reviens ici ! Il faut que je te parle…

Il se contenta de lui jeter un regard par-dessus son épaule et de secouer la tête avant de s'éloigner.

Elle voulut le suivre, mais elle trébucha et faillit tomber. Quelque part derrière elle, une femme laissa échapper un petit rire. Sophie se retourna, et vit Amelia Mordenner et la charmante Mrs Dampiere, debout sur le perron de la maison, qui la contemplaient. Elle soutint leur regard quelques secondes avec irritation.

Quand elle en revint aux écuries, Ben Kelly avait disparu.

Chapitre 4

Jusqu'à ce qu'il découvre Sophie, il croyait qu'il s'en sortait bien.

Deuxième palefrenier à Parnassus – et d'ici qu'ils mettent à la retraite le vieux Danny et fassent de lui le chef, il n'y avait pas long. Ben Kelly, chef palefrenier. Pas mal, pour un début !

Puis, hier, il avait sorti Problème pour la calmer, et tout à coup elle s'était pointée là : Sophie Monroe, mais drôlement grandie.

Des années qu'il n'avait plus songé à elle. Pas une seule fois. C'est un coup facile à réussir quand on a pigé le truc : il suffit de refermer le couvercle en le claquant bien fort et de penser à autre chose. Juste refermer le couvercle en le claquant bien fort.

En tout cas, il croyait que ça marchait de cette façon. Mais hier, juste quelques secondes, ça s'était rouvert en grand, et il s'était retrouvé là où tout avait commencé. Neuf ans plus tôt, dans ce magasin de photos de Portland Road, avec cette gamine classieuse dans sa robe rayée rouge et blanc, qui voulait lui donner ce foutu livre.

— J'ai pensé que ça t'intéresserait peut-être de l'avoir, elle avait dit, comme si c'était la chose la plus normale du monde. Ainsi tu pourrais lire, toi aussi.

Et lui qui n'arrivait pas à comprendre ce qu'elle voulait. Lui faire un cadeau ? Pourquoi ? Ça lui faisait chaud et ça le démangeait en même temps dans la gorge. Ça lui donnait envie de blesser cette fichue gamine, pour que la prochaine fois elle soit plus maligne et qu'elle ne dise pas n'importe quoi.

Et hier, quand elle était là sous le soleil, à lui dire de revenir et qu'elle avait à lui parler, ça lui avait fait pareil : un truc chaud et qui lui piquait la gorge.

Ah, et merde ! Tant pis pour elle. Qu'est-ce qu'elle lui voulait, de toute façon ?

C'est encore la nuit, et dans le dortoir, tous les autres dorment. Lui ne tient plus en place, alors il s'habille vite fait et il sort voir ses chevaux, en s'ôtant Sophie de la tête. Ç'a été une nuit drôlement longue.

Une fois qu'il s'est occupé de ses chevaux, il va chercher un peu de bon foin tout frais pour Problème, sa préférée, histoire de lui ouvrir l'appétit. Quel nom idiot, Problème ! Celui qui l'avait appelée de cette façon ne connaissait que dalle aux chevaux. Parce qu'elle ne ferait pas de mal à une mouche, cette bête. Elle ne saurait même pas comment s'y prendre. Elle, tout ce qu'elle cherche, c'est à comprendre ce que les gens veulent d'elle, comme ça, après, elle peut leur obéir et elle ne se fait pas disputer. Sauf que c'est pas toujours facile, vu qu'elle n'est qu'un cheval, et donc plutôt limitée question conversation.

Là, elle renifle joyeusement le foin et il lui gratte les oreilles ; mais d'un seul coup ; elle relève la tête et elle a l'air tout inquiète.

Maître Alex vient de se pointer pour faire sa petite promenade du matin. Problème a peur de lui. C'est peut-être à cause de ses gants jaunes. Peut-être qu'une fois elle a été maltraitée par un palefrenier qui avait une veste jaune ; ou encore qu'elle a reçu un coup de pied d'un cheval qui avait un tapis de selle jaune. Ou alors, c'est peut-être juste à cause de maître Alex.

— Salut, mon garçon, déclare-t-il, avec ce côté faussement sympathique que Ben ne supporte pas. Selle-la-moi, tu veux ?

— Qui ça, monsieur ? demande Ben, pour essayer de gagner du temps.

— La jument, répond maître Alex avec un petit rire. Selle-la-moi. Si tu n'y vois aucun inconvénient, bien sûr.

Justement, Ben en voit un. Ce qu'il y a avec Problème, c'est qu'elle n'a pas dû avoir toujours la vie facile. Faut voir dans quel état elle était quand elle est arrivée ici : bourrée de poux, ayant peur de son ombre, et avec des tas de mauvaises habitudes. Ben s'est occupé d'elle pendant des mois : il lui a passé de l'huile contre les poux, il lui a fait partir ses vers, et il lui parlait tout le temps, pour qu'elle comprenne bien qu'il ne lui voulait aucun mal. Et ses mauvaises habitudes, c'était juste parce qu'elle s'ennuyait. Alors il l'a mise dans un box d'où elle pouvait voir la cour, il lui a accroché un navet après un bout de ficelle pour qu'elle s'amuse avec, et maintenant elle est gaie comme un pinson. Elle ressemble de nouveau à un cheval : une jolie robe brillante, et cette façon de marcher tranquille qu'ils ont quand ils vont bien.

Maître Alex ne sait rien de tout ça, parce qu'il n'a pas encore pu lui monter dessus. Ben y a veillé. C'est bien la dernière chose dont Problème a besoin, un gros balourd dans son genre qui la brutalise et lui tire sur la bouche.

— Quand tu veux, mon garçon, lui lance maître Alex.

Bizarre qu'il l'appelle toujours « mon garçon », alors qu'ils ont le même âge ou presque, pense Ben.

— Oui, m'sieur, répond-il en inclinant la tête. Juste le temps de lui passer un petit coup de savon doux, et ça ira.

— Pourquoi donc ? questionne maître Alex en fronçant les sourcils.

— À cause des poux, m'sieur. Elle en a presque plus, mais il y a juste les derniers qui s'accrochent encore.

Maître Alex lui lance le regard de celui qui pense être en train de se faire rouler, mais sans en être absolument sûr. En tout cas pas assez pour courir le risque, avec les poux.

Donc pour finir, il monte Aigle, un grand alezan tout clinquant mais qui n'a pas grand-chose dans le ventre. Ils sont vraiment faits l'un pour l'autre. Ben ne peut s'empêcher de sourire pendant qu'ils s'en vont.

— Fais gaffe à toi, mon gars, lui lance Danny Tulloch en route vers la sellerie.

— Pourquoi ça ?

Danny plisse son vieux visage revêche et crache par terre.

— Tu sais très bien d'quoi je veux parler, mon gars. Cette p'tite jument, elle appartient à maître Alex, pas à toi. Si tu continues à faire le mariole avec lui, il te flanquera à la porte vite fait.

Ben hausse les épaules.

— D'accord, je ferai gaffe à moi.

Danny a un sourire en coin et secoue la tête.

Un type okay, Danny. Lui et Ben s'entendent bien. Danny est un cousin de Grace McFarlane, la mère d'Evie. Il y a des années, elle a rendu un service à Ben, et il lui en a rendu un aussi. Donc un cousin à elle est okay pour lui, et c'est comme ça que le vieux Danny voit les choses lui aussi.

Maintenant que maître Alex est loin, Ben met le filet à Problème et monte dessus à cru. Il l'emmène à la plage, pour l'iode.

C'est très bien, la plage. Des saules, du sable blanc et toute cette eau claire – aussi claire que du gin. Quand Ben est arrivé à la Jamaïque, c'est là-bas qu'il dormait au début. C'était le seul endroit où il se trouvait bien, tranquille. Partout ailleurs, il se sentait complètement retourné à l'intérieur.

Le problème, ici, c'est qu'il y avait trop de tout. Toutes les sortes de fruits que vous pouvez imaginer, et qui poussaient d'eux-mêmes sur le bord de la route. Toutes les sortes de fleurs ; et les perroquets avec leurs couleurs ; et l'air qui était chaud, propre, plein d'odeurs d'épices. Ça le faisait penser à Kate et Robbie, et aux autres, là-bas à Londres, qui pourrissaient dans leurs tombes glacées et pleines de boue. Ça le faisait se sentir tellement mal ! C'est là qu'il a appris à refermer le couvercle en le claquant très fort.

Problème, elle aime bien la plage. Alors ils font un bout de galop, Ben couché contre son encolure lui murmurant à l'oreille :

— Vas-y, ma belle, montre un peu ce que tu sais faire.

Elle a une jolie allure. Un vrai petit pur-sang jamaïcain : elle va vite, elle se tient très droit, elle fait des foulées toutes souples et légères.

Au bout d'un moment, il met pied à terre et ils vont marcher dans la mer. Il lâche les rênes et elle le suit comme un chien, avec des petits ébrouements pour lui signifier qu'elle est contente. Puis, quand il ressaute sur son dos, elle se retourne pour lui mordiller le genou. En langage de cheval, ça veut dire : « On est copains, toi et moi. » Alors il lui répond par des gratouilles sur l'encolure, et elle lui refait ses petits ébrouements.

La dernière fois que Ben a vu Sophie – avant qu'elle ne parte pour l'Angleterre –, elle aussi gratouillait le cou de sa monture. Elle était en train de se promener avec son grand-père, un peu après Salt Wash. Le vieux monsieur était monté sur un grand cheval gris et Sophie sur un gros petit poney, avec du sang gallois dans les veines. Elle devait avoir dans les quatorze ans et elle montait à califourchon dans une de ces jupes-culottes – peut-être parce qu'une selle d'amazone lui aurait abîmé le genou. Elle bavardait, bien sûr, et elle faisait des gratouilles sur l'encolure de son poney.

Elle n'avait pas remarqué Ben. Il était avec d'autres en train de sarcler un champ de canne sur le bord de la route, et elle n'avait pas fait attention à lui. Pourquoi est-ce qu'elle l'aurait fait ? Lui aurait pu l'appeler, mais il ne l'avait pas fait non plus. Et alors, où était le problème ? Elle est de la haute et pas lui. On ne s'arrête pas à ça quand on est enfant, mais après on ne veut plus trop se mélanger.

Madeleine sait ce genre de choses. L'autre jour, à Montpelier, ils ont échangé un regard ; elle a souri et lancé : « Bonjour, Ben, tu as l'air en forme », mais après ça elle s'est arrêtée de lui parler, et elle a bien fait. Peut-être qu'ils ont été copains à Londres, mais c'était il y a des années. Impossible de se mélanger.

C'est ça que Sophie doit comprendre aussi. Comment elle l'a regardé, la veille… Un peu étonnée, peut-être même un peu triste qu'il ne s'arrête pas pour lui dire un mot.

Mais ensuite – oh, le regard qu'elle a lancé à Mrs Dampiere, après avoir trébuché et entendu les autres se moquer d'elle ! Preuve qu'elle continue d'avoir un sacré caractère, comme dans le temps.

Une fois, à Londres, ils étaient dans la cuisine de cette cousine Lettice et lui se trouvait près de la porte, prêt à tailler la route au moindre problème, pendant que Madeleine, Sophie et Robbie étaient assis à table, en train de manger de la soupe. Et tout à coup Sophie s'était retournée sur sa chaise, avait relevé un peu sa robe et retroussé son bas.

— Regarde, Ben, j'ai un bleu.

Elle lui avait montré un petit gonflement rose, sur le genou le plus propre qu'il avait vu de sa vie.

— C'est pas un bleu, il avait grommelé.

Mais alors elle avait répondu, et sur quel ton :

— Si, même que c'en est un beau !

Oui, elle avait un sacré caractère. Mais la chose bizarre avec elle, aussi, c'est qu'on pouvait facilement la blesser. Comme la fois où elle lui avait donné le livre d'images et qu'il lui avait parlé d'un ton sec : pendant un moment, il y avait eu des larmes dans ses yeux couleur de miel.

Hier, quand il est parti sans lui répondre, est-ce que ça l'a blessée ? « Ah, et puis merde ! Qu'est-ce que ça peut bien faire ? »

Un jour, il y avait eu ce vieux type à Londres, Mr McCluskie, qui lui avait dit :

— Tu sais, Ben Kelly, tu es quelqu'un de mieux que tu ne le crois. Pourquoi tu ne saisis pas ta chance ?

Mais c'étaient des conneries, juste des conneries. Et plus tôt Sophie le comprendrait, mieux ce serait.

Il met Problème au petit galop, ils traversent la route de la côte et repassent les portes de Parnassus. De chaque côté, il y a ces bâtisses de pierre avec des fenêtres aveugles et une phrase en latin sur le devant, *Deus mihi providebit*. Le frère de Danny, Reuben, qui est prédicateur à Coral Springs, assure que ça signifie : « Dieu y pourvoira pour moi. »

« Ça serait peut-être vrai si tu étais Alexander Traherne, Madeleine Lawe ou Sophie Monroe, mais ça veut dire que dalle si tu es Ben Kelly. Les Kelly, Dieu les laisse se débrouiller tout seuls. »

Et après ? C'est comme ça que va le monde. Mais ce qui est sûr, c'est qu'on ne veut pas mélanger des choses différentes.

Lorsque Ben revient, il est midi. La cour de l'écurie est silencieuse, le soleil matraque comme toujours. Rien que de la poussière rouge, et ces fichus grillons qui vous résonnent dans les oreilles.

Il bouchonne Problème, et après elle se penche pardessus la porte du box, toute contente et détendue.

Elle est okay, Problème. Le matin, quand il lui apporte sa ration, elle hennit pour lui. Le premier cheval qu'il a connu, vraiment connu, si on peut dire, hennissait aussi pour lui. Jusqu'à ce qu'il ait ce boulot dans les écuries de Berner's, il n'y avait pas pensé plus que ça, aux chevaux. Mais là-bas, à son deuxième jour, ce vieux cheval bai mangé aux mites avait henni pour lui. Il avait demandé à Mr McCluskie pourquoi il faisait ça, et l'autre lui avait répondu :

— Parce que tu l'as nourri hier soir, mon garçon.

— Et alors ? Ça veut pas dire que je le referai chaque fois.

— Peut-être, mais lui il le sait pas, tu comprends ?

« Ça, c'est des chevaux pour toi. Pas des chevaux de la haute, mais ils oublient jamais. Jamais. » Drôle d'histoire, quand même, *tout* se rappeler – tout sur Madeleine et Sophie, et sur Robbie et les autres, et sur… sur Kate. Et merde ! Un jour, le couvercle va exploser.

Maintenant, c'est l'après-midi, et les dames vont dehors en visite. Elles veulent toujours que ce soit Ben qui conduise, parce que ça fait mieux d'avoir un palefrenier blanc au lieu d'un Négro : alors il doit être tout pomponné dans sa culotte en daim, ses bottes et sa tunique bleue serrée avec un col montant. Tout ça pour faire faire leur petit tour aux gens de la haute, qu'ils aillent laisser leurs bouts de carton les uns chez les autres.

Cet après-midi, c'est seulement Madame qui fait ses visites : il sera de retour à temps pour le thé. Sauf qu'il y a de la promenade à cheval dans l'air, donc quatre chevaux à seller, donc pas de thé.

Maître Alex et maître Cornelius emmènent Mrs Dampiere voir le lac Waytes, car ils craquent tous les deux pour elle. Ils emmènent aussi Miss Sib pour que ça soit plus convenable. Ils s'en vont, mais au bout d'une heure voilà que maître Cornelius est de retour, tout rouge et de mauvaise humeur. Il dit que la jument de Miss Sib s'est mise à boiter, alors Ben doit lui amener un autre cheval et ramener ici la boiteuse.

Ben monte sur Samson et il prend au sud-ouest, par les champs de canne de Waytes Valley. C'est chouette d'être tout seul. Rien d'autre comme bruit que les craquements de la selle et le vent qui souffle dans les cannes. Sur sa droite, il y a la vallée de la Reine d'Espagne, avec à perte de vue tous ces hectares que maître Traherne avait rachetés au grand-père de Sophie ; sur sa gauche, au loin, les bambous géants le long de la route de Fever Hill.

Il les retrouve à la pointe sud de Waytes Valley ; il fait l'échange des selles et il aide Miss Sib à monter sur Samson. La jument est raide boiteuse, c'est vrai. Il va mettre du temps pour le retour.

Mais voilà que les autres se disputent : Miss Sib a mal à la tête et elle veut rentrer –, mais pas avec le palefrenier, parce que ça serait trop long ; elle veut que son frère et Mrs Dampiere viennent avec elle. Pas question, dit maître Alex, il veut emmener Mrs Dampiere au lac. Il le veut et il le fera...

À la fin, bien sûr, c'est Miss Sib qui gagne ; maître Alex doit faire le gentleman et la ramener. C'est là que Mrs Dampiere met son grain de sel.

— J'avais vraiment en tête de voir le lac, elle minaude. Je me demande, mon cher Alex : est-ce que ça ne vous ennuierait pas... Est-ce que le palefrenier pourrait me montrer le chemin ?

Joli petit lot dans son genre. Toute jeune et toute douce, avec des cheveux dorés et des yeux gris, et une petite bouche rose, toute rose. Le genre qui arrive toujours à ce qu'elle veut.

Maître Alex grince un peu des dents, mais il sourit et lui répond :

— Mais bien sûr...

Puis il dit à Ben d'emmener la jument boiteuse à la maison de Waytes Point, de prendre là-bas un cheval frais, et de conduire la dame au lac.

— Oui, m'sieur, fait Ben.

Maître Alex lui balance un regard, et il a les yeux des Traherne : bleu pâle, avec le centre noir et profond comme ceux d'une chèvre.

— Veille bien à être de retour avant la nuit, il lui lance, avec une pointe d'avertissement dans la voix. Je compte sur toi.

Donc à présent ils sont partis pour Waytes Point, lui et Mrs Dampiere. Bientôt ils laissent la jument boiteuse brouter dans l'enclos et Ben monte sur Joueur, qui a quinze ans bien sonnés mais qui a l'air tout content de partir en balade. Mrs Dampiere est derrière lui, elle ne dit pas un mot, et Ben aime autant ça. Il n'est pas trop sûr de ce qu'il faut penser d'elle. Pourquoi donc s'est-elle mise à rire comme ça quand Sophie est presque tombée ?

Il claque un bon coup le couvercle sur cette idée, et en une demi-heure de temps ils arrivent au lac. C'est pas vraiment un lac : juste un barrage de pierre pour retenir l'eau de ruissellement des collines, qui est verte et vaseuse par-derrière. C'est pas vraiment non plus l'endroit que préfère Ben : cette eau morte recouverte de nénuphars, ces grandes feuilles jaunes à l'air malade... Tout ça pue la pourriture et la mort.

Mais Mrs Dampiere n'a pas l'air de le remarquer. Ils s'arrêtent en dessous d'un bouquet d'arbres près du barrage et elle lui demande de l'aider à descendre. Premier mot qu'elle lui adresse de tout l'après-midi.

Pendant qu'il s'occupe d'attacher les chevaux, elle s'en va marcher sur le mur du barrage. Il est lisse sous les pieds et il a un bon mètre de large ; mais d'un côté il y a un méchant précipice avec des buissons d'aubépine, de l'autre cette eau marécageuse. Alors il la suit, pour être sûr que tout ira bien. Maître Cornelius lui ferait la peau si jamais elle dégringolait.

À la moitié du chemin, elle manque de le faire. Il lui offre son bras, et elle le prend sans un mot.

Elle porte une tenue d'amazone bleu foncé, très pincée à la taille, des longs gants noirs avec des boutons de perle noire, un chapeau haut-de-forme brillant avec une voilette à pois bleu foncé. Il peut voir une petite mèche de cheveux dorés qui s'échappent sur sa nuque.

Pour une raison ou une autre, ça lui rappelle Sophie quand elle était enfant. Ses cheveux n'étaient pas aussi beaux que ceux de Mrs Dampiere ; ils étaient touffus et épais comme une crinière, et tirant sur le roux. Maintenant qu'elle a grandi, ils sont plus sombres, une sorte de brun clair.

À part ça, elle n'a pas beaucoup changé. Elle n'a jamais été une beauté, pas comme Madeleine. Trop maigre, et on dirait toujours qu'elle a des problèmes. Ces sourcils foncés qui lui barrent le front – et cette bouche qu'elle a avec, aux deux coins, des petites fossettes qui se creusent quand elle fait la tête. Non, elle n'est pas une beauté. Mais maintenant qu'elle a grandi, elle est le genre de fille sur qui on se retourne…

« La ferme ! se dit-il, en colère. Tu la fermes avec Sophie Monroe, un point c'est tout. C'est pas ta copine, ça l'a jamais été. Elle fait partie de ces foutus gens de la haute. »

— Donc, c'est là que vous allez nager ? demande Mrs Dampiere, le tirant de ses pensées.

Il lui balance un regard.

— J'suppose qu'il y a des gens qui le font, m'dame.

— Mais pas vous ?

— m'dame ?

— Vous n'aimez pas venir nager ici ?

— Non.

Elle se penche par-dessus le bord et observe les nénuphars.

— Comment est-ce que vous vous appelez ? lui demande-t-elle sans se retourner.

— Kelly, m'dame.

— Kelly… Donc, vous êtes irlandais ?

— Non, m'dame.

— Mais vous avez le teint d'un Irlandais… ou je devrais dire d'un Celte – même si vous ne savez pas ce que ça veut dire, j'imagine. En tout cas, Kelly est un nom irlandais.

— Mon p'pa était irlandais, m'dame.

« Ce bâtard peut brûler en enfer jusqu'à la fin des temps. »

— Ah… Donc, vous ressemblez à votre père ?

— Non ! répond-il impulsivement, malgré lui.

Elle peut voir que ça l'a irrité, et sa petite bouche toute rose se met à sourire.

C'est à ce moment-là qu'il comprend ce qu'elle est en train de faire. Elle lui fait du gringue, tout simplement.

Beaucoup de dames font ça. C'est un jeu auquel elles aiment jouer. Elles vous donnent des ordres, vous obéissez, tout ça est parfaitement bien et convenable ; mais, de temps en temps, elles vous rappellent qu'elles savent que vous êtes *aussi* un homme. Elles font ça juste parce qu'elles s'ennuient ; neuf fois sur dix, ça ne va pas plus loin, donc il n'y a pas de mal.

De l'autre côté de l'étang, un grand héron bleu s'envole. Mrs Dampiere le suit des yeux, jusqu'à ce qu'il ne soit plus qu'un point noir à l'horizon.

— Ils battent leurs femmes, remarque-t-elle, de nouveau sans le regarder.

— M'dame ? fait-il en sursautant.

— Les Irlandais. Ils battent leurs femmes. D'après ce qu'on dit.

Elle se tourne et le fixe des yeux.

— Vous, Kelly, est-ce que vous battez la vôtre ?

Il se baisse et chasse d'une chiquenaude un brin d'herbe de sa botte.

— C'est l'heure de rentrer, m'dame, dit-il.

Le parfait palefrenier. Elle a un sourire amusé.

— Très bien, Kelly. Très bien.

Ils reviennent vers les chevaux, et il est soulagé, parce qu'elle fait comme si rien ne s'était passé. Elle lui montre des arbres avec sa cravache et lui demande leur nom. Elle lui explique qu'elle est depuis peu en Jamaïque, et que tout ça ne lui est pas encore familier. Lui, bien sûr, il répond à ses questions.

— Ça, c'est un guango, m'dame.

— Et celui avec les feuilles comme des plumes ?

— Un poinciana... Et celui d'à côté, ne peut-il s'empêcher d'ajouter, parce qu'il est en colère contre elle, c'est un mimosa. Les Négros appellent ça la honte-des-dames.

Ça la fait rire. « Elle se laisse pas démonter facilement, d'accord. »

Quand elle arrive dans l'ombre du poinciana, elle s'arrête. Il croit qu'elle attend qu'il aille chercher son cheval, mais alors elle défait les boutons en perle de son gant et commence à l'enlever.

« Oh, merde... *Merde !* Elle a vraiment ça dans la tête, alors. Pas ici, pas maintenant... » Pas avec Sophie à qui il pense toujours.

— Vous savez, Kelly, lui déclare-t-elle, tout en tirant à petits coups sur un doigt puis l'autre, vous êtes un peu le favori de maître Cornelius. Vous êtes au courant ?

Il ne dit rien. Qu'est-ce qu'il pourrait dire ? Non mais, qu'est-ce qu'il pourrait dire, bon Dieu !

Elle tire, le premier gant s'en va et elle le laisse tomber dans l'herbe.

— En fait, ajoute-t-elle en se mettant à enlever le second, il m'a assuré que vous pouviez chevaucher n'importe quoi. Est-ce que c'est vrai ?

Il se tait toujours. De toute façon, elle n'attend aucune réponse de sa part.

Elle laisse tomber le second gant puis soulève sa voilette, retire les épingles de son chapeau et le pose par terre.

— Au cas où vous n'auriez pas compris, c'était un compliment que maître Cornelius vous faisait.

Il la regarde d'un air sans expression.

— J'en savais rien, m'dame.

Elle penche la tête de côté et le dévisage.

— Vous n'aimez pas montrer vos sentiments, n'est-ce pas, Kelly ?

— J'en ai pas, m'dame. Je suis juste un palefrenier.

— Oh, vraiment ?

Elle tend la main, passe doucement le doigt sur la lèvre inférieure de Ben.

— Pas de sentiments ? Je ne vous crois pas. Pas avec une bouche pareille.

Il toussote.

— Je vais vous chercher votre cheval, m'dame. Il va bientôt faire nuit. On devrait…

— Si vous ne m'obéissez pas, je dirai à maître Cornelius que vous avez été impertinent. Je vous ferai renvoyer.

Il s'en faut de peu qu'il lui réponde : « Allez-y, vous gênez pas, sale petite garce ! » Mais pourquoi lui donner le plaisir de le faire virer ? En plus, s'il quittait Parnassus, qui s'occuperait de Problème ?

Et puis, pourquoi ne pas en profiter, au fond ? Elle est mignonne comme tout. Et il saura y faire, il ne s'inquiète pas pour ça.

Elle s'approche encore davantage de lui, penche la tête en arrière pour mieux l'observer. Ses yeux sont brillants, ses lèvres entrouvertes sur sa petite langue rose. Il a envie de la prendre par les épaules et de la secouer jusqu'à ce que ses dents s'entrechoquent. Jusqu'à ce qu'elle sache ce que ça fait, quand quelqu'un abuse de vous et de la situation.

Elle lève la main, détache le premier bouton de la tunique de Ben. Au passage, ses ongles effleurent sa gorge et il tressaille.

— Ombrageux, hein ? constate-t-elle avec un sourire.

« Ombrageux », comme on le dit d'un cheval. Comme s'il n'était pas un homme mais un foutu animal. La colère recommence à bouillonner dans sa poitrine.

Elle détache le deuxième bouton, le suivant, s'attaque ensuite à ceux de sa chemise, à son maillot de corps. Puis elle pose ses mains manucurées à plat sur son ventre. Il se raidit quand les petites demi-lunes de ses ongles s'enfoncent dans sa peau.

Son sourire s'agrandit et elle lui déclare :

— Ne vous inquiétez pas, je ne vais pas vous faire de mal. Mais j'espère beaucoup que *vous* allez m'en faire.

Minuit est passé depuis longtemps. Il est descendu à la plage, pour se laver de son odeur dans la mer. Le vent souffle fort et l'eau est froide, mais c'est propre, salé – tout ce dont il a besoin.

Ils sont arrivés en retard à Parnassus, et bien sûr, elle l'en a rendu responsable. Elle a prétendu qu'il s'était perdu. Maître Alex s'est moqué de lui devant les autres et maître Cornelius lui a passé un savon, puis a dit qu'il lui retiendrait une semaine de salaire. Elle a regardé la scène jusqu'à ce que ça l'ennuie, alors elle lui a lancé les rênes de son cheval et elle est partie. La même femme qui, un peu plus tôt, était couchée sous lui dans l'herbe, gémissant, lui griffant le dos et criant pour en avoir toujours plus.

Elle lui a causé des ennuis juste comme ça, parce qu'elle en avait le pouvoir, qu'elle s'en tirerait sans dommage, et qu'il ne pourrait pas lui rendre la monnaie de sa pièce. Et alors ? Voilà comment sont les gens : ils font tout ce qui leur passe par la tête tant qu'ils ne risquent rien en le faisant.

Ben ferma les yeux et s'imagina un moment dans la peau d'un millionnaire, se vengeant des gens de la haute. Mais Sophie en fait partie, de ces gens-là. Et il n'aura jamais à se venger d'elle, parce qu'elle ne lui a jamais fait aucun mal.

De penser à ça lui redonne cette espèce de chaleur et de picotement dans la gorge. Il grogne et il presse ses doigts très fort contre ses yeux.

« Ne pense plus à tout ça, imbécile. Ne pense plus à Sophie, ni à Madeleine, ni à personne. Tiens-toi juste à distance. Tiens-toi à distance et referme bien fort le couvercle. »

Chapitre 5

Ben Kelly ne lui avait jamais menti.

Il l'avait regardée de haut, il avait été dur avec elle – jusqu'à la faire presque pleurer, une fois. Mais il ne lui avait jamais menti.

— Et après ? aurait-il dit si elle lui en avait fait la remarque. Si la vérité te pose des problèmes, c'est toi que ça regarde.

La première fois qu'ils s'étaient rencontrés, c'était à Londres, en 1894. Au studio de photographie, dans Portland Road, où Maddy donnait de temps en temps un coup de main bénévole. Un matin brumeux de mars, elle y avait emmené Sophie en l'honneur de ses dix ans, et elles avaient vu arriver dans la boutique deux gamins crasseux cherchant quelque chose à voler.

Ni Sophie ni Madeleine n'avaient jamais rencontré ce genre de gamins avant. Donc, au lieu de les chasser ou d'appeler un policier, Maddy avait pris un fusil en bois sur une étagère et avait crié : « Au voleur ! » avec un sang-froid qui avait sidéré Sophie. Comme les intrus étaient incapables de distinguer un vrai fusil d'une imitation, ils étaient restés figés sur place, tels des animaux pris au piège.

— Qu'est-ce que vous avez dans vos poches ? avait demandé Maddy d'un ton sec, en essayant de prendre l'air féroce.

Les gamins avaient aussitôt vidé leurs poches, et posé plusieurs pommes à moitié pourries sur le comptoir. Les deux filles les avaient regardés avec étonnement. Chaque semaine, Mr Rennard, le propriétaire du studio, achetait un bol de fruits, pour le cas où l'un de ses modèles aurait besoin de ce qu'il appelait « un peu de décor ». Mais, cette semaine, il n'avait pas encore eu le temps d'aller en acheter des frais.

— Qu'est-ce que vous comptiez faire avec ça ? avait demandé Maddy.

— Les manger, bien sûr ! avait grommelé le plus vieux des deux garçons, comme si la question était idiote. Vous pensiez quoi d'autre ?

— Mais elles sont pourries, avait observé Maddy. Nous allions les jeter…

— On voit que vous savez pas ce que c'est, un fruit pourri…

Sophie était fascinée : elle n'avait encore jamais rencontré personne comme lui. En fait, elle n'avait pas rencontré grand monde, parce que cousine Lettice ne leur permettait pas de fréquenter d'autres enfants. Et bien sûr, les pauvres étaient doublement bannis, parce qu'ils manquaient de moralité et qu'ils avaient des maladies.

Le garçon avait ajouté que son nom était Ben Kelly, et celui de son frère Robbie. Il parlait d'une voix pleine de mépris, parce qu'il connaissait mieux le monde qu'elles et qu'il le savait.

Sophie avait repris son souffle et tâché de ne pas le regarder bouche bée. Il était gris de crasse et sentait comme l'égout, mais, pour elle, cela ne faisait qu'accroître son charme et son exotisme. Il était comme un lutin venu d'un autre monde, un cadeau d'anniversaire d'une espèce rare et dangereuse.

Son frère Robbie avait le dos voûté, des cheveux roux en bataille, un petit visage au teint jaune, mais ouvert et confiant. Un de ses pieds, nu et couvert de croûtes, était grossièrement enveloppé dans une bande de papier journal ; il s'appuyait sur l'autre jambe et contemplait Maddy bouche bée, un filet de bave mêlée de miettes de pomme lui coulant sur le menton.

Ben était grand et mince ; sous la couche de crasse, ses traits étaient fermes et réguliers – et ils évoquèrent à Sophie le visage des saints qu'on voyait dans les églises. Puis elle remarqua ses yeux et en fut saisie : elle n'en avait jamais vu d'aussi verts. Elle songea qu'il devait être un enfant jadis enlevé par des fées, avec une lignée remontant à un peuple de Tritons, ou peut-être au roi Arthur.

Il était visiblement plus vieux qu'elle, mais, au grand amusement de Sophie, il ne pouvait préciser quel âge il avait au juste, et ça ne paraissait pas le déranger outre mesure.

— J'sais pas, avait-il dit en haussant les épaules. Dans les treize ans ?

Mais comment faisait-il pour les anniversaires ? se demanda-t-elle.

Elle avait un peu pitié de Robbie, mais pas de Ben. Jamais de Ben. Dès le début, elle avait voulu être amie avec lui.

Pour attirer son attention, elle avait pris son courage à deux mains et décidé de lui montrer son nouveau livre.

— La semaine dernière, c'était mon anniversaire, lui avait-elle expliqué en parlant à toute vitesse, comme elle le faisait toujours quand elle était nerveuse. Je n'ai pas eu de fête, parce que nous ne connaissons personne. C'est pour ça que c'est si agréable de vous rencontrer…

— Sophie, ça suffit, avait murmuré Maddy.

— … mais Maddy m'a donné *Beauté noire*, avait-elle continué, en lançant à Ben un regard implorant, et il est génial, je l'ai déjà lu deux fois.

Puis elle avait posé l'ouvrage sur le comptoir et l'avait poussé jusque devant lui.

Il avait jeté un coup d'œil rapide à la reliure en cuir, mais son regard était revenu dessus. Elle avait senti un frisson de triomphe la parcourir quand, d'un index très sale, il avait suivi la courbe dorée de l'encolure du cheval. Ensuite, il avait relevé la tête, surpris le regard de Sophie posé sur elle, et son visage s'était fermé.

— Ça va pas. Ils ont mal mis la bride, avait-il déclaré d'un ton sans appel.

Elle en avait été impressionnée.

— Tu t'y connais en chevaux ?

— Ben a eu un travail une fois, était intervenu Robbie d'une voix chantante, comme s'il avait appris ces mots par cœur. C'était aux écuries chez Berner's, et il…

— Ferme-la, avait grogné son frère.

Puis il avait dit à Sophie :

— Okay, tu sais lire. Et après ?

Elle avait cligné des yeux.

— Mais… tout le monde sait lire.

Puis elle avait remarqué que Maddy secouait la tête et lui lançait son sourire en coin qui signifiait : « Oh, Sophie, vraiment ! » et elle avait compris son erreur. Elle en avait été bouleversée. Elle-même passait tous ses moments libres plongée dans un livre ; c'était l'occupation qu'elle préférait. Il ne lui était jamais venu à l'esprit que d'autres ne pouvaient pas la partager.

« Mais comment ça doit être ? s'était-elle demandé. Si on ne peut jamais se plonger dans un livre, on doit être exclu de tout, le monde entier doit être gris. Ce n'est pas comme ça pour lui, si ? »

— Je suis terriblement désolée, avait-elle articulé lentement. Je ne voulais pas dire que… euh, tu ne sais pas lire ?

— Je connais mes lettres, avait-il grommelé.

C'est ce jour-là qu'il avait été le plus près de lui dire un mensonge. Plus tard, elle apprendrait qu'il était seulement allé à l'école deux semaines, quand on y distribuait des tickets de soupe. Comme il était intelligent, il avait retenu la plupart des lettres, mais on ne lui avait pas expliqué comment les relier pour en faire des mots. À cet instant, cependant, elle l'ignorait ; après avoir surmonté sa surprise à l'idée que des gens ne savaient pas lire, elle avait eu une idée.

— Maddy a des livres ici pour les enfants des clients, avait-elle déclaré, et elle s'était dirigée vers le tiroir derrière le comptoir après avoir lancé à sa sœur un regard interrogateur.

Maddy avait acquiescé tout en posant le fusil sur sa hanche.

— C'est pour les distraire, avait continué Sophie en haletant.

Ses yeux avaient rencontré le regard attentif de Ben, et elle avait baissé la tête vers le tiroir, toute troublée intérieurement.

— Je me disais que peut-être ça t'intéresserait d'en avoir un, avait-elle murmuré. Comme ça, tu pourrais lire toi aussi. Ça parle d'un cheval de la cavalerie pendant la guerre de Crimée. Peut-être que ça te plairait, puisque tu aimes les chevaux…

Elle avait pensé qu'il serait content et, pourquoi pas ? même un peu reconnaissant. Ce fut tout le contraire : Ben avait fixé tour à tour le livre d'images et elle-même avec une expression hostile et butée. Son visage était crispé comme si elle lui avait lancé une terrible insulte.

— Je vais pas le lire, je vais le vendre ! avait-il répliqué, tout en le lui arrachant des mains.

Elle s'était demandé si elle avait bien compris. Elle avait essayé de sourire, et dit que, lorsqu'il aurait fini ce livre, il pourrait revenir, elle lui en donnerait un autre. Mais, à sa grande confusion, cette proposition n'avait fait qu'empirer les choses.

— Tu rigoles ou quoi ? Pourquoi je reviendrais ?

Les larmes lui en étaient presque montées aux yeux : « Tu ne pleureras pas, s'était-elle enjoint fermement, tu ne verseras pas une larme ! »

Par chance, Maddy s'en était alors mêlée. Elle avait lancé un regard noir à Ben, et il avait cédé ; après avoir observé un silence, il avait murmuré : « Viens, Robbie, il faut qu'on se tire », et ils avaient quitté la boutique.

Ravalant ses larmes, Sophie s'était placée près de la porte pour les regarder disparaître dans l'épais brouillard jaune. Elle n'arrivait pas à comprendre quelle erreur elle avait bien pu commettre.

En fait, Sophie le réaliserait plus tard, Ben avait réagi ainsi parce qu'il ne voyait pas comment réagir autrement. Il était comme un chien qui, n'ayant jamais reçu que des coups, ne peut que grogner, même quand on lui offre un os.

Elle pensait qu'elle ne le reverrait pas, mais quelques mois plus tard, il était revenu.

C'était après la mort du mari de cousine Lettice, qui les avait laissées ruinées. Madeleine avait expliqué à

Sophie que « ruine » signifiait « pauvreté extrême », du moins, pauvreté selon les critères de cousine Lettice : elles avaient dû renvoyer la cuisinière ainsi que Suzan, la femme de ménage, et teindre leurs vêtements en noir au lieu d'aller en acheter des neufs au rayon « tenues de deuil » de chez Peter Robinson. Mais, Sophie l'avait vite compris, ça ne voulait pas dire pauvres comme Ben et Robbie.

C'était par une chaude et moite journée du mois d'août. Cousine Lettice, qui avait pris un somnifère, était partie s'allonger ; Sophie et Madeleine étaient dans la cuisine en train de préparer le déjeuner. Sophie, assise sur la table, balançait ses jambes. Madeleine tournait la soupe, en lisant tout haut une recette de Mrs Beeton avec une voix comique. Puis, d'un seul coup, la porte s'était ouverte et ils furent là.

Le cœur de Sophie en chavira dans sa poitrine.

— Maddy, regarde ! C'est Ben et Robbie !

Ben avait appris que cousin Septimus « avait cassé sa pipe et les avait laissées sans un rond », expliqua-t-il. Il avait trouvé où elles habitaient en furetant dans le quartier, et il passait voir « comment ça allait ».

Maddy lui dit d'un ton froid de refermer la porte ; aussi, Sophie sentit que c'était à elle de leur souhaiter la bienvenue.

— Je peux leur montrer le petit salon ? demanda-t-elle à sa sœur, avant d'ajouter à l'attention de Ben : Il y a un vitrail que Maddy déteste mais que je trouve extraordinaire, comme dans une église.

À son regard méfiant, fermé, elle se rendit compte qu'elle avait trop parlé. Comme d'habitude.

Maddy dit non pour le petit salon, affirmant qu'ils allaient y voler des choses. Sophie trouva ça affreusement impoli, mais Ben ne sembla nullement s'en formaliser. Il lança même un sourire brutal à Maddy et remarqua, d'un air approbateur :

— Tu commences à apprendre, on dirait.

Ensuite, Maddy et lui parlèrent de leur situation financière ; Sophie essayait, timidement, de discuter avec Robbie, tout en se demandant comment faire pour que Ben lui sourie de la même façon. Elle était bien décidée, cette fois, à ne pas le vexer. Il ne fallait pas que se renouvelle le fiasco du livre d'images.

Donc, lorsque Maddy lui demanda de mettre la table, elle passa devant Ben sans même le regarder, pour aller vers le buffet et sortir tous les couverts en quatre exemplaires, avant de les disposer sur la table. Oui, il aurait de la soupe s'il en voulait – mais c'était à lui d'en décider, et personne ne dirait le moindre mot à ce sujet. Elle se sentait un peu comme quelqu'un qui essaie d'attirer un écureuil en émiettant du pain et ça lui donnait de l'espoir, parce qu'elle avait toujours été plutôt bonne à ce genre d'exercice.

Maddy remplit quatre bols de soupe et les mit sur la table ; mais quand Sophie, Robbie et elle s'assirent, Ben resta debout près de la porte, mal à l'aise.

Pour éviter toute nouvelle maladresse à son égard, Sophie ne cessait de parler, de tout et de rien, sans s'adresser à lui en particulier. Au début, il les regarda manger, appuyé contre le mur ; mais au bout d'un moment, il se redressa et regarda tout autour de lui – les casseroles, la porcelaine sur le buffet… Il n'avait pas l'air amer, ni envieux : il observait juste, comme pour s'imprégner de ce qu'était la « pauvreté » vue par Madeleine, et qui n'avait guère de rapport avec la leur.

Dix minutes plus tard, il n'avait pas bougé ; aussi Sophie décida-t-elle de prendre les choses en main.

— Regarde, Ben, lui lança-t-elle, j'ai un bleu. Je suis tombée dans l'escalier et je me suis cogné le genou.

— Sophie…, murmura Madeleine.

Mais elle l'ignora. Dans un grand mouvement d'audace, elle se tourna sur sa chaise et descendit son bas, pour le lui montrer.

— C'est pas un bleu, grommela-t-il.

— Si, c'en est même un beau ! lança-t-elle d'une voix ferme. Et ça fait mal, en plus !

Elle était furieuse contre elle-même de s'être emportée ; mais alors, à son grand étonnement, il éclata de rire. Puis il se glissa jusqu'à la table, s'assit, et avala d'un air renfrogné trois bols de soupe.

Sophie triompha dans son for intérieur ; elle ne savait pas très bien comment elle avait réussi, mais elle l'avait fait venir à la table, et c'était ce qui comptait.

Ils parlèrent ensuite de leurs parents respectifs, et constatèrent que les uns comme les autres étaient morts. Ça leur faisait un point commun, constata joyeusement Sophie.

Robbie releva la tête de son bol, assez longtemps pour débiter une histoire qu'on aurait crue une fois encore apprise par cœur :

— Ma avait des cheveux roux comme moi, mais Pa les avait noirs comme ceux de Ben, et Pa la battait, alors elle est morte. Ensuite, Ben m'a emmené et Pa est mort aussi, et Ben a dit : « Bon débarras. » Ma nous envoyait récolter le houblon, c'est pour ça que Ben est si fort ; mais moi, j'ai dû arrêter et rester à la maison parce que j'étais trop petit. Et on avait deux pièces entières pour nous dans East Street, avec un lit rien que pour les enfants, et tous les dimanches, Ben devait aller chercher le dîner à la boulangerie, poitrine de bœuf et patates et pudding.

Sophie était fascinée. Deux pièces seulement ? Et apparemment, ils n'avaient pas non plus de cuisine à eux. Pas étonnant que Ben ait regardé la leur de cette façon.

Elle aurait voulu lui poser des questions, mais il donna alors une gifle à Robbie en lui disant de la boucler, et Robbie s'exécuta en souriant. Cela aussi fascina Sophie : Ben était comme un chien de berger avec son frère ; il lui imposait d'obéir et le réprimandait sèchement s'il ne le faisait pas, mais il se montrait aussi férocement protecteur envers lui.

Maddy était un peu comme ça avec elle, sauf qu'elle ne la giflait pas. Aussi, quand ils eurent fini la soupe et que Maddy lui dit d'emmener Robbie dehors pour lui montrer le jardin, Sophie obéit sans broncher – même si elle avait terriblement envie de rester avec Ben.

Comment aurait-elle pu deviner que Maddy allait tout gâcher et lui donner le livre, *La Chute des derviches*, qu'elle-même avait choisi des semaines plus tôt et acheté avec son propre argent, pour le cas où il reviendrait les voir ?

Elle était dehors avec Robbie, en train de lui montrer les fougères en pots de cousine Lettice, lorsqu'elle entendit Ben hurler à son frère :

— Rob, grouille-toi ! On se barre !

Robbie enfonça sa casquette sur sa tête, descendit l'escalier en courant, et, le temps que Sophie atteigne la cuisine, ils partaient déjà – Ben avec le visage en feu, et *La Chute des derviches* glissé sous son bras.

Sophie en bouillit d'indignation.

— J'allais le lui donner ! cria-t-elle à sa sœur lorsqu'ils furent partis. Je l'ai acheté, c'était *mon* cadeau !

— Je suis désolée, répondit Maddy, j'ai oublié.

— Et qu'est-ce que tu as bien pu lui dire, pour qu'il s'en aille comme ça ?

— Oh, rien, affirma Maddy d'un ton peu convaincu. On parlait seulement de comment gagner de l'argent. Et de… ce genre de choses.

Elle ne lui fournit pas d'autres détails, mais Sophie sentait bien qu'il n'y avait pas que cela. Parfois, Maddy pouvait cultiver le secret à un point exaspérant.

Sophie traîna ensuite pendant des semaines dans la cuisine, avec l'espoir que Ben revienne. Elle rêvait qu'elle échangeait des livres avec lui, qu'elle l'impressionnait par sa connaissance des derviches. Mais il ne revint pas.

Puis, soudain, elle tomba malade. La petite bosse rose sur son genou enfla et devint douloureuse. Elle avait de la fièvre la nuit, se sentait faible et fatiguée le matin. Pour finir, on appela le docteur : il lui donna des petits coups sur le genou, avant de prononcer le mot terrible. Allongée dans son lit, contemplant les visages graves penchés au-dessus d'elle, elle fut vraiment effrayée, pour la première fois de sa vie.

« *La maladie,* expliquait le livre médical que Maddy emprunta à la bibliothèque, *apparaît d'abord à la faveur d'une lésion légère, telle qu'un coup ou une contusion, que les bacilles de la tuberculose, estime-t-on, utilisent pour pénétrer dans l'organisme.* » L'« organisme » – autrement dit, elle !

Son monde se rétrécit alors aux dimensions de sa chambre.

Cousine Lettice fut scandalisée qu'une enfant confiée à sa garde ait pu contracter une maladie aussi affreuse. Maddy devint plus anxieuse et secrète que jamais. Elle revit plusieurs fois Ben Kelly – sans Sophie, bien sûr –

et, devant les questions insistantes de sa sœur, finit par reconnaître qu'elle lui avait parlé de la tuberculose.

Sophie en fut d'abord furieuse, puis écœurée. Enfin – comme Ben ne se montrait toujours pas – désespérée. Elle savait bien pourquoi il se tenait éloigné d'elle : c'était à cause de la tuberculose. Maintenant, elle ne le reverrait plus.

Pourtant, elle ne cessa jamais complètement d'espérer.

Elle écrivit sur lui dans son journal, en langage codé. Elle se demandait comment elle se comporterait s'il reparaissait : froide et distante, ou au contraire feignant de ne pas avoir remarqué qu'il n'était pas venu la voir.

Bien sûr, quand le moment arriva enfin, elle ne fit ni l'un ni l'autre.

C'était en juillet 1895, elles vivaient à Fever Hill depuis un peu plus de huit mois lorsque Maddy suggéra un jour que Sophie fasse une petite promenade avec Jocelyn jusqu'à Falmouth, « pour changer d'air ».

À la vérité, Maddy était inquiète à son sujet. Ils l'étaient tous. Même si la santé de Sophie s'était améliorée au début de leur séjour en Jamaïque, depuis quelques semaines, son état se dégradait de nouveau. Elle le savait mieux que personne. Elle était devenue affreusement maigre, avec le teint jaune, et si faible que lorsqu'elle entreprenait de marcher avec son attelle détestée – et l'étrier sous l'autre pied, pour égaliser les longueurs – elle peinait à manier les béquilles.

C'était jour de marché à Falmouth, et la place était grouillante de monde. Assise sur un banc, dans la véranda du tribunal, elle attendait que Jocelyn revienne la chercher. Le spectacle était bruyant et coloré : des cassiers ruisselant de grandes guirlandes de fleurs jaunes ; des femmes noires éclatantes dans leurs robes imprimées vert, mauve et orange. Mais Sophie n'en profitait guère. Elle se sentait plus angoissée et plus seule qu'elle ne l'avait jamais été.

À Fever Hill, les choses allaient de mal en pis. Maddy était malheureuse et se renfermait sur elle-même, sans vouloir lui expliquer pourquoi. La maison était remplie de murmures ; on aurait dit que la maladie et la mort les cernaient. Un arbre duppy lui avait volé son ombre et elle allait mourir.

Pis encore, elle n'avait personne à qui parler. Elle ne pouvait confier ses inquiétudes à des vieilles personnes comme Jocelyn ou grand-tante May ; ni à Clemency, qui était gentille, mais avec qui elle n'était pas encore très intime. Et pas non plus à Maddy, car celle-ci était devenue inaccessible – comme si elle-même avait l'esprit encombré de trop de sombres secrets pour pouvoir consacrer du temps à ceux de sa sœur.

Non, elle ne pouvait compter sur l'aide de personne, absolument personne.

Puis soudain, au milieu d'un nuage de poussière rouge à l'autre bout de la place, elle aperçut Ben. *Son* Ben, celui de Londres ! Ça paraissait impossible – impossible qu'il soit ici, en Jamaïque, au moment où elle avait le plus besoin de lui. Pourtant, il était bien là.

Une fois surmontée sa stupeur, elle se remit péniblement sur ses pieds, et cria son nom du plus fort qu'elle le pouvait :

— *Ben ! Ben ! Par ici !*

Elle lui fit des grands signes avec son chapeau, si fort qu'elle en bascula presque sur ses béquilles.

Après ce qui lui sembla une éternité – une éternité de terreur qu'il ne la remarque pas, qu'il disparaisse pour toujours –, il l'entendit enfin et s'arrêta net. Il n'eut pas un sourire pour elle ; juste cette immobilité, ces yeux fixés sur elle, cette surprise.

Tout cela, elle le nota à peine ; elle était bien trop occupée à rire, pleurer, crier son nom. Pendant qu'il se frayait un chemin vers elle à travers la foule, elle vit combien il avait changé. Il était plus grand, plus fort – elle apprit par la suite qu'il avait payé son voyage vers la Jamaïque en travaillant sur un bateau – et, plus remarquable encore, il était propre. Ses cheveux noirs brillaient, sa peau n'était plus grise mais légèrement halée, il portait une salopette bleue et une chemise de calicot impeccables. Et quelqu'un avait dû lui conseiller de se nettoyer les dents avec un bâton à mâcher arraché à un buisson du bord de la route, car quand il lui parla ses dents n'étaient plus grises, mais blanches.

— Quoi de neuf, Sophie ? lui dit-il en sautant sur la véranda.

Il retira son chapeau de paille élimé et s'assit à l'autre bout du banc, avant de lui lancer un regard familier, comme s'il l'avait quittée la veille.

Elle se rassit maladroitement, en laissant tomber ses béquilles ; d'émotion, elle en avait le souffle coupé.

— Tu es devenu si grand, bredouilla-t-elle, et tu as la peau brune ! Tu as aussi de nouveaux vêtements, et… et tout.

— Et je ne pue plus, compléta-t-il, avec ce sourire brutal qui était bien à lui, en ramassant les béquilles.

Elle eut un rire timide.

— Et toi, alors ?… commença-t-il, puis son sourire s'effaça.

Elle voyait bien qu'il essayait de trouver autre chose à dire, mais qu'il n'y arrivait pas – parce qu'à la vérité elle avait un air épouvantable, et qu'il était incapable de lui mentir.

Elle se rendit compte que s'il savait, pour la tuberculose, il n'avait jamais vu l'attelle ni l'étrier, et qu'il ne l'avait jamais vue non plus si maigre et si jaune. Elle lissa sa jupe sur ses genoux ; ses mains étaient osseuses, affreuses. Son moral chuta à zéro.

— Je pensais que je ne te reverrais plus jamais, lui avoua-t-elle. Tu n'es même pas venu me dire au revoir.

— Je pouvais pas. Je les avais aux fesses.

— Aux fesses ?

— Les poulets.

— Les poul… Oh, les policiers !

Elle hocha lentement la tête.

— Oui, je pensais que ça devait être quelque chose comme ça.

En fait, elle n'avait nullement deviné une telle explication. Son imagination l'avait paré d'une sorte de maladie grave (mais guérissable) qui l'empêchait de lui rendre visite, mais le faisait compatir de loin à son mal et à ses souffrances.

Elle décida de ne pas lui demander quel genre d'ennuis il avait eus ; c'était déjà beaucoup d'apprendre qu'il ne l'avait pas évitée à cause de la maladie dont elle souffrait. Pourtant, ça pouvait paraître impoli de ne poser aucune question.

— Euh…, se hasarda-t-elle, les ennuis que tu as eus, c'est fini maintenant ?

Il détourna les yeux, les laissa errer sur la place, et la légère contraction de ses traits l'informa que non, ça ne l'était pas.

Une angoisse la saisit.

— Où est Robbie ?

Il respira douloureusement, en faisant une grimace.

— Il n'est pas ici, grommela-t-il.

Alors elle sut. Mort. Pauvre Robbie. Pauvre Ben.

Mais elle résolut de ne rien ajouter au sujet de son frère. S'il voulait lui en parler, il le ferait. Sinon, il était inutile de lui poser la question. À la place, elle lui demanda comment il avait fait pour arriver en Jamaïque.

Après un temps de réflexion, il répondit qu'il avait travaillé sur un bateau.

— Ça alors, comme c'est excitant ! commenta-t-elle du ton le plus enjoué possible, car elle voyait qu'il pensait toujours à Robbie. Tu as eu le mal de mer ?

Il secoua la tête.

— Moi non plus. Ni Maddy.

Elle serra fort les mains sur son genou. C'était difficile de ne pas penser à Robbie. Elle se demandait comment il était mort, et si elle le rencontrerait lorsqu'elle irait elle-même au paradis. Ces temps-ci, elle pensait beaucoup à la mort. Il le fallait bien : le duppy avait de bonnes chances d'arriver à ses fins, auquel cas elle mourrait bientôt.

Pour repousser cette idée, elle sortit son porte-monnaie et voulut offrir un peu de son argent de poche à Ben. Mais elle aurait dû y réfléchir à deux fois, parce qu'il le repoussa avec colère. Elle referma son porte-monnaie, le serra dans ses doigts osseux.

— Oh, Ben, bredouilla-t-elle à nouveau, je suis si contente que tu sois ici…

Là-dessus, elle fondit en larmes.

Elle pleura pendant ce qui lui parut une éternité : de grands sanglots bruyants, entrecoupés de hoquets. À travers ses pleurs, elle sentit que Ben mettait brièvement une main sur son bras, puis qu'il époussetait sa manche comme s'il y avait déposé de la poussière.

— Qu'est-ce qui se passe, Sophie ? demanda-t-il enfin.

Alors, tout sortit : la tension à Fever Hill, sa terreur des arbres duppies, sa conviction qu'elle allait mourir.

À son grand soulagement, il ne lui dit pas d'arrêter ses bêtises, pas plus qu'il n'essaya de lui remonter le moral. Il l'écouta simplement, sans l'interrompre ; ensuite, il lui posa une ou deux questions, et lui recommanda de ne confier tout ça à personne. Après quoi, il resta assis un moment en silence, regardant les colporteurs sur la place sans vraiment les voir.

— Bien, déclara-t-il enfin d'une voix ferme. Tu me laisses agir. Je m'en occupe. Mais tu dois faire ta part toi aussi. D'accord ?

Elle acquiesça, se moucha en hoquetant.

— Qu'est-ce… qu'est-ce que je dois faire ?

— Tu ne dis rien à personne, tu arrêtes de t'inquiéter, et tu commences à aller mieux.

Et en effet, sachant que Ben était en Jamaïque, Sophie commença à aller mieux. À dater de ce jour, son appétit revint, et elle dormit paisiblement pour la première fois depuis des semaines. Mais elle ne le revit jamais. Une fois de plus, il avait disparu, aussi silencieusement qu'un chat.

Du moins, jusqu'à ces derniers jours.

Chapitre 6

— Sophie, qu'est-ce que tu comptes faire au juste ? demanda Maddy, qui regardait sa sœur enfiler ses gants.

— Ça me paraît évident, répliqua Sophie. Je sors faire une visite.

Elle mit son chapeau sur sa tête et y piqua une épingle.

— Mais tu détestais faire des visites… Et maintenant, d'un seul coup, il faut que tu ailles à Parnassus à tout bout de champ.

— Je ne vais pas à Parnassus.

— Tu sais bien ce que je veux dire. La seule raison pour laquelle tu te rends à Fever Hill, c'est parce que c'est le jour où Sibella rend visite à Clemency, et…

— Et comme ça, ça me permet de voir Sibella en plus de Clemmy, conclut Sophie. D'une pierre deux coups.

— Tu ne veux pas dire trois ?

Sophie ne répondit pas. Depuis le jour du thé chez les Traherne, elle avait oscillé entre la colère, en pensant aux risques que courait Madeleine, et la frustration d'être maintenue dans l'ignorance. Mais elle n'avait pas encore affronté directement sa sœur en lui parlant d'Alexander Traherne. À quoi cela aurait-il servi ? Maddy aurait tout simplement nié.

Non, la seule manière de connaître la vérité était de coincer Ben et de lui faire tout raconter. Il ne lui avait jamais menti dans le passé, elle était sûre qu'il agirait de même aujourd'hui.

Le lendemain du thé, elle avait tenté de mettre son plan à exécution. Elle avait emprunté la voiture pour aller à Parnassus, « rendre visite à Sibella ». Mais, à son grand dépit, Ben n'était pas là ; le vieux Danny Tulloch lui avait appris qu'on l'avait envoyé en course à Waytes Valley. Le lendemain, Sibella s'était déplacée à Eden, en voiture – mais cette fois, c'était elle qui était absente. On aurait dit que le sort s'ingéniait à l'empêcher de *le* voir.

— Tu n'es pas obligée d'aller à Fever Hill pour rencontrer Sibella, insista Madeleine, implacable. Tu la verras dans quelques jours, au pique-nique de la Société historique.

— Mais Clemency n'y sera pas, n'est-ce pas ? répliqua suavement Sophie. Et je dois vraiment la voir, non ?

Madeleine soupira.

— En tout cas, murmura-t-elle, ne crée pas d'ennuis à Ben. Ça ne serait pas juste.

Sophie s'immobilisa, une autre épingle à chapeau dans la main, et la regarda avec surprise.

— Donc, tu admets qu'il est à Parnassus ?

— Bien sûr. Il y est depuis près de deux ans.

— Mais, Maddy, pourquoi est-ce que tu ne me l'as jamais dit ?

— Sophie…

— C'était mon ami…

— C'est précisément pourquoi je ne te l'ai pas dit.

Sourcils froncés, Sophie gratta un morceau de laque écaillé sur le cadre d'un miroir.

— Écoute, Sophie. Tu avais un béguin d'écolière pour lui quand tu étais petite…

— Jamais ! s'écria Sophie avec indignation.

— … mais les choses sont différentes à présent. Tu n'es plus une enfant. Tu ne peux pas te donner en spectacle comme tu l'as fait à Parnassus.

— Je ne l'ai pas fait, marmonna Sophie sans beaucoup de conviction.

— Si. Sibella t'a vue, et l'invitée de Rebecca, et la moitié du personnel.

C'était ingénieux, de la part de Madeleine, de créer une diversion en la mettant elle-même en cause.

— Je n'aurais pas eu besoin de « me donner en spectacle », comme tu dis, si tu avais été plus franche et que tu n'avais pas fait tant de mystères.

Leurs regards se croisèrent dans le miroir.

— Pourquoi est-ce que tu ne peux pas avoir un peu confiance en moi, et laisser les choses suivre leur cours ? demanda Maddy.

— Comment est-ce que je le pourrais ? Si je vois des choses aller de travers, comment puis-je rester sans rien faire et les laisser « suivre leur cours » ?

Madeleine ouvrit la bouche pour répliquer, puis se contenta de constater en secouant la tête :

— Tu agis toujours comme ça. Tu te saisis de quelque chose et tu veux à tout prix t'en mêler…

« Elle me traite comme une enfant, songea Sophie avec colère, tandis qu'elle traversait le pont de Romilly et prenait au nord. Elle me maintient dans l'ignorance, comme si je n'étais pas prête à affronter la vérité. Pour qui se prend-elle ? »

C'était affreux de penser cela de sa propre sœur, affreux d'être aussi en colère contre elle. Mais elle ne pouvait s'en empêcher.

Assis dans la voiture à côté d'elle, Fraser sifflait (faux) entre ses dents. Par chance, il n'avait pas conscience que sa tante l'avait emmené seulement pour avoir un prétexte : une fois qu'ils seraient arrivés et auraient trouvé Sibella en compagnie de Clemency, Sophie comptait aller avec lui aux écuries « pour voir les chevaux ».

Au grand guango, elle tourna à gauche dans les terres de Fever Hill et prit à l'ouest, à travers les champs de canne de Bellevue. Au bout de trois kilomètres, le chemin virait au nord pour suivre le filet d'eau de la Rivière verte, et bientôt apparaissait la maison – énorme, aveugle avec ses volets fermés, solitaire sur sa colline brune et nue.

Sophie ressentit un pincement de culpabilité à l'égard de Clemency. Ce n'était pas très gentil de ne lui rendre visite que pour avoir l'occasion de rencontrer Ben. Clemmy méritait mieux. Et elle avait besoin d'aide.

— Elle n'est pas sortie du domaine depuis des années, lui avait raconté Cameron la veille. Elle n'avale presque rien – hormis le laudanum, bien sûr. Elle le mélange avec un peu de piment pour en masquer le goût. Fais-lui entendre raison, qu'elle vienne vivre avec nous.

Pour apaiser sa conscience, Sophie avait décidé d'essayer.

Mais, à sa grande déception, lorsqu'ils s'arrêtèrent devant le perron, il n'y avait pas le joli petit boghei de

Sibella. Clemency ne devait pas être en train de prendre le thé en sa compagnie dans la galerie.

Fraser sauta à terre et courut à la tête du cheval.

— Tu veux que j'emmène la voiture aux écuries ?

— Non, attache-la simplement ici, répondit Sophie, en contemplant la façade aux volets clos.

Sa colère s'était dissipée, la laissant en proie au doute. Peut-être Maddy avait-elle raison, peut-être ne devait-elle pas s'en mêler…

Des feuilles mortes voletaient tristement dans l'escalier pendant qu'ils montaient vers la galerie. Celle-ci était sombre, vide, et sentait le moisi. La poussière recouvrait le sol, les meubles en rotin étaient vermoulus. Quelqu'un avait remplacé un pied du canapé par une pile de livres. Une autre pile, de suppléments du samedi du *Gleaner,* était également posée au sol, mais avec les ciseaux d'argent de Clemency et son album de coupures du journal. Sur une petite table, à côté d'une antique lampe à pétrole, un cadre d'argent contenait la photographie mortuaire qui l'accompagnait partout.

— Clemency ? appela Sophie.

Sa voix résonna à travers la maison, plongée dans la pénombre.

— Clemmy ?

Pas de réponse. Sophie éprouvait une curieuse répugnance à pénétrer à l'intérieur de cette maison, qui lui avait toujours parue étrange, pleine d'ombres et de murmures, fermée sur elle-même. Les dernières années, Jocelyn sortait à peine de la bibliothèque ; sa vieille tante, que tout le monde dans la famille appelait grand-tante May, vivait inexorablement isolée dans la galerie du haut ; quant à Clemency, elle faisait la navette entre ses appartements et le cimetière familial.

Mais aujourd'hui, Jocelyn était mort ; grand-tante May vivait en ville, à Falmouth. Il ne restait plus ici que Clemency, servie par Grace McFarlane, qui montait chaque jour du vieux village d'esclaves en ruine où elle habitait, au pied de la colline.

Et cet après-midi, même Clemency ne semblait pas être là. Sophie sortit nerveusement sa montre : cinq heures. À en croire Madeleine, Sibella lui rendait en général visite à quatre heures.

Du bout de sa botte, Fraser dessina une flèche dans la poussière.

— Tante Clemmy doit être au cimetière, énonça-t-il. C'est là qu'elle prend le thé.

— Mais je ne peux pas partir d'ici…, murmura Clemency, tendant sa tasse à Sophie puis agitant ses mains pâles et sèches vers les tombes. Comment est-ce que je pourrais laisser tout cela ?

Une fois de plus, Sophie refoula sa frustration. Ils avaient trouvé Clemency seule, assise sur le banc sous le poinciana qui faisait de l'ombre aux tombes. Il n'y avait nul signe de Sibella. Quand Sophie demanda si elle devait venir, son hôtesse ne lui offrit qu'un regard vide en guise de réponse.

— Des fois, Miss Traherne arrive plus tard, hasarda Fraser, qui sentait la déception de Sophie.

Puis il s'éloigna pour aller installer ses petits soldats sur une pierre tombale.

Sophie espérait qu'il disait vrai. Mais, songeait-elle aussi, comme ils étaient de l'autre côté de la colline, si une voiture arrivait, elle ne l'entendrait pas ; et trouvant la maison vide, Sibella repartirait… Pendant qu'elle-même était prise au piège dans cet endroit sinistre – une clairière envahie par les hautes herbes, entourée de cocotiers et de tilleuls sauvages, où sept générations de Monroe laissaient s'enfuir les décennies dans un enchevêtrement d'asparagus et de longues herbes argentées.

Réprimant son impatience, Sophie se retourna vers Clemency et, d'un air résolu, décida de faire son devoir.

— Vous adoreriez vivre à Eden, lui affirma-t-elle, du ton le plus persuasif qu'elle put prendre. Et les enfants adoreraient vous avoir avec eux.

À sa surprise, les yeux bleu porcelaine de Clemency s'agrandirent d'inquiétude.

— Oh, chut ! Elliot va se sentir exclu !

— Clemmy chérie, lui répliqua-t-elle doucement, Elliot est mort depuis vingt-neuf ans…

Fraser releva la tête de ses hussards et contempla le cimetière d'un œil intéressé. D'après Madeleine, il considérait son parent défunt comme une sorte d'ami lointain aimant se cacher dans l'herbe.

— Chut ! murmura de nouveau Clemency, comme si l'occupant de la petite tombe de marbre blanc pouvait l'entendre et en être offensé. J'en suis parfaitement consciente, Sophie, ajouta-t-elle, mais pour moi ça ne veut rien dire.

Son fils était décédé en 1873, deux jours après sa naissance. Une succession de hasards malheureux avait empêché qu'il soit baptisé, et pendant dix ans Clemency avait été tourmentée par la crainte qu'il ne soit allé en enfer. Puis Cameron l'avait convaincue qu'Elliot était au paradis, et sa vie avait changé. Pour la première fois depuis des années, elle s'était hasardée dehors en plein jour ; elle s'était même rendue à l'église. Mais cela n'avait pas duré. Peu à peu, l'idée de son fils la regardant de là-haut était devenue chez elle une obsession, un reproche sacré qui lui était adressé, et auquel elle ne pouvait plus échapper.

Sophie reposa la tasse sur le plateau et fit une autre tentative.

— Vous ne seriez qu'à une heure d'ici. Vous pourriez venir tous les jours si vous le vouliez.

— Ça ne serait pas pareil, répliqua Clemency.

Elle sortit de sa poche un petit flacon d'extrait de piment, en versa quelques gouttes dans sa tasse et l'avala d'un trait, tout en adressant un sourire d'excuse à Sophie.

Celle-ci se força à lui sourire aussi. Comme toujours, en face de Clemency, elle éprouvait un sentiment de culpabilité indirecte. Cette femme, à la fois soumise et curieusement obstinée, avait jadis été mariée à son père. Mariée, puis délaissée pour Rose Durrant.

Clemency n'avait jamais eu le moindre mot de reproche. En fait, il n'était même pas sûr qu'elle se rappelât avoir eu un mari. Elle ne l'avait épousé que sur les injonctions de son frère Cornelius. L'événement déterminant de sa vie n'avait pas été la désertion de son mari, mais le décès de son enfant. Elle s'était drapée dans cette perte comme dans un châle, s'était vouée au chagrin. Depuis près de trente ans, elle n'avait plus porté que des vêtements de deuil blancs et ternes, tapissé ses appartements de photographies de son enfant mort. Comme ses cheveux avaient refusé de devenir blancs de tristesse, elle les avait teints en gris.

Elle avait aujourd'hui cinquante et un ans, mais semblait plus proche de trente ; son étonnant visage sans âge, jeune et vieux à la fois, était d'une délicate beauté ; ses yeux bleus s'agrandissaient quand elle vous regardait, et elle avait toujours l'air en train de s'excuser.

Sauf quand on évoquait la possibilité qu'elle quitte Fever Hill.

Sophie remua son thé, et tâcha de chasser l'impression déprimante que cet endroit lui faisait toujours. Son farouche ancêtre Alasdair reposait dans le coin le plus éloigné. Son grand-père Jocelyn était tout près – enfin réuni, après cinq décennies de séparation, avec sa jeune femme Kitty qu'il avait adorée. Et son père, Ainsley, dormait sous la dalle d'ardoise sur laquelle Fraser menait ses hussards à la manœuvre. Son père qui avait laissé derrière lui un sillage de vies en ruine – menaçant rappel des risques que courait Madeleine.

— Oh, regardez ! s'exclama Fraser en relevant les yeux. Voilà Miss Traherne…

« Grâce à Dieu ! » pensa Sophie. Elle se leva, prit son ombrelle, et adressa un rapide sourire à Clemency.

— Je viens de me rappeler que j'ai promis à Fraser de l'emmener voir les chevaux. Ça ne vous ennuie pas ? Nous serons vite de retour.

Son cœur battait la chamade tandis qu'ils traversaient les pelouses brunes et sèches, puis descendaient l'allée de crotons en direction des écuries. Fraser courait devant comme un jeune chiot tout fou, rebroussant chemin de temps en temps pour s'assurer qu'elle le suivait. Elle se sentait coupable de l'utiliser ainsi, d'autant plus qu'il était entré dans son plan avec toute l'innocence de ses six ans.

— Tu devineras jamais qui est dans la cour de l'écurie, s'écria-t-il en revenant vers elle, hors d'haleine, puis en lui prenant la main pour la faire avancer plus vite. Evie ! Tu sais quoi, elle sait faire des animaux avec les tiges des cannes ! Pour mon anniversaire, elle m'a fait une girafe qui est magnifique !

« Oh non… » songea Sophie avec inquiétude… Elle aurait plaisir à revoir Evie mais pas ici, pas maintenant, au moment où elle avait besoin de parler à Ben.

Elle atteignit enfin la cour de l'écurie. À l'autre bout était arrêté le petit boghei de Sibella. Ben, tête nu et en bras de chemise, posait un seau d'eau au sol pour le cheval. Une jeune métisse dans une robe imprimée rose était assise sur le siège et bavardait avec lui.

Fraser courut à leur rencontre ; en l'entendant, Evie se tourna et lui sourit. Puis elle aperçut Sophie et dit un mot à Ben. Celui-ci se redressa, aussitôt sur ses gardes ; il essuya ses mains sur son pantalon et lança à Sophie un regard froid.

Elle se sentait affreusement gênée tandis qu'elle traversait la cour dans leur direction. Elle devait lutter pour ne pas boiter.

— Bonjour, Ben, dit-elle, du ton le plus naturel qu'elle le put. Bonjour, Evie, comment vas-tu ? Je suis ravie de te revoir.

Ben descendit les manches de sa chemise, tendit la main pour prendre sa tunique et sa casquette. Il ne répondit pas à son salut.

— Bonjour, Sophie, déclara Evie avec un sourire timide. Moi aussi, je suis contente de te revoir.

Enfant, Sophie avait toujours eu un peu peur d'Evie : d'un an plus âgée qu'elle, Evie était aussi plus jolie, en meilleure santé ; elle avait un nom secret, lié au jour de sa naissance, et une mère qui était sorcière. À présent, Sophie contemplait une grande et belle jeune femme. Des yeux en amande, sombres, obliques, presque orientaux ; des traits ciselés à la perfection ; une ravissante peau couleur café. Dans sa robe trop apprêtée et guère flatteuse pour sa silhouette, avec son ombrelle à volants et ses gants, Sophie se sentait guindée et mal à l'aise.

Elle fit à Ben un signe de tête, qu'elle espérait suffisamment amical. Il lui en fit un en retour, mais détourna les yeux pour ne pas croiser son regard. Fraser, lui, le considérait avec le respect teinté de retenue que les petits garçons manifestent envers la mystérieuse confrérie des palefreniers.

Sophie referma son ombrelle et en enfonça la pointe dans la poussière. Elle ne savait par quoi commencer. Dans les anciens temps, Ben aurait arboré son grand sourire brusque et lancé :

— Alors, Sophie, comment va ?

Mais ce n'étaient plus les anciens temps.

Tout en se reprochant sa lâcheté, elle se tourna vers Evie.

— Je me demandais à quel moment nous tomberions l'une sur l'autre, lui dit-elle d'une voix enjouée. J'ignorais que tu étais employée à Fever Hill.

— Je ne le suis pas, répondit Evie avec son doux accent créole. J'enseigne à l'école de Coral Springs.

Elle était trop polie pour s'offusquer d'avoir été prise pour une domestique, mais Sophie en eut les joues en feu. Evie avait toujours été brillante et ambitieuse ; comment avait-elle pu commette une telle gaffe à son égard ?

Evie sut faire diversion en lui parlant de son mémoire sur l'histoire locale qu'elle préparait le week-end.

— Mon grand-père avait une foule de vieux papiers concernant le domaine, s'empressa de répondre Sophie. Viens les consulter dans la bibliothèque autant que tu le voudras. Vraiment, fais-le…

Evie sourit et la remercia, mais toutes deux savaient qu'elle ne le ferait jamais.

« Comme je dois avoir l'air prétentieuse ! pensa Sophie. La dame blanche généreuse qui traite avec condescendance la fille de couleur ». Rassemblant ce qui lui restait de courage, elle se tourna néanmoins vers Ben.

— Bonjour, Ben…

Puis elle se rappela qu'elle l'avait déjà salué.

Il souleva sa casquette d'un air circonspect.

— C'est à propos du cheval, Miss ? marmonna-t-il en regardant le sol.

— Le cheval ?

— Votre cheval, Miss. Il est toujours devant la maison. Je lui ai porté un seau d'eau, mais est-ce que vous voulez que je l'amène ici ?

Il ne croisait toujours pas son regard et arborait un air déterminé, comme s'il avait décidé à l'avance de son comportement envers elle.

— Euh… non. Non, merci, ça va très bien.

Elle se mordit la lèvre.

— Ben, je… je suis désolée si je t'ai mis dans l'embarras l'autre jour. À Parnassus.

— Vous m'avez pas mis dans l'embarras, Miss, marmonna-t-il. Et… c'est « Kelly », Miss. Pas « Ben ». C'est mieux comme ça, si vous me comprenez.

À nouveau, elle se sentit rougir. Donc, c'est ainsi que ça allait être. Madeleine avait bel et bien raison : « Les choses sont différentes à présent, avait-elle dit. Tu n'es plus une enfant. »

Sophie baissa les yeux vers son ombrelle, traça de la pointe un trait dans la poussière.

— Comme tu veux, répondit-elle. Je ne vais pas te retenir longtemps, j'ai juste une question à te poser. Je crois que je t'ai vu à Montpelier, lundi…

Son visage se ferma et il regarda ses bottes.

— Je m'en souviens pas, Miss.

« Oh non, pensa-t-elle avec un pincement au cœur. Pas toi aussi… »

— Tu en es sûr ?

Il hocha la tête.

Il y eut un silence embarrassant ; Evie, assise dans le boghei, étudiait ses chaussures ; Ben faisait tourner sa casquette dans ses mains, sourcils froncés.

Sophie se demanda pourquoi elle était venue. Que faisait-elle ici, à part mettre tout le monde mal à l'aise, y compris elle-même ?

En regardant le jeune homme debout devant elle, tête baissée, avec ses cheveux noirs qui lui tombaient dans les yeux, elle réalisa qu'elle s'était trompée à son sujet. Elle en avait fait, dans son esprit, quelqu'un qu'il ne serait jamais. C'était un palefrenier : la peau tannée par le vent et le soleil, les mains rendues calleuses par le travail de l'écurie. Un homme fruste qui s'était arraché aux taudis – il avait réussi, suivant ses critères personnels –, mais qui resterait toujours un homme fruste. Il n'était pas pour elle un ami, d'un genre particulier, comme elle l'avait cru quand elle était enfant. Il ne pensait pas de la même manière qu'elle.

Cette idée déprimante la fit se sentir très seule. Elle avait perdu quelque chose, quelque chose qui n'avait jamais eu d'existence réelle et qui, pourtant, avait occupé une grande place dans sa vie…

Ce fut Fraser qui vint à son secours. Percevant peut-être son malaise, il s'approcha d'elle, lui prit la main et sourit. Un petit allié aux cheveux blonds dans un costume marin. Elle eut un élan de gratitude.

— Fraser et moi, nous devons rentrer, déclara-t-elle en fixant ses grands yeux gris. Au revoir, Evie. Je suis sûre que nous nous reverrons bientôt. Et bonne chance pour ton mémoire. Au revoir… Kelly.

— Au revoir, Sophie, répondit Evie avec son sourire timide.

— Miss, lâcha Ben avec un signe de la main.

L'allée de crotons lui parut interminable, et cette fois, elle boitait pour de bon. Elle sentait leurs regards posés sur elle tout le long du chemin. Mais quand elle se retourna, elle constata avec tristesse qu'en fait Ben ne la regardait même pas. Il s'était accroupi à hauteur du ventre du cheval pour ajuster son harnais. Seule Evie les suivait des yeux, une expression étonnamment ferme et résolue sur son ravissant visage.

Fraser s'accrochait à la main de Sophie et marchait à grandes enjambées.

— Tante Sophie ? lança-t-il, l'air de s'interroger.

— Oui ?

— Tu as remarqué que le palefrenier de Miss Traherne a les yeux verts ?

Elle ne répondit pas.

— Est-ce que c'est un enfant enlevé par les fées ? Maman nous a lu une fois une histoire là-dessus. Ça voudrait dire qu'il a été volé quand il était bébé et échangé avec un autre, et qu'en vrai il est un prince.

— Sottises, murmura Sophie. Ce n'est pas un enfant enlevé par les fées, c'est seulement un palefrenier.

Clemency se trouvait avec Sibella dans la bibliothèque, où elle tentait de lui expliquer son système de classement. Mais Sibella perdait vite patience…

— Bon courage, murmura-t-elle en pressant sa joue contre celle de Sophie en guise d'adieu. Si je reste une seconde de plus, mes nerfs vont lâcher… Viens, Fraser chéri, tu vas me reconduire.

— Mais le principe n'est pas difficile ! plaida Clemency, et en passant une main dans ses cheveux gris elle fit tomber des épingles sur le parquet. Je sens juste que c'est plus convenable de séparer les écrivains hommes des écrivains femmes…

Sophie, qui s'était baissée pour ramasser les épingles, envia Sibella de partir. Elle aurait aimé l'imiter. Elle se sentait seule, malheureuse, et guère prête à supporter les fadaises de Clemency, surtout dans cette grande pièce remplie de livres qui lui rappelait tant de souvenirs. Au mur était accroché le vieux et austère tableau représentant Strathnaw ; au-dessous, le daguer-réotype de Kitty. Jocelyn lui manquait terriblement, constata Sophie. « Les choses sont différentes à présent. Tu n'es plus une enfant. »

— … à moins bien sûr qu'ils ne soient mariés l'un avec l'autre, continuait Clemency. Dans ce cas, ils partagent la même étagère.

Sophie prit une grande inspiration et se frotta les yeux.

— C'est pour cela que les Browning sont par terre ?

— Exactement. Tu vois, je ne leur ai pas encore trouvé d'étagère. Ce pauvre Jocelyn avait tellement de livres…

Sophie ramassa un vieux registre du domaine et le feuilleta. Ça ressemblait à un journal de contremaître. Peut-être pourrait-elle l'offrir à Evie pour se faire pardonner ?

— Oh, ma chérie ! s'écria soudain Clemency, sous l'effet d'un de ses surprenants changements d'humeur, je suis tellement désolée…

— Pourquoi ?

— Je viens juste de me rappeler : tout ça t'appartient ! Et moi qui farfouille dedans comme si c'était à moi !

— Clemmy…

— Pardonne-moi, mais j'avais complètement oublié… Pourtant, le cher Cameron m'a tout expliqué à la mort de Jocelyn. Comme c'est mal de ma part d'avoir refusé de partir d'ici quand tu l'as demandé… Oui, je vais partir tout de suite, tout de suite !

— Oh, Clemmy, arrêtez, je vous en prie…

Clemency acquiesça docilement, avec une expression d'enfant pris en faute. Sophie parcourut du regard les livres bien-aimés puis revint à cette étrange et délicate figure sans âge. Elle songea que, depuis son arrivée ici, elle avait tout fait de travers : elle avait traité Evie avec condescendance, mis Ben dans l'embarras, et maintenant elle bouleversait cette pauvre femme, qu'elle aurait, au contraire, dû aider. Madeleine avait raison : elle ne devait pas se mêler de tout. Ça ne faisait que rendre les choses plus difficiles.

Elle prit les mains chaudes et sèches de Clemency dans les siennes.

— Vous pourrez rester ici aussi longtemps que vous le voudrez. À jamais, si vous le souhaitez. Vous comprenez ?

Clemency hocha lentement la tête et répondit :

— Bien. Alors, c'est réglé.

Puis elle se gratta la tempe avant d'ajouter :

— Voyons, où est-ce que nous allons mettre les Browning ?

La nuit descend vite sur le vieux village d'esclaves. Evie, assise sur l'escalier, mange du *fufu* avec sa mère et tente d'empêcher le noir malaise de se glisser dans son cœur.

Les moustiques bourdonnent aussi fort qu'une ruche, les grillons et les grenouilles sifflantes entonnent leur chant habituel, et Patoo ulule là-haut dans le calebassier.

Evie frissonne. Sophie a des ennuis, ou elle en aura bientôt. Quelle sorte d'ennuis, et à quel moment ils viendront, Evie l'ignore ; mais elle sait qu'ils viendront. Elle a vu le signe.

— Patoo, crie Grace, va-t'en de ma cour !

La chouette déploie ses ailes et s'envole. Satisfaite, Grace tire une autre bouffée de sa pipe. Puis elle lance un regard perçant à Evie.

— Tu as l'air inquiète, ma fille. Essaie donc de me dire ce qu'il y a.

Evie secoue la tête.

— J'peux m'occuper de ça moi toute seule.

Pourquoi est-ce qu'elle se remet toujours à parler patois quand elle revient à la maison ? On dirait que, sitôt arrivée, elle laisse son éducation à la porte comme une vieille paire de sabots.

C'est une des choses qu'elle déteste dans la vie ici : parler patois et manger dehors dans la cour, comme un vulgaire Nègre de montagne. Ça, et le bâton *obeah*[*] près de la porte, et les larges pieds nus de sa mère, et son fichu de Négresse de la campagne. Et son insistance à vouloir vivre dans cet endroit délabré.

Grands dieux, sa mère n'a que quarante-cinq ans ! C'est encore une belle femme élégante, au corps svelte. Pourquoi s'obstine-t-elle à rester comme ça ? Est-ce qu'Evie ne gagne pas bien sa vie comme professeur ? Est-ce qu'elle ne lui paierait pas avec plaisir des chaussures et une robe de confection ? Pourquoi ne peuvent-elles pas aller s'installer à Coral Springs, et oublier l'époque de l'esclavage et les duppies ?

Mais non. Pas elle. Pas Grace McFarlane. « Sûrement j'vais pas oublier qui j'suis et d'où j'viens, répète-t-elle toujours, et toi tu f'rais bien de pas l'oublier non plus. T'es une de ces personnes à quat'z'yeux, Evie. T'es née avec une coiffe et t'en portes toujours un morceau, dans c't'amulette que t'as autour du cou. Pour empêcher les esprits de venir t'ennuyer. »

Mais Evie n'a jamais *voulu* avoir les quatre yeux. Qui lui a posé la question ? Qui lui a donné le choix ? Et sa mère se trompe : porter un morceau de la coiffe ne sert à rien pour éloigner les esprits.

Ça commence toujours de la même façon. Une petite bouffée d'odeur douceâtre, puis la peur qui se glisse le long de la nuque, froide. Un esprit a l'air d'une personne normale, mais pourtant il y a toujours quelque chose qui indique qu'elle est morte. Elle ne fait aucun bruit, le vent ne soulève jamais un cheveu de sa tête. Elle est dans le mauvais temps et dans le mauvais monde. Et pendant un moment, quand Evie la voit, elle est dans ce monde elle aussi.

Une fois, quand elle était petite, sa mère l'a mise en garde contre les esprits. « On peut pas leur faire confiance, lui a-t-elle expliqué. Parfois ils veulent dire le bien, et parfois le mal. Et les gens à quat'z'yeux comme toi, Evie, ils doivent apprendre qui est quoi. Sinon, vous saisissez les choses du mauvais côté et vous vous embrouillez. »

Mais Grace ne lui a jamais indiqué *comment* apprendre cela. Et Evie l'a compris depuis longtemps : puisqu'elle ne peut pas savoir s'ils veulent dire le bien ou le mal, c'est mieux de fermer sa bouche et de garder le silence à leur sujet.

Comme la fois où, à douze ans, elle a vu la grand-mère Semanthe – la vieille aveugle qui est pourtant morte quand elle était petite – assise près de la cheminée, aussi nette et réelle que le péché. Deux semaines après, elle a perdu son propre frère. Pendant des années, ensuite, elle s'est sentie responsable. Peut-être que, si elle en avait parlé, il ne serait pas mort. Mais comment aurait-elle pu savoir que mémé Semanthe était là comme un avertissement ?

Le mois précédent, elle a vu un esprit-fille debout derrière Ben. Un esprit-fille maigre et triste, avec des cheveux roux et des cernes bleus sous les yeux, juste debout là. Elle ne l'a pas encore dit à Ben. À quoi ça servirait, puisqu'elle ignore ce que ça signifie ?

Elle se lève rapidement et brosse la poussière de sa jupe.

— Je vais faire un tour.

Grace mâchonne sa pipe, souffle un rond de fumée.

— Fais attention à toi là-bas, ma fille.

— Je fais toujours attention.

Elle quitte la cour et se met en route dans l'obscurité, glissant sans bruit entre les maisons d'esclaves en ruine envahies par la végétation et les grands papayers noirs qui montent la garde. Toutes les maisons sont en ruine, sauf la leur. Elles sont les seules à vivre ici. Avec les duppies.

« Sornettes et chauves-souris, songe Evie avec répugnance, voilà comment c'est, chez moi. À mi-chemin entre les portes du domaine et la maison *busha*, là-haut sur la colline. Un endroit à mi-chemin pour une fille à mi-chemin, qui n'est ni noire ni blanche. »

Elle atteint le vieil aqueduc au bout du village, s'adosse à la paroi de pierre. Les grenouilles coassent de toutes leurs forces, l'odeur lourde de l'eau stagnante lui frappe les narines.

Quand elles étaient enfants, Sophie et elle venaient ici chercher un trésor : une des grandes jarres d'or espagnol qui, d'après les anciens, y étaient perdues depuis des siècles. Bien sûr, elles n'en avaient jamais trouvé. Mais elles avaient découvert une fois un petit hochet de bébé, fait dans une calebasse, et datant de l'époque de l'esclavage, avec encore deux haricots secs à l'intérieur. Elles avaient tiré à pile ou face pour savoir qui le garderait, et Sophie avait gagné. C'était toujours elle la veinarde. Ça continuait aujourd'hui.

Evie tend ses jambes, contemple avec une grimace ses chaussures de toile brune. Cet après-midi, aux écuries, Sophie était si élégante dans cette belle robe à volants, avec ses gants de dentelle blanche et ses ravissantes chaussures à talons, aux lanières ornées de petits boutons en perle.

La jalousie l'étreint. « Bonjour, Evie, comment vas-tu ?… J'ignorais que tu étais employée à Fever Hill. » Comme si elle était une domestique !

Une chauve-souris passe devant la lune. Un mille-pattes grimpe en ondulant sur le tronc d'un ackee. Evie serre les genoux et lui jette un regard mauvais.

À vrai dire, elle n'en voulait pas à Sophie : celle-ci ne pensait pas à mal, et elle avait été mortifiée par son erreur. C'est elle-même, et elle seule, qui s'est mis ce malaise noir dans le cœur. Il y a les problèmes qui vont arriver à Ben, à cause de cet esprit-fille aux cheveux roux. Et aussi des problèmes pour Sophie. Mais est-ce qu'ils seront graves, et à quel degré ? se demande Evie. Et quand surviendront-ils ? Et que doit-elle faire ?

Peut-être qu'elle devrait en parler à Ben. Elle peut presque tout lui dire, il est comme un frère pour elle ; parfois même, elle l'appelle son « frère *buckra*[*] ». Il a beau avoir la peau blanche et elle brune, en dessous, ils sont pareils. Tous les deux, ils ont perdu des êtres qu'ils aimaient, ils ont fait des choses mauvaises ; et tous les deux, ils ne peuvent s'intégrer nulle part.

En pensant à cela, Evie sort le petit sac qui pend à son cou. Pas celui qui contient le morceau de sa coiffe, mais l'autre : le petit sac de soie verte qu'elle appelle son « porte-bonheur buckra », parce qu'il renferme la belle chaîne en or qu'elle ne peut porter ostensiblement. Si elle le faisait, sa mère lui poserait des questions, et l'homme qui la lui a donnée penserait qu'il va l'avoir pour de bon. L'homme à la bouche douce, avec des yeux taillés dans du cristal et des manières d'aristocrate buckra.

Mais elle n'est pas stupide, Evie McFarlane. Il n'a rien obtenu : ni baisers, ni jeu avec les mains. C'est une fille convenable, et elle connaît sa valeur.

Et pourtant, parfois c'est agréable de sortir la belle chaîne d'or et de la faire passer d'une paume à l'autre, et de songer qu'elle n'a qu'à lever le petit doigt devant lui pour que tout change. Plus de village d'esclaves, plus de fufu dehors dans la cour. Et surtout, plus de bêtises à quat'z'yeux. Plus d'esprits morts et enterrés qui se mettent à marcher dehors au grand jour.

« Parce que toutes ces histoires de quatre yeux sont stupides, Evie, tellement stupides ! se dit-elle. Tu n'es pas une fille à quatre yeux. Tu ne vois pas les esprits. Tu n'as jamais vu mémé Semanthe assise près de la cheminée, ni l'esprit-fille aux cheveux roux debout derrière Ben.

» Et tu n'as pas vu non plus, cet après-midi, aux écuries, le vieux maître Jocelyn en train de suivre Sophie dans l'allée de crotons, le dos voûté et s'appuyant sur sa canne à pommeau d'argent, comme il le faisait toujours de son vivant. »

Chapitre 7

Sophie n'avait jamais été très douée pour cacher ses sentiments. Donc, quand elle avait des ennuis, il ne fallait pas longtemps pour que tout Trelawny le sache. Y compris Ben.

Il faisait de son mieux pour se tenir à l'écart, mais il ne pouvait éviter de surprendre une conversation. Ce furent d'abord Moses Parker et sa nièce Poppy qui en entendirent parler, à Eden ; ils le racontèrent à leurs cousins McFarlane, de Fever Hill, qui à leur tour le rapportèrent à leurs cousins Danny et Hannibal Tulloch, de Parnassus. Et ça arriva aux oreilles de Ben.

Ayant vu Sophie bavarder avec Evie dans la cour de l'écurie, Sibella avait eu une « petite conversation » avec elle sur les inconvénients d'être trop intime avec les gens de couleur. Sophie n'avait guère apprécié. L'après-midi même, elle était allée rendre visite au Dr Mallory, dans sa clinique pour Noirs de Bethlehem, et elle avait commencé à y donner un coup de main. Elle affirmait qu'elle avait eu l'intention de le faire dès le départ, mais Ben ne fut pas dupe : elle ne le faisait qu'à cause de cette « petite conversation » avec Miss Sibella.

D'après Moses et Poppy, les gens d'Eden ne voyaient pas ça d'un très bon œil. Madeleine avait peur que ça fasse fuir les jeunes gens.

— Comment feras-tu pour rencontrer quelqu'un, si tu es toujours à Bethlehem ? avait-elle dit à Sophie.

Quant à maître Cameron, il en avait, lui aussi, contesté l'intérêt :

— Je ne sais pas très bien quels patients tu peux avoir là-bas, Sophie. Je veux dire, les gens comme nous ne vont pas délaisser leurs médecins pour un hôpital de brousse dans les bois. Et pour les Noirs, j'ai peur qu'ils ne considèrent ça comme dépréciant leurs propres guérisseurs, les hommes *myal* * et les femmes obeah. Ils peuvent même y voir une offense.

Il avait raison, mais Sophie ne voulait pas l'admettre. Elle s'était mis cette idée-là en tête, et après tout ça la regardait.

Cette histoire durait depuis une semaine, et les choses n'avaient guère évolué. Mais aujourd'hui, c'était le pique-nique de la Société historique, et ces dames paraissaient plus ou moins coalisées contre Sophie.

Le pique-nique était une grande affaire de bienfaisance pour les gens chics, avec une conférence, un déjeuner puis un thé. Cette année-là, maître Cornelius recevait, alors rien n'était trop beau ni trop cher : une énorme tente rayée, un orchestre, et toutes sortes de mets raffinés. Seul problème, c'était au lac Waytes, pas vraiment l'endroit préféré de Ben.

La dernière fois qu'il est venu ici, c'était avec Mrs Dampiere. Et maintenant, il la voit en train de parler à maître Cornelius sous le poinciana. Elle croise son regard et essaie de ne pas sourire. Elle doit trouver ça tellement amusant ! Pas Ben. Il a l'impression que tout le monde le regarde, que tout le monde sait. Et avec Madeleine et Sophie qui sont là, c'est encore pire.

L'heure du thé arrive. Madeleine est près du lac, parlant à maître Alex ; Sophie est assise sous la tente avec Miss Sibella, la vieille Mrs Pitcaithley et Mrs Herapath, et c'est là qu'elles l'attaquent à propos de la clinique. Sur un ton bien sûr parfaitement poli et courtois, et « pour son propre bien », mais elles attaquent. Hannibal Tulloch fait le service ; il entend tout, il écoute tout. Pourquoi pense-t-il que ça peut intéresser Ben ? Mystère.

Qu'est-ce que ça peut faire à Ben si une nana riche en prend plein la figure ? Et c'est pas parce qu'il lui a fait passer un sale moment devant l'écurie l'autre jour qu'il devrait s'inquiéter pour elle à présent.

Mais quand même. Il fait un petit tour à l'intérieur, juste pour voir ce qui se passe ; et là, il a une surprise. Il s'attendait à la trouver plutôt furieuse ; après tout, elle n'est pas du genre à se laisser démonter par des reproches. Mais lorsqu'il l'aperçoit, elle est assise près de la fontaine à thé, toute seule, avec sur la figure cet air de quand elle ne veut pas montrer qu'elle est contrariée. Ça lui rappelle la fois où elle lui a donné le livre d'images et qu'il l'a envoyée promener. Et ça lui rappelle l'autre jour à Fever Hill.

Un peu plus tard, il est debout près de la voiture avec Problème, et la revoilà. Maître Alex et Madeleine sont toujours près du lac. Elle va droit vers eux, d'un air très décidé. Elle se tourne vers maître Alex – pas un regard à sa sœur –, l'attire à l'écart et commence à lui parler, en douceur mais très, très fermement. « Elle est comme ça, Sophie. Un moment elle est en plein cafard, et le moment d'après, elle fait ce qu'il faut pour en sortir. »

Au début, maître Alex la regarde et il sourit, le parfait gentleman ; puis son sourire s'en va, comme s'il venait d'avoir une mauvaise surprise. Ensuite, il jette un coup d'œil à Ben.

« Merde, pense Ben pendant qu'ils viennent vers lui. Qu'est-ce qu'elle est allée lui raconter ? »

— Miss Monroe s'est fait mal au poignet, déclare maître Alex, et il a les joues un peu rouges. Vous allez la conduire chez elle tout de suite.

Ben jette un œil à Sophie mais elle regarde ailleurs, très calme. « À quoi elle joue ? Son poignet allait très bien il y a dix minutes, quand elle servait le thé… »

Il se creuse la tête pour trouver quelque chose.

— D'abord, Problème devrait pas tirer une voiture, dit-il à maître Alex. Sans parler de se faire toute la route jusqu'à Eden et retour…

Maître Alex lève un sourcil.

— Je crois, mon garçon, que c'est à moi de prendre les décisions.

— Mais, monsieur…

— Tu vas le faire, Kelly. Et sans le plus petit commentaire.

Pendant un instant, Ben affronte le regard bleu pâle. Il voit bien que maître Alex n'est pas très content de cette affaire lui non plus, mais pour une raison ou une autre, il l'a accepté. « Peut-être que Sophie lui a dit un mot de ce qu'elle a vu à Montpelier, histoire de le convaincre. Elle est pas stupide, Sophie. »

Donc, après avoir poussé un soupir, Ben soulève sa casquette en direction de maître Alex, saute sur le siège du conducteur et se met à regarder droit devant lui.

— Il y a un problème ? demande Sophie à maître Alex, toute pimpante.

Du coin de l'œil, Ben voit maître Alex faire une grimace et secouer la tête.

— Juste le palefrenier typique, surprotecteur avec les chevaux jusqu'à en être insolent.

Il aide Sophie à monter dans le phaéton ; après quoi, il se tourne vers Ben.

— Direct à Eden, et dépêche-toi, je veux que tu sois revenu à sept heures.

Ça fait vingt minutes qu'ils sont partis et elle n'a toujours pas ouvert la bouche, mais pas question qu'il parle en premier. Il n'a pas demandé à la ramener chez elle. Et si elle croit qu'elle va le faire parler juste parce qu'il est un domestique, elle se fait des idées.

Après un tournant, ils tombent au milieu du chemin sur un vautour, en train d'avaler un rat de canne. Problème s'ébroue, agite la tête ; le vautour tend vers elle son vilain cou rouge, puis déploie les ailes et fiche le camp. Ben dit à Problème de ne pas faire autant d'histoires, et elle lui répond en secouant sa crinière d'un air irrité.

Et toujours pas un mot de Sophie.

Ils quittent Waytes Valley, arrivent près de la route de Fever Hill, et là il se rend compte qu'il va devoir parler en premier, pour lui demander quel chemin elle veut prendre. « Et merde ! »

Il soulève sa casquette, tourne la tête de côté.

— Vous voulez passer par la ville, Miss, ou couper par Fever Hill ?

— Par Fever Hill, répond-elle. Du moins, si tu penses que tu peux trouver ton chemin à travers les champs de canne.

Il grince des dents. Il pourrait trouver son chemin les yeux bandés, elle doit bien le savoir. À quoi est-ce qu'elle joue ? Est-ce qu'elle le charrie pour se venger de ce qu'il lui a dit à Fever Hill ? Et alors, à quoi elle s'attendait ? Elle est adulte maintenant, et c'est une dame. Elle n'est pas à sa place lorsqu'elle vient discuter avec les palefreniers.

Donc, au bout de quatre cents mètres, ils prennent à droite la route de Fever Hill. Ils parcourent les champs de canne d'Alice Grove, dépassent l'étang et la vieille usine de sucre qui a brûlé pendant la Révolte, puis le village d'esclaves où vit Evie, et l'aqueduc en ruine. Ils contournent ensuite le bas de la colline et les écuries, traversent le filet d'eau de la Rivière verte et arrivent dans les champs de canne de Bellevue. Il fait chaud pour un début de décembre et l'air est immobile, étouffant. Même les grillons sont à moitié endormis. Ben n'entend que le clip-clop des sabots, les roues qui grincent et le sang qui lui cogne dans les oreilles.

Quand ils parviennent au guango qui marque la fin du domaine, il vire à droite sur la route d'Eden. Le chemin commence à monter et il remet Problème au pas. Des amandiers sauvages surplombent la route ; leurs grandes feuilles sombres projettent des ombres rayées dans la poussière. La voiture est bruyante et le silence de Sophie lui tape sur les nerfs. Pourquoi ne dit-elle rien ?

Ils commencent à descendre vers le pont sur la Martha Brae, et Ben sent l'odeur familière d'herbes fraîches et de plantes en décomposition. À cette époque de l'année, la rivière n'est qu'une flaque boueuse et stagnante, aux berges envahies de lianes et de grosses fleurs rouges et griffues. Le pont est recouvert de mousse ; sur l'autre rive, on aperçoit les ruines qui s'élèvent aux confins d'Eden. « Plus que trois kilomètres », pense-t-il avec soulagement.

Drôle d'endroit, les ruines de Romilly : des murs délabrés où s'enchevêtrent pain-de-cochon et figuiers étrangleurs. Des charmes de Caroline et des bambous géants empêchent la lumière d'y pénétrer. Il y a aussi, parmi les plantes grimpantes, ces étranges petites fleurs blanc-mauve tout entortillées. Evie dit que ce sont des orchidées. Ce que sait Ben, c'est qu'elles ont une odeur épaisse, sucrée, qui le fait penser à des tombes.

Les Négros racontent qu'il y a des années, Romilly était une sorte de village d'esclaves comme celui de Fever Hill. C'est pour cela qu'ils ne s'y rendent jamais, à cause des duppies. Mais Ben se moque des duppies comme de sa première chemise. Quand il était plus jeune, il venait ici tout le temps. Il y dormait, même. Des fantômes négros ? Et alors, qu'est-ce qu'il en a à faire ? Il a une malle entière de fantômes bien à lui.

— Lorsque tu auras traversé le pont, lance soudain Sophie, le faisant sursauter, arrête-toi juste de l'autre côté.

« Hein ? Bon Dieu, qu'est-ce qu'elle va encore inventer ? »

Il donne un léger coup avec les rênes.

— Très bien, Miss, marmonne-t-il.

— Après ça, tu pourras m'aider à descendre.

— Oui, Miss.

— Et arrête de m'appeler Miss.

— Très bien.

Une fois au bout du pont, il s'arrête, saute à terre et l'aide à descendre. Mais elle trébuche sur le marche-pied et doit se retenir à son bras. Elle évite de le regarder, cependant il voit bien qu'elle est furieuse contre elle-même. Il se demande si elle a toujours des problèmes avec son genou : elle ne boite pas ni rien, mais on dirait qu'il se dérobe de temps en temps.

Ben attache Problème à un massif de bambous géants et il reste debout près de sa tête, la main sur son épaisse crinière. Sous les bambous, l'air est raréfié, l'atmosphère un peu étouffante. On entend le lent crissement des cannes, la stridulation des grillons, le murmure de la rivière. Ben prend une grande inspiration, mais se sent toujours oppressé. Où l'air est-il parti ?

Il regarde Sophie marcher vers la berge puis se mettre à l'arpenter, les bras croisés. Elle est habillée en vert pâle : son ample robe, ses gants de dentelle, le ruban à l'arrière de son grand chapeau de paille sont de cette couleur. C'est joli, mais ça ne lui va pas, constata Ben. C'est drôle : Madeleine est faite pour porter des robes serrées à la taille et des manches gigot. Elle est tout en courbes, comme cette Lillie Langtry qu'il a vue sur une carte postale. Mais quand Sophie est trop pomponnée, ça ne lui va pas. D'ailleurs, elle le sait. Elle est trop mince, elle bouge trop vite, comme si elle oubliait toujours qu'elle est en robe longue. On dirait qu'elle ne peut pas rester immobile assez longtemps pour jouer les grandes dames.

Il essaie de se dire qu'elle est juste une nana comme les autres, une nana élégante comme cette hypocrite de Mrs Dampiere. Mais non, ça ne marche, pas. Ça n'a jamais marché, avec Sophie.

— Je venais ici avec Evie, remarqua-t-elle, les yeux baissés vers la rivière. On offrait du rhum à la Maîtresse de la rivière et on faisait un vœu. Je faisais toujours le même : je demandais à la Maîtresse de veiller sur toi, que tu ailles toujours bien, où que tu sois.

« Bon Dieu, quand elle se décide, elle est plutôt directe ! » pense Ben. Il l'avait oublié. Ça lui refait ce nœud chaud et piquant dans la gorge. Il se sent piégé.

— On dirait qu'elle m'a entendue, continue-t-elle, même s'il m'a fallu longtemps pour le découvrir.

Elle se retourne et le regarde en face. Son visage est fermé ; ses sourcils droits et sombres sont froncés, les fossettes aux coins de sa bouche plus profondes que d'habitude. Des problèmes se préparent, d'accord.

— Tu ne veux pas que je te parle, je le sais, reprend-elle, mais je m'en fiche. J'en ai assez qu'on me dise ce que je dois faire. Pour une fois, je ferai comme ça me plaît, et tu ne pourras pas m'en empêcher.

Là-dessus, elle a raison : il ne peut pas la faire remonter de force dans la voiture si elle n'en a pas envie, et il ne peut pas non plus l'abandonner ici en la laissant finir à pied – même si c'est tout ce qu'elle mériterait, pour le faire poireauter comme ça.

— Depuis que je suis revenue, poursuit-elle, tout est différent. Eden. Maddy. Mes amis. Toi. J'ai essayé de me persuader du contraire, mais à quoi ça sert ?

« Et après ? Qu'est-ce que tu veux que j'y fasse ? lui répond-il intérieurement. Si tu comptes sur moi pour arranger tes affaires, tu te trompes de bonhomme. »

Elle fait quelques pas vers lui, lève le menton d'un air de défi.

— Il y a huit ans, tu as disparu. Purement et simplement disparu. Où est-ce que tu es allé ?

Il ne répond pas. Pourquoi diable le ferait-il ?

— Ben, réponds-moi !

Il tourne la tête vers la rivière, puis de nouveau vers elle. Dans l'ombre verte, on dirait qu'elle flotte sous la surface de l'eau. Elle a cette peau claire, si claire, du genre que le soleil n'arrive même pas à faire rosir.

— Je suis allé à Kingston, murmure-t-il entre ses dents. À Kingston, et Port Antonio, et Savanna la Mar, et une demi-douzaine d'autres endroits. Voilà. Vous savez tout.

— Mais qu'est-ce que tu y as fait ?

— Comment ça ?

— Comment est-ce que tu as vécu ?

— J'ai travaillé, qu'est-ce que vous croyez ?

— Oui, mais à quoi ?

— Qu'est-ce que ça peut vous faire ?

— Je veux savoir.

— Eh bien, c'est dommage, parce que je vais pas vous le dire. D'ailleurs, il est grand temps qu'on reparte.

— Non ! s'écrie-t-elle en tapant du pied par terre.

Quelques colombes rousses jaillissent des arbres dans un envol effarouché ; Problème couche les oreilles et paraît inquiète. Mais Sophie ne s'en soucie pas. Elle serre ses lèvres pour les empêcher de trembler, et d'un seul coup elle a l'air très jeune. Ben a presque pitié d'elle. C'est la même Sophie qu'avant : facile à blesser, mais s'arrangeant toujours pour qu'on la blesse encore plus. Pourquoi est-ce qu'elle lui parle de cette façon, et à quoi ça peut bien la mener ?

— Quand j'étais petite, lance-t-elle, tu m'as aidée à ce que je me sente mieux.

Elle dit ces mots presque avec colère, comme si c'était un reproche.

— Je ne sais pas comment tu as fait. C'était peut-être juste de te voir, ou de savoir que j'avais un ami. Ou juste de croire que j'en avais un. Tu peux très bien faire comme si ça n'était jamais arrivé, Ben Kelly. Mais je ne crois pas que tu puisses vraiment avoir tout oublié.

— Bien sûr que j'ai pas oublié, lui répond-il sèchement. Oublié ? Comment j'aurais pu oublier, merde ?

Tout à coup, il est lui-même si en colère qu'il a envie de la secouer. Il retire sa casquette, essuie son front avec son poignet, marche un peu en rond. Puis il revient se planter face à elle, les mains sur les hanches, et lui jette un regard brûlant.

— Vous croyez que lorsque j'étais enfant, les gens avaient l'habitude de me donner des choses ? À moi, un pauvre petit rat d'égout ? Mais vous !

Elle cligne des yeux comme s'il l'avait frappée.

— *Beauté noire* et *La Chute des derviches,* reprend-il en comptant sur ses doigts. Plus toute une cargaison de soupe, et ces fruits le premier jour, et ce sac de cerises que Madeleine a offert une fois à Robbie. Bien sûr que j'ai pas oublié, merde !

Elle se mord la lèvre, baisse les yeux vers ses pieds, revient à lui.

— C'est pas parce qu'on parle pas de quelque chose qu'on s'en souvient pas, poursuit-il. Seulement, à quoi ça sert de remuer tout ça ? À quoi ?

Elle veut dire quelque chose, mais il lève la main pour l'arrêter.

— Non. Pas de ça. Je sais ce que vous allez dire.

Ses fossettes se creusent aux coins de sa bouche, mais cette fois c'est comme si elle allait sourire.

— Non, tu ne le sais pas, réplique-t-elle.

— Si, je sais. Vous allez encore me balancer cette histoire de Montpelier. Eh bien, vous donnez pas ce mal. Vous avez raison, j'étais là-bas, juste comme vous l'avez dit. Et aussi maître Alex, et votre sœur.

Sa bouche s'entrouvre et ses yeux, brun clair, s'agrandissent.

— Mais… *pourquoi* ?

— Pourquoi quoi ?

— Pourquoi est-ce que tu étais là-bas ? Qu'est-ce qu'ils ?…

— Ça suffit ! s'écrie-t-il. Je vous dirai rien de plus.

— Mais…

— Non ! Vous pouvez bien me reposer la question cinquante fois, je vous répondrai pas. J'ai promis à Madeleine, et je vais pas casser cette promesse. Pas pour vous, ni pour personne d'autre.

Il y a un silence, le temps qu'elle digère ses paroles. Elle lui tourne le dos, croise les bras. Elle les serre si fort qu'il voit ses omoplates faire saillie sous sa robe.

Ensuite, elle revient vers lui et le regarde en face. Elle a l'air très décidée, mais pour une fois il n'a aucune idée de ce qu'elle ressent. Il voit les paillettes d'or dans ses yeux, et l'or aussi au bout de ses cils, si bien qu'on ne peut pas dire quelle longueur ils ont à moins d'être tout près d'elle. Une fois encore, il a cette chose chaude et piquante dans la gorge, et du mal à respirer.

Problème le pousse dans le dos avec son nez, et il lui met la main sur l'encolure pour lui dire d'arrêter.

— Pourquoi vous pouvez pas faire simplement confiance à Madeleine ? lâcha-t-il. Elle pense qu'à votre bien.

— Elle me traite comme une enfant.

— Non, c'est pas vrai. Elle est votre grande sœur, elle pense qu'à votre bien. Vous avez une sacrée chance de l'avoir !

Ça le fait penser à sa grande sœur à lui, Kate, et pendant un moment il a une sensation horrible, effrayante. Comme si tout allait s'effondrer à l'intérieur de lui. Il doit claquer le couvercle fort, très fort.

Jamais il n'aurait dû laisser cette situation se produire. À quoi est-ce qu'il pensait ? En dire autant à Sophie… Ça le met de nouveau en colère – contre elle ou contre lui, il ne sait pas très bien.

Il s'arrache à ses pensées, tourne les talons, et va au bambou géant pour détacher les rênes avec un bruit sec.

— Vous avez dit qu'on était amis, lui lance-t-il par-dessus son épaule, mais c'est du passé. On est plus des enfants, et on est pas amis non plus.

— Mais…

— Écoutez un peu : si vous arrivez à ce que je vous parle, c'est seulement parce que je suis un domestique, et que vous pouvez m'y obliger. Ça signifie pas qu'on est amis.

Elle ouvre la bouche pour répondre, mais il la devance.

— Vous auriez pas dû faire ça, ajoute-t-il, en baissant d'un geste brusque le marchepied de la voiture et en lui indiquant de monter. Et le refaites jamais.

— Ben, je ne voulais pas…

— C'est pas juste, et je me laisserai plus avoir. Et je me fiche de combien vous êtes devenue quelqu'un de chic et tout.

— Je suis désolée.

— Je veux pas de « désolée ». Je veux juste que vous promettiez de plus me jouer un tour pareil.

Elle se mord la lèvre, fronce les sourcils, puis finit par hocher brièvement la tête.

— Très bien. Je promets.

Chapitre 8

Ils finirent le trajet dans un silence embarrassé. Sophie fixait le dos rigide de Ben et se demandait ce qu'il pensait. Pas une fois il ne se retourna ni ne lui dit un mot. Il n'avait plus l'air en colère, mais semblait considérer que l'affaire était close et qu'il n'y avait plus rien à ajouter.

Elle ne savait pas exactement ce qu'elle avait en tête, quand elle s'était arrangée pour qu'il la ramène – ni ce qu'elle attendait de ce trajet. Elle se sentait confuse, contrariée, mais aussi bizarrement euphorique. Et elle regrettait déjà la promesse qu'elle lui avait faite.

Lorsqu'ils arrivèrent à la maison, elle eut la surprise de trouver Moses en train d'attendre près de la porte, l'air très inquiet.

— Jésus-Christ, comme je suis content de vous voir, Missy Sophie ! s'exclama-t-il, en se tordant ses mains et en s'approchant de la voiture, tandis que Ben descendait le marchepied. Maît'Cam'ron, il est dans une rage, Missy ! Jurant tant qu'il peut et criant contre maît'esse…

— Contre maîtresse ? répéta Sophie en descendant. Mais elle ne peut pas être à la maison, je l'ai laissée au lac Waytes !

Moses secoua énergiquement la tête et répondit :

— Non, Missy, maît'Cam'ron l'a fait chercher pour qu'elle vienne tout de suite à la maison, et maintenant ils sont dans la véranda et il crie contre elle, avec des mots tout pleins de colè'e ! C'est vrai de vrai, Missy Sophie ! Et moi, je savais vraiment pas quoi fai'e…

Sophie jeta un regard inquiet à Ben, mais il ne le lui rendit même pas. « Le palefrenier parfait », pensa-t-elle avec irritation. Elle le suivit des yeux tandis qu'il remontait sur le siège du conducteur et faisait tourner le phaéton, puis repartait sans un seul regard en arrière.

La présence de Moses la ramena aux problèmes du moment : il était visiblement soulagé de la voir, mais impatient qu'elle pénètre dans la maison et calme le jeu.

Chassant Ben à l'arrière-plan de son esprit, Sophie lança un regard plein d'appréhension vers la demeure. Quelque chose devait aller mal, très mal. Cameron était bien le dernier homme au monde à s'emporter contre sa femme – sans parler de la faire revenir d'urgence et de la couvrir d'injures à son arrivée.

De plus, la route même suivie par Madeleine prouvait qu'il y avait un problème. Puisqu'elle n'était pas passée par Romilly, cela voulait dire qu'elle avait pris le chemin le plus direct depuis le lac Waytes – plein sud à travers les champs de canne de Glen Marnoch –, puis qu'elle avait traversé la rivière à Stony Cap. Ça avait dû l'amener très près des Cockpits, et elle détestait les Cockpits. Elle n'aurait jamais emprunté cet itinéraire-là s'il n'y avait eu une urgence.

Redressant les épaules, et redoutant ce qu'elle allait trouver à l'intérieur, Sophie entra et perçut aussitôt la tension qui y régnait.

— Qu'est-ce qu'il se passe ? murmura-t-elle à une Poppy terrifiée.

Mais la jeune fille noire se contenta de secouer la tête et poussa les enfants dans la nursery.

— Comment est-ce que tu as pu faire ça ?

C'était la voix de Cameron, qui lui parvenait depuis la véranda.

— Mais comment en es-tu arrivée à faire une chose pareille ?

La réponse de Madeleine fut basse et indistincte.

— Quoi ? rugit Cameron lorsqu'elle eut fini. Et tu trouves que ça excuse tout ?

Le cœur de Sophie chavira dans sa poitrine. Depuis tant d'années qu'elle le connaissait, elle ne l'avait presque jamais vu s'emporter. Ça ne pouvait signifier qu'une chose : il avait découvert, pour Montpelier. Et Dieu sait quoi d'autre en plus.

Sans prendre le temps de retirer son chapeau, elle se dirigea vers sa chambre. Elle en était à mi-chemin quand Cameron l'aperçut.

— Sophie, c'est toi ? cria-t-il brusquement. Ça ne t'ennuie pas de venir ici un instant ?

Elle chercha une excuse, et n'en trouva pas.

— Heu… bien sûr. Donne-moi juste une minute, que je retire mon chapeau.

Dans sa chambre, elle arracha les épingles et jeta son chapeau sur le lit ; puis elle alla jusqu'au miroir et arrangea ses cheveux. Ses mains tremblaient, son reflet lui parut blême et son air coupable. Que ferait-elle si Cameron lui posait la question ? Lui mentir, ou bien trahir sa propre sœur ? Vous parlez d'un choix…

Lorsqu'elle arriva dans la véranda, Cameron marchait de long en large, les poings enfoncés dans les poches de sa veste de chasse, ses yeux gris clair brillant de colère.

Madeleine était assise sur le canapé, très droite, le visage figé et sur la défensive. Scout, le chiot, se pressait contre sa jupe. Il tremblait, les oreilles rabattues, sa gueule noire épatée remuant de droite et de gauche en fonction des déplacements de son maître.

Sophie s'arrêta sur le seuil et fit ce qu'elle espérait être un sourire. Cameron lui lança un regard rapide sans cesser de faire les cent pas.

— Je suppose que tu es au courant, gronda-t-il entre ses dents.

Elle tourna son regard vers sa sœur, mais les yeux de Madeleine fixaient un point dans l'espace et ses traits demeuraient inexpressifs.

— Au courant de quoi ?

Cameron s'arrêta face à elle et écarta les bras, dans un geste de colère et d'impuissance.

— Juste de l'histoire de ma femme vendant son héritage derrière mon dos.

Sophie en resta bouche bée.

— Quoi ?

— Tu ne le savais donc pas ? C'est comme je te le dis : Strathnaw, le berceau de la famille Monroe, vendu, derrière mon dos.

Il reprit ses allées et venues.

— Comme les gens vont rire, quand ils sauront !

— Absurde, commenta Madeleine d'une voix ferme. Personne ne rira si personne ne sait rien, et je me suis donné assez de mal pour le garder secret.

— Oui, y compris concernant ton propre mari...

— Si tu avais été au courant, tu m'en aurais empêchée.

— Bien sûr que je t'en aurais empêchée ! rugit-il. Quelle logique aberrante !

C'en était trop pour Scout ; il poussa un jappement et dévala l'escalier de la véranda, la queue entre les jambes. Des tourterelles s'envolèrent de la pelouse avec des gloussements indignés.

Seul le silence leur fit écho dans la véranda. La mangeoire à oiseaux se balançait doucement dans la brise ; un oiseau-mouche voletait au-dessus, dans l'éclat de ses ailes irisées.

Cameron se passa une main sur le visage, gagna la balustrade et se mit à contempler le jardin. Ses épaules trahissaient la tension qui l'habitait, et l'effort qu'il devait faire pour garder le contrôle de lui-même. Il détestait s'emporter, et élever la voix contre sa femme devait beaucoup lui coûter.

Sophie alla doucement jusqu'au canapé, y prit place à côté de sa sœur. Madeleine tourna la tête dans sa direction et tenta vaillamment un sourire, mais elle ne put le lui rendre. Elle avait trop honte. Le souvenir de la scène dont elle avait été témoin à Montpelier lui revenait comme une gifle.

Quelle idiote elle avait été ! Pis qu'une idiote : avoir soupçonné sa sœur, sa propre sœur, d'infidélité – avec un jeune blanc-bec comme Alexander Traherne –, alors qu'elle essayait seulement de vendre cette triste vieille bâtisse en Écosse pour sauver la maison qu'elle aimait ! Et qui pouvait mieux l'aider à s'en défaire discrètement que les Traherne, la plus riche famille de négociants à Trelawny ?

Sophie n'en revenait pas d'avoir été aussi aveugle. Nourrir de tels soupçons ! N'avoir jamais compris qu'Eden ne faisait pas que traverser une période difficile, mais était en train de sombrer…

Pourtant, tous les signes étaient là ! Les longues heures que Cameron passait à travailler. Madeleine toujours en train de coudre, retournant ses vieilles robes au lieu d'en commander des neuves, faisant elle-même les vêtements des enfants. Et ce qui glaçait Sophie de honte, c'était l'idée que, pendant tout ce temps, ils lui avaient payé ses études sans explication ni plainte. Le collège de Cheltenham, le billet de première classe pour rentrer à la maison – même le petit cabriolet qu'ils lui avaient trouvé pour aller à cette fichue clinique…

Madeleine porta ses mains à ses tempes et lissa ses cheveux en arrière. C'était un geste que Sophie lui avait toujours vu faire quand elle était sous pression. Elle avait de tout temps été la plus forte de la famille. Courageuse, résolue et sûre d'elle, même quand elle faisait fausse route. Soudain, Sophie se sentit très faible – et irrémédiablement la cadette, ignorante et impuissante.

— Tu peux comprendre pourquoi je l'ai fait, j'en suis sûre, dit doucement Madeleine à Cameron. Eden est notre maison. Depuis seize ans, tu y mets tout ton cœur et toute ton âme. Comment pourrais-je rester là, à regarder la banque te la prendre, sans rien faire ?

Les mains toujours sur la balustrade, il lui lança un regard par-dessus son épaule.

— Même si ça implique d'agir derrière mon dos ?

Les lèvres de Madeleine tremblèrent.

— Je t'ai dit pourquoi je l'ai fait. Je t'ai expliqué…

— Quand nous nous sommes mariés, nous nous sommes fait une promesse : pas de secrets. Plus de secrets. Tu l'as oublié ?

Elle baissa les yeux vers ses genoux et serra les poings.

— Bien sûr que non ! Mais Eden est notre maison. Elle compte plus que Strathnaw.

— Strathnaw était ton héritage, bon Dieu, Madeleine ! Il y a eu des Monroe dans ce domaine pendant plus de quatre cents ans. Comment as-tu pu le vendre ? Qu'est-ce que Jocelyn aurait pensé s'il avait vécu assez longtemps pour le voir ?

— Oh, pas ça, je t'en prie…

— Ça lui aurait brisé le cœur. Tu n'y as pas pensé ?

— Bien sûr que j'y ai pensé ! Je n'ai pensé qu'à ça ou presque !

Sophie tendit le bras et prit la main de sa sœur, la serra.

— Je trouve que tu as été extrêmement courageuse, lui déclara-t-elle. Qui est l'acheteur ?

Madeleine eut un petit sourire triste.

— Je ne sais même pas. Je ne voulais pas le savoir. Les Traherne se sont occupés de tout.

— Les Traherne ? répéta Cameron, incrédule.

Il leva les yeux au plafond.

— Oh, Dieu du ciel…

Madeleine le regarda, perplexe.

— Mais ils ont été parfaits… aussi bien Cornelius qu'Alexander.

— Je suis sûr qu'ils l'ont été ! gronda de nouveau Cameron. Ils ont dû être ravis de mener une intrigue avec une jolie femme dans le dos de son mari.

— Qu'est-ce que c'est censé vouloir dire ? rétorqua Madeleine, le menton levé.

— Un jeune libertin comme Alexander et un vieux débauché comme Cornelius ? Excellent choix pour des conspirateurs, ma chérie. On ne va plus parler que de toi dans tous les clubs d'ici à Kingston… Enfin, à quoi est-ce que tu pensais ?

— Je pensais à sauver Eden. Ce qui visiblement était très mal de ma part. Excuse-moi.

— Mais les Traherne, Madeleine ? Est-ce que tu as jamais vu Alexander garder un secret ?

— Cameron, moins fort, sans quoi les domestiques entendront.

— Ils savent déjà ! Je suppose qu'à cette minute la moitié de Trelawny est au courant !

— Oh, voyons, tu exagères !

Sophie prit une grande inspiration et tâcha de récapituler.

— Donc, c'est cela que tu faisais à Montpelier, dit-elle.

— Quoi ?

— Tu es allée là-bas pour la vente… C'est bien ça, n'est-ce pas ? Tu étais bouleversée, et Alexander te consolait.

— Bien sûr, répondit Madeleine négligemment.

Manifestement, la nature des soupçons de Sophie ne lui avait pas traversé l'esprit.

Cameron se tourna vers Sophie.

— Qu'est-ce que ça signifie ? Tu étais déjà au courant ?

— Non, c'est juste que…

— Mais tu viens de dire que tu l'avais vue à Montpelier…

— Eh bien… oui. Avec Alexander Traherne et…

Elle allait ajouter : « Ben Kelly », mais elle s'interrompit à temps. Ce n'était pas le moment d'apprendre à Cameron que le gamin des rues dont il s'était toujours méfié avait fait partie du petit complot de sa femme.

— Oui ? insista Cameron. Et qui d'autre ?

— Et… j'étais étonnée, termina Sophie en levant les yeux vers lui avec un sourire crispé. Je l'ai vue avec Alexander et j'étais étonnée.

Il lui jeta un regard pénétrant.

— Cameron, viens t'asseoir, intervint Madeleine. Ça me donne mal à la tête de devoir lever les yeux vers toi.

Son regard alla de Sophie à sa femme, et inversement ; ensuite il se frotta la nuque, soupira, marcha vers un fauteuil et s'y jeta. Enfin, il posa ses coudes sur ses genoux et secoua la tête.

— Nous aurions trouvé un moyen, murmura-t-il. Nous aurions trouvé un moyen de nous en sortir sans vendre un hectare de terrain.

— Comment ? répliqua Madeleine doucement.

— Je ne sais pas. J'aurais trouvé un moyen.

Madeleine le contempla pendant quelques instants ; puis elle se leva, alla s'asseoir sur le bras de son fauteuil et mit les mains sur les épaules de Cameron.

— Et moi, qu'est-ce que j'aurais été censée faire pendant ce temps-là ? Te regarder te tuer à l'ouvrage ?

— Madeleine…

— Je l'ai fait pour nous deux, l'interrompit-elle d'une voix ferme. Et je le referais s'il le fallait. Demain.

Il ouvrit la bouche pour protester, mais elle lui secoua l'épaule.

— Je le referais, répéta-t-elle. Tu ferais mieux de l'accepter une bonne fois.

Il eut un nouveau soupir, et elle lissa une mèche de cheveux vers l'arrière de sa tempe.

— C'est un coup pour ton amour-propre, j'en suis consciente. Mais tu as connu pis dans le passé, non ? Et tu as survécu.

Il fit entendre un grognement qui pouvait passer pour un rire.

— Comme tu survivras à ça aussi, poursuivit-elle. Mais en tout cas, je ne nous laisserai pas chasser d'Eden. Sûrement pas !

Quand Sophie les laissa, Madeleine s'appuyait contre son mari, sa tête près de la sienne, tout en parlant d'une voix basse et ferme. Et il l'écoutait.

— Maddy, pourquoi est-ce que tu ne m'as pas tout raconté ? lui lança Sophie le lendemain après-midi, lorsqu'elle put enfin voir sa sœur un moment seule.

C'était la demi-journée de congé de Poppy et elles marchaient ensemble dans le jardin, tandis que les enfants poursuivaient autour de la pelouse un Scout aux anges.

— Comment est-ce que j'aurais pu ? Ça aurait signifié te demander de mentir pour moi – et à Cameron ! Impossible...

Madeleine se détourna rapidement, et pour la première fois Sophie mesura combien ces semaines de dissimulation avaient dû lui coûter.

— Oh, Maddy, je comprends. Je suis désolée !

Madeleine rit et s'essuya les yeux.

— Mais de quoi ?

— D'avoir été aussi stupide, de t'avoir harcelée comme je l'ai fait...

— À ta place, je crois que j'aurais fait bien pis. Non, c'est moi qui suis désolée. Quel retour à la maison tu as vécu ! Je ne pouvais y croire, quand Alexander m'a dit que nous devions aller à Montpelier le jour même où tu arrivais. Je n'en ai pas dormi de la nuit.

— Mais pourquoi ce jour-là en particulier ?

133

— C'était le seul où le notaire pouvait venir. Il m'apportait de Spanish Town des papiers à signer. Cornelius… a pensé que l'hôtel de Montpelier serait un endroit tranquille et discret pour se rencontrer. Quand on voit comment ça a tourné… J'avais si peur que nous ne soyons pas à temps à Montego Bay pour t'accueillir ! Heureusement que le train a été retardé.

Sophie fronça les sourcils.

— Je ne comprends toujours pas tout. Lorsque je suis arrivée à Montego Bay, tu étais avec Cameron. Comment est-ce que…

— Je lui avais dit que je partais plus tôt pour faire quelques courses, et que je le retrouverais là-bas. Un mensonge de plus…

— Mais tout cela s'est passé il y a trois semaines. Une fois que c'était fait, pourquoi ne nous l'as-tu pas expliqué ?

— Parce que ce n'était pas encore vraiment fait. Le notaire devait rédiger le titre de propriété, ou quelque chose dans le genre. Je ne comprends pas tous les détails, mais je devais attendre que ce soit absolument irrévocable pour le dire à Cameron, sans quoi il aurait tout tenté pour l'empêcher. Tu sais ce qu'il ressentait pour Jocelyn, il le considérait comme un père. Il n'aurait jamais consenti à ce que Strathnaw sorte de la famille, même si ça ne fait que nous coûter de l'argent depuis des années.

— Comment est-ce qu'il a tout découvert ?

Madeleine rit un peu jaune.

— Oh, par l'imbroglio le plus idiot qu'on puisse imaginer. La lettre du notaire est arrivée hier, confirmant que tout était en règle. Mais son clerc s'est trompé et l'a adressée à Cameron, qui l'a prise quand il est allé en ville chercher le courrier.

— Oh, Seigneur !

— Tu l'as dit. Mais c'est bien à moi que la faute revient au départ – comme toujours, d'ailleurs… Enfin, nous surmonterons ça.

Sophie observa un silence avant de remarquer :

— Je ne me rendais pas compte que les choses allaient si mal avec Eden. J'ai toujours cru que Cameron s'en sortirait, d'une manière ou d'une autre.

Madeleine sourit.

— Il ne peut pas faire de miracles, Sophie.

— Tu sais que vous pouvez avoir Fever Hill, n'est-ce pas ? Tu n'as qu'un mot à dire, je le vendrai demain et vous aurez l'argent.

— Mon Dieu, quelle offre… Mais Clemency, qu'est-ce qu'elle penserait ?

— Ce n'est pas une plaisanterie, Maddy. Mon offre est sérieuse.

Madeleine lui posa la main sur le bras et sourit.

— Je le sais, et c'est adorable de ta part. Mais il n'est pas nécessaire que tu sacrifies ton héritage tout de suite. La vente de Strathnaw va nous permettre de tenir un bon nombre d'années. Et, qui sait ? le prix du sucre peut monter en flèche pour nous rendre tous millionnaires !

Elle était décidée à prendre les choses à la légère, et c'était peut-être mieux.

Pendant quelque temps, les deux sœurs avancèrent en silence sous les fougères arborescentes. Scout fouillait sous le plumbago, et il en ressortit la gueule couverte de terre rouge. Belle trépignait sur place au milieu des tilleuls en criant à Fraser de lui laisser faire un peu de balançoire, sans quoi elle se plaindrait à leur mère.

Madeleine dit à son fils de céder la place à Belle, et de ne pas la pousser trop fort. Puis elle se retourna vers

Sophie comme pour ajouter quelque chose ; mais elle se ravisa et reprit la marche à son côté.

Sophie, qui repensait à sa propre conduite au cours des semaines précédentes, fit une grimace. Elle avait saisi toutes les occasions de s'opposer à Madeleine, traité presque ouvertement Alexander de menteur, et harcelé Ben – tout cela dans sa quête stérile pour découvrir la « vérité ». Et dire qu'elle était censée être la personne intelligente de la famille !

En songeant à Ben, elle se sentit mal à l'aise. Cette ruse dont elle avait usé la veille n'allait-elle pas avoir des conséquences fâcheuses pour lui ? Ou peut-être pour elle-même ? Personne n'avait émis le moindre commentaire, mais leur départ n'avait pas pu passer inaperçu. Et si Sibella s'était sentie obligée d'avoir une « petite conversation » avec elle à propos d'Evie Mc-Farlane, qu'est-ce que ça serait s'agissant d'un domestique...

Un grand cri leur parvint des tilleuls : Belle était tombée de la balançoire. Mais, constatant que personne ne se précipitait à son secours, elle s'assit dans l'herbe en souriant, pour signifier qu'elle allait parfaitement bien.

Madeleine contempla sa fille un instant, puis elle attrapa le bras de Sophie et rebroussa chemin à travers la pelouse.

— Il y a autre chose dont je dois te parler, lui déclara-t-elle à mi-voix.

— Autre chose ? Tu veux dire que ce n'était pas tout ?

Elle avait prononcé ces mots sur le ton de la plaisanterie, mais Madeleine ne sourit pas.

— C'est à propos de Ben.

Sophie prit une grande inspiration.

— C'est... à cause d'hier ?

— Pas directement. Du moins, je ne crois pas.

— Qu'est-ce que tu veux dire ?

Madeleine fronça les sourcils.

— Je viens de l'apprendre par Susan. Elle le tient de Moses…

— Mais enfin, qu'est-ce qui se passe ?

— J'ai bien peur qu'ils ne le mettent à la porte, Sophie, avoua Madeleine ; et comme sa sœur était trop suffoquée pour parler, elle précisa : Apparemment, Cornelius le lui a annoncé hier soir.

— Mais… pourquoi ?

— Je ne sais pas. Quelque chose à propos de son insolence, mais j'ai bien l'impression que c'est juste un prétexte.

En plein désarroi, Sophie réfléchit puis réagit :

— Bien sûr que c'est un prétexte ! C'est à cause de nous, n'est-ce pas ? Parce que je l'ai obligé à me dire la vérité sur Montpelier, et que Alexander l'a appris, et…

— Non, tu tires trop vite des conclusions…

— Alors, c'est parce que je l'ai retenu pour lui parler à Romilly, et qu'il était en retard pour rentrer. Dans les deux cas, c'est notre faute.

— Sophie…

— Mais si, voyons ! J'en suis sûre.

Madeleine ne répondit rien, mais Sophie lut sur son visage qu'elle le pensait aussi.

— C'est tellement injuste ! commenta Sophie, au bord des larmes. Ben ne voulait rien avoir à faire avec nous, il n'arrêtait pas de me le répéter. Ça ne serait pas arrivé si nous ne nous en étions pas mêlées.

Dans son énervement, elle rendait aussi sa sœur responsable de la situation ; mais toutes deux savaient qui était surtout à blâmer.

— Il s'en sortait si bien à Parnassus, et maintenant nous lui avons gâché tout ça...

— Nous n'en sommes pas certaines, Sophie.

— Si, nous le sommes. Il a perdu son emploi, et il n'a nulle part ailleurs où aller. Et c'est à cause de nous !

Chapitre 9

Ben ne comprit pas tout de suite pourquoi il se faisait congédier, surtout vu comment ça arriva – d'un seul coup. Il était dans la sellerie en train de nettoyer tranquillement des étriers, et la minute d'après maître Cornelius lui donnait ses deux semaines de préavis, et sans lettre de références.

— Je suis déçu par vous, Kelly. Déçu et franchement mécontent.

« Moi aussi », pensa Ben, en reposant l'étrier sur une botte de foin. Il était viré ? Pourquoi ? Ce petit coup d'insolence avec maître Alex pendant le pique-nique ? Son retour tardif ? Ou quoi d'autre ?

Il regarda maître Cornelius faire les cent pas dans la sellerie. C'était plutôt un bel homme, quoique court, trapu et approchant de la soixantaine ; il était du genre que vous trouvez sympathique au début, mais à qui vous ne faites jamais totalement confiance. Il y avait trop du lézard en lui pour ça. Ses gros yeux bleu pâle étaient toujours en train de glisser vers le premier jupon venu. Ses lèvres rouges étaient toujours un peu trop brillantes. Quant à ses mains, elles avaient presque des écailles dessus.

— Vous savez, Kelly, ajouta maître Cornelius en ramassant un pot de paraffine pour en examiner l'étiquette, il ne faut vous en prendre qu'à vous-même. Peut-être qu'à l'avenir vous aurez une conduite un peu plus correcte, surtout quand une dame est là.

Une dame ? Quelle dame ? De quoi est-ce qu'il parlait ?

En tout cas, c'étaient deux ans de fichus – et sans références, il avait très peu de chances de trouver une autre place, au moins dans le coin. Ce qui signifiait plus de petites courses comme par hasard jusqu'à Eden, et plus de chamailleries avec Sophie.

« Eh bien, tant mieux, pense-t-il le lendemain. Tu avais raison quand tu disais que ça devait s'arrêter. Tu avais raison quand tu lui faisais promettre. C'est bien mieux comme ça. »

Il est dans le box avec Problème, en train de montrer à Lucius les ficelles du métier. Il a encore ses deux semaines de préavis à faire, mais il veut s'assurer que Lucius prend bien le coup de main.

— Elle aime pas être attachée quand tu la panses, lui précise-t-il.

C'est là que Problème tourne la tête et lui met le nez dans le cou, comme si elle voulait lui parler. On dirait qu'elle a compris qu'il se passe quelque chose.

Lucius hoche la tête. Ce que Ben vient de lui dire, il le savait déjà, mais il sait aussi que Ben a besoin de le lui dire. Il est très bien, Lucius. Grand comme une armoire, noir comme de la poix et, avec un cheval, les mains les plus douces qu'on puisse imaginer.

— Parfois, continue Ben, elle a les paturons de derrière un peu enflés. Un cataplasme de son arrange ça.

Et il ne faut pas qu'elle travaille trop dur quand il fait chaud, sinon elle aura mal à la tête.

— D'accord.

Ben donne une petite tape sur le nez de Problème, une autre sur l'encolure, puis il quitte le box. Juste à ce moment-là, on entend un bruit de sabots : c'est Miss Sib, Mrs Dampiere et maître Alex qui reviennent de leur balade à cheval. Maître Cornelius est dans la cour, en train de fumer un cigare, et il suit des yeux Mrs Dampiere assise sur sa jument, dans sa petite tenue d'équitation très étroite. Quant elle passe devant Ben, elle baisse les yeux et lui lance un regard froid ; il y est habitué : depuis la première fois, là-bas au lac, elle a fait d'autres galipettes avec lui, et chaque fois elle a été particulièrement froide après. Mais aujourd'hui, il y a quelque chose en plus. Elle a l'air… satisfaite.

Le regard de Ben va d'elle à maître Alex, puis à maître Cornelius, revient sur elle. Et d'un seul coup, il sait pour quelle raison il s'est fait virer.

Pourquoi il lui a fallu si longtemps ? C'était évident, pourtant : maître Cornelius et maître Alex crèvent tous les deux d'envie de l'avoir, mais ils ont rien obtenu d'elle, et ils viennent sûrement de comprendre ce qui les en empêche. Peut-être même qu'elle leur en a touché un mot, comme elle l'en avait menacé : « Je dirai que vous avez été impertinent. Je vous ferai renvoyer. »

Deux ans de fichus, pense de nouveau Ben. Et tout ça pour quelques parties de jambes en l'air dont il n'avait même pas envie.

À cet instant, maître Alex saute à terre, lui jette les rênes et lui dit de nettoyer les selles *proprement,* pour une fois. Alors, Ben baisse les yeux vers les rênes qui traînent par terre et quelque chose lui passe par la tête, malgré lui ou presque.

— Vous savez quoi ? répond-il. Pourquoi vous le faites pas vous-même ?

C'est plutôt drôle : d'un seul coup, on pourrait entendre une mouche voler.

Maître Cornelius sort son cigare de sa bouche et maître Alex le regarde les yeux ronds, comme s'il ne pouvait pas croire ce qu'il vient d'entendre. Miss Sibella en a les yeux ronds elle aussi, mais on voit bien que ça l'amuse. Ça lui fera quelque chose à raconter aux dames pour le thé.

Mrs Dampiere est toujours sur sa selle, en train de rajuster sa tenue, et elle ne regarde personne. Dans le grenier à foin, Reeve et Thomas se sont arrêtés net, avec des bottes dans les bras. Danny, en face du garage à voitures, a le visage sévère ; mais Lucius, penché par-dessus la porte du box, retient mal un sourire.

Ben se baisse pour ramasser un peu de paille et s'essuyer les mains. Il ne pourra pas retourner à la chambrée reprendre ses affaires, et devra laisser sa chemise et son pantalon de rechange ainsi que cette étrille spéciale qu'il s'était mise de côté. Dommage pour ça. Et maintenant, il ne verra sûrement plus Sophie, et c'est dommage pour ça aussi. Tant pis.

— Bon, je crois que je vais y aller, ajoute-t-il.

Maître Alex cligne des yeux.

— Quoi ?

— Je vais partir. Tailler la route. Me tirer d'ici.

— Pas si vite, mon garçon…

— Tu as encore deux semaines de travail, intervient maître Cornelius.

— Deux semaines ? grogne Ben. Vous pouvez vous les foutre où je pense, tous les deux.

— Qu'est-ce que tu viens de dire ? s'exclame maître Alex en s'étranglant.

— Vous m'avez très bien entendu, répond sèchement Ben. Mais peut-être que vous avez pas de cul, comme les autres ?

Un hoquet de Miss Sibella horrifiée, un crachouillis de la part de Lucius. Le pauvre vieux Danny lève les yeux au ciel, comme s'il avait toujours su que ça allait arriver.

« Pourquoi les gens font toujours semblant ? se demande Ben. Regardez-les tous, l'air d'être scandalisés, alors qu'au fond ça les amuse plutôt. »

Il retire sa casquette et leur fait à tous un salut moqueur. Puis le diable en lui se souvient de Mrs Dampiere.

— Vous savez quoi ? lance-t-il à maître Alex et maître Cornelius. Le plus marrant, c'est que j'ai jamais eu envie d'elle.

Il la désigne de la tête, pour s'assurer qu'ils comprennent bien de qui il veut parler.

— C'est elle qui a tout fait. C'est vraiment pas difficile de l'avoir, je vous le dis. En plus, c'est même pas un si bon coup.

« Et ça, pense-t-il en enfonçant les mains dans ses poches et en s'éloignant, c'est ce qu'on peut appeler couper les ponts. »

À la grande consternation de Sophie, Madeleine refusa tout net d'engager Ben à Eden.

— C'est hors de question, lui déclara-t-elle, tandis qu'elles se rendaient à Falmouth le lendemain matin.

Nous ne pouvons en aucun cas nous permettre d'avoir un palefrenier supplémentaire.

— Mais pourquoi est-ce que tu ne veux même pas demander à Cameron d'y réfléchir ?

— Ne lui dis pas un mot sur Ben, surtout…

— Est-ce qu'il ne serait pas temps d'arrêter ce genre de sottises ? Ils ne se sont rencontrés qu'une fois, et c'était il y a des années, quand Ben n'était encore qu'un gamin.

— La question n'est pas là. Aucun homme n'aime se rappeler que sa femme était familière autrefois avec un…

— … un gamin des rues. Ce gamin des rues était un de nos amis, et maintenant il a besoin de notre aide. Maddy, tout ça n'est qu'un prétexte. Quelle est la vraie raison ?

Les lèvres de Madeleine se crispèrent.

— J'aurais pensé que c'était évident : il est beaucoup trop beau, et c'est un palefrenier. Moins tu le vois et mieux c'est.

Sophie se sentit devenir écarlate.

— Voyons, c'est absolument stupide !

— Alors, explique-moi pourquoi tu es tellement désireuse de l'aider ?

— Parce que c'est ma faute s'il a été renvoyé !

Mais Sophie elle-même n'en était pas entièrement convaincue.

Elle tourna la tête et regarda la campagne qui défilait. Elles étaient à quelque cinq kilomètres au nord de Romilly. À sa gauche, les champs de canne de Fever Hill miroitaient sous le soleil. À sa droite, des rossignols et des quiscales gazouillaient dans les grands cèdres de Greendale Wood. Elle repensa à Ben, à Romilly, faisant les cent pas sous le bambou géant et s'écriant : « Oublié ? Comment j'aurais pu oublier, merde ? »

Il était furieux contre elle, et pourtant il l'avait aidée à se sentir mieux. Parce que, oui, il était toujours le même Ben. Mais sa sœur ne comprendrait jamais ça.

Elle pivota vers Madeleine.

— Très bien, lui dit-elle. Si ce n'est pas Eden, alors Fever Hill. Clemency lui donnerait un emploi si nous le lui demandions.

— Tu n'abandonnes jamais, n'est-ce pas ? Clemmy n'a pas besoin d'un palefrenier. Elle ne monte même pas à cheval.

— Mais, Maddy, nous ne pouvons pas rester les bras croisés, ne rien faire…

— Si, Sophie, nous le pouvons.

Madeleine donna un léger coup avec les rênes et ajouta :

— En plus, tu ne sais même pas où il est. Peut-être déjà loin d'ici.

— Ce n'est pas un argument. Evie le sait sûrement, il suffit que je lui demande…

— Reste en dehors de tout ça, Sophie. Tu ne peux rien pour lui. Et même si tu le pouvais, tu ne l'aiderais pas en t'en mêlant. Tu ne ferais que rendre les choses plus difficiles.

Sophie ne répondit pas. Madeleine se trompait : il y avait au moins une chose qu'elle pouvait faire. Et elle avait bien l'intention de la faire. Pourquoi serait-elle allée à Falmouth, sinon ?

Sa terrible vieille parente, grand-tante May, avait passé toute sa vie à Fever Hill ; mais, à la mort de son neveu Jocelyn, elle avait étonné son monde en déménageant pour s'installer à Falmouth.

145

Elle continuait d'y vivre en recluse. Hormis sa visite hebdomadaire à l'église, elle ne quittait jamais la maison. Elle ne rendait aucune visite, bien que le tout-Trelawny vînt scrupuleusement lui déposer sa carte. Elle n'ouvrait jamais un roman, méprisait les journaux – ainsi que les gramophones, l'éclairage au gaz et les fauteuils de repos.

Ses domestiques eux-mêmes ignoraient à quoi elle passait ses journées ; mais les pickneys qui traînaient dans Duke Street avaient leur idée sur le sujet.

— C'est la Vieille Sorcière, murmuraient-ils, en lançant des regards craintifs vers les jalousies en acajou de la galerie du premier étage, qui étaient toujours closes. Elle a des yeux qui vous transpercent, elle porte des gants pour cacher ses doigts crochus, et elle sort la nuit pour sucer le sang des enfants mortsnés.

La première fois que Sophie entendit cette histoire, elle éprouva une légère culpabilité. L'idée que grandtante May était la Vieille Sorcière des légendes locales, c'étaient Evie et elle qui l'avaient lancée quand elles étaient enfants.

Ce jour-là, pendant qu'elle suivait Kean, le maître d'hôtel, jusque dans le salon du haut, Sophie se sentait bizarrement inquiète. Elle tâcha de se dire qu'elle n'avait rien à craindre d'une vieille dame de quatre-vingt-quatre ans, mais ce n'était pas entièrement vrai. Grand-tante May possédait un étrange talent pour deviner les faiblesses des gens. Elle décelait en vous des zones fragiles dont vous-même n'aviez pas conscience.

Après la lumière éblouissante de Duke Street, il lui fallut un moment pour que ses yeux s'habituent à l'obscurité. Les panneaux en acajou des murs absorbaient le peu de lumière qui filtrait à travers les jalousies fermées. Aucun son de l'extérieur ne pénétrait jusqu'ici ; et pas davantage de tic-tac d'horloge. Un silence lugubre régnait dans le salon.

Assise sur une chaise, elle aussi en acajou, grand-tante May se tenait très droite, les mains gantées croisées sur le pommeau d'ivoire de sa canne. Elle portait toujours des gants. Cela faisait soixante-six ans que sa peau n'avait pas touché celle d'un autre être vivant.

Elle était aussi mince et raide que dans le souvenir de Sophie : engoncée dans une robe à col montant de moire grise et rigide qui ne faisait pas de concession à la chaleur ambiante. Grand-tante May détestait les concessions, comme elle détestait la maladie, le plaisir et l'enthousiasme.

Le fameux portrait d'elle par Winterhalter, en robe de présentation à la cour, était accroché derrière elle. À dix-huit ans, elle était d'une beauté majestueuse : cheveux dorés, silhouette sculpturale, avec des yeux bleus de glace et un teint de porcelaine qui n'avait jamais vu le soleil. « Regardez-moi et morfondez-vous », semblait dire le portrait. Sophie sentait son regard posé sur elle tandis qu'elle traversait la pièce en s'efforçant de ne pas boiter.

— Eh bien, mademoiselle, lança grand-tante May de sa voix dure et sèche. Je ne m'attendais pas que vous soyez si prompte à me rendre visite. Ça doit faire à peine plus de trois semaines que votre bateau est arrivé à Kingston.

Malgré son âge, elle gardait des traces de son ancienne beauté. Son teint poudré était d'une délicate pâleur et ses yeux toujours aussi bleus, même s'ils étaient aujourd'hui bordés de rouge. Avec une sévérité mêlée d'ironie, elle regarda Sophie prendre place sur le bord d'une chaise, et ses griffes gantées se raffermirent sur le pommeau de sa canne.

— Vous êtes très bien informée, grand-tante May, répondit Sophie, en ignorant le sarcasme.

— Pourquoi êtes-vous venue ? Vous n'avez jamais eu la moindre considération pour moi, et vous savez sûrement que je n'ai jamais eu d'affection particulière à votre égard.

— Je sais, oui. Mais…

— J'aime m'entourer de belles choses. Vous n'êtes pas belle. En plus, vous êtes malade.

— En fait, je vais mieux depuis plusieurs années.

La vieille dame frappa le sol avec sa canne.

— Vous êtes malade, je dis ! Vous êtes quasiment invalide. Je vous ai vue boiter. Maintenant, répondez à ma question : pourquoi êtes-vous venue ?

Sophie garda un moment le silence, pour retrouver sa maîtrise d'elle-même.

— J'ai entendu dire que vous aviez besoin d'un cocher, énonça-t-elle calmement.

— Ma parole, mademoiselle, vous me surprenez ! Quel intérêt pouvez-vous bien prendre à mes arrangements domestiques ?

— Eh bien, je connais quelqu'un qui a été récemment congédié d'une autre maison et qui pourrait vous convenir.

— « Congédié », vous dites. Et pour quel motif ?

— Pour insolence. Mais c'était…

— Vraiment ! Vous avez une haute idée du genre de personne que je pourrais prendre à mon service.

— Je pense qu'il s'agit d'un malentendu. Mr Traherne… (Sophie fit une pause, pour laisser le nom

148

produire son effet.)… avait toujours tenu le domestique en question en grande estime.

Quelque chose frémit dans le regard bleu irrité.

Sophie observa de nouveau un silence. Si la vieille dame avait la moindre impression d'être manipulée, tout serait fichu. Mais la perspective de contrarier les Traherne…

Il était de notoriété publique, dans tout le nord de l'île, que grand-tante May vouait au clan Traherne une haine sans merci. Soixante-six ans plus tôt, elle avait subi l'humiliation d'être demandée en mariage par le père de Cornelius, et n'avait jamais oublié cet affront. L'arrière-petit-fils d'un maréchal-ferrant, et il avait été assez effronté pour briguer la main de Miss May Monroe ! Sa rancœur, intacte, était peut-être ce qui la maintenait en vie.

Elle frappa de nouveau le sol avec sa canne.

— Je ne me laisserai pas influencer.

— Je le sais, grand-tante May.

— Je prendrai en considération toute sollicitation concernant cette place, si *je* le juge bon. Mais je ne me laisserai pas influencer. À présent, dites-moi la vérité. Quel intérêt pouvez-vous porter à un domestique de Mr Traherne ?

Sophie hésita.

— Aucun…

— Alors, s'empressa de lancer la vieille dame, pourquoi êtes-vous ici ?

Sophie se sentit rougir.

— Dois-je vous le dire moi-même, mademoiselle ? ajouta grand-tante May. Dois-je vous dire pourquoi vous témoignez un intérêt aussi mal placé envers vos inférieurs ?

— Je n'en porte aucun, non, murmura Sophie entre ses dents. C'est juste que, dans ce cas particulier, il y a des raisons…

— N'essayez pas de vous disculper ! J'ai entendu parler de votre conduite. Votre amitié avec des mulâtres. Votre collaboration avec cette… clinique, faut-il l'appeler ainsi ?

Elle se pencha en avant, et ses yeux plongèrent dans ceux de Sophie.

— Vous êtes attirée par vos inférieurs parce que vous n'avez rien à attendre des autres, et vous le savez.

Sophie se leva. Elle n'accepterait pas cela, pas même dans l'intérêt de Ben. Mais grand-tante May avait saisi sa proie dans ses griffes et n'entendait pas la lâcher.

— Vous n'avez pas d'éducation, poursuivit-elle. Pas de manières. Pas de santé. Pas de beauté.

— Je ne veux pas écouter ce genre de choses…

— Vous trouverez un mari, bien sûr, mais il n'en voudra qu'à vos biens.

— Pourquoi vous croyez-vous autorisée à me sortir pareilles méchancetés ? Parce que vous êtes vieille ? C'est ça ?

Les yeux bleus brillèrent d'un plaisir sinistre.

— Puisque l'impertinence est votre seule réponse, j'en conclus que vous reconnaissez la vérité de mes propos.

— Sottises !

— Ah, maintenant vous m'insultez dans mon propre salon ! Si ce sont des sottises, mademoiselle, alors racontez-moi : avez-vous jamais eu un amoureux ? Est-ce qu'un seul jeune homme de bonne famille s'est montré prévenant envers vous ? Non. Et dois-je vous préciser pourquoi ? Regardez derrière moi, le portrait sur le mur… Voilà la beauté, l'éducation. Vous n'avez aucune des deux et vous ne les aurez jamais. Vous n'êtes pas une véritable Monroe.

— Je suis autant une Monroe que vous…

— Vous êtes une Durrant. Votre mère avait des manières de gosse des rues, et vous aussi.

Sophie s'enfuit en courant. Elle claqua derrière elle la porte du salon, dépassa en le bousculant un Kean fort étonné et descendit précipitamment jusqu'à la rue. Là, elle demeura un moment haletante, aveuglée par la lumière du dehors.

Duke Street était claire et paisible. Un Chinois passa à bicyclette, soulevant un nuage de poussière derrière lui. Une Indienne dans un chatoyant sari violet traversa la rue avec grâce, ses bracelets tintant sur ses chevilles. Elle portait sur la tête un grand panier de mangues, et seuls ses yeux sombres bougèrent lorsqu'elle jeta à Sophie un regard de curiosité polie.

Dans cet environnement rassurant, Sophie sentit les battements de son cœur revenir à un rythme plus normal.

« Vous êtes attirée par vos inférieurs parce que vous n'avez rien à attendre des autres, et vous le savez… Votre mère avait des manières de gosse des rues, et vous aussi… »

Ce n'était pas vrai. Rien de cela n'était vrai. Elle était furieuse contre elle-même d'avoir permis à grand-tante May de la bouleverser ainsi – et, pis encore, de l'avoir laissé paraître. Pourquoi se souciait-elle des imprécations d'une méchante vieille sorcière, toujours à se repaître des craintes des gens et à les entortiller dans un nœud de mensonges ?

Elle s'éloigna lentement dans la rue, et s'apaisa peu à peu. Après tout, ce que grand-tante May lui avait dit n'avait aucune importance. Elle avait mené son projet à bien, en donnant à la vieille sorcière un moyen de damer le pion aux Traherne ; maintenant, c'était à Ben d'entrer en scène pour solliciter la place.

Mais, bien sûr, comme il ne savait encore rien de tout cela, elle devait d'abord le trouver d'urgence.

Chapitre 10

Extraits du journal de Mr Cyrus Wright, contremaître, plantation de Fever Hill :

1ᵉʳ MAI 1817. *Aujourd'hui, je prends mes fonctions à la plantation de Fever Hill. Mr Alasdair Monroe m'a fait visiter la propriété : d'immenses champs de canne, un parc à bestiaux, des rangées de citrus & de piments, du bois de teinture, & beaucoup de bétail & de nègres, dont deux douzaines récemment achetées aux enchères. Mr Monroe a soixante-sept ans, mais il est encore en pleine santé. Il m'a conseillé de prendre une femme, ou au moins d'avoir une jeune négresse comme compagne.*

10 MAI. *La chaleur est épouvantable. La terre est toute desséchée, & par endroits dévastée par le feu. Ma nouvelle maison à Clairmont Hill est très bien, mais isolée. J'ai pris une fille chamboy, Sukey, pour désherber le jardin, mais elle est effrontée. Je l'ai attrapée à manger de la canne à sucre, & j'ai cassé ma badine sur elle. Ce soir, j'ai dîné à la Grande Maison avec Mr Monroe, son fils aîné Mr Lindsay*

& Mr Duncan Lawe. *Crabes grillés, ragoût de canard, melon-miel & un fromage. La conversation a porté sur Mad Durrant, qui construit sa Grande Maison à Eden au milieu des fougères arborescentes. Beaucoup de bordeaux & de brandy. En revenant chez moi,* cum *Sukey dans la resserre,* stans, *par l'arrière.*

18 MAI. *Aujourd'hui, j'ai quarante-huit ans. Toujours pas de pluie. Les perruches ont fait des ravages dans mon jardin, & dans la nuit un bœuf a été dans les maïs, alors que j'avais mis la vieille Sybil pour les surveiller. Je l'ai fait fouetter & frotter avec de la saumure. Elle a fait beaucoup de vacarme.* Cum *Accubah,* supra terram, *dans le Champ au cotonnier.*

31 MAI. *Chaleur extrême, et toujours pas de pluie. Mis deux équipes de nègres au sarclage, et l'équipe de pickneys à charger le fumier aux champs de canne de Glen Marnoch. Beaucoup de paresse. Ces nègres traîneraient tout le temps si je les laissais faire. Pour mon dîner, j'ai eu des huîtres de mangrove, de la langue froide et de la bière mélangée avec du sucre.* Cum *Sukey* in dom., bis.

Une feuille d'ackee tombe sur la page. Evie la contemple un moment, puis la chasse.

Elle fixe l'écriture élégante et soignée qui parcourt la page, et elle a un goût amer dans la bouche. Elle connaît assez de latin pour comprendre certaines formules. « Cum *Sukey dans la resserre,* stans, *par l'arrière* » signifie « Avec Sukey dans la resserre, debout, par l'arrière ». « Cum *Accubah* supra terram, *dans le Champ au cotonnier* » : « Avec Accubah sur la terre dans le

154

Champ au cotonnier ». « Cum *Sukey* in dom., bis » :
« Avec Sukey dans la maison, deux fois ».

Elle change de position, sur le mur de l'aqueduc, mais ne peut parvenir à se calmer. Est-ce son imagination, ou y a-t-il quelque chose qui l'observe, une présence, aux alentours ? Ce bruissement de feuilles dans l'ackee, ce craquement furtif dans le bambou géant ?

Elle se demande pourquoi Cyrus Wright s'est senti tenu de relater chacun de ses accouplements furtifs, et contraints. Et pourquoi en latin ? Est-ce qu'il en avait honte ? Mais alors, pourquoi ne les a-t-il pas passés sous silence ? Non, il avait *voulu* les noter, se les rappeler… Ça la rend malade.

Une colombe rousse se dandine sur le chemin dans sa direction, et elle frappe dans ses mains pour la chasser.

— Va-t'en ! Va-t'en d'ici, oiseau duppy !

La colombe s'envole sur quelques mètres, mais une minute plus tard elle est de retour, penchant la tête et la fixant de ses yeux rouges, impassibles.

— Fiche le camp, murmure Evie.

Elle plonge la main à l'intérieur de son corsage et prend le petit sac de soie verte qui contient la chaîne en or du monsieur buckra. Elle le tient serré, tel un talisman.

Sur ses genoux, le livre est comme un poids mort. Pourquoi la trouble-t-il autant ? Elle le sait bien, ce qui se passait à l'époque de l'esclavage. Dès son enfance, sa mère lui a raconté les histoires. Pourquoi est-ce tellement pire de les lire ? De voir les noms et les détails s'aligner sur la page, en même temps que ce que Cyrus Wright mangeait *pour son dîner* ?

Où qu'elle se tourne, le passé lui paraît transpirer du paysage. Comme ce jour à la maison busha quand elle a vu le vieux maître Jocelyn suivre Sophie dans l'allée de crotons... Qu'est-ce qui se passe ? Qu'est-ce qui va se passer ?

Et pourquoi Sophie lui a-t-elle envoyé ce livre ?

Chère Evie, disait-elle de sa grande écriture désordonnée, dans la lettre jointe, *j'ai trouvé ce livre dans la bibliothèque de mon grand-père, et j'ai pensé qu'il pourrait t'aider pour ton mémoire. Avec tous mes vœux, Sophie Monroe.*

Son mémoire ? C'est juste un prétexte. Est-ce que Sophie essaie de s'excuser pour l'autre jour ? Ou est-ce qu'il y a autre chose ?

Mais finalement, ça n'a pas d'importance. Ce qui compte – ce qui fait qu'Evie se sent oppressée, piégée –, c'est que le destin lui a envoyé ce livre à elle, la fille à quatre yeux de la sorcière locale.

Le livre est lourd et comme vivant sur ses genoux. Elle en a peur, mais elle ne peut pas lui échapper. Elle tourne la page et recommence à lire.

13 SEPTEMBRE 1817. *Pluie extrêmement rude. Les nègres avaient planté des ignames & des bananes plantains dans leurs potagers, mais tout a été emporté. Je leur ai dit qu'ils devraient planter plus profond l'année prochaine, & qu'entre-temps ils devraient se contenter de poisson salé. Dans la matinée, suis allé à Falmouth pour la vente aux enchères. Acheté :*

1) Un beau garçon, un Ebo, 1,72 m, environ 16 ans. Visage et ventre très entaillés de marques tribales. Nom local Oworia. Je l'ai appelé Strap. 45 £.
2) Un garçon coromantee, 1,35 m, environ 9 ans, nom local Abasse. Je l'ai appelé Job. 25 £.

3) Une petite coromantée, 1,04 m, environ 6 ans. Leah. Sœur de celui ci-dessus. 15 £.

4) Une jeune fille coromantée, 1,62 m, 14 ans environ, nom Quashiba. Sœur de Job et Leah, et très jolie. Pas de marques tribales sur le ventre ni le dos, petits doigts effilés, dents non limées, teint clair. Quelque chose de majestueux dans l'allure. 40 £.

J'allais les faire marquer au fer quand le comptable de Mr McFarlane, Mr Sudeley, m'a offert d'acheter la petite Leah. Il m'a dit que Mr McFarlane cherchait un cadeau de mariage pour sa future épouse, Miss Elizabeth Palairet, & que la fille conviendrait. J'ai conclu la vente bien volontiers, & avec une guinée de profit. Mais quand on a emmené cette fille, Leah, il y a eu beaucoup d'agitation. Quashiba & Job avaient l'air très attachés à leur sœur, & ils suppliaient qu'on ne les sépare pas. Ils ont même protesté si violemment qu'on a dû les battre à coups de bâton. Je les ai fait marquer et emmener ; après quoi Strap, qui a l'air d'être leur ami, a consolé Quashiba dans leur langue. J'ai fait la remarque à Mr Sudeley que la jeune fille oublierait vite sa sœur, car tout le monde sait que les nègres sont incapables d'avoir des attachements profonds.

14 SEPTEMBRE. J'ai mis Job dans le village nègre, dans la hutte de Pompey près de l'aqueduc, & accouplé Strap à la mulâtresse Hanah, bien qu'ils aient protesté. J'ai pris Quashiba dans ma maison, pour en faire une gouvernante. Elle continue à se lamenter de la perte de sa sœur, et on a dû l'empêcher de rendre visite à Job & Strap dans le village d'en bas. J'ai eu du ragoût de volaille de

Guinée pour mon dîner. Cum *Quashiba* in dom., *mais elle s'est débattue. Drôle d'effronterie. Je l'ai appelée Eve.*

Evie referme le livre avec un claquement sourd. De la sueur perle à son front, son cœur s'accélère. Elle a envie de jeter le livre dans l'aqueduc – pour expédier Mr Cyrus Wright dans l'eau glauque, où il a sa vraie place.

« Je l'ai appelée Eve. »

Non. Ça n'a rien à voir avec elle. Elle n'est pas une quelconque Négresse d'autrefois, venue de Guinée. Il se trouve juste qu'elles ont le même nom.

De toute façon, qu'est-ce qu'elle en a à faire, de l'époque de l'esclavage ? Il y a presque soixante-dix ans que les esclaves ont été libérés. Elle n'a rien à voir avec toutes ces histoires. Elle est Evie McFarlane, professeur à Coral Springs. Elle est à moitié blanche.

Une légère brise, chaude et sèche, fait bruisser les feuilles de bambou. Evie tend la main vers un buisson, casse un gingembre sauvage et en écrase les pétales, blancs et cireux, dans sa main. L'odeur est si forte que ça lui pique les yeux, mais on dirait que ça lui nettoie aussi l'esprit.

« Tu dois te souvenir que tu n'es pas comme eux, se répète-t-elle. Tu peux partir d'ici quand tu le veux. N'importe quand. Tu n'as qu'un mot à dire à ce monsieur buckra, et il t'aidera. "Tu me dis où et quand, m'a-t-il demandé. Juste pour parler, bien sûr. Je veux seulement parler." Il a promis de te traiter avec respect, et de ne jamais prendre de libertés avec toi. À moins que tu ne le veuilles… »

— Bonjour, Evie, lance Sophie derrière elle.

Evie sursaute, et le livre tombe presque dans l'aqueduc.

— Désolée, je t'ai fait peur…

Evie jette les pétales broyés, ôte ses jambes du mur et cherche ses chaussures.

— Bonjour, Sophie, murmure-t-elle.

— Désolée, répète Sophie.

Nerveuse, elle fait tourner sa cravache dans ses mains. Elle est bien moins élégante que quand Evie l'a vue à la maison busha : elle porte une jupe-culotte d'équitation qui descend à hauteur du mollet, avec une courte veste brune et un chapeau melon. Pense-t-elle qu'en s'habillant ainsi, il y aura moins de fossé entre elles ? Ça ne change rien : ses bottes sont en cuir, et elle a une petite broche en argent au col de son chemisier.

En la regardant, Evie ressent ce mélange familier d'affection, de jalousie et de honte d'elle-même. Elle déteste avoir été surprise, avec sa vieille robe imprimée et ses chaussures en toile, dans cet endroit en ruine. Elle déteste être contente de voir Sophie.

Celle-ci jette un coup d'œil vers le livre, toujours sur le mur.

— Est-ce qu'il t'est utile ?

Evie hausse les épaules.

— Pourquoi est-ce que tu me l'as envoyé ?

— J'ai pensé qu'il te servirait peut-être pour ton mémoire… (Sophie hésite un peu avant de poursuivre.)… et je me sentais mal pour l'autre jour. Je veux dire, avoir imaginé que tu étais une domestique…

Mais Evie feint d'ignorer sa remarque.

— Tu l'as lu ? lui demande-t-elle.

— Non. Pourquoi ?

— Ça parle tout le temps d'esclaves, souffle-t-elle.

— Oh, je suis désolée, Evie ! Franchement, je ne m'en suis pas rendu compte…

— Je sais que tu ne t'en es pas rendu compte.

Sophie se tourne pour contempler l'eau verte de l'aqueduc, puis revient à Evie.

— Écoute, il faut que je voie Ben. Est-ce que tu peux me dire où il est ?

« C'est donc ça, pense Evie. J'aurais dû le deviner. Sophie a toujours éprouvé un intérêt particulier pour Ben. »

— Il est parti.

— Où ?

— Je ne sais pas.

Mais Sophie ne la croit pas.

— Tu comprends, je lui ai trouvé une place, et il faut que je l'en avertisse, sinon quelqu'un d'autre la prendra. C'est dans Duke Street, chez grand-tante May.

— Miss May ? s'exclame Evie, surprise. *Cho*[*] ! La Vieille Sorcière ?

Puis elle se rappelle à qui elle parle et met la main sur sa bouche.

Sophie sourit.

— Oui, c'est vraiment une vieille sorcière… Je l'ai vue hier, et elle me fait toujours aussi peur. Mais bon, elle a besoin d'un cocher. C'est ridicule : elle a seulement huit cents mètres à faire jusqu'à l'église… Mais je pense que si Ben pose sa candidature elle le prendra. Trop contente de faire un pied de nez aux Traherne.

« Intelligente Sophie. Intelligente et imprudente Sophie, qui va au-devant des ennuis avec les yeux grands ouverts », songe Evie.

Elle ne sait pas quoi faire. Bien sûr qu'elle sait où est Ben. Il est à l'est, dans les collines derrière Simonstown ; Daniel Tulloch lui a trouvé un lit chez son cousin Lily, qui enseigne à l'école du village. Mais, dans l'esprit d'Evie, il y a toujours cette vision du vieux maître Jocelyn suivant Sophie dans l'allée de crotons. Peut-être que ça signifie des ennuis pour Sophie, ou peut-être pour Ben. Ou pour les deux.

De la pointe de sa chaussure, elle trace un dessin dans la poussière.

— Il vaut mieux rester loin de lui, Sophie.

— Oui, c'est ce que tout le monde n'arrête pas de me dire.

— Tout le monde ?

Sophie tapote sa botte avec sa cravache.

— J'essaie juste d'arranger les choses au mieux.

« Le croit-elle vraiment ? » se demande Evie. Mais Sophie continue :

— Est-ce que tu pourras au moins lui faire passer le message ?

Evie secoue la tête.

— Pourquoi ? s'écrie Sophie. Tu ne veux pas l'aider ? C'est ton ami aussi…

Evie ne répond pas.

— Fais-lui passer le message, insiste Sophie.

« Après tout, pourquoi pas ? finit par se dire Evie. Tu n'es plus vraiment amie avec Sophie, alors pourquoi veux-tu à tout prix lui éviter des ennuis ? Et pourquoi t'inquiètes-tu pour Ben ? Il peut veiller sur lui-même, il l'a toujours fait. »

— Evie, je t'en prie…

— D'accord, lâche-t-elle avec un soupir.

— Merci, vraiment !

Sophie ne s'attarde pas longtemps ensuite, et Evie n'essaie pas de la retenir. Pourtant, elle est triste de la voir partir. Elle est tellement à l'écart de tout, près de l'aqueduc, avec l'ackee bruissant au-dessus d'elle et les craquements dans le bambou sauvage… et le journal de Cyrus Wright qui l'appelle depuis le mur.

Elle espère presque qu'il a disparu par miracle mais non, quand elle se tourne vers le mur il est toujours là, en train de l'attendre. Avec une sorte de prémonition, elle se rassied au même endroit et le rouvre.

Cependant, elle ne trouve pas d'autre mention d'Eve. Avec une appréhension croissante, elle feuillette des pages qui parlent de récoltes et du nombre de tonneaux par hectare, plus de brèves mentions en latin d'accouplements forcés dans les champs de canne. Que s'est-il passé ? Une maladie ? Une correction qui est allée trop loin ?

Et puis, juste quand elle commençait à perdre espoir, elle la retrouve.

3 DÉCEMBRE 1817. *Hier, j'ai donné à Eve mon vieux manteau bleu en hollande, mais le soir même elle l'avait perdu, ou du moins elle le prétendait. La vieille Sybil affirme qu'en fait elle l'a donné à Strap. J'étais fâché et j'ai envoyé Eve dans l'équipe de travail aux champs, comme punition. J'ai fait fouiller la hutte de Strap, mais on n'y a pas trouvé le manteau. (N. B. : La vieille Sybil dit que les nègres se sont mis à appeler Eve « Congo Eve », pour la distinguer de la Chamboy Eve de Mr Durrant, qui est à Romilly. Mais c'est sans mon autorisation.)*

15 DÉCEMBRE. *Congo Eve a fugué. J'ai envoyé des hommes la rechercher, et je suis trop irrité pour prendre autre chose que du jambon & du fromage pour mon souper.* Cum *Accubah* in dom.

17 DÉCEMBRE. *Congo Eve a été rattrapée & ramenée par le contremaître de Mr McFarlane. Elle s'était*

enfuie à Caledon pour voir sa sœur Leah. Je l'ai fait fouetter & frotter avec de l'eau salée. Dans la soirée, j'ai remarqué qu'elle portait un bracelet de cheville en perles de vautour. Elle dit que c'est son frère Job qui lui en a fait cadeau. Soupçonnant que c'était une infâme pratique obeah (c'est-à-dire de magie noire), je le lui ai fait jeter dans le fumier.

18 DÉCEMBRE. *J'ai eu une étrange visite, pour se plaindre, d'un Mr Drummond, contremaître à Waytes Valley. Il m'a raconté qu'hier il se rendait à Pinchgut quand il a rencontré une négresse bien faite sur la route. Elle a été d'accord pour aller avec lui dans les buissons ; mais quand ils y sont arrivés elle a voulu d'abord se faire payer, sur quoi il a sorti son porte-monnaie de soie bleue tricotée. Cependant, alors qu'il le tenait négligemment à la main, la fille s'en est saisi et s'est enfuie, et depuis il n'a revu ni elle ni le porte-monnaie. Il ne reconnaîtrait pas la fille, car elle portait un foulard qui lui descendait sur le visage. Il a dit qu'il avait perdu cinq shillings dans l'histoire et il voulait que je le dédommage, sous prétexte que cette fille devait être à moi. Je l'ai nié avec véhémence & il est parti. J'ai ensuite questionné Congo Eve : elle m'a affirmé qu'elle ne savait rien de tout cela, mais elle me regardait avec une grande effronterie.*

19 DÉCEMBRE. *La semaine passée, j'ai mis mes ouvriers nègres à couper le bois à Pinchgut Hill, & j'en ai maintenant cent & seize charretées de prêtes à côté de la chaudière. Je revenais à pied de l'usine, très satisfait, lorsque j'ai vu Congo Eve qui parlait à Strap près de l'étang. Elle souriait & lui touchait la joue avec la main. J'ai fait*

fouetter Strap, et je lui ai fait couper les deux narines. Cum *Congo Eve* in dom., sed non bene. Habet mensam.

— Evie ! Evie !

Elle lève la tête, hésitante, avec l'impression de sortir d'un rêve.

C'est sa mère, qui l'appelle pour le dîner. Evie se met debout, referme le livre et défroisse sa jupe. Elle n'est pas mécontente de partir. Il fait sombre, et on dirait vraiment qu'il y a dans cet endroit une présence lourde et maléfique de duppies.

« *Avec Congo Eve dans la maison, mais ça ne s'est pas bien passé. Elle avait ses règles* ». Elle s'est sentie sale en lisant ces mots de Cyrus Wright, comme s'ils laissaient une souillure dans sa mémoire.

Quand elle arrive dans la cour, sa mère relève les yeux de la cheminée, remarque le livre dans les mains de sa fille et lui adresse un petit sourire plein de fierté. Grace McFarlane n'a jamais appris à lire, mais elle adore voir sa fille avec un livre.

— Que voulait Miss Sophie ? lui demande-t-elle en lui tendant un bol de fufu fumant.

Evie hausse les épaules.

— Rien. C'était juste une visite.

Pendant quelque temps, elles mangent en silence, puis Grace dit :

— Tu sais, tu ferais mieux de ne pas passer trop de temps avec elle, ma fille.

Evie souffle sur son fufu et fronce les sourcils.

— Pourquoi ?

— Tu sais pourquoi. Elle n'a pas les mêmes idées ni la même vie que toi.

164

— Mère, je suis professeur, pas domestique. Je peux passer mon temps avec qui je veux.

— C'est très bien, tout ça. Mais ce n'est pas bon de se mêler avec les gens des calèches…

Evie serre les dents. Toute sa vie, elle a entendu ça. Et c'est particulièrement dur venant de sa mère.

— Se mêler avec les gens des calèches ? répète-t-elle doucement. Mais, mère, toi, tu l'as fait. Pas vrai ? Tu t'es « mêlée » avec un monsieur buckra, et…

— Evie…

— … et c'est moi le résultat. Pas vrai, mère ? Tu es allée avec un monsieur buckra, même si tu n'as jamais voulu me dire son nom.

Grace lui jette un regard dur et noir, mais le sang d'Evie bouillonne et elle n'y fait pas attention.

— Alors, je t'en prie, ne me dis pas avec qui je peux passer du temps, mère. Je suis à moitié blanche, je peux…

— À moitié blanche, ce n'est pas blanche ! l'interrompt Grace d'un ton sec. Tu ne sais pas encore ça ?

Evie ne peut en supporter davantage. Elle jette le bol et quitte la cour, claquant la porte de bambou derrière elle. Elle refait tout le chemin jusqu'à l'aqueduc avant même de se rendre compte où elle est – ni qu'elle a le journal de Cyrus Wright serré sous son bras. Son cœur cogne dans sa poitrine.

Et maintenant, que faire ? La nuit est tombée. Les moustiques bourdonnent autour d'elle et des hirondelles viennent boire. Est-ce qu'elle devra attraper quelques lucioles et les mettre dans un pot, pour lire encore un peu près de la lumière ?

Lire est la dernière chose dont elle a envie. Mais justement, parce qu'elle est très en colère, c'est ce qu'elle va faire.

Une nouvelle fois, elle ne trouve rien sur son homonyme pendant plusieurs pages. Comme si Cyrus Wright était désenchanté de tout, sauf cultiver du sucre et faire pousser du café. Ou peut-être qu'il avait honte. En tout cas, il se passe deux ans avant qu'il y ait une autre mention de Congo Eve.

13 SEPTEMBRE 1819. *Toujours pas de pluie ; chaleur excessivement forte. J'ai mis mes ouvriers nègres à récolter l'écorce de mahoe pour faire des cordes, mais Job s'est coupé à la jambe. Elle a enflé avec le ver de Guinée, donc je l'ai envoyé dans la serre. Congo Eve a fait des histoires en courant lui rendre visite & lui apporter à dîner, donc j'ai dû la retenir encore une fois avec une chaîne & un collier autour du cou. Elle est têtue & se nuit à elle-même, mais il faut toujours qu'elle me défie.*

15 SEPTEMBRE. *La femme de Mr Monroe a accouché d'une fille. Il l'a appelée May. C'est son septième enfant avec sa femme, même si bien sûr il a eu de très nombreux mulâtres avec ses négresses. Job est toujours dans la serre, très fiévreux & causant des problèmes en appelant sa sœur. J'ai moi-même l'urine brûlante, & je crains une chaude-pisse. Pris quatre comprimés purgatifs au mercure & une poudre rafraîchissante, sur le conseil du Dr Prattin. Il a suggéré que je me soigne dans la serre comme mes nègres, il pensait que c'était une bonne plaisanterie. Moi pas.* Cum *Congo Eve,* stans, *dans la maison de soins. Pour mon dîner, j'ai eu du ragoût de tortue avec une pinte de bière brune.*

17 SEPTEMBRE. *Job est mort du tétanos. Congo Eve a presque perdu la raison, impossible de rien lui*

*faire entendre. J'ai encore dû la mettre au collier.
J'ai donné aux nègres la permission d'enterrer le
corps derrière les ruches.*

26 SEPTEMBRE. *Beaucoup de chaos dans la soirée.
Contre mes ordres, Strap a fait la neuvième nuit
nègre pour Job dans le village en bas, & Congo
Eve s'est glissée hors de ma maison pour y aller.
Je l'ai suivie dans l'obscurité, et là-bas j'ai vu
une grande foule de gens avec des tambours et
une musique étrange, et Strap qui jouait sur un
banjar. J'ai vu Congo Eve à l'œuvre avec son
obeah. Puis elle et Strap ont dansé la danse nègre
qu'ils appellent le shay-shay, une vision des plus
écœurantes : les hanches qui roulent lentement,
avec le haut du corps immobile. Je les ai inter-
rompus, en brandissant mon mousquet, & j'étais
très fâché. J'ai fait fouetter Congo Eve, vingt-neuf
coups, et cet après-midi, j'ai vendu Strap à Mr Traherne à Parnassus pour 43 £, une perte de 2 £.
Puis j'ai pris le banjar de Strap et l'ai montré à
Congo Eve, et je l'ai mis en pièces devant elle
avec mon coutelas. Elle a menacé de s'enfuir, et
depuis ne m'a plus adressé la parole. Mr Monroe
a raison quand il dit que l'absence de facultés
morales du nègre fait de lui l'esclave de ses passions. Pour mon dîner, j'ai eu deux pigeons
grillés, très gros et très doux.* Cum *Congo Eve*
supra terram *à Pimento Walk,* bis.

Evie se réveille, puis elle met les mains à l'intérieur
de sa robe et saisit le petit sac de soie, verte et tiède,
comme un talisman.

Le jour se lève à peine, et les lucioles dans le pot sont mortes. Bientôt sa mère sortira de la maison, commencera à ranimer le feu, et se demandera pourquoi sa fille est debout si tôt.

Elle n'arrive plus à lire ce livre. Son cœur bat rapidement. Sa lecture de la veille au soir lui a donné mal à la tête.

« *L'absence de facultés morales du nègre fait de lui l'esclave de ses passions.* » À quels mensonges les gens ne sont-ils pas prêts, pour excuser le mal qu'ils font...

Autour d'elle, les oiseaux se réveillent. Un vol de corneilles se pose dans l'ackee en jacassant. Des colombes rousses picorent la poussière. Evie regarde autour d'elle les pierres à demi écroulées, tachées de noir depuis que le vieux maître Alasdair a brûlé le village, après la Grande Révolte des esclaves.

Là où elle se tient, vivaient Strap, et Job, et des centaines, peut-être des milliers d'autres. Ici, Congo Eve a dansé le shay-shay en défiant Cyrus Wright. Est-ce que leurs esprits sont encore là ? La regardent-ils en ce moment ?

Elle saute du mur. Elle n'a rien à voir avec eux. Congo Eve n'est rien pour elle. Elle peut partir d'ici n'importe quand, si elle le veut. *N'importe quand.* Tout ce qu'elle a à faire, c'est dire le mot qu'il faut.

Rapidement, pour ne pas se laisser le temps de changer d'avis, elle revient en courant chez sa mère, le livre de nouveau serré contre sa poitrine. Elle monte l'escalier – doucement, pour ne pas la réveiller – et va prendre sa petite écritoire en bois sous son lit. Puis elle ressort, gagne le bout du jardin et s'assied sur la tombe de sa grand-mère, au-dessous du cerisier. Elle sort sa plume, de l'encre, une feuille de son papier à lettres particulier, et écrit rapidement : « *Je prendrai le frais à Bamboo Walk demain, à quatre heures. E. M.* » Puis elle la scelle avec un peu de cire à cacheter.

« Ceci n'a rien à voir avec Congo Eve, pense-t-elle. Ça prouve combien les choses sont différentes aujourd'hui, où une fille mulâtre peut inspirer admiration et respect à un monsieur buckra. »

Sans même retourner prendre chapeau ni chaussures, elle quitte en courant le jardin, suit le sentier qui contourne la vieille mare, et prend plein ouest à travers les champs de canne d'Alice Grove. Elle court tout le long du chemin jusqu'à Pinchgut Hill.

Quand elle y arrive, le village s'éveille à peine. Les chiens et les chèvres fouillent dans la poussière. Des feux de cuisine fument. Une bonne odeur d'huile de noix de coco, de fruit à pain frit et de thé cerassee imprègne l'air.

Personne n'est surpris de la voir passer, personne ne s'étonne non plus lorsqu'elle attrape le petit Jericho Fletcher au collet et qu'elle le tire derrière un jaquier pour une conversation en privé. Elle peut faire confiance à Jericho. Il est intelligent, calme, et il a pour elle une admiration de petit garçon timide.

— Voilà un quattie pour toi, lui déclare-t-elle. Tu en auras un autre si tu cours aussi vite qu'une fourmi noire et que tu donnes cette lettre à qui je vais te dire. À qui je vais te dire, attention, et à personne d'autre. Compris ?

Jericho lève vers elle ses yeux noirs et brillants comme des graines d'ackee, et hoche solennellement la tête. L'espace d'un instant, Evie ressent un pincement de culpabilité d'utiliser ainsi un enfant. Mais ensuite, elle se rappelle qu'il aura ses deux quatties, et qu'avec il pourra enfin acheter le cheval de bois de ses rêves.

Elle lui donne le premier quattie, la lettre, et referme ses mains dessus.

— Cours vite, murmure-t-elle. Maintenant. Et donne ça à maître Cornelius Traherne.

Chapitre 11

Un après-midi de somnolence à la clinique, sans un patient en vue. De dépit, le Dr Mallory était reparti, laissant Sophie toute seule. Elle était assise à une petite table branlante près de la porte ouverte, luttant pour se concentrer sur *Les Maladies des poumons.*

Mais les mots qu'elle lisait lui paraissaient dénués de sens. Cinq jours s'étaient passés depuis sa conversation avec Evie près de l'aqueduc, et elle n'avait toujours pas de nouvelles de Ben. Peut-être Evie s'était-elle ravisée, à propos de ce message à lui faire passer. Peut-être Ben avait-il quitté Trelawny, pris un bateau pour l'Angleterre, ou pour la Barbade, Panama, l'Amérique ?

Elle n'avait aucun moyen de s'en assurer, hormis retourner voir Evie, mais elle était trop fière pour le faire.

Elle prit son menton dans ses mains et poussa un soupir. Que faisait-elle ici ? Que voulait-elle ? Ces jours-ci, elle n'arrivait à se concentrer sur rien. Elle se sentait en permanence mal à l'aise : nerveuse, toujours au bord des larmes, remplie d'envies confuses mais insistantes. Parfois, elle se prenait à envier Madeleine – d'être belle, d'avoir un mari qui l'aimait – alors qu'elle ne l'avait jamais fait jusque-là. Qu'est-ce qui n'allait pas chez elle ? Oui, qu'est-ce qu'elle *voulait* ?

Une chose, pourtant, était claire, d'une clarté désagréable : elle ne voulait pas de cette clinique. Ç'avait été une erreur grave, et humiliante, de venir ici.

Bethlehem en soi était un endroit agréable. C'était un village typique de petits propriétaires, à cinq kilomètres à l'est de la grande maison d'Eden, et à moins de deux kilomètres au sud de la Martha Brae. Un groupe de maisons à clayonnage enduit de torchis, aux toits de chaume de tiges de canne, entourait une clairière poussiéreuse sur laquelle se trouvaient une chapelle baptiste blanchie à la chaux, un arbre à pain, et la petite baraque à toit de fer que le Dr Mallory avait réquisitionnée pour en faire sa clinique. Autour du village s'étalait, en bon ordre, un patchwork de rangées de bananiers, de plantations de caféiers et de petits potagers individuels – allant à l'est jusqu'aux champs de canne d'Arethusa, au nord jusqu'à la rivière et l'extrémité de Greendale Wood.

Les gens étaient amicaux mais têtus et, comme Cameron l'avait prédit, guère disposés à trahir leurs propres médecins de brousse pour une « boutique de docteur » où ils ne pouvaient pas acheter de la poudre de calvaire ni de l'huile d'homme mort. En général, Sophie n'avait pas grand-chose à faire, sinon distribuer du sirop contre la toux, parfois extraire une chique du pied d'un pickney.

Encore en aurait-elle moins souffert s'il n'y avait eu le Dr Mallory. C'était un veuf, intelligent, amer, très gros, qui détestait la pratique de la médecine et n'était devenu docteur que parce que Dieu le lui avait ordonné. Il n'appréciait pas la présence de Sophie et ne s'en cachait pas, même si ç'avait été au départ son idée à lui qu'elle vienne l'aider. Son principal plaisir semblait être de la critiquer – sous couvert de lui donner des « conseils amicaux » – et de tourner en ridicule son inexpérience en matière médicale.

— Je crains, Miss Monroe, que notre petite clinique commence à perdre son charme pour vous. Non, non, je comprends tout à fait. Comme cela doit vous paraître médiocre, après vos hôpitaux de Londres !

Sa seule expérience des hôpitaux était les trois jours qu'elle avait passés en tant que volontaire au dispensaire pour femmes de Cheltenham, et il le savait parfaitement. Mais, quand elle le lui rappelait, il prétendait toujours l'avoir oublié.

La clinique était devenue un véritable enjeu d'amour-propre entre eux deux. Le Dr Mallory avait visiblement résolu de lui faire jeter l'éponge, mais elle était tout aussi décidée à lui refuser cette satisfaction. Aussi, chaque après-midi, elle faisait atteler sa voiture, la mine sombre, puis partait en direction de l'est, passait devant l'usine de Maputah, prenait au nord dans les champs de canne et traversait le filet d'eau de Tom Gully, qui marquait la limite entre le domaine d'Eden et le village de Bethlehem.

Le Dr Mallory l'accueillait avec une grimace de mauvaise humeur, elle lui lançait un sourire plein de détermination, et ils s'installaient pour attendre les patients, fort rares. Au bout d'une heure environ, le docteur repartait vers sa petite maison, afin d'y prendre un rhum à l'eau et d'y faire une sieste, et Sophie ouvrait un livre.

Cet après-midi-là, le village était plus tranquille que d'habitude, car c'était jour de marché et la plupart des gens étaient partis. Par la porte ouverte, Sophie apercevait un vieil homme qui, assis sous un papayer de l'autre côté de la clairière, était en train de faire briller ses chaussures du dimanche avec une poignée de pétales d'hibiscus. Quelques pickneys passèrent en courant, jouant au poney et au driver. Des quiscales gazouillaient sur les palissades de bambou, des poulets picoraient la poussière. Belle était accroupie sous l'arbre à pain et réprimandait son petit zèbre, Spot. Elle s'était prise de passion pour Sophie, et avait harcelé sa mère jusqu'à ce qu'elle lui permette de l'accompagner.

Madeleine interrogeait fort peu Sophie sur la clinique, et avec un tact qu'elle appréciait. Cameron, lui, était plus direct.

— Sophie, ça fait combien : deux semaines ? lui avait-il lancé après dîner, la veille au soir. Est-ce qu'il ne serait pas temps de t'arrêter ? Après tout, le vieux Mallory n'a pas besoin de toi, tu n'as pas besoin de lui, et Dieu sait que les Noirs n'ont besoin d'aucun de vous deux !

Il avait raison, bien sûr. Mais comment aurait-elle pu reculer maintenant, après avoir tant insisté pour être ici ? Est-ce que ça allait être encore une de ses fameuses « volte-face » ?

La voix de Belle, au-dehors, l'arracha à ses pensées. Elle demandait à quelqu'un, que Sophie ne pouvait pas voir, de jeter un coup d'œil sur le sabot de Spot.

— Il bouge parce que Fraser a tiré dessus, expliquait-elle. Tante Sophie m'a donné un pansement au phénol.

— Un pansement ne sert pas à grand-chose pour un canon cassé, répondit la voix de Ben, et le cœur de Sophie fit un bond dans sa poitrine.

— C'est quoi, un canon ? questionna Belle.

— Ce qui est au-dessus de l'arrière du pied. Il est cassé net et se balade dans tous les sens.

Très doucement, Sophie se leva et s'éloigna de la porte. Elle alla vers la haute fenêtre à jalousies et se mit sur la pointe des pieds pour regarder.

Ben s'était accroupi pour être au niveau de Belle, dans l'ombre de l'arbre à pain. Il portait comme d'habitude sa culotte, ses bottes et une chemise bleue sans col ; mais la casquette de palefrenier avait été remplacée par un vieux chapeau de paille, posé près de lui dans la poussière. Il manipulait le zèbre en fronçant les sourcils.

— Est-ce qu'il va guérir ? s'inquiéta Belle, debout devant lui, les mains serrées dans le dos.

Il secoua la tête.

— Non. Vaut mieux en finir avec lui.

— Oh… Qu'est-ce que ça veut dire ?

— Lui coller une balle.

Belle cligna des yeux.

— Vous voulez dire que je dois lui tirer dessus ?

Il lui rendit le jouet.

— C'est ce qu'il y aurait de mieux pour lui. Il ne remarchera jamais sur quatre pattes.

— Mais si je le porte ?…

Il haussa les épaules.

— À toi de voir. Si tu veux porter toute la journée cette espèce de cheval à rayures, c'est ton problème.

Elle hocha la tête et serra Spot dans son cou.

— En fait, ce n'est pas un cheval à rayures. C'est un zèbre.

— C'est quoi, un zèbre ?

— Euh… une sorte de cheval à rayures.

Ben sourit. C'était la première fois que Sophie le voyait sourire – vraiment sourire – depuis l'époque de sa jeunesse. Ça lui donna presque envie de pleurer.

175

La force du sentiment qui déferla soudain en elle à l'égard de Ben, lui coupant le souffle, clarifia tout.

Il comptait beaucoup pour elle. Il avait toujours compté. Depuis ce premier jour, dans le studio du photographe, où Madeleine l'avait tenu à distance avec son fusil en bois. Un gamin tout maigre, pareil à un chat de gouttière, qui avait grondé et grommelé jusqu'à ce qu'un cheval doré sur la couverture d'un livre attire son attention. Il comptait pour elle, parce que leurs esprits fonctionnaient de la même manière, qu'il sentait ce qu'elle ressentait, et... et parce que c'était comme ça, point.

Maintenant, au moins, elle comprenait pourquoi aucun des jeunes gens qu'elle avait rencontrés ne l'avait jamais attirée, pourquoi elle n'éprouvait rien de particulier pour eux. Tout simplement parce qu'ils n'étaient pas Ben.

Le rebord de la fenêtre était rugueux sous ses mains, mais elle s'y agrippa. C'était contre cela que Madeleine l'avait mise en garde, réalisa-t-elle. Prise de vertige et de tremblements, elle fut envahie par une immense tristesse.

Elle ne pouvait pas lui dire ce qu'elle ressentait, elle ne pouvait le dire à personne. Personne ne devait le savoir, parce que c'était impossible. Même elle était capable de s'en rendre compte. « Tu ne peux rien y faire, se répétait-elle, et les mots résonnaient dans son esprit, implacables. Personne ne peut rien y faire ».

Le souffle court, elle le regarda tendre la main vers son chapeau, promener le regard autour de lui, puis se diriger vers la porte de la petite maison. Précipitamment, elle s'écarta de la fenêtre, alla se rasseoir et se pencha sur son livre.

Quand sa silhouette apparut dans l'encadrement de la porte, elle releva les yeux et joua la surprise, du mieux qu'elle le pouvait. Elle était au bord des larmes, et ça devait se voir sur son visage ; mais, s'il le remarqua, il n'en laissa rien paraître. Il lui fit son signe de tête habituel, sans trace de sourire.

— Je peux entrer ?

Elle hocha la tête, sans cesser de serrer le livre dans ses mains. Il jeta son chapeau sur le chariot de médicaments et, allant s'adosser au mur opposé, examina autour de lui les pots et les bouteilles qui garnissaient les étagères. Ses mouvements étaient empreints de cette grâce qu'il avait toujours, féline, prudente, et l'espace d'une seconde Sophie pensa, presque avec compassion, au gros Dr Mallory, qui en était si cruellement dépourvu.

— Donc, c'est ça la clinique, remarqua-t-il.

Elle s'éclaircit la gorge.

— Oui, c'est ça.

Il ramassa un pot de phénol, le fit tourner entre ses doigts puis le reposa.

— Autrefois, j'ai travaillé pour un hôpital. J'étais garçon de courses à St. Thomas. J'ai appris tous les noms de médicaments.

— C'était avant que tu nous connaisses, Madeleine et moi ?

Il fit oui de la tête.

Elle se demanda où il avait passé les cinq jours précédents. Ses vêtements étaient poussiéreux mais propres, et il n'avait pas l'air de quelqu'un qui a couché dehors. Il avait même trouvé le moyen de se raser, et s'était fait une estafilade au menton.

Pendant qu'elle contemplait ses traits fermes et réguliers, elle se prit à rêver au fantasme de son enfance, plus fort que jamais – qu'il soit un prince enlevé par les fées, et qu'à la fin tout se termine bien.

— Alors, murmura-t-elle, et cette promesse que tu m'as fait faire, de ne plus te revoir ?

Il croisa tranquillement les bras sur sa poitrine.

— Eh bien, moi je n'ai rien promis, n'est-ce pas ? De toute façon, je suis juste venu vous dire merci.

— Pour quoi ?

— Pour avoir parlé de moi à votre tante. Votre grand-tante.

— Donc, tu as eu la place ?

Il acquiesça.

— Une vieille tigresse plutôt effrayante, hein ? Enfin, je pense que nous nous arrangerons très bien.

Sophie se rappela la déclaration de grand-tante May : « J'aime m'entourer de belles choses. »

— Oui, dit-elle, j'imagine que tu t'en tireras facilement.

— Mais pourquoi est-ce que vous avez fait ça ? Lui parler de moi ?

— C'était le moins que je pouvais faire, non ? Puisque tu as été renvoyé à cause de moi.

— Non, pas du tout.

— Mais si, ce jour où tu m'as ramenée à la maison, tu as eu des mots avec Alex… maître Alex… je veux dire Alexander Traherne.

— Ce n'est pas pour ça que j'ai été viré.

— Alors, pourquoi est-ce que tu l'as été ?

Il ne répondit pas, et une légère rougeur lui monta aux joues.

— Sibella a affirmé que tu avais été insolent, ajouta Sophie.

— Ça, on peut le dire, admit-il en riant.

— Elle a parlé de certains incidents dans les écuries, mais elle n'en a pas dit davantage. Juste que Cornelius et Alexander étaient furieux tous les deux.

— Ils l'ont pas volé.

— Mais pourquoi as-tu fait ça ? Pourquoi te mettre à dos la famille la plus puissante de Trelawny ?

Il tourna la tête, contempla les pots sur les étagères, puis il haussa les épaules.

— Je ne sais pas. Sans doute parce que j'étais certain que ça ne durerait pas.

— Quoi donc ?

— Le boulot là-bas. Ça n'allait pas. Alors, je me suis arrangé pour que ça s'arrête.

Il pivota vers elle, et ils se dévisagèrent quelques instants en silence. Elle était toujours assise derrière la table et lui, debout près des étagères, contre le mur opposé. Deux mètres à peine les séparaient. « Deux mètres, songea-t-elle. Tout ce que tu as à faire, c'est te lever et les parcourir. Mais tu ne peux pas. C'est comme si tu étais au sommet d'une falaise et que tu n'avais qu'un pas à faire pour en franchir le bord : tu ne le pourrais pas, parce que tu n'es pas assez courageuse pour ça. »

La clinique était silencieuse, mais de dehors leur parvenaient le chant des grillons et l'air que fredonnait le vieil homme assis sous le papayer. Sophie sentait le souffle chaud de l'après-midi sur sa peau, la douceur de la reliure en cuir sous ses doigts. Le visage de Ben était éclairé par un rai de lumière ; mais les yeux de Sophie s'étaient posés sur le dos de ses mains, dont les veines fortes et sombres saillaient.

Jusqu'à ce jour, elle n'avait jamais éprouvé le désir de toucher un homme. Ni n'avait souhaité qu'un homme la touche. « Tu ne vas pas le faire, songea-t-elle avec tristesse. Parce que tu n'es pas assez courageuse. Parce qu'il ne ressent peut-être pas la même chose que toi. Qu'il n'a peut-être pas envie de te toucher, lui. »

Belle apparut à la porte. Elle portait son Spot blessé, à qui elle avait mis un mouchoir en guise de bandage, et elle leva le jouet pour le soumettre à l'inspection de Ben, en fronçant les sourcils.

— Est-ce que ça ira mieux avec ça ? lui demanda-t-elle.

Ben sursauta, puis il baissa le regard vers elle et cligna des yeux.

— Euh… un peu mieux, oui. Empêche-le de s'appuyer sur ce sabot.

Belle hocha la tête.

— Est-ce que je peux avoir un peu de pommade au cyanure ?

— Non, répondirent Ben et Sophie d'un même mouvement.

Belle leur lança un regard noir et ressortit de la clinique.

Il y eut un nouveau silence. Ensuite, Ben parut se ressaisir et tendit la main vers son chapeau.

— Je ferais mieux de repartir, marmonna-t-il. Je commence à travailler demain, et je dois encore descendre en ville.

— Tu reviendras ? lança-t-elle aussitôt.

— Non.

— Pourquoi ?

— Parce que ce n'est pas une bonne idée.

— Pourquoi ? répéta-t-elle.

Maintenant qu'ils s'étaient remis à parler, elle se sentait plus forte. Elle n'avait peut-être pas le courage d'aller jusqu'à lui ; mais celui de discuter, si.

— Tu es ami avec Evie, fit-elle remarquer. Pourquoi est-ce que tu ne peux pas l'être avec moi ?

— Parce que je peux pas, c'est tout.

— Mais pourquoi ?

Elle le regarda traverser la pièce vers la porte, puis revenir sur ses pas.

— Vous pouvez pas me dire des choses pareilles, lança-t-il avec colère. Pas à moi !

— Pourquoi pas à toi ?

— Parce que je suis quelqu'un d'ordinaire. Que j'ai grandi dans les taudis.

— Je sais, mais…

— Non, justement, vous savez pas. (Il secoua la tête.) Vous savez pas !

— Bon, peut-être pas. Mais tout ça, c'est du passé. Pourquoi ça aurait de l'importance ?

— Parce que ça a une fichue importance.

Baissant les yeux vers son chapeau, il le relança sur le chariot de médicaments.

— Écoutez un peu : quand j'avais le même âge que cette petite fille qui est là-dehors, on vivait à huit dans deux pièces dans East Street. On dormait à six enfants dans le même lit. Vous avez une idée d'à quoi ça ressemble ?

Elle secoua la tête.

— Des punaises et des poux, les filles et les garçons mélangés ensemble. Alors difficile de se retenir, si vous voyez ce que je veux dire.

Elle sentit le rose lui monter aux joues.

— Une nuit, continua-t-il, quand ma sœur Lil avait dans les douze ans, Jack – c'était notre grand frère – il se l'est faite. Vous me comprenez ?

— Oui, fit-elle en avalant péniblement sa salive.

— Alors le lendemain, elle s'est trouvé un jules et elle est sortie dans la rue, à se faire des michetons pour six pence. Et c'est une bonne chose. Parce que comme ça, aujourd'hui, elle gagne sa croûte et elle a un toit au-dessus de la tête.

Elle glissa son ongle dans un pli de la reliure.

— Et Jack, il a été puni ?

— Bien sûr que non ! Pourquoi il l'aurait été ? Il a juste fait ce que tout le monde fait !

— Pourquoi est-ce que tu me racontes ça ?

— Pour vous faire voir la différence entre vous et moi. Je suis exactement le même que Jack, Pa, et tous les autres. Bon Dieu, je me faisais déjà des filles quand j'avais onze ans…

Elle releva la tête et le regarda droit dans les yeux.

— Tu as raison, ça fait une différence. Ça m'horrifie, et ça me désole aussi pour toi. Voilà. Tu es satisfait ?

Il soutint un moment son regard, puis détourna les yeux.

— Et qu'est-ce qui est arrivé à Lil ?

— Qu'est-ce que vous voulez dire ?

— Il a bien dû lui arriver quelque chose, non ? Est-ce qu'elle a été malade ? Enceinte ? Est-ce qu'elle a dû aller chez une… faiseuse d'anges ? C'est comme ça qu'on les appelle, n'est-ce pas, celles qui nous débarrassent de bébés qu'on ne veut pas ?

Il eut un sursaut, presque un geste de défense qui la mit en colère, et elle s'écria, pleine de dépit :

— Pourquoi est-ce que tu fais toujours ça ? On dirait que tu veux me repousser dès que je risque d'être trop proche de toi…

— Il faut bien, non ? Sinon, vous vous cogneriez et vous vous feriez mal.

— Je n'aurai jamais mal à cause de toi. Pas vraiment.

— Oh si. Je suis comme mon Pa, pour ça. Tous ceux qui viennent trop près, ils se cognent. Vous pouvez me croire sur parole.

— Non. Non, je ne te crois pas.

— C'est parce que vous savez pas. Et le pire, c'est que vous vous rendez même pas compte que vous savez pas.

— Eh bien alors, explique-moi !

Instinctivement, elle se leva et contourna la table pour aller vers lui.

— Tu dis que je ne sais rien, mais quand je te pose la question, tu ne me réponds pas.

— Vous embrouillez tout, marmonna-t-il.

— Non. Ce n'est pas vrai.

Il prit une grande inspiration, puis lâcha :

— Écoutez, je vous ai pas raconté toutes ces choses pour que vous vous sentiez désolée pour moi.

— Je le sais.

— Je vous les ai racontées pour que vous compreniez. Pour vous montrer ce que je suis réellement, et que vous vous approchiez pas.

Elle ne répondit rien. Elle restait là, bras ballants, à scruter son visage. Il n'y avait qu'un mètre entre eux deux : elle avait atteint le bord de la falaise.

Elle était assez près pour voir le vert de ses yeux, entouré d'un halo turquoise et strié de petits rayons dorés. « On ne remarque pas les yeux verts comme les bleus, songea-t-elle, pas tout de suite ; mais quand on le fait, on a l'impression de partager un secret. »

— Bon Dieu, Sophie ! gronda-t-il entre ses dents.

Puis il fit un pas vers elle, posa sur sa joue une main, chaude et douce, enfin se pencha et l'embrassa rapidement sur la bouche.

Elle eut juste le temps de sentir la tiédeur de ses lèvres, son odeur sèche et épicée, avant qu'il se détourne et marche en direction de la porte.

Dans un vertige, elle entendit alors le trot d'un cheval, le tintement d'une bride et la voix d'un homme, soudain toute proche. Elle se tourna vers la porte, en clignant des yeux devant la lumière blanche, et découvrit Cameron sur le seuil.

Quand il la vit, son visage s'éclaira d'un sourire. Puis il reconnut Ben, et ses traits se figèrent.

L'aube. La clairière du grand arbre duppy à Overlook Hill.

Ça n'était qu'à une heure de cheval de la maison, et pourtant ça paraissait un autre monde, parce que c'était le début des Cockpits. De la vapeur montait des grandes feuilles en lambeaux des philodendrons, et venait ourler les toiles d'araignées tendues d'un arbre à l'autre. Des résilles de figuiers étrangleurs et des guirlandes de mousse espagnole pendaient aux multiples bras, grands ouverts, du plus vieux fromager de Trelawny.

Sophie, assise sur une de ses grosses racines noueuses, regardait son cheval en train de brouter les fougères. Ses yeux la piquaient à cause de la fatigue. Elle n'avait pas dormi de la nuit.

Cameron n'avait pas dit un mot, à la clinique. Il avait juste dévisagé Sophie, lancé à Ben un long regard indéchiffrable ; ensuite il était ressorti et, après avoir cueilli Belle au passage, il avait quitté Bethlehem. Ben l'avait suivi des yeux depuis la porte ; après quoi il avait secoué la tête et quitté lui aussi le village, sans se retourner.

L'atmosphère au dîner avait été tendue ; Sophie s'était armée pour répondre à une attaque qui n'avait pas eu lieu. Cameron était courtois comme à son habitude, mais taciturne et renfermé. Aux tentatives gênées de Madeleine pour lancer la conversation, on voyait clairement qu'il lui avait tout raconté.

Mais en fait, se répétait Sophie, qu'avait-il pu voir ? Le temps qu'il arrive à la porte, Ben et elle s'étaient déjà séparés. Il n'avait pas assisté à leur baiser. Tout ce qu'il avait pu remarquer, c'étaient leurs visages tendus. Des visages qui, il est vrai, devaient en dire long – surtout à un homme aussi fin et perspicace que Cameron.

Sophie avait réussi à tenir pendant tout le dîner, puis elle était allée se coucher tôt, en prétextant un mal de tête. Elle s'attendait un peu que Madeleine vienne dans sa chambre lui demander des explications, mais celle-ci ne l'avait pas fait.

Ç'avait peut-être été pire encore : elle était restée éveillée toute la nuit, les yeux rivés à la moustiquaire, agitée par une multitude de sentiments contradictoires. Irritation contre Cameron qui la faisait se sentir coupable, colère contre elle-même qui risquait de causer à nouveau des ennuis à Ben, mais aussi émotion profondément bouleversante au souvenir de ce baiser.

Le soleil monta dans le ciel, et la chaleur s'accrut. Loin au-dessus de la cime des arbres, une buse à queue rousse criait, solitaire. Sophie respirait la lourde odeur d'humus et de décomposition, guettait les mille bruissements et bourdonnements secrets de la forêt, et le chant strident des grillons.

Si elle fermait les yeux, elle retrouvait la sensation exacte des lèvres de Ben sur sa propre bouche : elles étaient tièdes et étonnamment douces. Elle sentait encore son odeur, à la fois si particulière et si difficile à définir. Tout s'était passé si vite qu'elle n'avait pas eu le temps de lui répondre. Mais comment pouvait-on répondre à cela ? Par quel moyen ?

Elle n'avait jamais embrassé un homme auparavant. Une fois, quand Evie et elle avaient quatorze ans, elles avaient essayé, par jeu. Elles s'étaient penchées l'une vers l'autre, leurs yeux hermétiquement fermés, avaient tendu leurs deux langues jusqu'à ce que les pointes se touchent, puis s'étaient vivement séparées avec des cris perçants, de rire et d'effroi, à la sensation de cette chair étrangère, humide et chaude.

Sophie posa la main sur l'écorce rugueuse de l'arbre. Près de son pouce, un grand scarabée vert coupeur de coton palpait l'air de ses délicates antennes. Levant la tête, elle contempla le vaste feuillage, semé de petites orchidées écarlates et de branches d'épineux sauvages.

Des années plus tôt, Cameron l'avait amenée ici pour l'aider à vaincre sa terreur des arbres duppies. Et sous ce même arbre, presque trois décennies plus tôt, sa sœur avait été conçue. Rose Durrant l'avait appelé l'Arbre de vie. Elle avait raconté à Madeleine des histoires d'elle et son amant, Ainsley Monroe, se rencontrant en secret dans la forêt à minuit, quand les lucioles constellaient les lianes et que les pâles fleurs de lune s'ouvraient à la nuit.

Rose Durrant était alors presque aussi jeune que Sophie aujourd'hui : aveuglée par l'amour et prête à toutes les folies. « Le problème avec les Durrant, c'est qu'ils allaient toujours trop loin, » avait un jour affirmé Olivia Herapath.

« Telle mère, telle fille ? » se demandait Sophie, en levant les yeux vers l'arbre. Quelques semaines plus tôt, elle avait soupçonné Madeleine d'avoir hérité de la légèreté des Durrant : mais c'était bien elle, en réalité, qui ressemblait le plus à leur fantasque mère.

Tomber amoureuse d'un palefrenier ? Une phrase de grand-tante May lui revint en mémoire : « Votre mère avait des manières de gosse des rues, et vous aussi. »

— Ce n'est pas vrai, dit-elle tout haut et, à côté de sa main, le coupeur de coton déploya ses ailes pour s'envoler en vrombissant.

« Vous êtes attirée par vos inférieurs parce que vous n'avez rien à attendre des autres, et vous le savez », avait ajouté la vieille femme. Ce n'était pas vrai non plus, et elle le savait. C'était juste un méchant mensonge, sorti de sa bouche parce qu'elle était en colère. Et pourtant, Sophie en éprouva de l'amertume. D'autres avaient su trouver l'amour, un amour normal et logique, à l'intérieur de leur propre classe sociale. Sibella, Madeleine… Pourquoi pas elle ?

Et qu'allait-elle faire à ce sujet, maintenant ?

Chapitre 12

Lorsque Sophie revint à Eden, une lettre de Sibella l'attendait. Pressentant des ennuis, elle l'emporta dans sa chambre pour la lire.

Parnassus
15 décembre 1903

Chère Sophie,

Je t'ai rendu visite hier dans cette dégoûtante « clinique », mais tu n'étais pas là, et un horrible vieil homme m'a dit que Cameron t'avait renvoyée à la maison. Je tremble quand je pense à la raison pour laquelle il l'a fait.

Sophie, comment peux-tu me faire honte ainsi ? Tu as manigancé un rendez-vous clandestin avec un domestique de mon propre père, au pique-nique de la Société historique ; ensuite, ton beau-frère doit t'arracher de force à un autre rendez-vous du même genre, dans un affreux taudis ! Est-ce que tu es sourde à toute raison ? À tout sens des convenances ? Et surtout, as-tu oublié toute obligation envers moi, dans ce moment si important de ma vie ?

Que se passerait-il si chacun se mettait à fréquenter des inférieurs ? Les enfants à l'école eux-mêmes savent que Dieu a créé les classes sociales, et que, comme chrétiens, nous devons accomplir notre devoir à l'intérieur de la classe où il Lui a plu de nous mettre. Qu'est-ce qui arriverait si les gens l'oubliaient ? Tout serait affreusement mélangé, et bientôt on ne verrait absolument plus les différences. Et alors, où serions-nous ?

Ça me fait de la peine de te parler ainsi, mais je sens que je dois te le dire : tu t'es complètement dégradée par ce penchant contre nature. En plus tu m'as, indirectement, dégradée moi aussi. J'avais cru te faire une faveur en te demandant de remonter la nef derrière moi comme première demoiselle d'honneur. J'avais même littéralement cloué le bec à Amelia Mordenner quand elle avait dit que ça te gênerait peut-être, à cause de ta boiterie. Et voilà tout le remerciement que j'en reçois !

Ça me chagrine beaucoup de t'annoncer ça, mais tu ne m'as pas laissé le choix. Je dois absolument annuler mon offre, et faire d'Amelia la première demoiselle d'honneur. Peut-être que ça te montrera la folie de...

Il y en avait ainsi quatre pages, en écriture serrée. Sophie les lut jusqu'au bout, puis elle les déchira et brûla les morceaux sur sa table de toilette. Elle s'étonnait d'être aussi indifférente aux arguments de Sibella. La seule chose qui la mettait en colère, en fait, était l'allusion à sa boiterie.

Elle s'assit sur son lit et y resta plusieurs minutes, à réfléchir. Puis elle alla à son bureau et écrivit deux courts billets. L'un était pour Sibella, lui souhaitant bonne chance avec Amelia Mordenner. L'autre était pour Ben, lui demandant de la retrouver au pont de Romilly le surlendemain.

Rapidement, avant d'avoir le temps de changer d'avis, Sophie les scella et les emporta aux écuries, où elle donna un shilling à Quaco, le valet, pour qu'il les porte sur-le-champ, et discrètement. Après quoi, elle revint à l'intérieur et s'assit à la table du petit déjeuner.

Sans doute avait-elle fait une erreur en écrivant à Ben, mais elle s'en moquait. Elle avait besoin de le revoir, pour fixer les choses : si elle n'avait aucune idée de ce qui pourrait en sortir, elle savait qu'il n'était pas possible de laisser la situation en l'état.

À son grand soulagement, Cameron était déjà parti pour l'usine ; elle n'eut à faire face qu'à sa sœur et aux enfants.

— Que voulait Sibella ? demanda Madeleine en versant le thé.

— M'excommunier.

Fraser leva les yeux de son bol de lait.

— C'est quoi, ex ?…

— Je t'expliquerai plus tard, lui répondit sa mère, en mettant une tranche de johnny cake grillée dans son assiette et en commençant à la lui beurrer.

Elle lança un regard interrogateur à sa sœur.

— Ça veut dire que tu ne viendras pas avec nous le 26 décembre ?

— Où ça ?

— Le bal masqué du 26 décembre. À Parnassus.

— Oh, mon Dieu ! J'avais complètement oublié…

C'était l'*événement* de Noël dans le nord de l'île ; tout le monde y serait. Grand-tante May elle-même y envoyait toujours sa voiture comme marque de reconnaissance, avec son maître d'hôtel Kean. Cette année, bien sûr, la voiture serait conduite par son nouveau cocher.

Sophie se prit les tempes dans les mains et baissa les yeux vers son assiette. Sibella l'observerait sûrement de très près. Mais, d'ici là, elle aurait rencontré Ben à Romilly et se serait expliquée avec lui…

Madeleine se leva, vint s'asseoir à côté d'elle et passa un bras autour de ses épaules.

— Personnellement, lui déclara-t-elle, j'ai toujours détesté les bals masqués. Le bruit du tambour me donne mal à la tête et les masques me font faire des cauchemars. N'y va pas si tu n'en as pas envie.

— Mais, et Sibella ?

— Qu'elle aille au diable, Sibella… Écoute, Cameron et moi irons parce que nous le devons, mais il n'y a aucune raison pour que tu subisses ça, toi aussi. Tu n'auras qu'à envoyer un mot pour dire que tu es souffrante. Dis que tu as mangé trop de plum-pudding, ou quelque chose dans le genre.

Sophie la regarda avec étonnement. Madeleine ne lui avait fait aucune allusion à Ben, ni à ce dont Cameron avait été ou non témoin à la clinique. Et maintenant, elle se montrait extrêmement compréhensive à propos de Sibella. Pourquoi ?

L'idée lui traversa l'esprit que ce pouvait être une sorte de feinte ; mais, l'instant d'après, elle la repoussa, comme indigne de sa sœur. Si quelque chose n'allait pas, en général Madeleine exprimait franchement sa façon de penser.

Sophie commençait à souhaiter qu'elles puissent s'expliquer une bonne fois, histoire de détendre l'atmosphère. Tout vaudrait mieux que cette incertitude. Mais Madeleine fut occupée toute la matinée avec les enfants, et quand Cameron revint pour le déjeuner, ils parlèrent d'autre chose. L'après-midi, Madeleine sortit pour faire quelques visites.

Ce jour-là, Sophie n'alla pas à la clinique et resta à la maison. Mais, à mesure que l'après-midi avançait, son humeur s'altéra. Elle parla sèchement à Poppy, à Scout, et pour finir aux enfants. Puis elle s'en voulut et leur lut deux histoires entières de leur livre de contes favori : *Le Trésor de la jarre espagnole* et *Comment l'oiseau-mouche a reçu sa queue*.

— Tu fais mieux que remplir ton devoir de tante préférée, commenta ironiquement Madeleine, une fois que Poppy les eut mis au lit.

— La tante préférée ne s'est pas beaucoup occupée d'eux ces derniers temps.

— Ça leur fait du bien. Ils ont déjà trop de gens qui s'occupent d'eux.

Cameron venait de rentrer de l'usine et s'habillait pour le dîner. Un murmure de voix provenait de la cuisine, en même temps qu'une odeur de feu de bois. Debout au bord de la véranda, Sophie contemplait le jardin, qui prenait ses quartiers pour la nuit. Le chant des grillons n'était plus qu'une vibration sourde et monotone ; les grenouilles sifflantes les relayaient. Une première chauve-souris passa au-dessus des fougères arborescentes.

Madeleine vint à côté de sa sœur.

— Sophie…, commença-t-elle avec un léger froncement de sourcils.

Sophie se raidit : on y était. Un sermon à propos de Ben.

— Je sais que parfois j'ai l'air… trop conventionnelle, poursuivit rapidement Madeleine. Je veux dire, trop empressée à rendre des visites, laisser des cartes et ce genre de choses.

Sophie la regarda avec surprise : c'étaient bien les derniers mots auxquels elle se serait attendue.

— Mais tu vois, continua Madeleine, en décollant avec son ongle des écailles de peinture sur la balustrade, je sais ce que c'est de rester à l'écart. Tu étais trop jeune pour t'en souvenir, mais pour moi c'est comme si c'était hier. Cette affreuse impression d'être quelqu'un d'inférieur. N'avoir jamais le droit de mentionner ses parents, jamais le droit de se faire des amis. Devoir toujours se taire.

— Je m'en souviens, affirma Sophie.

Madeleine se tourna pour la regarder dans les yeux.

— Est-ce que tu t'en souviens vraiment ? Je me demande…

— Maddy, répondit lentement Sophie, nous ne sommes plus à Londres, maintenant. Nous sommes à Trelawny. Les choses sont différentes ici.

— Non, justement. On peut avoir l'impression qu'elles le sont, qu'elles sont plus décontractées. Oui, les gens fermeront les yeux sur un problème de naissance, si on est un Monroe de Fever Hill ou un Lawe d'Eden. Mais ça ne veut pas dire qu'ils oublieront – qu'ils oublieront d'être indiscrets. Surtout pas quand on les empêche de l'oublier. (Elle adoucit la portée de sa phrase avec un petit sourire gentil.) Les gens peuvent se mettre contre toi, Sophie. Ça peut arriver à n'importe quel moment. Et ce n'est pas une situation agréable, d'être mise à l'écart, condamnée à regarder cette vie-là de l'extérieur. Je ne veux pas que tu connaisses ça.

Sophie ne répondit rien. Elle s'était attendue à une dispute, mais d'une certaine manière cette conversation était bien pis. Elle pensa au billet qu'elle avait envoyé à Ben. Que penserait Madeleine si elle l'apprenait ? Ce serait à ses yeux comme une trahison.

— Réfléchis-y seulement, dit Madeleine en posant une main sur la sienne. C'est tout ce que je te demande.

D'abord, Sophie ne réagit pas ; puis elle se pencha vers sa sœur et lui embrassa la joue. Madeleine s'efforça de ne pas en paraître trop émue.

— Pourquoi cela ? lui demanda-t-elle.

— Pour rien. Juste parce que tu es toi.

— Eh bien, dit Madeleine en rougissant, je ferais mieux d'aller m'habiller.

— Je viens dans une minute.

— Et, Sophie…, commença Madeleine en s'arrêtant à la porte et en se retournant vers sa sœur, ne t'inquiète pas pour Sibella. Elle va changer d'attitude. Et si elle ne le fait pas, nous ferons front toutes les deux contre elle.

Sophie hocha la tête en souriant. Puis, quand Madeleine fut partie, elle regarda de nouveau le jardin, que la nuit commençait à noyer.

À présent, elle était sûre d'avoir commis une erreur en écrivant à Ben. Pourtant – et cela l'inquiétait encore plus que tout le reste –, elle s'en moquait.

Ça fait maintenant cinq jours qu'Evie a retrouvé maître Cornelius à Bamboo Walk, mais l'endroit où il l'a mordue à la poitrine reste sensible, et les écorchures sur ses bras, son ventre, ses cuisses ne l'aident pas à oublier. Il a presque obtenu ce qu'il voulait.

Ça fait cinq jours que c'est arrivé, et elle n'a toujours pas recouvré son calme. Elle est au bord des larmes, et l'instant d'après elle se sent furieuse. Elle a envie de crier et de pleurer en même temps. Elle voudrait pouvoir hurler comme un pickney.

Il est fort, mais elle s'est débattue comme une tigresse. Elle en rêve chaque nuit, elle y pense toute la journée. À cet instant encore, où elle quitta la clinique du Dr Mallory avec un flacon de teinture d'iode contre les égratignures, elle ne peut se l'ôter de la tête. Sa langue, humide et râpeuse. Les bordures jaunes de ses ongles. L'odeur d'oignon de sa sueur. Cette seule évocation lui donne l'impression d'être sale. C'est comme s'il avait laissé sur son corps des traces visqueuses de bave d'escargot.

Avec un sursaut de honte, elle se rappelle les pitoyables illusions qu'elle s'était faites : il la respectait ; il voulait l'aider dans sa carrière. Elle se rappelle le mépris qu'elle avait pour la maison de sa mère, et la fierté qu'elle tirait de l'instruction qu'elle avait reçue. Quelle instruction ? Elle a l'esprit aussi épais que n'importe quel Nègre *mocho**** des collines.

Heureusement pour elle, Sophie n'était pas là les deux fois où elle est allée à la clinique. Heureusement pour elle, le Dr Mallory a accepté sans poser de questions son explication embrouillée selon laquelle elle était tombée de la véranda. De toute façon, il était si content de s'occuper d'une patiente jeune et de sexe féminin qu'il aurait admis n'importe quoi. Son col était humide de transpiration, et il n'avait pas quitté des yeux la poitrine d'Evie pendant qu'il pansait ses égratignures aux bras. Il n'avait même pas dû remarquer qu'elle frissonnait de colère, de dégoût et de haine d'elle-même. Elle aurait voulu qu'il meure sur-le-champ. Elle aurait voulu que sa mère sorte sa baguette obeah pour l'anéantir d'une maladie de l'esprit.

Non. Elle ne veut pas cela. Le Dr Mallory n'est qu'un homme solitaire avec de bonnes intentions, un homme que personne n'aime parce qu'il n'a rien d'attrayant. Ce qui est arrivé n'est pas sa faute. Ce n'est la faute de personne, sinon d'elle-même.

Comment a-t-elle pu être aussi stupide ? Combien de fois sa mère ne l'a-t-elle pas avertie, pourtant ? « Quand un monsieur buckra commence à tourner autour d'une fille de couleur, il ne pense qu'à une chose, toujours la même. » Grace McFarlane avait raison et elle-même avait tort, tort, tort ! « Une langue douce cache un mauvais cœur », dit le proverbe ; ou, comme on le chante à l'école maternelle : « B comme Buckra, homme Bête et Brutal... »

Evie traverse la clairière et prend la direction de la maison, vers le nord, entre les rangées de caféiers et les petits champs de canne.

Elle arrive à la lisière de Greendale Wood quand elle tombe soudain sur Ben. Il monte un grand alezan et porte son nouvel uniforme de cocher, une tunique vert foncé et une culotte qui lui vont merveilleusement bien. Il est beau de partout, comme dirait sa mère, et aussi plus insouciant et détendu que d'habitude. Mais Evie n'a pas envie de le voir maintenant ; elle n'a envie de voir personne qui soit insouciant et détendu.

— Qu'est-ce que tu fais ici ? lui demande-t-elle avec irritation. Et ton nouveau travail ?

— Tu parles d'un travail ! lui répond-il avec un grand sourire. J'ai pas d'autre occupation que de faire prendre l'air au cheval. Alors, je me suis dit que j'allais passer à la clinique pour voir Sophie.

— Elle n'est pas venue aujourd'hui.

Il fronce les sourcils.

— Pourquoi ? Elle a des problèmes ?

— Comment est-ce que je le saurais ? Je ne suis pas sa sœur...

Il la regarde d'un air songeur, puis met pied à terre et commence à marcher à côté d'elle, les mains dans les poches. Son cheval le suit comme un chien, les rênes posées sur la selle.

Lorsqu'ils atteignent les arbres, ils prennent un chemin vers l'ouest en direction de la rivière. Evie regarde Ben casser une badine et commencer à fouetter les fougères. Quelque chose a changé en lui, mais elle ne peut préciser quoi.

— Si tu vas te balader comme ça, tu ne garderas pas ton travail longtemps, remarque-t-elle.

— Erreur, réplique-t-il avec un nouveau sourire. *C'est* mon travail. La vieille sorcière veut que je sorte à droite à gauche pour aller aux nouvelles. Ça s'appelle « faire prendre l'air au cheval ».

— Quel genre de nouvelles ?

Il hausse les épaules.

— Des ragots. Et plus ils sont sinistres, mieux c'est : qui vient de tomber raide mort, qui s'est fait sauter le caisson et a laissé ses enfants à la charge de la paroisse...

« ... Qui a manqué se faire violer dans un champ de canne », pense Evie.

— Ensuite, explique-t-il, je raconte ça à Kean, l'air de rien, et ça arrive jusqu'à elle. Je sais pas exactement comment ni quand, mais ça lui arrive toujours.

— Et ça te plaît vraiment, de transmettre des mauvaises nouvelles ?

— Elle aime voir le mauvais côté des gens, et alors ? constate-t-il avec un soupir. C'est elle qui paie, non ?

Il regarde plus attentivement Evie, puis lance :

— Qu'est-ce que tu as eu comme problème ?

— Rien…

— Ah ouais ? Alors, comment t'as obtenu ces bleus sur les bras ?

— Je suis tombée de la véranda.

Il grommelle :

— Et ces marques de doigts sur ton cou ?

Elle se détourne. Pourquoi est-ce qu'il a d'aussi bons yeux ?

— Dis-moi qui c'est, ajoute-t-il d'une voix très calme, et je lui flanque une dérouillée. La prochaine fois qu'il te croisera, il se sauvera à l'autre bout du pays.

Elle sait qu'il parle sérieusement. Sur le moment, elle sent un élan de gratitude envers lui. Mais elle secoue la tête.

— Ça te ferait avoir des ennuis et c'est tout.

Il rit.

— Des ennuis, moi ? Jamais !

Mais il se rembrunit et revient à la charge :

— Alors, le gars qui t'a fait ces bleus… il a eu ce qu'il voulait ?

— Non.

— T'en es sûre ?

— Oui, sûre, et maintenant laisse tomber…

Il hausse les épaules et recommence à fouetter les fougères. Ils marchent en silence. À l'approche de la rivière, les arbres deviennent plus hauts, le sous-bois se fait plus épais. Tandis qu'ils se fraient un chemin au milieu des grandes feuilles jaunâtres, Evie déchire une toile d'araignée sur son passage. Elle ne s'en rend pas compte tout de suite – seulement au bout d'une dizaine de mètres, quand elle doit se débarrasser de ses derniers lambeaux. Tous les pickneys savent qu'il faut être poli avec maître Anancy, l'homme-araignée, sans quoi il vous portera malheur. Si on déchire sa toile, on lui demande donc pardon très vite. Mais là, c'est trop tard pour le faire...

Instinctivement, Evie porte la main à son cou pour saisir son sac-amulette, mais il n'est plus là. Il a été arraché dans la bataille de Bamboo Walk, avec le petit sac de soie verte qui contenait sa chaîne en or.

C'est bizarre. Depuis qu'elle est devenue femme, elle méprise les superstitions ignorantes comme les sacs-amulettes. Pourtant, sans ce poids contre sa poitrine, elle se sent vulnérable et elle a peur.

— Et sinon, lâche soudain Ben, la faisant sursauter, tu as vu Sophie ou pas ?

— Non, je t'ai dit.

Il se frotte la nuque.

— De toute façon, je devrais la voir bientôt.

— Pourquoi ?

— En principe, on doit se rencontrer après-demain.

— Où ça ?

Il secoue la tête. Il essaie de ne pas sourire, mais il n'y arrive pas ; et tout d'un coup, Evie sait ce qui est différent chez lui : il est heureux. Elle ne s'en était pas rendu compte parce que c'est tellement rare de sa part ; mais à présent, elle le lit dans ses yeux, sa bouche, même dans ses gestes.

Ça la met en colère. Voilà un bel homme buckra qui marche à côté d'elle d'un air insouciant, et qui respire le bonheur ! Pourquoi est-ce qu'il serait amoureux, alors qu'elle-même se sent si misérable ? Pourquoi est-ce que tout est si noir et si embrouillé ?

— Ben, lui déclare-t-elle d'une voix dure. Il faut que je te dise une chose : tu dois rester loin de Sophie Monroe.

Il se baisse pour prendre une pierre et la lance au ras des fougères.

— Vas-y, dis-moi ce que j'ignore encore.

— Non, écoute-moi. Tu sais ce que je vois parfois lorsque je te regarde ?

— Quoi ?

— Je vois une fille aux cheveux roux qui s'appuie sur ton épaule.

Oh, bon Dieu, il s'attendait pas à ça ! Il s'arrête net et la regarde. Sous le choc, il a pâli… Elle n'avait pas pensé que ça aurait cet effet-là sur lui, et ça l'effraie un peu. Mais c'est trop tard pour revenir en arrière.

— De longs cheveux roux, précise-t-elle, et un visage tout blanc. Comme si elle était malade.

— Non, murmure-t-il, non…

— Elle a souffert quand elle est morte, n'est-ce pas, Ben ? Elle a des cernes bleus sous ses yeux, et de la fièvre, elle transpire… Et tout un côté de son visage est abîmé.

Il est devenu livide. Ses lèvres sont grises.

— Comment tu sais ça ? questionne-t-il d'une voix rauque. Comment tu peux le savoir ? Je t'ai jamais parlé d'elle, pas vrai ?

— Si elle est venue, c'est qu'il y a une raison, Ben : il y a toujours une raison quand ça arrive. Elle te prévient de quelque chose. Elle te dit de te tenir éloigné.

Il secoue la tête à plusieurs reprises, et son front est moite. Maintenant, elle a vraiment peur. Elle s'était attendue qu'il rie, qu'il hausse les épaules. Elle aurait même préféré qu'il le fasse. Après tout, c'est un buckra. Normalement, les esprits ne devraient pas l'inquiéter.

— Ce n'est pas possible que tu l'aies vue, murmure-t-il. Elle est morte. Kate est morte.

— Oh, je le sais. Je le sais toujours quand je vois un mort.

Mais il ne l'entend pas ; il regarde au-delà d'elle, dans le vide.

— C'est un avertissement, Ben. Tu dois en tenir compte.

— Un avertissement ?

Ses yeux reviennent à elle, mais on dirait qu'il la regarde de très loin.

— Pourquoi Kate voudrait m'avertir ? C'est à cause de moi qu'elle a été tuée.

Chapitre 13

Ça fait vingt-quatre heures qu'Evie lui a parlé, mais il a l'impression qu'il s'est passé un mois depuis.

Il ne peut pas dormir, pas manger. Il ne peut même pas monter à cheval comme il le faisait. Lorsqu'il sort Viking – un grand alezan bien bâti, du genre qu'en temps normal il aime asticoter, pour voir ce qu'il a dans le ventre –, il le laisse faire ce qui lui plaît.

Il ne s'était pas senti aussi mal depuis la mort de Robbie. Il ne pensait pas que ça reviendrait encore, maintenant qu'ils avaient tous disparu. Mais on dirait que des choses enterrées depuis longtemps se mettent à remonter à la surface.

Kate est revenue. Elle est revenue !

Est-ce qu'elle est là en ce moment, pendant qu'il avance sur la route d'Eden ? Est-ce qu'elle marche à côté de lui ? Entrant et ressortant de l'ombre et du soleil, se baissant pour laisser sa main morte glisser sur l'herbe ? Est-ce qu'il le saurait si elle était là ?

Un rat de canne traverse devant lui et le fait sursauter, l'ombre d'un vautour plane sur la route. Les seuls bruits qu'on entend sont les craquements de la selle et les sabots de Viking qui heurtent des pierres.

Ben ne cesse de penser à Kate, telle qu'elle était ce dernier été. Il n'avait qu'une dizaine d'années, mais le souvenir est si présent qu'il peut presque la voir. Ces cheveux cuivrés qui faisaient des petites étincelles lorsqu'elle les brossait. Ces yeux bleus si chaleureux, si intelligents !

Il a lu une fois, dans un journal à quatre sous, que chaque homme tue ce qu'il aime le plus. C'est vrai pour lui. Quand il était enfant, il aimait sa grande sœur – même s'il n'en avait pas conscience alors. Elle était pour lui plus une mère que sa vraie maman. Elle lui flanquait une beigne s'il volait des choses, et elle flanquait des beignes aux plus grands s'ils le frappaient. Il l'aimait, et il l'a tuée.

C'est peut-être pour ça que parfois, lorsqu'il pense à elle, l'image de Sophie lui vient à l'esprit. Parce que c'est bien un avertissement ; seulement, Evie se trompe : ce n'est pas Sophie qui va lui faire du mal, c'est lui qui va lui en faire, à elle.

Donc, finalement, mieux vaut ne pas aller à Romilly demain. Oui, c'est mieux comme ça.

Pourtant, ah, mon Dieu ! elle va en être si blessée... Elle croira que quelque chose ne va pas avec elle – elle n'est pas assez jolie, c'est à cause de son genou, ou d'autres bêtises. Elle ne comprendra pas. Et il ne peut pas lui dire la vérité. Mais c'est quand même la meilleure chose à faire. La seule.

Ce qu'il voudrait par-dessus tout, c'est pouvoir se la sortir de la tête. Ce moment, juste avant qu'il l'embrasse... Son visage si intelligent, si volontaire, quand elle le regardait : elle était grave, curieuse, pas effrayée mais un peu nerveuse, comme si elle se demandait jusqu'où il irait. Il ne s'était jamais senti aussi proche de quelqu'un. Et ce qui était bizarre, c'est que ça ne l'inquiétait pas. Il n'avait pas cette chose serrée et piquante dans la gorge. Il *tombait* juste, il tombait dans ces yeux couleur de miel…

Un lointain bruit de sabots le ramène dans le présent. Un cheval arrive sur sa gauche, au grand galop, mais il ne peut pas le voir à cause des arbres.

Viking se met à trottiner et Ben lui dit d'arrêter.

— Écoute, si un planteur fou veut faire un galop par cette chaleur, c'est son problème. Remercie plutôt ta bonne étoile que je sois plus sensé que lui.

Viking s'ébroue et hoche la tête comme s'il était d'accord.

Ils quittent le couvert des arbres, et les champs de canne s'étendent à perte de vue devant lui. C'est là que Ben aperçoit le planteur fou : l'imbécile s'est cassé la figure dans un chemin, et vu la vitesse où il allait, son cheval a dû se briser les genoux.

Ben fait tourner Viking et le pousse en avant à travers les cannes.

— Ça va ? crie-t-il, même si le sort du type ne l'intéresse pas particulièrement.

— J'ai l'air d'aller bien ? réplique l'homme avec un rire maussade tout en se relevant.

Mais Ben l'ignore. Il saute à terre, attache Viking à des tiges de canne et dépasse l'homme pour aller voir le cheval.

C'est une jolie petite jument, ou plutôt ça l'était ; maintenant, elle est juste bonne pour l'équarrisseur. Elle a baissé la tête et tremble comme une feuille ; il y a de l'écume partout sur elle, du sang qui coule de ses genoux brisés, et son métacarpe gauche est cassé net. Ben peut voir l'os blanc dépasser d'un fouillis de chair et de muscles. Quel horrible gâchis !

La jument hume son odeur, et elle parvient à hennir en guise de bienvenue… « Oh non, non ! C'est Problème ! » réalise Ben.

— Dieu tout-puissant, gronde-t-il par-dessus son épaule. Espèce d'idiot, regardez ce que vous avez fait…

Derrière lui, l'homme a un rire étonné.

— Du calme, mon vieux. C'était un accident.

C'est alors que Ben se retourne et reconnaît Alexander Traherne. Au même moment maître Alex le reconnaît aussi, et il se fige. Les yeux bleu clair s'attardent sur lui, comme s'il le jaugeait. Peut-être repense-t-il à la manière dont Ben l'a ridiculisé avec Mrs Dampiere, et envisage-t-il de se venger ? Mais il jette ensuite un coup d'œil aux champs de canne déserts, sans personne pour lui prêter main-forte si les choses se gâtent. Alors, il se redresse simplement et rajuste sa cravate.

« C'est un lâche, pense Ben, un foutu lâche ! Juste bon à démolir les chevaux. Voilà tout ce qu'il est ! »

— Prête-moi ton cheval, dit maître Alex d'un ton calme, tu seras un bon garçon.

— Ben voyons, grommelle Ben.

— Fais attention à toi, mon garçon, réplique maître Alex en tâchant de prendre l'air sévère. On ne répond pas à ses supérieurs. Maintenant, prête-moi ton cheval et j'oublierai ça.

— Je suis pas « votre garçon », grogne Ben. Je l'ai jamais été.

Les yeux de Problème passent de l'un à l'autre ; la malheureuse pointe les oreilles et tâche d'être attentive, pour le cas où ils lui donneraient un ordre.

Ça rend Ben malade. Malade et honteux. Parce que c'est sa faute. S'il n'avait pas passé autant de temps à la dresser, maître Alex n'aurait jamais eu l'idée de la monter. Aujourd'hui, Problème ne serait qu'un petit cheval d'attelage comme les autres, bonne pour trotter joyeusement devant le boghei de Miss Sibella, en pensant au petit somme qu'elle piquerait à la prochaine halte, et au bon foin qu'elle aurait pour son dîner. C'est à cause de lui si elle en est là. Un homme tue toujours ce qu'il aime le plus.

Un mouvement derrière lui : Ben se retourne et voit maître Alex partir sur le chemin. Apparemment, il a renoncé à lui demander son cheval, et décidé de rentrer à pied.

— Oh ! crie Ben. Où vous allez comme ça ?

— À la maison, lance maître Alex sans le regarder. Mêle-toi de tes affaires…

— Et Problème ?

— Quoi, Problème ?

— Vous pouvez pas la laisser dans cet état. Vous devez l'achever.

— J'enverrai un garçon le faire.

— Mais ça va prendre des heures ! Regardez-la, vous pouvez vraiment pas la laisser dans cet état…

Maître Alex a un simple geste d'agacement et continue de s'éloigner. Ben envisage de le rattraper, puis y renonce : c'est à Problème qu'il doit penser d'abord.

Elle fait un mouvement vers lui, mais bien sûr elle ne peut pas se relever. Elle reste juste là à trembler, en le regardant de ses grands yeux, l'air de dire : « Je t'en prie, ne m'abandonne pas. »

— Ne t'inquiète pas, ma jolie. Je vais nulle part.

Ben sort son couteau et le cache dans son dos pendant qu'il s'approche d'elle, en lui parlant tout le temps pour la rassurer. Une fois à côté, il pose sa main libre sur le garrot humide et frissonnant, puis la déplace doucement vers l'encolure, sous la crinière. La jument est chaude et trempée de sueur. Cet imbécile a dû la faire galoper comme un fou.

— Ne t'inquiète pas, ma jolie, murmure-t-il. Tout sera bientôt fini.

Ses yeux le brûlent et il a une énorme boule coincée dans la gorge, mais il réussit à parler encore d'une voix à peu près calme. Problème, les oreilles basses, le regarde toujours de ses grands yeux sombres et noyés. Elle essaie de lui dire combien ça lui fait mal. Elle le lui dit comme à un ami, à quelqu'un en qui elle a confiance, qui va arranger les choses.

Il déplace sa main vers le toupet de la jument puis plus bas, pour couvrir ses yeux. Pendant quelques secondes qu'il n'oubliera jamais, il sent ses longs cils frissonnants lui chatouiller la paume. Ensuite il lève son autre main, pointe le couteau sous l'oreille de Problème et, d'un seul coup, l'enfonce dans son cerveau.

Elle se raidit d'abord, puis est parcourue d'un frémissement ; enfin, elle s'effondre sur le flanc. Ben est à genoux près d'elle, lui caressant la joue, regardant le grand œil de velours devenir vitreux et murmurant :

— Tout va bien maintenant. Tout va bien maintenant...

Le sang chaud lui bouillonne sur les cuisses, des points noirs lui passent devant les yeux. Il a le vertige, la nausée, et il se sent soudain très, très fatigué.

— Qu'est-ce que tu as fait, bon sang ? s'exclame une voix.

Ben cligne des yeux. Qui parle ? La voix lui paraît venir de très loin.

— Qui t'a donné la permission de tuer mon cheval ? insiste la voix derrière lui.

Ben se tourne péniblement et relève la tête. Maître Alex a rebroussé chemin et il est à environ un mètre de distance – mains sur les hanches, soleil dans le dos, visage à contre-jour.

— Je… je vous ai rendu service, murmure Ben. Vous l'aviez laissée…

— Elle m'appartenait. Qui t'a donné la permission ?

Avec lassitude, Ben se relève, baisse les yeux vers le couteau qu'il tient dans la main. Comment est-il arrivé là ? Il le jette dans la poussière. Il est fatigué, si fatigué. Pourquoi maître Alex ne cesse-t-il pas de jacasser ?

— J'ai dit : qui t'a donné la permission ?

— La ferme, marmonne Ben.

Sa main est gluante de sang. Sous ses ongles, il est déjà devenu noir. Maladroitement, Ben tente de l'essuyer sur sa cuisse.

— Tu penses que tu es quelqu'un de spécial, n'est-ce pas ? insiste maître Alex. Pour une raison qui m'échappe, tu te crois autorisé à parler à tes supérieurs comme si…

Il continue, mais Ben n'écoute pas. Il plisse les paupières à cause du soleil, prend son élan, et décoche à maître Alex un rude coup de poing dans la mâchoire. L'autre pousse un grognement et tombe au sol, dans un nuage de poussière.

Ben se tient au-dessus de lui, clignant des yeux et réprimant son envie de le frapper à nouveau.

— Je vous ai dit de la fermer ! gronde-t-il.

Puis il s'approche de Viking, le détache, saute en selle et s'en va.

— Est-ce que tu couves quelque chose, ma fille ? demande Grace McFarlane, les mains sur les hanches.

Evie secoue la tête.

— Cho ! Tu travailles trop dur. Toujours ton nez dans ce fichu livre…

— Je veux savoir ce qui va se passer, répond Evie à mi-voix.

Grace lui adresse un petit sourire fier, secoue la tête et s'accroupit pour tisonner le feu.

— Toi et tes fichus livres…

« Si seulement elle savait, pense Evie, en changeant de position sur la marche où elle est assise, si seulement elle savait ce que son professeur de fille est en train de lire… »

C'est presque l'heure du dîner et la cour est obscure. Mais ce n'est pas le noir total, parce que là-bas maître Cameron brûle les cannes. Ils les brûlent toujours le soir, pour pouvoir repérer les étincelles errantes et aller les éteindre en les piétinant. Ensuite, tôt le matin, ils commencent à faire la récolte. C'est beaucoup plus facile une fois les déchets brûlés ; mais on doit travailler vite, avant que ça ne s'abîme.

Être étendue dans son lit et les écouter brûler les cannes est un de ses meilleurs souvenirs d'enfance. Les cris des hommes s'interpellant, les crépitements et le grondement des flammes… Depuis son lit, Evie imaginait les hommes faisant vivre le feu comme un grand animal affamé, qu'il fallait toujours cerner de près, ne jamais laisser s'échapper. Elle trouvait que les feux de canne avaient un côté bizarrement rassurant.

Mais pas ce soir. Ce soir, tout est mauvais et embrouillé. Elle s'inquiète beaucoup pour Ben. Pourquoi lui a-t-elle parlé de la fille rousse ? Et pourquoi lui en a-t-elle parlé juste ce jour-là, alors qu'elle n'avait rien dit pendant des mois ? Est-ce un hasard, ou bien cela lui a-t-il été inspiré par un esprit des ténèbres ?

Tout ce qu'elle touche semble aller de travers. Peut-être devrait-elle partir : quitter Trelawny, s'installer loin, même à Kingston. Partir et tout recommencer ailleurs.

— Evie ! appelle sa mère.

— J'arrive dans une minute, murmure-t-elle.

Avec un sentiment de fatigue et d'oppression, elle baisse les yeux vers le journal du contremaître. Six ans ont passé depuis que Congo Eve a perdu son petit frère Job, et que le chagrin lui a presque fait perdre la raison. Six ans depuis que Cyrus Wright l'a surprise à danser le shay-shay avec Strap, et qu'il a vendu celui-ci à Mr Traherne. Dans l'intervalle, la pluie a fait défaut une année ; le vieux maître Alasdair a envoyé son plus jeune fils, Allan, en Écosse, pour diriger le domaine de Strathnaw ; son aîné, maître Lindsay, a eu lui-même un fils qu'il a appelé Jocelyn.

Evie a perdu le compte des fois où son homonyme s'est « enfuie », a été rattrapée et fouettée. Un jour, Congo Eve a filé à Caledon pour voir sa petite sœur Leah, mariée à un esclave des champs coromantee. À deux reprises, elle est tombée enceinte, et a fait une fausse couche – « *ou du moins elle le disait,* écrit Cyrus Wright, *même si je la soupçonne d'avoir utilisé d'infectes potions nègres pour se débarrasser de l'enfant.* »

On est à présent en 1824, et il y a eu dans la paroisse voisine une brève révolte sauvagement réprimée à Golden Grove. « *Plusieurs pendaisons et exécutions à petit feu,* note Cyrus Wright, qui se targue d'y avoir assisté. Cum *Congo Eve derrière le local aux ordures,* stans, *par l'arrière.* »

26 SEPTEMBRE 1824. *Hier soir, un ouragan a emporté le toit de chaume de la tonnellerie & les*

bardeaux des lieux d'aisances. Les bois à Clairmont Hill sont tout dénudés, ils ressemblent aux arbres en Angleterre après la chute des feuilles. Congo Eve a dit que c'était un signe, j'ai répondu que comme ma propre maison avait été épargnée, ça devait en être un bon.

29 SEPTEMBRE. *Je l'ai trouvée avec Strap dans l'infirmerie. Il portait mon manteau bleu en hollande que je lui avais donné, à elle, il y a des années, & qu'elle disait avoir perdu. J'ai crié contre Strap, il m'a bousculé & s'est enfui, mais j'ai envoyé mes nègres & ils l'ont rattrapé. Si les règles de la propriété ne m'avaient pas empêché de corriger le nègre de quelqu'un d'autre, je l'aurais fait. Pendant qu'ils le ramenaient à Parnassus, il me criait des menaces – que je ne resterais pas longtemps sain et sauf. J'étais très perturbé & j'ai dû prendre un brandy. Congo Eve n'a pas dit un mot, mais elle ne me quittait pas des yeux.*

30 SEPTEMBRE. *J'ai appris que Mr Traherne avait seulement fait fouetter Strap. Je suis très contrarié, car c'est bien trop indulgent. Ce nègre aurait dû être pendu.*

12 NOVEMBRE. *Congo Eve s'est encore enfuie, à Caledon. Quand on l'a ramenée, elle m'a annoncé avec beaucoup d'effronterie que sa sœur Leah avait mis au monde une fille, nommée Semanthe. Et après, lui ai-je répondu, puisque la gamine sera morte d'ici à une semaine ? Non, s'est-elle mise à crier, parce que c'est une enfant coromantee, & pas faite de force à Leah par un homme buckra. J'ai dit que je ne voulais pas en entendre plus, mais elle ne*

voulait pas se taire, & elle a persiflé – affirmant que l'enfant serait forte & puissante, & connaîtrait tous les tours qu'elle et sa sœur pourraient lui apprendre.

— Viens, Evie, appelle de nouveau sa mère, il commence à faire froid.

Evie referme le livre, baisse les yeux sur la reliure de cuir moisie. Un mot gronde à ses oreilles : *Semanthe, Semanthe, Semanthe.*

Semanthe, la fille de Leah. Semanthe, l'aveugle, la vieille femme obeah qui était apparue à Evie sous le calebassier quand elle avait dix ans. Semanthe. Sa grand-mère.

Congo Eve et Evie McFarlane. Elles sont de la même famille !

Evie se retourne, lève les yeux vers la maison où elle est née et a grandi. C'est une maison de deux pièces, en pierre de taille, faite pour durer. Son arrière-grand-mère Leah l'a construite lorsqu'elle est venue à Fever Hill avec la jeune épouse de maître Jocelyn, Miss Kitty, en 1848.

L'arrière-grand-mère Leah était veuve, alors, mais elle avait cimenté cette maison elle-même, avec de l'argile rouge, de la mélasse, de la poudre d'os, et de la cendre spéciale qu'elle conservait dans un *yabba**, depuis dix-sept ans. De la cendre des ruines de la grande maison de Fever Hill, brûlée pendant la Révolte de la Famille noire qui avait vu son homme mourir. Quand la maison avait été construite, sa fille aveugle, Semanthe, avait tressé le toit : du bon et solide chaume de palme, avec une ou deux formules magiques en prime.

Congo Eve et Evie McFarlane. La même famille.

« Qu'est-ce que ça veut dire ? se demande Evie. Est-ce une sorte de signe ? Un message ou une ruse des esprits ? » Elle ne sait pas. Ce qu'elle sait, c'est que tout a l'air de se mettre en place dans un genre de dessin qu'elle n'aime pas.

Sa mère vient s'asseoir sur la marche à côté d'elle, étire ses jambes. Elles sont couleur acajou foncé et elles brillent, à côté de la délicate teinte café de celles d'Evie.

— J'ai quelque chose qui va te remonter le moral, lui annonce-t-elle, en lui lissant une mèche de cheveux en arrière de sa tempe.

Malgré son malaise, Evie en est touchée, car d'habitude sa mère n'est pas du genre caressant.

— Ce garçon buckra, continue Grace, Ben Kelly, avec ses yeux de chat verts ?…

Evie la regarde, inquiète. Grace sourit.

— Hier, il a donné un coup de poing à maître Alex en plein sur la mâchoire !

Evie est horrifiée. « Seigneur, Ben, à quoi est-ce que tu pensais ? » Mais sa mère se donne une claque sur la cuisse et pouffe de rire, car elle a toujours détesté les Traherne.

— Jésus-Christ, on dit que maître Alex est *très* fâché ! Il a un bleu gros comme un œuf de vautour sur sa jolie petite mâchoire. Et juste avant le bal masqué de Noël !

Les idées d'Evie affluent dans sa tête comme des fourmis noires. Tout s'entremêle comme les branches d'un figuier étrangleur. Elle ne peut pas distinguer le dessin général, mais elle sent que c'est mauvais.

Si elle n'avait pas retrouvé maître Cornelius à Bamboo Walk, elle ne serait pas allée à la clinique ; elle n'y aurait pas rencontré Ben et ne lui aurait pas parlé de la fille aux cheveux roux ; alors, il n'aurait pas été troublé comme il a dû l'être, il n'aurait pas perdu son sang-froid et frappé maître Alex.

Et maintenant, voilà ce lien avec Congo Eve. Ce lien auquel elle ne peut décidément pas échapper. Qu'est-ce que tout ça veut dire ? Et comment empêcher ce mal d'arriver ?

Avec Noël dans une semaine seulement, l'air du matin était frais, et la respiration de Sophie faisait de la vapeur tandis qu'elle attendait au pont de Romilly.

Il ferait chaud d'ici au milieu de la journée, mais pour le moment tout était délicieusement frais, et les couleurs nettes et pures. Des hirondelles venaient boire dans la rivière turquoise. Elle saisit l'éclair safran d'un canari sauvage, le vert irisé d'un oiseau-mouche. Un thunbergia mauve émergeait des arbres au bord de la clairière. Une aigrette blanche passa devant les feuilles émeraude d'un bambou géant.

Sophie posa les mains sur le parapet que le soleil commençait à réchauffer ; elle aspira une grande goulée d'air, saturé de sève et de verdure, contempla son cheval en train de brouter les fougères, et faillit rire tout haut. Elle se sentait à la fois exaltée et effrayée par ce qu'elle faisait. De temps en temps, une vague d'euphorie lui soulevait la poitrine jusqu'à lui faire mal.

Elle avait espéré trouver Ben en train de l'attendre à son arrivée. Mais bien sûr, se rappela-t-elle, il y avait presque dix kilomètres depuis Falmouth, et il ne lui était peut-être pas facile de s'absenter.

Un bruit derrière elle ; elle se retourna, puis poussa un soupir de déception. Ce n'était qu'une colombe rousse. Elle se força à sourire, sans conviction. Que faisait-il ?

Elle descendit jusqu'à la rive, cassa une tige d'héliconia écarlate, jeta l'une des grandes griffes à bout doré dans le courant. Le temps qu'elle les y ait toutes jetées, il serait là, pensa-t-elle.

Il n'en fut rien.

Peut-être n'avait-il pas reçu son mot. Peut-être grand-tante May s'était-elle mis en tête de changer les habitudes de toute une vie, et d'aller faire une promenade matinale. Ou peut-être, pensa-t-elle avec une soudaine sensation de vertige, peut-être s'était-elle trompée. Peut-être que lorsqu'il l'avait embrassée, c'était l'impulsion d'un moment, rien de plus. Après tout, pourquoi aurait-il voulu la revoir ? Il était si beau, elle loin d'être assez jolie pour lui. En plus, elle boitait.

— Comment sais-tu s'il n'en a pas après ton argent ? lui avait lancé Cameron, avec sa franchise habituelle, la veille au soir, pendant le tour dans le jardin qu'il lui avait proposé de faire après le dîner.

— Tu dis ça parce que tu ne le connais pas, avait-elle répondu.

— Et toi oui ?

— Oui.

— Tu en es sûre ?

Elle n'avait rien répondu. Jusqu'à ce qu'il en parle, l'idée de l'argent ne lui était même pas venue à l'esprit. Peut-être était-ce naïf, mais elle était certaine que cette idée n'avait pas non plus traversé l'esprit de Ben. Ils n'avaient pensé qu'à eux deux, rien d'autre. Et notamment, pas à l'avenir. Comment auraient-ils pu ? Ils n'en avaient pas, pas d'avenir ensemble.

Cameron et elle avaient marché dans le clair de lune bleuté, pendant que Scout menait grand tapage dans les buissons et que les chauves-souris volaient devant les étoiles. Elle regardait Cameron fumant son cigare, mais était incapable de dire quelle était son humeur. Quand il le voulait, il pouvait être impénétrable.

Brusquement, il s'était arrêté et avait écrasé son cigare sous son talon.

— Ce qui est sûr, Sophie, avait-il déclaré d'un ton calme, c'est que je ne veux pas que Madeleine soit blessée. Je ne laisserai personne faire cela. Pas même toi.

Elle avait pris une grande inspiration, puis affirmé :

— Je ne ferai pas de mal à Madeleine. Je ne lui en ferai jamais.

— Pourtant, c'est bien ce qui va arriver si tu continues dans cette voie.

— Cameron…

— Tu vas causer un scandale, et inévitablement ça…

— Pourquoi est-ce qu'il devrait y avoir un scandale ?

— Sophie, sois raisonnable ! Nous vivons dans un monde réel, avec ses imperfections ! Pas le monde idéal dont tu rêves sans doute…

— Mais si nous avons un moyen de l'améliorer…

— Je ne voudrais pas que Madeleine soit blessée à cause d'un « si », l'avait-il coupée d'un ton sans appel.

Alors, tout à coup, elle avait senti le poids d'une solitude écrasante s'abattre sur elle. Cet homme, là devant elle, aimait tant sa sœur qu'il était prêt à faire n'importe quoi pour la protéger de toute blessure. Il mourrait pour elle s'il le fallait. Est-ce que Ben éprouvait la même chose envers elle ? Et elle envers Ben ? Est-ce qu'elle l'aimait vraiment, est-ce que c'était ça, le vrai amour ? Comment le savoir ?

Au bout de la clairière, quelqu'un vint et Sophie se figea. Cette fois, ce n'était pas une colombe rousse, c'était un petit garçon en route pour l'école. Pieds nus, dans une chemise de calicot et un short rapiécés mais impeccablement propres, il poussait devant lui une mangue verte à coups de pied et sifflait entre ses dents.

Quand il aperçut Sophie, il lui fit un sourire éclatant.

— Bonjour, Missy Sophie, dit-il poliment.

Elle lui sourit aussi et lui rendit son salut.

Après son départ, elle regarda la poussière retomber lentement sur le sol. La chaleur montait, ainsi que le chant des grillons. Une mangouste émergea d'un massif de pain-de-cochon et lui lança un regard acéré. Pendant qu'elle la regardait se renfoncer dans les fougères, quelque chose se serra dans sa poitrine.

« Il ne vient pas, se dit-elle, et les mots résonnèrent dans son cœur. Il ne vient pas. »

Un des Noirs frappe Ben au genou, et la douleur se diffuse en lui, comme une sombre fleur ouvrant ses pétales.

Une douleur comme ça, ça signifie sans doute qu'il est cassé. Alors, si de toute façon c'est cassé, autant qu'ils continuent à frapper à cet endroit-là.

Mais non, bien sûr. Ils ne s'en contentent pas.

Ils lui sont tombés dessus sur la route d'Arethusa, alors qu'il revenait de promenade. Trois grands Noirs silencieux qu'il n'avait encore jamais vus. C'est normal : maître Alex n'aurait pas pu demander aux palefreniers de Parnassus d'aller tabasser un de leurs anciens camarades.

Ils se sont approchés par-derrière, l'ont arraché de la selle de Viking et tiré dans un champ de canne. Ben a réussi à donner un bon coup dans les côtes de l'un d'eux et à briser une pommette d'un autre avant qu'ils le fassent tomber au sol. Ils savaient ce qu'ils faisaient. Des gestes précis, mesurés. Rien de trop apparent – le coup sur le visage devait être une erreur ; et comme ils n'ont pas de gourdin, ils n'ont sans doute pas l'intention de le tuer.

Le goût du sang est douceâtre et piquant dans sa bouche. Il sent leur sueur, il les entend grogner, mais il ne peut guère les voir à cause du sang qui lui coule sur la figure. Pourtant, il distingue quelque chose – des reflets rouges, un peu d'herbe de Guinée – et c'est tant mieux, parce que ça veut dire que ses yeux ne sont pas touchés.

Un nouveau coup dans les côtes, un gémissement qui provient peut-être de lui, et une autre fleur noire qui irradie en lui.

« Joyeux Noël ! », pense-t-il, et il se met à rire. Une fois qu'il a commencé, il ne peut plus s'arrêter. Il en a des hoquets pendant qu'ils le frappent, il crache des bulles de sang. Foutu joyeux Noël !

Est-ce que l'un d'eux a grommelé : « Assez », ou est-ce qu'il l'a rêvé ? Les choses se mettent à flotter un peu. Et lui, il grogne : « Pardon, Sophie. » C'est sorti tout seul de sa bouche.

Il a une image d'elle qui se dessine à l'intérieur de sa tête, petite mais précise. Sauf que ce n'est pas la Sophie de maintenant, mais celle qu'elle était autrefois, quand il l'a vue pour la première fois dans Portland Road. Il s'accroche à cette image, il s'y cramponne. Sophie dans sa robe à rayures rouges et blanches, avec ses bas noirs, son ruban de velours noir dans les cheveux et ses cils à pointes dorées, quand elle lui montre son livre. « Maddy m'a donné *Beauté noire*, lui dit-elle de sa voix rapide et il est génial, je l'ai déjà lu deux fois. »

« Désolé, Sophie, pense-t-il. Désolé, mon amour. »

C'est la dernière pensée qu'il a avant que tout devienne noir.

Chapitre 14

— Apparemment, il a eu une sorte d'accident, lâcha Madeleine alors qu'elles sortaient de l'église le jour de Noël.

— Comment ça, un accident ? répliqua Sophie. Quand ?

Madeleine s'arrêta sur le bas-côté pour laisser passer trois vieilles dames qui, telles les fleurs décorant l'église, souffraient de la chaleur. L'office avait duré longtemps, et tout le monde attendait le déjeuner avec impatience. Une odeur persistante d'Agua Florida et d'eau de Cologne imprégnait l'air, en même temps que des relents de transpiration.

— Quand ? répéta Sophie comme elles atteignaient le porche.

Madeleine ouvrit son ombrelle et examina la foule des voitures, à la recherche de Cameron. Il n'assistait jamais aux offices mais parfois, par égard pour sa femme, venait les prendre à St. Peter's et disait un mot au pasteur, histoire de ne pas passer pour un mécréant total.

— La semaine dernière, je ne sais pas exactement quand, répondit Madeleine au moment où elle l'aperçut les attendant plus haut dans la rue.

— La semaine dernière ? Maddy, pourquoi est-ce que tu ne me l'as pas dit plus tôt ?

— Parce que ce n'est pas grave. Il va bien.

— Dans ce cas, pourquoi n'est-il pas ici ? Pourquoi grand-tante May a-t-elle dû prendre quelqu'un d'autre pour la conduire à l'église ?

— Oh, regarde ! lance sa sœur, voilà Rebecca Traherne. Rappelle-toi, tu vas être malade demain, alors n'aie pas l'air en trop bonne santé…

Elles saluèrent Rebecca, puis Sophie revint sur le sujet.

— Comment est-ce que tu l'as appris ? demanda-t-elle, tandis qu'elles attendaient sous un cassier que la foule sur le trottoir se disperse.

— Comment est-ce qu'on apprend les choses ? Par les domestiques, bien sûr.

— Et dans quel état est-il, au juste ?

— Je te l'ai dit, il va bien.

— Alors, pourquoi tu ne m'en as pas parlé plus tôt ? Madeleine ne répondit rien.

— Maddy, si tu ne me racontes pas tout, j'obligerai Poppy ou Braverly à le faire, ou…

— Bon, d'accord…

Madeleine jeta un coup circulaire, puis expliqua à voix basse :

— Une équipe de sarclage l'a trouvé à trois kilomètres de la ville, près de la route d'Arethusa. Il a dû tomber de son cheval…

— Ben ? C'est le meilleur cavalier de Trelawny…

— En tout cas, ils l'ont amené à Prospect, parce que c'était ce qu'il y avait de plus près, et un des cousins de Grace l'a rafistolé. Des balafres, des contusions, un os du genou fêlé et quelques côtes abîmées. Tu vois,

221

j'ai fait ma petite enquête. Mais c'est tout ce que je sais.

Sophie réfléchit en silence. Autour d'elles, des fidèles bavardaient par petits groupes ; des voitures partaient dans un nuage de poussière ; des familles noires marchaient, engoncées dans leurs habits du dimanche et portant leurs chaussures à la main.

Madeleine jouait avec le fermoir de son réticule. Manifestement, elle aussi était inquiète à propos de Ben, et Sophie pensa qu'elle lui cachait encore quelque chose. Mais son visage fermé lui indiquait clairement qu'elle n'irait pas plus loin.

— Est-ce qu'il est toujours à Prospect ?

Madeleine secoua la tête.

— Je... je crois qu'ils l'ont emmené à Bethlehem.

Sophie soupira : il fallait que ce soit à Bethlehem précisément au moment où le Dr Mallory fermait la clinique pour ce qu'il appelait d'un air morne « les fêtes ». Les deux sœurs remontèrent la rue en silence, vers l'endroit où Cameron attendait avec la voiture. Fraser était assis à côté de son père, serrant ses cadeaux sur ses genoux. Lorsqu'il aperçut Sophie, il sauta sur ses pieds, et s'agita tellement qu'il serait tombé à terre si Cameron n'avait pas pris les rênes dans une main et saisi une manche de son costume marin dans l'autre.

Juste avant qu'elles arrivent à portée de voix, Madeleine se tourna vers Sophie et lui dit rapidement :

— Sophie, tu ne peux pas aller le voir. Tu dois me promettre que tu ne le feras pas.

Ce fut au tour de Sophie de prendre un air obstiné.

— Quel bien ça pourrait lui faire ? poursuivit Madeleine. Grace et les autres peuvent veiller sur lui mieux que toi.

— Mais...

— Laisse-le seul, Sophie. Ne lui rends pas les choses encore plus difficiles qu'elles ne le sont déjà.

Sophie la regarda.

— Qu'est-ce que tu veux dire par là ? Maddy… c'était bien un accident, n'est-ce pas ?

Mais elles avaient atteint la voiture, Fraser avait sauté au sol en brandissant son cerf-volant rouge tout neuf : ce n'était plus possible de parler.

Sur le chemin du retour à Eden, Sophie se demanda quoi faire. Ben avait des ennuis, quels qu'ils fussent, et il était blessé. Et elle était sûre que Madeleine ne lui en apprendrait pas davantage.

La question était : avait-il envie de la voir ? Il n'était pas venu à leur rendez-vous au pont de Romilly, et elle n'avait plus entendu parler de lui depuis. Après son accident – ou quelque autre nom qu'il faille lui donner – il ne lui avait fait parvenir aucun message.

Pour finir, elle décida de ne rien faire – au moins ce jour-là. De toute façon, elle ne pouvait guère seller son cheval et aller jusqu'à Bethlehem en plein déjeuner de Noël.

Heureusement, Cameron avait l'esprit occupé par la récolte en cours, et Madeleine beaucoup à faire avec les enfants surexcités ; aussi, nul ne remarqua particulièrement le silence de Sophie pendant le repas. Une fois celui-ci terminé, Cameron se rendit à Maputah, et Madeleine tâcha de calmer les enfants avec un jeu de Jacques-a-dit. Sophie écrivit à Rebecca Traherne, en s'excusant pour le bal masqué du lendemain, puis elle lut des histoires à ses neveux. Ensuite, prétextant un mal de tête, elle se coucha tôt.

Le 26 décembre se leva frais et nuageux – « tristoune », disaient les domestiques ; tout le monde avait l'air d'humeur maussade. Après le petit déjeuner,

Madeleine prit la voiture pour aller chercher Clemency à Fever Hill. Clemmy avait refusé d'abandonner son enfant mort le jour de Noël ; mais, à force de persuasion, elle avait consenti à venir le 26 décembre et à rester la nuit à Eden, afin d'aider Sophie à veiller sur les enfants pendant que Madeleine et Cameron seraient à Parnassus. Cependant, comme on pouvait s'attendre qu'elle regrette maintenant d'avoir accepté et veuille annuler sa visite, Madeleine demanda à Sophie de l'accompagner.

Celle-ci y serait allée de toute manière, car elle voulait interroger Evie au sujet de Ben. Mais, à son grand dépit, les McFarlane n'étaient pas au vieux village d'esclaves. D'après Clemency, elles passaient Noël avec des parents « quelque part » – elle ne pouvait se rappeler où.

De retour à Eden, ils eurent un bon déjeuner en l'honneur de Clemency. Puis Cameron se rendit dans les champs de canne de l'ouest, à Orange Grove, pendant que Madeleine prenait un bain et s'habillait pour le bal masqué, et que Clemency et Sophie s'occupaient des enfants. Ou du moins Clemency le fit-elle, en dessinant un énorme arbre de Noël et en les aidant à le colorier : Sophie, l'esprit lourd de mille questions, déclara qu'elle préférait regarder.

Ben était seul au monde. Elle n'avait même jamais connu quelqu'un d'aussi seul. Il n'avait pas de famille, pas d'amis – à part Evie, qu'il voyait à peine. Grace et sa famille veillaient sur lui, parce que, dans le passé, il les avait aidés ; mais c'était la reconnaissance qui les motivait, pas l'affection. Il n'était pas l'un des leurs. Dans un pays où un homme était soit un planteur soit un producteur de bananes, un Nègre ou un métis, un coolie ou un Chinois, Ben n'était qu'un pauvre Blanc. Il n'entrait dans aucune catégorie. Que ressentirait-il, si elle ne venait pas le voir alors qu'il était blessé ?

La réponse, songea-t-elle d'un air sombre, était qu'il s'en ficherait probablement. Après tout, il ne s'était pas gêné pour la laisser en plan au pont de Romilly, sans explication ni excuse. Pourquoi aurait-il envie de la voir ?

Mais pourtant, s'il en avait envie ?

À cinq heures, Madeleine et Cameron étaient prêts pour se rendre à Parnassus. Ils partaient aussitôt parce que Cameron devait s'arrêter à l'usine de Fever Hill pour parler au contremaître.

— Nous serons de retour à des heures indues, aux alentours de l'aube, annonça Madeleine avec un soupir. Rebecca sert toujours un énorme petit déjeuner, et tout le monde est en général si épuisé qu'on se jette dessus.

Poppy préparait déjà les enfants, pour les mettre au lit sans tarder. Belle se ressentait toujours d'une fièvre qu'elle avait eue la semaine précédente ; quant à Fraser, il avait mangé trop de bonbons.

— J'ai caché le reste, expliqua discrètement Madeleine à Sophie, mais il va essayer d'attendrir Clemency, comme il le fait toujours ; alors je compte sur toi pour être ferme.

Était-ce l'imagination de Sophie, ou sa sœur avait-elle mis un accent spécial dans ce « je compte sur toi » ? « Tu ne peux pas aller le voir, avait-elle affirmé. Tu dois me promettre que tu ne le feras pas… Ne lui rends pas les choses encore plus difficiles qu'elles ne le sont déjà… »

Enfin, la voiture s'en fut dans un nuage de poussière, et le calme descendit sur la maison. Il était cinq heures vingt. Il ferait jour pendant deux ou trois heures encore, constata Sophie. Après quoi, ce serait la pleine lune ou presque : un éclairage suffisant pour aller à cheval à Bethlehem. Elle serait de retour à huit heures, neuf au plus tard. Et Clemency et Poppy pouvaient s'en sortir très bien avec les enfants…

Mais est-ce que ce serait juste envers Clemency, de la laisser seule en charge de la maison ? Et il y avait aussi l'humiliation possible, si elle faisait la route jusque là-bas pour découvrir qu'il était déjà parti. Tout le monde saurait pourquoi elle était venue, elle serait la risée générale : la demoiselle buckra, amoureuse transie, qui s'accrochait aux basques d'un garçon qu'elle ennuyait.

Clemency vint dans la véranda, s'assit dans le canapé et adressa à Sophie un de ses demi-sourires timides.

— Ils se sont vite endormis, chuchota-t-elle. Épuisés, les pauvres chéris. Je dois dire que je le suis aussi.

Sophie se força à sourire. L'idée de passer une soirée entière avec Clemency était au-dessus de ses forces. En plus, elle avait absolument besoin de savoir si Ben allait bien. De le constater par elle-même.

Elle se leva rapidement.

— Vous savez, je crois que j'ai besoin d'air. Est-ce que ça vous ennuierait beaucoup si je partais faire une promenade à cheval ?

La jolie figure sans âge de Clemency s'éclaira d'un sourire de soulagement.

— Pas du tout, ma chérie ! En fait, j'allais te demander si ça ne t'ennuierait pas que j'aille dans ma chambre m'allonger un peu, et peut-être faire une petite prière…

Sophie ressentit un pincement de tristesse. Une « petite prière » signifiait sans doute plusieurs heures passées à genoux, pour s'excuser auprès d'Elliot de l'avoir abandonné.

— Bien sûr que ça ne m'ennuie pas, affirma-t-elle. Faites ce qui vous plaît, Clemmie. Je serai de retour dans deux heures, mais ne vous inquiétez pas si je suis en retard. Et ne m'attendez pas pour dîner.

« Assez hésité, se dit-elle brusquement, tandis qu'elle mettait sa tenue d'amazone et ses bottes. Pour une fois, arrête de peser le pour et le contre, et contente-toi d'*agir*. »

Dans le miroir, elle s'adressa un petit sourire déterminé. Elle se sentait déjà mieux.

Autrefois, les esclaves avaient trois jours de congé par an : le jour de Noël, le 26 décembre et le jour de l'An. Ils en faisaient bon usage.

Ils retiraient leurs tristes vêtements de toile et revêtaient les imprimés les plus éclatants qu'ils pouvaient trouver, avec des bracelets de cheville en baies de vautour écarlates, des colliers de perles d'argile bleues et de redoutables masques à cornes de vache. Puis, pendant ces trois jours, ils traversaient villes, villages et domaines en criant et dansant et tambourinant, comme un retour symbolique vers la mère patrie africaine qu'ils avaient perdue.

Le bal masqué de Parnassus était une version plus élaborée, et anglicisée, de l'ancienne parade. Une calme et digne « Grande-Bretagne » conduisait la procession, suivie par la « Troupe » métisse de Montego Bay jouant des chants patriotiques. Ensuite venaient un roi et une reine de carnaval, en robes flottantes et couronnes de papier doré, et une escorte de serviteurs en tenues de fantaisie et masques de papier mâché : le Marin, le Jockey, le Messager. Enfin une version civilisée, en tenue nautique, du meneur traditionnel, « Johnny Canoë ».

Après la procession, il y avait successivement un souper, un *tableau vivant*[1] mis en scène par la Société d'horticulture de Falmouth, le bal, et enfin un petit déjeuner. Tel était le bal masqué du 26 décembre chez les Traherne. Il ne portait pas la moindre trace de ce Noël soixante-douze ans plus tôt, terrible entre tous, où les esclaves avaient déclenché une révolte qui allait durer plusieurs mois, et détruire plus de cinquante grandes maisons du nord de l'île.

Mais à Bethlehem, au bord des Cockpits, les traces en restaient vivantes. Et la parade reposait sur un contenu réel, un retour vers un passé plus sombre et plus sauvage. Là, personne ne parlait de « Johnny Canoë » ; *Jonkunoo* était le roi. Ni jockeys ni marins non plus ; à leur place, des hommes à demi nus dans des masques cornus et grotesques – Démon, Tête de cheval, Pitchy-Patchy, le Taureau –, tous dansant, bondissant et hurlant aux rythmes acharnés des pipeaux et des tambours. L'Europe laissait place à l'Afrique, les Anglais à des vestiges à demi oubliés d'Eboe et de Koromantyn, la pantomime royale aux sorciers et aux Mères des ténèbres.

Enfant, Sophie assistait aux parades Jonkunoo avec un mélange d'excitation et de terreur ; mais elle avait toujours Cameron contre qui se blottir quand ça devenait trop effrayant. Ce soir-là, alors qu'elle attachait son cheval à un arbre à l'entrée du village, elle avait

1. En français dans le texte (*N.d.T*).

pleinement conscience d'être la seule Blanche présente à la ronde.

Une foule affluait dans la clairière, éclairée par des torches, en criant, dansant et jouant du tambour. Elle reconnut des visages, mais ils n'avaient plus rien de familier au milieu des ombres mouvantes. Les tambours résonnaient à ses oreilles, l'air était saturé par l'odeur des feux de bois, du porc séché, du rhum et de la poivrière. Ç'avait été une erreur de venir ici. Ben ne pouvait pas y être.

Tandis qu'elle restait, hésitante, au bord de la foule, le Taureau – le Jonkunoo lui-même – bondit en face d'elle. Le masque à cornes de vache passa tout près de son visage ; elle aperçut d'inquiétants yeux noirs à travers les deux fentes, leur blanc teinté de jaune par la ganja. « Jonkunoo ! » beugla-t-il, puis il s'éloigna, toujours en bondissant.

Elle respira avec difficulté. « C'est ridicule d'avoir peur », songea-t-elle ; elle connaissait ces gens. Pendant qu'elle se frayait un chemin dans la foule, elle reconnut un pickney : l'écolier du pont de Romilly.

— Non, Missy Sophie, répondit-il quand elle lui demanda s'il avait vu l'homme buckra blessé. Il est parti.

Où était-il allé ? s'enquit-elle. Il lui fit un sourire encourageant.

— Oh, pas très loin…

Mais visiblement, il n'en savait rien, et ne répondait ainsi que pour lui être agréable.

Ce qu'elle avait craint arrivait bel et bien : Ben était parti, et elle ne réussissait qu'à se rendre ridicule. Puis elle aperçut Evie et éprouva un grand soulagement.

La jeune fille était assise avec sa mère et les vieilles du village sous l'arbre à pain. Accroupie sur le sol, elle regardait la procession sans vraiment la voir. Lorsqu'elle aperçut Sophie, ses lèvres s'arrondirent en un petit « O » de surprise. Elle promena le regard aux alentours et fit signe à Sophie de rester là où elle était, avant de se lever et de courir la rejoindre.

— Qu'est-ce que tu fais ici ? lui lança-t-elle d'une voix rauque.

Elle avait l'air fatiguée, la main qu'elle posa sur le bras de Sophie était chaude et fiévreuse.

— Où est Ben ? demanda Sophie.

Evie tiqua, puis elle attira Sophie dans une allée de caféiers déserte, derrière les maisons.

— Evie, il faut que tu me le dises. Il n'est pas chez grand-tante May, j'ai vérifié. Elle l'a renvoyé. Donc…

— Il va très bien. Ne t'en fais pas, il va très bien.

Sophie croisa les bras et fit quelques pas entre les caféiers. Soudain, elle se sentit dangereusement proche des larmes. Elle n'avait pas mesuré jusqu'ici combien elle était inquiète.

— Qu'est-ce qui s'est passé ?

Evie mit sa main sur l'épaule de Sophie et la pressa affectueusement.

— Je ne sais pas exactement.

— En tout cas, tu dois en savoir plus que moi. Maddy m'a dit qu'il avait eu un accident, mais…

— Un « accident » ? Non, il s'est battu avec maître Alex, et ensuite…

— Avec maître Alex ?

Sophie la regarda, perplexe.

— Mais… tu ne vas quand même pas me dire qu'Alexander Traherne a pris le dessus sur lui ?

Evie éclata de rire.

— Bien sûr que non !

L'idée eut l'air de beaucoup l'amuser, et du même coup, elle devint bien plus naturelle et détendue.

— Non, ils se sont rencontrés sur la route, et ils en sont venus à se disputer. À quel sujet, je l'ignore, mais en tout cas Ben l'a frappé. Et le lendemain, il a été attaqué par des hommes et passé à tabac.

— Quels hommes ?

Evie secoua la tête.

— Des inconnus, des gens qui n'étaient pas d'ici.

— Des inconnus, répéta Sophie. Sans doute des voyous engagés par Alexander. Et à présent, où est-il ?

— Je l'ignore, Sophie. Il est parti hier. Il s'est fait raccompagner une partie du chemin par oncle Eliphalet sur sa mule, mais je ne sais pas où il allait.

— Dans quelle direction ? Le nord ? Le sud ?

— Le nord-ouest.

— Vers la rivière ?

— Je crois que oui. Mais franchement, je n'en suis pas sûre.

« Moi si », songea Sophie.

Le temps qu'elle atteigne Romilly, il était presque huit heures et la lumière déclinait. Le chemin le plus direct aurait été celui qui suivait la Martha Brae jusqu'aux ruines ; mais il passait juste devant la maison, et elle ne voulait pas risquer de rencontrer Clemency ou l'un des domestiques. Aussi choisit-elle à la place l'itinéraire qui menait à Maputah, contournait ensuite les Cockpits, puis empruntait, à droite au carrefour, la route d'Eden jusqu'à Romilly. Elle avait de la chance : tout le monde était soit à la fête du Jonkunoo, soit déjà couché pour récupérer. La campagne était étrangement calme, car la brise de mer était tombée depuis longtemps, et la

231

brise de terre ne soufflait que faiblement des collines.

Quand elle atteignit Romilly, le lieu avait l'air désert, mais elle s'y attendait. Après avoir attaché son cheval à un charme de Caroline, elle suivit à pied le chemin de la rivière qui allait jusqu'au centre du vieux village d'esclaves en ruine. Des bambous géants le transformaient en un tunnel obscur, à l'air raréfié. Un épais tapis de feuilles mortes étouffait le bruit de ses pas.

Ben avait pris ses quartiers dans une ruine à ciel ouvert, avec seulement trois murs encore debout, à quelques mètres de la rivière. Il ne l'avait pas entendue approcher. Il était en bras de chemise, assis sur une grosse pierre à côté d'un petit feu ; une de ses jambes était tendue devant lui, une paire de béquilles en bambou posée au sol sur une couverture.

Le côté de son visage qu'elle voyait ne portait pas trace de coups ; mais elle remarqua les nombreuses contusions, jaunes et violacées, de ses deux avant-bras, ainsi que le bandage autour de son genou. Sa chemise, ouverte jusqu'à la taille, laissait voir la bande entourant ses côtes du bas, et d'autres balafres et contusions au-dessus. Une petite calebasse était placée près des béquilles, contenant sans doute une des pommades spéciales de Grace, avec à côté une bande enroulée, une paire de ciseaux rouillés, et un bidon d'eau qu'il venait visiblement de faire chauffer sur le feu. Il donnait l'impression d'avoir commencé à changer ses pansements, puis d'avoir abandonné en cours de route.

Il se tourna pour tisonner le feu, et elle découvrit la marque bleue sur sa pommette droite et autour de son œil, la croûte de sang sur une profonde balafre verticale qui traversait son sourcil. Le contraste avec l'autre côté de son visage était saisissant.

Dès qu'elle sortit de sous les bambous géants, il l'aperçut et se figea.

— Je pensais bien que je te trouverais ici, lui dit-elle.

Chapitre 15

Il ne répondit rien ; mais, manifestement, sa venue le perturbait beaucoup.

Soudain, elle se vit telle qu'elle devait lui apparaître : avec ses cheveux défaits, sa veste et sa jupe d'amazone couvertes de poussière. L'intellectuelle à la tenue négligée, suivant à la trace une proie qui se dérobait.

Que faisait-elle ici ? Il ne voulait pas d'elle. Et pourquoi en aurait-il voulu ? Un simple coup d'œil sur lui fournissait la réponse : il avait pivoté vers le feu et, de profil, le côté indemne de son visage était d'une beauté saisissante.

Elle tâcha de faire bonne figure, mais ne parvint qu'à bafouiller :

— Pourquoi est-ce que tu n'es pas resté à Bethlehem ? Je veux dire, ils veillaient sur toi là-bas, et donc…

— Parce que je voulais venir ici, la coupa-t-il.

Dans la lueur dansante du feu, ses joues à la barbe naissante paraissaient plus sombres encore. Ça lui donnait un air plus vieux et plus dur, presque le visage d'un inconnu pour Sophie.

— Je voulais être seul, c'est tout, ajouta-t-il.

— Ça veut dire que tu veux que je parte ?

— Oui, répondit-il sans la regarder. Je veux que vous partiez. Vous n'auriez pas dû venir.

— Mais je ne pouvais pas rester sans…

— Je pensais que vous seriez à Parnassus. À cette fête.

— Je leur ai envoyé un mot en disant que j'étais malade.

— Pourquoi vous avez fait ça ?

— Pourquoi, à ton avis ? J'étais inquiète pour toi.

— C'est idiot, répliqua-t-il d'un ton sec avant de répéter : vous n'auriez pas dû venir.

Il tendit la main vers une de ses béquilles pour tisonner le feu avec, mais il la laissa tomber et jura entre ses dents. Ses mouvements étaient maladroits, sans la grâce qu'ils avaient d'habitude. Bizarrement, ça donna à Sophie le courage de faire un pas en avant, de retirer son chapeau et de s'asseoir sur un coin de la couverture, à distance de lui.

— Qu'est-ce qui est arrivé à ta jambe ? demanda-t-elle.

— Qu'est-ce que ça peut vous faire ?

— Oh, rien du tout ! D'ailleurs, c'est pour cette raison que je suis ici.

Il soupira.

— Grace dit que j'ai l'os du genou abîmé. Ou quelque chose dans le genre.

Elle y réfléchit un moment, puis s'enquit :

— Et tes côtes ? Est-ce qu'elles te font mal ?

— Non. Enfin, un peu, admit-il en haussant les épaules.

Il tendit la main vers le bidon d'eau chaude et le renversa.

— Et merde…

Elle se sentit rougir. Se penchant en avant, elle remit le bidon droit, puis elle prit son mouchoir dans sa poche et le lui tendit.

— Tiens, sers-toi de ça.

Il considéra le mouchoir avec réticence, avant de s'en saisir d'un air renfrogné. Cela rappela à Sophie un garçon de treize ans à qui on donnait un livre, et qui grognait comme un renardeau parce qu'il ne savait pas comment accepter une gentillesse.

Elle le regarda plonger le mouchoir dans ce qui restait d'eau chaude, et entreprendre maladroitement de nettoyer une longue balafre sanglante qu'il avait au côté. Puis elle ne put s'empêcher de détourner les yeux. Il était musclé et, au bas de son cou, sa peau n'était plus tannée et hâlée par le soleil, mais pâle et lisse. Il lui paraissait à la fois familier et différent, garçon et homme, connu et inconnu. Ça lui donnait presque envie de pleurer. Heureusement, les ombres au-delà du cercle du feu la dissimulaient, ainsi que la lumière de la lune, douce et bleutée.

Autour d'eux, la nuit s'installait sur la rivière. Des lucioles éclairaient les plantes grimpantes qui enserraient les murs en ruine. Les grandes pointes des gingembres sauvages brillaient, blanches, dans le clair de lune ; le chant des grillons avait laissé place à celui, clair et régulier, des grenouilles sifflantes, et la brise apportait un parfum doux et léger.

En promenant les yeux autour d'elle, Sophie vit à sa gauche une touffe d'orchidées coquillages accrochée à un bloc de pierre. Les pétales pâles et recourbés semblaient retenir la lumière de la lune ; leur odeur était lourde et douceâtre. « Peut-être, songea-t-elle, il y a des décennies de cela, des esclaves assis à cet endroit, près de cette même sombre rivière, respiraient-ils cette odeur légèrement funèbre. »

Elle releva la tête, et tressaillit en découvrant le regard de Ben posé sur elle ; dans la lumière de la lune, son expression était indéchiffrable.

— Pourquoi est-ce que tu n'es pas venu me retrouver au pont ? demanda-t-elle doucement.

— Je n'ai pas pu.

— Pour quelle raison ?

Il se tourna vers le feu.

— Écoutez, je sais que je vous ai blessée, et j'en suis désolé. Vraiment désolé. Mais je devais rester éloigné. Si je vous avais retrouvée sur le pont, je vous aurais blessée encore plus.

— Je ne comprends pas.

— Vous n'avez pas besoin de comprendre. Ça n'a rien à voir avec vous, ajouta-t-il en soupirant. Ni avec votre genou.

« Rien à voir avec votre genou. » Était-il donc si facile de lire en elle ? Était-elle si transparente et si… pitoyable ? Tête baissée, elle tira sur un fil qui dépassait de la couverture.

— Sophie…, commença-t-il doucement.

Elle redressa la tête et lui lança un regard noir.

— Bon Dieu, Sophie, quand est-ce que vous allez oublier ce fichu genou ?

— C'est facile à dire pour toi. Tu ne boites pas.

Il fit un geste vers sa jambe bandée.

— Maintenant, si, je boite.

— Pas pour longtemps.

— Qu'est-ce que vous en savez ? Et vous-même ne boitez plus, de toute façon.

— Si, quand je suis fatiguée.

— Et alors ? Sophie, regardez-moi…

Elle le dévisagea longuement, et sut qu'il désirait finalement qu'elle reste.

— Faites-le-moi voir, demanda-t-il soudain.

— Quoi ?

— Votre genou. Montrez-le-moi.

— Non !

Elle tira sur sa jupe d'amazone pour mieux s'en couvrir les jambes. Il la considéra quelques instants, puis hocha la tête.

— D'accord.

— C'est juste que je n'aime pas qu'on y touche…

— Pourquoi, il vous fait encore mal ?

— Bien sûr que non.

— Alors, pourquoi ?

— Je ne sais pas. Je n'aime pas, c'est tout.

Il y eut un silence. Un poisson sauta dans la rivière ; une chouette ulula dans les arbres ; un froissement discret de végétation trahit le passage d'un lézard, ou peut-être d'un serpent lancé dans sa chasse nocturne.

Sans regarder Ben, Sophie releva sa jupe d'amazone un peu au-dessus de son genou.

— Promets que tu ne toucheras pas.

— D'accord. Je promets.

Avec une moue, elle glissa la main sous sa jupe pour détacher le bas de sa jarretelle, puis commença à rouler la fine soie noire jusqu'en bas de sa cuisse.

— Laissez-moi faire ça, lui dit-il.

— Non !

— Si.

— Non.

Elle suspendit son geste, mais soudain elle se sentit mal à l'aise, la respiration oppressée. Elle se mit à trembler – au point que ses coudes, quand elle se renversa en arrière et posa ses mains derrière elle pour lui abandonner son genou, se dérobèrent presque.

Il prit sa béquille et se redressa péniblement, quittant le bloc de pierre pour venir sur la couverture à côté d'elle. Son visage était grave et sérieux, tandis qu'il avançait les mains puis entreprenait de rouler très lentement le bas sur son genou. Il avait les doigts qui tremblaient, lui aussi. Lorsqu'ils lui effleurèrent la jambe, elle ne put retenir un sifflement nerveux. Les mains de Ben s'immobilisèrent.

— Ça va ?

Elle hocha la tête. Elle aurait voulu lui dire d'arrêter, mais n'y parvenait pas. Elle pouvait à peine respirer.

Il baissa les yeux, fronça les sourcils jusqu'à ce qu'ils ne soient plus qu'une barre sombre sur son front.

— Vous vous rappelez quand on était enfants, dans votre cuisine, et que vous m'avez montré votre genou ?

De nouveau, elle hocha la tête.

— Vous avez dit : « Regarde, Ben, j'ai un bleu. » Sauf que je ne voyais rien du tout… Je n'avais jamais vu personne d'aussi propre que vous, ajouta-t-il après un silence.

Elle aurait aimé lui toucher la joue, mais elle en était incapable, comme paralysée. Il descendit le bas jusqu'au-dessus de sa botte, posa une main chaude sur sa jambe, baissa la tête et lui souffla doucement sur le genou. Elle sentit la douce caresse de sa main, ses cheveux qui lui effleuraient la peau.

— Tu avais dit que tu ne toucherais pas, murmura-t-elle.

Il releva la tête, croisa ses yeux, puis son regard descendit vers sa bouche.

— Je mentais.

Il se rapprocha d'elle. Elle perçut l'odeur aromatique de la pommade de Grace mêlée à celle de sa peau. Le parfum âpre et piquant de la poussière rouge, de l'herbe battue par le vent. Il se pencha encore et l'embrassa doucement sur la bouche.

Ensuite il l'embrassa de nouveau, mais cette fois plus fort, et en lui ouvrant la bouche avec ses lèvres. Pour la première fois, elle sentit la chaleur de sa langue. Elle était à la fois effrayée, curieuse, et excitée. Elle ne savait pas comment lui répondre ; alors, elle essaya d'imiter ce qu'il faisait, passa les bras autour de son cou et lui rendit son baiser.

Avec ce premier vrai baiser, elle laissait tout le passé derrière elle, se lançait dans un monde inconnu. Et elle savait que c'était pareil pour lui, parce que, même s'il avait déjà fait ça avant, il ne l'avait jamais fait avec elle. Par ce premier vrai baiser, ils laissaient leur ancienne personnalité derrière eux et passaient, pour toujours, du stade d'amis à celui d'amoureux. La joue rêche de Ben contre la sienne, la douceur de ses cheveux sous son poignet firent naître en elle non seulement sa première véritable poussée de désir, mais aussi une tendresse nouvelle envers lui – lui qui était avec elle dans cette étrange et incroyable intimité, lui qui tremblait tout contre elle… Elle enfouit son visage dans le cou de Ben, étreignit son épaule – et l'entendit pousser un petit gémissement.

— Pardon, murmura-t-elle, et elle sentit qu'il grimaçait un sourire, avant que la chaleur de son rire ne vienne courir sur sa propre peau.

Ils se fixèrent quelques instants dans les yeux, et le sourire de Ben se dissipa lentement. Il l'embrassa de nouveau, toujours plus fort et plus profond.

Ils se rapprochèrent encore l'un de l'autre – avec précaution, à cause de ses côtes. Il passa la main le long de son flanc et de sa cuisse, jusqu'à ses hanches ;

elle glissa les siennes sous sa chemise, rencontra les muscles durs et chauds de son dos.

Mais, soudain, il poussa un cri et se détacha d'elle.

— Qu'est-ce qui ne va pas ? souffla-t-elle. Est-ce que je t'ai fait mal ?

Il secoua la tête. Il s'était rassis, le dos courbé, la respiration rendue difficile par ses mâchoires crispées.

— Ben ?

Elle posa une main sur son épaule, mais il la repoussa.

— On ne peut pas faire ça, murmura-t-il, en secouant à nouveau la tête.

— Si, nous pouvons, répliqua-t-elle. Je le veux.

— Non. Non.

— Pourquoi ?

— Je ne… je ne veux pas te faire de mal.

— Ben…

— La première fois, ça fait mal, Sophie.

— Je sais, oui.

Elle essaya de le prendre à la légère.

— J'ai quand même réussi à apprendre deux ou trois choses en médecine. Mais je… je ne pense pas avoir trop mal. Je veux dire, je suis beaucoup montée à cheval, presque toujours à califourchon, et en principe ça…

— Sophie, tais-toi, la coupa-t-il doucement.

Elle se mordit la lèvre ; il avait raison, elle parlait toujours trop. Mais elle était si nerveuse…

Elle ne pouvait pas croire que c'était bien elle, cette fille assise dans une maison en ruine qui tentait de séduire un homme. Puis, soudain, une image surgit dans sa tête : le modèle de broderie accroché au-dessus de son lit dans la maison de cousine Lettice à Londres, quand elle était petite.

« C'est quoi, la fornication ? avait-elle demandé à sa grande sœur.

— Je ne sais pas, avait répondu Madeleine. Quelque chose de mal, je crois. » Mais, des années plus tard, elle l'avait prise à part et lui avait tranquillement dit la vérité. Elle lui avait expliqué qu'elle-même avait souffert de ne pas savoir de quoi il s'agissait ; elle ne voulait pas qu'il lui arrive la même chose.

Sophie considéra les pâles touffes d'orchidées, les épais cordons du figuier étrangleur ; et enfin Ben, figé dans l'examen de ses paumes, et qu'une étrange expression de colère faisait paraître très jeune.

— Tu m'aimes ? lui demanda-t-elle à mi-voix.

Il ne répondit pas, mais se passa la main dans les cheveux, frotta ensuite son œil valide avec.

— Tu m'aimes ? répéta-t-elle.

Il prit une grande inspiration, puis hocha la tête.

— Alors, tout se passera bien.

— Tu n'en sais rien. Tu ne connais rien à tout ça.

— Eh bien, dis-moi, montre-moi…

Il secoua la tête.

— Tu ne sais pas combien ça peut être moche, et faux et sale…

— Pas entre nous.

De nouveau, il ne répondit pas. Mais cette fois, quand elle posa la main sur son épaule, il ne s'écarta pas.

— Pas entre nous, répéta-t-elle, puis elle s'allongea sur la couverture et l'attira vers elle.

Il était minuit passé lorsqu'elle revint à Eden.

À son grand soulagement, Madeleine et Cameron n'étaient pas encore rentrés de Parnassus, et les autres étaient allés se coucher. Quelqu'un avait mis une lampe-tempête sur le buffet pour l'accueillir à son retour.

Elle emmena son cheval aux écuries, le dessella, lui donna à boire et vérifia qu'il avait du foin dans sa mangeoire. Après quoi, elle contourna la maison pour gagner le jardin.

Abigail et Scout descendirent les marches à sa rencontre. La première lui fit un accueil ensommeillé, oreilles pendantes, avant de remonter en trottinant vers la véranda, où elle s'affala pour se rendormir aussitôt. Le second, lui, s'installa à côté de Sophie sur la première marche, et fourragea sous sa main pour y enfoncer une truffe toute froide. Elle caressa ses oreilles soyeuses, et s'emplit les poumons des fraîches odeurs du jardin sous le clair de lune : le parfum des fougères arborescentes, celui du jasmin étoilé.

Épuisée, mais vivante comme jamais, elle sentait encore cette douleur légère qui avait rayonné en elle, cette douce vibration sur l'intérieur de ses cuisses. Et aussi le poids de son corps sur le sien, son odeur sur sa peau... Si elle fermait les yeux, elle éprouvait encore l'incroyable sensation d'intimité qu'elle avait partagée avec Ben. Elle aurait voulu rester éveillée toute la nuit, pour ne rien en perdre.

— Viens me retrouver demain, lui avait-il chuchoté tandis qu'ils étaient allongés ensemble, contemplant les lucioles, et que la sueur se rafraîchissait sur leurs deux corps.

— Où ?

— Ici.

— Oui, ici. Oui !

Bien sûr, il fallait que ce soit à Romilly. C'était l'endroit qu'il leur fallait, parce que ce n'était pas vraiment un endroit réel, juste une ruine échappée d'un autre temps. Mais elle ne voulait pas penser à ça maintenant. Elle ne voulait pas penser aux conséquences, à ce qui arriverait ensuite.

— Tante Sophie ? appela une petite voix en haut de l'escalier.

Elle se retourna et aperçut Fraser debout, en chemise de nuit, au sommet des marches.

— Chéri, tu devrais être au lit, lui dit-elle doucement en s'avançant vers lui. Il est affreusement tard.

— Mon ventre me fait mal.

Abigail arriva derrière lui, d'un pas lourd, et tenta de le repousser du nez à l'intérieur de la maison, comme un chiot qui se serait égaré. Il la chassa d'un geste irrité.

Sophie soupira, grimpa les marches et lui prit la main. Elle était chaude, mais pas fiévreuse. Elle se pencha et l'embrassa sur une joue chiffonnée par les draps.

— Tu y survivras, affirma-t-elle.

— Mais ça fait mal…, insista-t-il d'un ton grognon.

— Viens, alors, je vais jeter un coup d'œil.

Ils entrèrent ensemble, et quand ils arrivèrent dans le rond de lumière de la lampe-tempête, Sophie s'agenouilla près de Fraser, pour poser une main sur son front, puis sur sa gorge.

— Tu n'as pas de fièvre, lui déclara-t-elle, et pas de ganglions non plus. C'est bien, ça prouve que tu n'as pas attrapé les oreillons. Tu as juste mangé trop de bonbons, mon chéri.

— Je n'en ai pas eu un seul depuis que maman est partie, marmonna-t-il. Sauf ceux que Clemency m'a donnés.

La réserve la fit sourire.

— Alors, je suis sûre que tu vas te sentir mieux très bientôt. Suis-moi, je vais te donner un peu de poudre de rhubarbe dans du lait. Et ensuite, retour au lit.

Un quart d'heure plus tard, elle était pelotonnée dans son propre lit, mais toujours pleinement éveillée, et elle contemplait les stries que faisait la lune au sol en passant à travers les jalousies.

Ben avait été tellement tendre et attentionné en lui faisant l'amour – comme si c'était elle qui avait le corps contusionné, et non lui. Lorsqu'elle lui en avait fait la remarque, il avait posé doucement la main sur sa bouche.

— Chut. Ce n'est pas le moment de parler.

Leurs corps parlaient pour eux.

Elle pressa son visage contre l'oreiller, prit une grande inspiration et pensa au lendemain, à Romilly.

Dehors, une fougère arborescente ondulait dans la brise derrière les jalousies. Une chouette ulula dans le lointain. Porté par la nuit, le parfum douceâtre et léger des stephanotis pénétrait jusque dans la chambre.

Sophie enfouit son visage dans l'oreiller et s'endormit.

À Bethlehem, le parfum des stephanotis avertit Evie que quelque chose allait de travers. Elle demanda à sa mère si elle le sentait aussi, mais Grace secoua la tête.

Il était environ quatre heures du matin, et la parade du Jonkunoo s'était interrompue pour que les participants se restaurent. L'air était lourd d'odeurs de fruits à pain grillés et de viande de chèvre au curry. Les pickneys se serraient autour de tartes à la banane plantain et de grosses tranches de tourte au *chocho**.

Des grands-mères étaient tout émoustillées par le punch au rhum et le vin de gingembre.

Grace apporta à Evie une portion de son plat préféré : du pudding de patate douce gorgé de vanille et de lait de coco, et imprégné de mélasse. Mais elle ne put rien avaler. Quelque chose allait de travers.

La sensation s'était diffusée en elle toute la journée. Elle ne pouvait se l'ôter de l'esprit. Et pourtant, chaque fois qu'elle essayait d'analyser ce phénomène, il lui échappait comme un serpent jaune disparaissant dans un trou.

— Tiens, lui lança sa mère, en s'asseyant à côté d'elle et en lui tendant un gobelet de sorrel. Une petite boisson fraîche pour te calmer les nerfs. J'ai ajouté une goutte d'huile de calvaire pour t'éclaircir les idées.

Devant le regard interrogateur de sa fille, elle ajouta :

— Je ne suis pas aveugle. Tu as des soucis dans la tête, alors tu as besoin d'un petit coup de pouce.

Rien n'échappait à sa mère. Juste quand Evie aurait eu tendance à la considérer comme une pauvre femme des montagnes sans éducation, Grace arrivait pour la percer à jour.

Evie baissa les yeux sur l'infusion rouge et capiteuse de rhum et de pétales d'hibiscus. Elle en prit une longue gorgée, et son goût corsé descendit jusque dans son estomac. Il y avait au moins cinquante pour cent de rhum dedans. À Bethlehem, on aimait les boissons fortes.

Autour d'elle, la foule grouillait comme dans une fourmilière. C'était pour tout le village une sorte de grande fête d'anniversaire nocturne. Mais elle n'en sentait pas moins les ténèbres se rapprocher d'elle. Pourquoi les autres ne les sentaient-ils pas ?

Au bout du village, elle aperçut le velours sombre des ailes de Patoo et entendit son doux *hou-hou*. Plusieurs personnes promenèrent un regard craintif autour d'elles et firent le signe de croix, mais Grace se contenta de secouer sa tête et lui cria de ne pas venir troubler leur fête :

— Va-t'en, Patoo ! Va donc embêter quelqu'un d'autre avec tes mauvaises nouvelles !

De légers rires parcoururent la foule.

Une fois de plus, le parfum des stephanotis vint frapper Evie. Lourd et sucré, comme dans un cimetière. Qu'est-ce qui allait de travers ?

Deux jours plus tôt, Ben lui avait assuré qu'elle s'était trompée concernant cette fille aux cheveux roux : ça ne signifiait pas un avertissement pour lui, mais pour Sophie. Si elle s'était trompée là-dessus, qu'avait-elle encore mal interprété ? Est-ce qu'elle s'était trompée aussi à propos du vieux maître Jocelyn ?

Evie repensait à ce jour où, assise dans le boghei de Miss Sibella à Fever Hill, elle avait vu le vieux maître Jocelyn suivre Sophie dans l'allée de crotons. Sophie et le petit maître Fraser.

Un picotement sur sa cheville nue la fit baisser les yeux, et elle vit un petit cheval-démon vert – une mante religieuse – grimper le long de sa jambe. Distraitement, elle la chassa de la main.

Puis, soudain, elle sut ce qui allait de travers, et cela la frappa au ventre avec la froideur d'une certitude. Ce n'était pas elle que le vieux maître Jocelyn suivait. Ce n'était pas Sophie !

Elle saisit le bras de sa mère.

— Quelque chose ne va pas. Il faut que nous allions à Eden, tout de suite !

Sophie fut réveillée en sursaut par une Clemency effrayée. Fraser était malade.

— Malade comment ? marmonna Sophie, toujours ensommeillée.

— Je ne sais pas, ma chérie…

— Clemency…

— Mais je ne sais vraiment pas !

Elle se tenait près du lit, image même de l'impuissance, tordant ses mains blanches et secouant la tête si violemment que ses cheveux teints en gris frôlèrent le visage de Sophie.

Mais elle avait raison, pour Fraser : lorsqu'elles arrivèrent dans la chambre des enfants, il se tortillait dans son lit comme un ver, luttant contre une Poppy terrifiée qui essayait en vain de le maintenir en place. Belle était recroquevillée dans l'autre lit, suçant l'oreille de son zèbre et les regardant avec de grands yeux sombres.

Quand Sophie se pencha sur Fraser, une boule d'inquiétude lui noua la poitrine. Son corps décrivait maintenant une courbe étrange et raide, comme s'il avait voulu se lover à l'intérieur d'un ballon, sans y parvenir. Ses yeux étaient hermétiquement fermés, pour échapper à la lumière ; sa respiration était rapide et haletante.

— Ça fait mal ! gémissait-il en martelant Poppy de ses poings.

— Où ça, chéri ? demanda Sophie. Dis-moi où…

— Partout ! Ma tête et mon ventre et partout !… Tante Sophie, fais partir le mal !

Sophie prit son petit poing dans le sien ; il était froid. Qu'est-ce que ça signifiait ?

Elle jeta un coup d'œil à la pendule de la chambre : deux heures moins le quart. Deux heures plus tôt, il avait seulement mal au ventre.

— Je savais qu'il arriverait quelque chose comme ça ! geignit Clemency en se tordant les mains. Je savais que si je laissais Elliot tout seul il serait en colère...

— Pas maintenant, lui intima Sophie d'un ton sec.

— Ça fait mal ! hurla cette fois Fraser.

Il rejeta violemment draps et couvertures, et serait tombé du lit si Sophie ne l'avait rattrapé à temps. À la lumière de la lampe, elle remarqua une éruption rose vif qui s'étalait sur la peau de ses mollets. « Mon Dieu, pensa-t-elle. Qu'est-ce que c'est ? »

— Clemency, lança-t-elle sans se retourner, prenez Belle et allez dormir dans les appartements des domestiques.

— Quoi, ma chérie ?

— J'ai dit : Emmenez Belle tout de suite, allez dormir dans les appartements des domestiques, et ne revenez pas avant que je vous le demande. Vous comprenez ? Et dites à Braverly et à Susan de rester aussi avec vous.

— Mais, ma chérie...

— Pour l'amour du ciel, Clemmie, quoi que ce soit, c'est peut-être contagieux !

Les mains de Clemency montèrent vers sa gorge.

— Poppy, ajouta Sophie par-dessus son épaule, cours réveiller Moses, dis-lui de seller le cheval de maître Cameron et d'aller chercher le Dr Mallory le plus vite possible. Le plus vite possible, d'accord ? Qu'il dise au docteur que c'est une urgence et qu'on l'attend immédiatement. Et il faut aussi envoyer un homme chez le Dr Pritchard, et un autre à Parnassus chercher le maître et la maîtresse. Allez, va !

Poppy fila de la chambre.

« Mon Dieu, je vous en prie, faites que ce soit la rougeole, pensa Sophie une fois seule avec Fraser. Faites que ce soit la rougeole ou les oreillons, ou autre chose qu'on sait combattre ! »

Fraser se tordait et gémissait toujours, mais semblait légèrement plus calme, depuis qu'elle avait transporté la lampe à l'autre bout de la chambre. Il n'avait toujours pas de fièvre, il ne délirait pas. Mais, comme elle lui soulevait la tête pour l'aider à boire un peu d'eau, il eut un spasme et lui donna un coup de pied dans la cuisse.

— Pardon, tante Sophie, souffla-t-il.

— Ce n'est rien, mon chéri, assura-t-elle en lissant ses cheveux sur son front.

— Quand est-ce que le mal va partir ?

— Bientôt. Bientôt. Quand le docteur sera là.

Elle se sentit coupable de le tromper ainsi. Il faudrait au moins deux heures avant que le Dr Mallory n'arrive ; et le Dr Pritchard, dans lequel elle avait davantage confiance, ne serait là qu'après. Deux heures, et elle était incapable de lui venir en aide. Tout ce qu'elle pouvait faire, c'était essayer de le rassurer et lui faire boire un peu d'eau, pendant qu'elle feuilletait fébrilement son *Initiation au diagnostic médical* avec un désespoir grandissant.

À l'arrière-plan de son esprit, il y avait la crainte lancinante que ça puisse être sa faute. Qu'en serait-il si elle était restée là et que, ayant su déceler l'approche de la maladie par un quelconque symptôme, elle avait envoyé chercher le docteur sans attendre ? Si elle était restée à la maison et qu'elle avait veillé sur lui, comme Madeleine lui avait demandé de le faire ?

Les grands yeux gris se levèrent vers elle avec une expression de confiance absolue, alors qu'elle reposait le livre sur la table de nuit, et ils la suivirent dans chacun de ses mouvements. Elle tâcha de sourire à l'enfant. Mais son visage se contracta de nouveau, et il répéta encore :

— Ça fait mal !

— Je sais, mon chéri, murmura-t-elle en s'asseyant sur le bord du lit pour le prendre dans ses bras et caresser ses cheveux. Je sais, je sais, et j'en suis tellement désolée…

Il se dégagea d'elle en se tordant en tous sens, donna des coups de poing dans l'oreiller.

L'éruption avait progressé, elle couvrait ses jambes et ses bras ; mais, en relevant sa chemise de nuit, Sophie constata avec horreur qu'elle avait en fait gagné tout son corps. Quel mal pouvait progresser aussi rapidement ?

Une idée terrible la saisit. Elle reprit le livre et alla directement à la fin, à l'index. Les mots se brouillaient sous ses yeux, elle n'arrivait pas à trouver ce qu'elle cherchait. Enfin, elle y parvint : « *Fièvre cérébrale… voir "Maladie à méningocoque et aussi Méningite".* »

L'aube se levait à peine quand Evie et sa mère arrivèrent à Eden. Sans doute maître Cameron et Miss Madeleine venaient-ils juste de rentrer : la voiture était toujours à la porte et le cheval, la tête basse, était encore essoufflé par sa course.

D'un seul coup d'œil, Evie saisit le désarroi qui s'était emparé de la maison. Le manteau du soir en satin bronze de Miss Madeleine jeté dans la poussière et piétiné par les sabots du cheval ; Miss Clemmie et la petite Missy Belle debout dans l'allée en chemise de nuit, ouvrant de grands yeux effrayés ; Moses qui s'accrochait à la bride du cheval comme s'il ne pouvait plus la lâcher, le vieux Braverly qui se balançait d'un pied sur l'autre en marmonnant des psaumes, Poppy et Susan qui gémissaient comme pour une veillée mortuaire, dans les bras l'une de l'autre.

Et Sophie, assise sur le seuil de la porte, toute raide dans sa robe de chambre, les lèvres bleu-gris, les yeux fixant la pénombre.

— Sophie ? lança Grace.

Elle releva la tête et tenta de s'orienter dans le noir, comme si elle voyait trouble.

— Sophie, répéta Evie, en venant s'asseoir à côté d'elle et en lui passant le bras autour des épaules.

— C'était une fièvre cérébrale, articula-t-elle.

Sa voix était creuse, comme si elle était vide à l'intérieur.

— Le Dr Mallory est venu, et le Dr Pritchard, et ils ont dit…

Au même moment, de l'intérieur de la maison obscure, provint un cri terrible. Evie n'en avait encore jamais entendu de pareil ; on aurait dit un animal à qui on aurait arraché les entrailles.

Le visage de Sophie se crispa.

— Je le tenais dans mes bras, ajouta-t-elle. Je le tenais dans mes bras, et il est mort !

Chapitre 16

Sophie était occupée dans sa chambre quand on frappa à la porte, et Cameron demanda s'il pouvait entrer.

Elle en fut surprise, car on était au milieu de l'après-midi, et il était parti pour l'usine juste après le déjeuner.

— Je croyais que tu étais à Maputah, déclara-t-elle.

— J'y étais.

Ses yeux s'arrêtèrent un instant sur les caisses d'emballage que Sophie avait autour d'elle, mais il ne fit pas de commentaire.

— Tu as un moment ? s'enquit-il.

Elle jeta un regard sur la pile de chemisiers qu'elle avait dans les bras, et la posa sur le lit.

— Bien sûr. Tu veux que nous allions dans la véranda ?

Il hocha la tête et s'écarta pour la laisser passer.

Elle se demandait s'il était lui aussi conscient de la nouvelle solennité qui s'était instaurée entre eux. Leurs mouvements mêmes étaient différents. Sa robe de deuil, en terne parramatta noir, imposait à Sophie une raideur que même grand-tante May aurait approuvée ; quant à Cameron, il avait pris l'habitude inconsciente de toucher le brassard noir sur sa manche, comme si c'était une blessure.

Hormis Scout, ils avaient la véranda pour eux seuls. Madeleine était étendue dans sa chambre, et Clemency faisait la lecture à Belle dans la chambre d'enfants.

Cameron s'installa à une extrémité du vieux canapé en rotin, et Sophie prit le fauteuil d'en face. Scout se souleva et trotta jusqu'à son maître, puis s'écroula à ses pieds.

Cameron passa la main sur son brassard, et tâcha de ne pas regarder la trouée entre les tilleuls où pendait la balançoire de Fraser. Il avait perdu du poids et ses yeux étaient injectés de sang. Il avait l'air épuisé. Janvier était la période la plus chargée de l'année : les usines de Maputah et de Fever Hill devaient tourner vingt-quatre heures sur vingt-quatre, sans quoi la canne serait abîmée, et au deuil s'ajouterait la banqueroute. Sophie se demandait à quel moment il trouvait le temps de libérer sa peine, et où il allait pour pleurer. Elle-même en avait fini avec les larmes. Elle avait pleuré jusqu'à n'en plus pouvoir ; aujourd'hui, elle était trop minée par le chagrin et la culpabilité pour ressentir autre chose qu'une intense fatigue, et l'attente anxieuse de la paix.

Cameron croisa son regard, et ils échangèrent des sourires vides de sens.

— Tu voulais me parler ? lui dit-elle.

— Je… oui.

— Quelque chose ne va pas ?

Il y eut un silence pendant qu'ils méditaient tous les deux cette phrase. « Quelque chose ne va pas ? » Tout allait mal. Fraser Jocelyn Lawe reposait dehors, sur la pente boisée derrière la maison, depuis maintenant trois semaines ; c'était le premier occupant du nouveau cimetière d'Eden. Clemency disait que sa tombe de marbre blanc était presque aussi belle que celle d'Elliot, mais Sophie ne l'avait pas encore vue. Elle ne pouvait en supporter l'idée.

Elle n'avait pas non plus assisté à l'enterrement. Elle était restée à la maison, pendant que Cameron suivait le corbillard jusqu'à Falmouth, se tenait dans le cimetière, entouré par ses employés, enfin revenait à cheval pour l'enterrement proprement dit.

Clemency avait été l'une des rares femmes à y être présente, avec Olivia Herapath et, de façon surprenante, Rebecca Traherne. La seule à représenter les Monroe avait été grand-tante May, plus glaciale que jamais dans un demi-deuil très strict.

— Le deuil complet serait inapproprié, avait-elle déclaré, en réponse à une question de Mrs Herapath. L'enfant était à quatre générations de la mienne.

Madeleine non plus n'y avait pas assisté. Elle avait annoncé d'un ton calme qu'elle n'irait plus à l'église, qu'elle en avait fini avec Dieu.

Cameron considéra un instant Sophie avant de prendre la parole.

— Moses m'a dit que tu avais commandé la voiture pour lundi. Pour Montego Bay.

Sophie joignit les mains sur ses genoux.

— J'espère que ça ira, répondit-elle lentement. J'ai prévu de prendre le train de huit heures quarante-cinq pour Kingston. J'achèterai un billet sur le paquebot de mardi pour Southampton.

— Ne pars pas, lâcha-t-il.

— Je crois qu'il le faut.

— Et si tu fais une de tes volte-face à mi-chemin, et que tu veux rentrer à la maison ?

Elle esquissa un sourire.

— Je ne crois pas.

Au fond d'elle-même, elle en était moins sûre qu'elle ne l'affirmait. Une partie d'elle pensait qu'elle se trompait, qu'elle s'enfuyait au moment où Madeleine avait le plus besoin d'elle. L'autre partie lui disait que c'était la seule chose à faire : Madeleine ne voulait plus d'elle ici. Elles n'en avaient pas parlé – en fait, elles n'avaient pas parlé du tout. Mais Sophie le sentait. Peut-être Madeleine lui reprochait-elle la mort de Fraser. Ou peut-être, simplement, ne pouvait-elle pas lui pardonner d'avoir été avec lui pendant ses dernières heures alors qu'elle, sa mère, n'y était pas.

Et toujours, au fond de l'esprit de Sophie, il y avait cette idée lancinante : que penserait Madeleine si elle savait que, précisément la nuit où Fraser était en train de mourir, elle-même se trouvait avec Ben ?

Sophie avait beaucoup hésité à le leur révéler, puis avait finalement choisi de se taire. Pourquoi rendre les choses pires qu'elles ne l'étaient déjà ? À la place, elle leur avait raconté ce qui ne les perturberait pas à l'excès : qu'elle était sortie faire une promenade à cheval au clair de lune, qu'elle était revenue à la maison vers minuit, pour trouver Fraser avec un léger mal d'estomac ; qu'elle avait envoyé chercher les médecins quand son état avait empiré, puis était demeurée avec lui jusqu'à ce qu'il meure. Cameron avait paru perplexe, comme s'il se demandait pourquoi elle jugeait nécessaire de leur dire tout cela. Madeleine avait gardé le visage fermé, comme si elle attendait quelque chose de plus. Après quoi, elle avait hoché la tête, s'était levée et avait quitté la pièce.

— Sophie, déclara Cameron, la ramenant au présent, si tu retournes en Angleterre maintenant, ce sera comme de t'enfuir.

— Non. Je faciliterai les choses à tout le monde.

— Pas à moi, répliqua-t-il doucement. Ni à Madeleine.

Elle secoua la tête.

— Elle sera mieux sans moi. En plus, elle a Clemency. Et Grace.

Elle n'avait pas besoin d'expliquer pourquoi il était plus facile à Madeleine d'accepter leur présence : Clemency et Grace avaient toutes les deux perdu des enfants.

— Ce sera comme de t'enfuir, répéta-t-il.

— Cameron…

— Ça ne marche pas, Sophie. Je le sais, j'ai essayé autrefois.

Elle ne répondit pas. Peut-être avait-il raison, mais elle n'avait pas le choix. Comment aurait-elle pu rester à Eden ? Elle ne le méritait pas. Elle ne méritait rien de la sorte.

Et pourtant, elle aurait voulu qu'on la persuade de ne pas partir. Peut-être était-ce pour cela qu'elle n'avait pas encore pris son billet pour l'Angleterre.

Une porte s'ouvrit et se ferma dans la maison ; ils se tournèrent pour voir Madeleine, dans son peignoir japonais couleur rouille, traverser le hall pour aller dans la salle de bains. Cameron la suivit des yeux tout du long.

— Comment va-t-elle ? demanda Sophie. Je veux dire, comment va-t-elle vraiment ?

Cameron secoua la tête.

— Je ne sais pas. Elle ne me parle pas. Ou plutôt, elle me parle, mais son esprit est ailleurs.

C'était vrai. Madeleine traversait ses journées comme une somnambule. Elle avait des sursauts d'activité lorsqu'elle devait coudre des robes de deuil ou diriger la maisonnée ; mais ensuite elle perdait brusquement courage et partait dans sa chambre, dormir pendant des heures. Avec Sophie, elle se montrait gentille, un peu distante, et croisait rarement son regard.

À la surprise générale, Clemency, si désarmée quand Fraser avait été malade, retrouva toute sa présence d'esprit à sa mort. Elle n'eut même pas l'air perturbée de délaisser Elliot pendant si longtemps. Elle fit face à la situation avec pragmatisme et fermeté. Après tout, elle était habituée aux enfants morts. Elle vivait avec l'un d'eux depuis trente ans.

Pendant que Cameron se démenait avec la récolte de la canne et que Madeleine dormait debout toute la journée, Clemency prit donc la maisonnée en main. Elle sut persuader Cameron de faire cesser le travail sur le domaine le jour de l'enterrement, pour que les hommes puissent rendre hommage au petit défunt.

— Ils ne comprendraient pas, sinon, Cameron, lui affirma-t-elle. Les traditions comptent dans des moments comme celui-ci.

Elle s'occupa aussi de prendre toutes les dispositions pour les obsèques.

— Il faut un cercueil en acajou. Après cinq ans, ça ne se fait plus de les enterrer en blanc.

Elle commanda des mètres de parramatta noir, de bombasin et de crêpe, mit Grace à la confection des tabliers et des brassards noirs pour le personnel. Elle envoya Sophie à Falmouth commander des cartes de visite et du papier à lettres, avec une bordure noire de la bonne largeur. Elle écrivit des douzaines de belles lettres de remerciement, pour les fleurs qui étaient arrivées en masse.

— Envoyer des fleurs à Eden, avait commenté Madeleine avec un pâle sourire. Je n'aurais jamais cru que ce serait nécessaire un jour.

Et elle fit peut-être le plus important, en ce premier matin partagé entre l'horreur et l'incrédulité, en envoyant chercher Olivia Herapath pour prendre la photo mortuaire. Elles la prirent sans que Madeleine le sache.

— Mais ce sera un tel réconfort pour elle plus tard, avait murmuré Clemency à Sophie. Tu es sûre que tu ne veux pas la voir, ma chérie ? Tellement belle et ressemblante ! Dans son costume marin, avec ses soldats de plomb préférés, et ce cerf-volant neuf que tu lui avais donné. Tu es vraiment certaine de ne pas vouloir la voir ? Alors, prends au moins une mèche de ses cheveux. J'allais presque oublier ; heureusement, Grace m'y a fait penser juste au moment où ils allaient fermer le cercueil.

Mais Sophie avait vivement reculé devant la petite enveloppe ivoire contenant le papier de soie bleu soigneusement plié. Elle refusait les souvenirs, elle n'en avait pas besoin. Elle revoyait Fraser tout le temps.

Il lui apparaissait dans ses rêves, et de nouveau à son réveil. Elle le voyait quand elle ouvrait l'*Initiation au diagnostic médical* et relisait le passage qu'elle avait découvert, à la lumière de la lampe de sa chambre.

Aucun microbe ne peut tuer plus rapidement... Nous sommes tout à fait incapables d'expliquer pourquoi certains patients développent seulement de légères infections, alors que d'autres succombent de la forme fulminante aiguë en quelques heures.

En d'autres termes, Belle n'avait eu qu'une légère fièvre, tandis que Fraser était mort.

Dans la véranda, Cameron regardait un lézard coasseur courir le long de la balustrade. Sophie se demanda s'il était en colère contre elle, s'il lui reprochait la mort de son fils. Mais il n'avait pas l'air en colère, juste épuisé et accablé par le chagrin.

Le lézard tomba de la balustrade et fila vers la bouche d'un tuyau. Scout gronda et se lança à sa poursuite, en griffant les carreaux de ses ongles. Mais le lézard disparut dans le tuyau et Scout poussa un grognement de dépit, avant de retourner vers son maître.

— Cameron…, murmura Sophie.

Il pivota vers elle, s'efforça d'esquisser un sourire.

— Tu comprends pourquoi je dois partir ?

Il hésita, puis affirma :

— Sophie, ce n'était pas ta faute.

— Comment le sais-tu ?

— Parce que, répondit-il calmement, tu as envoyé chercher le médecin dès qu'il a été malade. Personne d'autre n'aurait pu agir plus vite. Et tu as tout fait pour lui, tout ce qui pouvait être fait.

Sophie garda le silence, et ses yeux la piquaient. Elle ne désirait que le croire. Si elle y parvenait, elle pourrait rester à Eden, peut-être même revoir Ben.

— Je ne le dis pas pour que tu te sentes mieux, insista Cameron, je le dis parce que c'est vrai.

— Et si j'avais été avec lui tout le temps ? Si je n'étais pas sortie et que je ne l'avais pas laissé…

— Il serait mort quand même.

— Comment le sais-tu ? Comment peux-tu le savoir ?

Il la regarda droit dans les yeux.

— Parce que j'ai posé la question au Dr Pritchard et au Dr Mallory. Et tous les deux m'ont certifié sans la moindre hésitation, que ça n'aurait pas fait la moindre différence que tu sois là ou pas.

Sophie en fut comme assommée. Ainsi, ça lui était bien venu à l'esprit de la rendre responsable. Il en avait envisagé la possibilité. Et il avait posé la question aux *deux* docteurs. Il y avait quelque chose là-dedans qui la glaçait – un tel besoin de confirmation !

Comment aurait-il réagi si la réponse des médecins avait été différente ? « Je ne veux pas que Madeleine soit blessée, lui avait-il déclaré une fois. Je ne laisserai personne lui faire cela. Pas même toi. » Devant son regard ferme, intransigeant, elle se demanda s'il croyait vraiment – pas dans sa tête, mais dans son cœur – qu'elle n'avait aucune responsabilité dans ce drame.

Elle-même était incapable d'en décider. Les événements de cette nuit-là étaient devenus presque irréels dans son esprit ; il lui était impossible de les tirer au clair. Elle avait été avec Ben, puis Fraser était mort. Elle ne pouvait plus penser à Ben sans voir les grands yeux gris de Fraser.

LA FORNICATION CONDUIT AU MALHEUR ET À L'ENFER.

Un léger bruit provint de l'intérieur de la maison ; ils se tournèrent, et découvrirent Belle debout dans l'encadrement de la porte. Elle portait une robe noire avec une large ceinture noire autour des hanches, des bas noirs, de courtes bottines noires à boutons. Un grand nœud noir, qui avait tendance à glisser, emprisonnait ses cheveux ; elle avait le visage renfrogné et tenait son éternel Spot par une oreille.

Elle s'était montrée insupportable depuis la mort de son frère, gémissant et harcelant tout le monde, puis l'instant d'après entrant dans une bruyante colère. Elle ne s'était un peu assagie que lorsque Clemency lui avait fait mettre une robe de deuil complet.

— C'est plus correct comme ça, avait-elle murmuré en réponse aux protestations de Sophie. Et ça la rendra un peu plus solidaire et responsable, ce dont elle a bien besoin.

Scout sauta sur ses pieds, trotta vers la fillette et appuya son nez contre sa poitrine. Elle lui donna un baiser. Il secoua la tête, dans un léger *flip-flap* de ses fanons, puis rejoignit Cameron à pas feutrés.

— Papa, se plaignit Belle, Clemency dit que je dois rester dedans, et c'est vraiment ennuyeux. Pourquoi je peux pas jouer dehors ? Ça vient d'être Noël...

Cameron cligna des yeux, comme s'il avait du mal à la reconnaître.

— Obéis à Clemency, répondit-il doucement.

— Mais est-ce que je ne peux pas ?...

— Non. Pas encore.

D'un air maussade, elle marcha jusqu'au canapé, s'appuya contre le mollet de son père et posa sa petite main sur son genou.

— Mais ce n'est pas juste ! Quelqu'un a enlevé la balançoire... S'il te plaît, oh, s'il te plaît, fais-la remettre !

Cameron croisa le regard de Sophie, par-dessus la tête de sa fille, et haussa les épaules, désarmé. Les enfants avaient toujours été l'affaire de Madeleine. Il était trop accaparé par le domaine pour les voir beaucoup, sauf le dimanche, et alors il était en général trop fatigué pour se consacrer à eux.

— On verra, déclara Sophie à sa nièce.

— Qui l'a enlevée ? insista Belle, d'un air de mauvaise humeur. Je parie que Fraser leur donnera un coup de poing lorsqu'il le verra. Et je le ferai moi aussi.

Une nouvelle fois, Cameron croisa le regard de Sophie.

— *Qu'est-ce que je peux lui dire ?* l'interrogea-t-il en français. *Elle ne comprend rien.*

— *C'est normal,* répliqua-t-elle. *Elle est beaucoup trop jeune.*

Bien sûr que Belle ne comprenait pas : comment une enfant de cinq ans comprendrait-elle que son frère ne reviendrait jamais ?

Fraser lui aussi était trop jeune : il était mort avant de savoir ce qu'était la mort.

Toujours en français, Cameron demanda à Sophie si ça ne l'ennuierait pas d'aller chercher Poppy, ou Clemency, ou… ou n'importe qui, pour qu'il n'ait plus sa fille dans les jambes. Sophie eut un temps de réflexion, puis se leva.

— Je ne crois pas qu'elle ait besoin de Poppy, lui répondit-elle, en anglais cette fois. Ni de Clemency. Elle a besoin de toi.

Belle était toujours appuyée contre le mollet de son père, renfrognée et mâchonnant l'oreille de son zèbre, tandis qu'elle s'efforçait de suivre ce qu'ils se disaient. Par le mouvement déterminé de son menton, elle ressemblait beaucoup à sa mère.

Cameron baissa les yeux vers elle, et ses traits se tendirent. Sophie songea qu'il se rappelait peut-être tous les après-midi où il était parti seul pour l'usine, ou pour un champ de canne, ou en ville, sans emmener son fils avec lui.

Il se passa une main sur le front et s'éclaircit la gorge. Puis il se baissa, attrapa sa fille sous les bras et la hissa sur le canapé à côté de lui. Sophie les laissa assis côte à côte : Belle grondant à mi-voix le zèbre pour une faute imaginaire ; Cameron un bras posé sur le dossier du canapé derrière elle, caressant distraitement ses cheveux sombres et brillants, sans cesser de regarder au-dehors vers les tilleuls, là où la balançoire de Fraser était suspendue quelques jours plus tôt.

Chapitre 17

— Alors, tu étais là-bas ce soir-là, susurra Madeleine, tout en arpentant nerveusement la véranda le lendemain après-midi. Tu étais avec Ben Kelly.

Assise dans le canapé, Sophie suivait des yeux sa sœur en retenant son souffle.

C'était arrivé sans prévenir, comme un coup de tonnerre. Elle avait rejoint Madeleine pour le thé, et l'avait en fait trouvée en train de l'attendre, seule et les traits crispés. La veille au soir, apparemment, Ben avait envoyé un mot par l'intermédiaire de Moses, donnant rendez-vous à Sophie à Overlook Hill – et Madeleine, elle ne savait comment, avait intercepté ce message.

La veille au soir. Cela voulait dire que la colère de Madeleine ne correspondait pas à une impulsion du moment.

— Je t'avais demandé de ne pas aller le voir, ajouta Madeleine d'un ton de reproche.

Son visage était pâle, sauf une tache rouge foncé sur chaque joue.

— Tu m'avais promis que tu n'irais pas.

Sophie ouvrit la bouche pour dire qu'elle n'avait rien promis, puis la referma. À quoi cela aurait-il servi ?

— Est-ce que tu as couché avec lui ?

Sophie baissa les yeux vers ses poings, serrés sur ses genoux.

— Mon Dieu, tu l'as fait, n'est-ce pas ? Il t'a appelée, alors tu as laissé Fraser pour aller avec lui. Et puis il…

— Ça ne s'est pas passé comme ça.

— Est-ce qu'il t'a fait mal ?

— Non !

— Mon Dieu. Mon Dieu…

Madeleine porta ses deux mains à ses tempes, puis regarda sa sœur. Ses yeux étaient durs, son visage avait quelque chose de rigide que Sophie n'y avait jamais vu jusque-là.

— Je ne lui pardonnerai jamais, ajouta-t-elle d'une voix rauque, et toutes les deux savaient qu'elle visait non seulement Ben, mais aussi sa sœur.

Sophie posa ses mains froides sur ses genoux.

— Madeleine…, commença-t-elle. Ce n'était pas sa faute. Ce n'était pas…

— Ne me reparle jamais de ça, tu entends ? Je ne lui pardonnerai jamais. J'espère qu'il pourrira en enfer…

De la vapeur nimbait les fougères arborescentes autour de Sophie et de sa jument, sur le chemin forestier d'Overlook Hill envahi par la végétation. Les bois résonnaient de cris d'oiseaux matinaux : celui, rauque, des corbeaux ; le *crou-crou-crooou* des pigeons à couronne blanche ; le cri solitaire, comme une explosion, de la buse à queue rousse.

Ç'avait été facile de quitter la maison, presque trop. Cameron était parti pour l'usine au lever du jour et Clemency dormait toujours. Belle, dans sa chambre, découpait des images de poneys dans de vieux numéros de *La Revue équestre*. Quant à Madeleine, elle ne s'était pas encore levée. Après la scène dans la véranda la veille, elle était allée dans sa chambre et n'était pas apparue au dîner. Cameron avait dit à Sophie qu'elle avait pris de la poudre de Douvres et s'était mise au lit. Devant son regard soucieux, Sophie s'était demandé ce qu'il savait exactement ; mais elle n'avait pas eu le courage de lui poser la question, car elle avait lu dans les yeux de Madeleine les mots que celle-ci n'arrivait pas à prononcer : « Je ne te pardonnerai jamais. »

Et qui pouvait le lui reprocher ? Maddy lui avait demandé de ne pas rejoindre Ben, mais elle l'avait fait quand même ; puis Fraser était mort, et ces deux événements qui n'avaient pas de relation entre eux en avaient pourtant trouvé une dans le cœur de sa mère.

Sophie le comprenait, parce qu'elle établissait le même lien. Maintenant, elle savait plus que jamais qu'elle devait s'en aller. Loin de Madeleine et de Cameron, d'Eden et de Ben. Elle se sentait épuisée, fragile, comme si le plus léger contact risquait de la briser en mille morceaux. Elle attendait avec impatience de retrouver la grisaille anonyme de Londres.

De sa cravache, elle écarta des toiles d'araignées tendues en travers du chemin. Des gouttes de rosée perlaient et tombaient sur les grandes feuilles cireuses, des lézards filaient sur le tronc des arbres envahis de plantes grimpantes. Autour d'elle s'élevaient l'odeur forte de la sève et des jeunes pousses, et le lourd parfum de la décomposition. L'odeur d'Eden.

Demain, tout cela ne serait plus pour elle qu'un souvenir. Et c'était bien ce qui devait être. Elle ne pouvait plus l'affronter en face. Eden était devenu pour elle un endroit terrible.

Elle arriva en un point où le chemin était barré par le tronc d'un ramón qui s'était couché. Mettant pied à terre pour contourner l'obstacle, elle se trouva face à une grosse touffe d'orchidées coquillages sur l'écorce couverte de mousse. Elle contempla les pétales recourbés, vert pâle, respira leur douceur un peu funèbre, et se souvint avec émotion d'autres pétales qui brillaient au clair de lune, juste avant que Ben ne l'embrasse.

Heureusement, il n'avait pas suggéré qu'elle le retrouve à Romilly. Elle n'aurait pas pu le supporter.

Une demi-heure plus tard, elle atteignait la clairière sous le grand arbre duppy. C'était là qu'il l'attendait, et son visage s'éclaira quand il la vit. Il vint vers elle, prit ses rênes, attacha son cheval et l'aida à descendre.

Il n'avait plus ses béquilles et ses bleus s'étaient atténués. Dans la lumière particulière de la forêt, ses yeux étaient très verts, ses cils longs et noirs. Ils lui donnaient l'air plus vulnérable.

— Tu m'as tellement manqué ! s'exclama-t-il en posant la main sur sa joue.

— Tu m'as manqué aussi, murmura-t-elle.

Mais quand il se pencha pour l'embrasser, elle détourna la tête. Ce qu'elle était en train de faire la rendait malade et elle avait l'impression d'être toute vide à l'intérieur.

— Tu vas bien ? lui demanda-t-il.

— Non. Je ne vais pas bien.

En baissant les yeux, elle constata qu'elle tenait sa cravache des deux mains, les gants serrés autour de ses articulations. Pourquoi lui avait-il donné ce rendez-vous ? Ça ne faisait que rendre les choses plus difficiles. Ne comprenait-il vraiment pas que tout était fini ?

Il se rapprocha d'elle, puis ses bras l'entourèrent et il l'attira contre lui. L'espace d'un instant, elle ferma les yeux et se laissa aller, écouta battre le cœur de Ben. Mais ensuite elle prit une inspiration, mit les mains sur ses épaules et le repoussa doucement.

— Et toi ? s'enquit-elle sans croiser son regard. Ta jambe ? Et tes côtes ? Est-ce que tu vas bien ?

— Moi ? Je vais toujours très bien.

« Oh, mon Dieu, j'espère que c'est vrai ! », songeat-elle. De près, elle voyait que la coupure de son sourcil était presque cicatrisée. « Il est solide, constata-t-elle, il guérit vite. Ce sera la même chose cette fois-ci. »

— Je suis désolé pour le petit garçon, déclara-t-il en lui caressant doucement les bras, comme pour la réchauffer. Je voulais écrire un mot à Madeleine, mais je n'avais pas de papier. Dis-lui que je suis désolé.

— Je ne crois pas que ce soit une bonne idée.

Il y eut un silence, puis il laissa ses bras retomber le long de son corps.

— Tu lui as dit, pour nous ?

— Elle l'a compris quand tu as donné le message à Moses. J'ai dû lui dire le reste.

— Oh, Sophie…

Il se retourna et s'éloigna de quelques pas, mais revint vers elle.

— Et comment elle a réagi ?

Sophie hésita.

— Elle m'en veut, ajouta Ben. C'est bien ça, n'est-ce pas ?

— Pourquoi dis-tu cela ?

— Parce que c'est la vérité.

Il se passa une main sur le visage, secoua la tête.

— Bon Dieu, Sophie, bon Dieu…

Elle ressentit un sursaut de colère contre lui. Pourquoi ne pensait-il qu'à eux, alors que Fraser reposait dans la petite tombe de marbre derrière la maison ? Pourquoi ne pouvait-il pas la laisser partir, sans leur imposer cette épreuve à tous les deux ?

Soudain, elle se demanda si elle l'avait jamais connu, vraiment connu. Tel qu'il était, là devant elle, il lui apparaissait comme un étranger, dur, fruste. Sa chemise de coton bleu avait deux boutons qui manquaient, le genou de son pantalon était déchiré. Chemise et pantalon étaient froissés, comme si, après les avoir lavés dans la rivière, il n'avait pas pris la peine de les faire sécher correctement.

Comment avait-il passé ces trois dernières semaines ? Peut-être avait-il travaillé quelques jours dans des champs de canne, sur un bateau de pêche ou dans une plantation de café, dormant et vivant à la dure. Peut-être avait-il volé, tout simplement. Enfant, c'était de cette façon qu'il survivait. Et à Trelawny, où les gens ne fermaient jamais leurs portes, les chapardages devaient être faciles.

Comment était-il possible que, trois semaines plus tôt, ils aient été amants ? Trois semaines… Elle était quelqu'un de différent aujourd'hui.

Elle releva la tête, se força à croiser son regard.

— Je suis venue te voir parce que j'ai quelque chose à te dire.

Elle avait les lèvres sèches. Elle les humecta, puis ajouta :

— Je pars. Je pars demain pour l'Angleterre. Je ne reviendrai pas.

À la surprise de Sophie, il eut seulement l'air étonné.

— C'est un peu soudain, non ?

— Je ne peux pas rester ici plus longtemps.

Il demeura d'abord silencieux, puis hocha la tête et déclara :

— D'accord. Mais il me faudra un moment pour te suivre. Je dois trouver l'argent du billet, et…

— Non. Tu ne peux pas.

— Quoi ?

— Tu ne peux pas me suivre. C'est fini, Ben. C'est ce que je suis venue te dire. Nous ne nous verrons plus.

Elle vit l'idée faire son chemin en lui, ses traits se figer.

— Non, répliqua-t-il d'un ton ferme. Tu ne peux pas… Non !

— Il le faut.

— Non, écoute-moi. Ne va pas à Londres. Viens avec moi… J'y ai pensé, j'ai tout mis au point. Nous irons au Panama, ou en Amérique. Nous nous débrouillerons très bien là-bas. Personne ne nous connaîtra. Nous pourrons être ensemble.

— Ben, je ne peux pas être avec toi. Nulle part. Pas après ce qui s'est passé.

Il la dévisageait, les mains sur les hanches.

— Ne fais pas ça, articula-t-il enfin.

— Il le faut.

— C'est une erreur. C'est…

— Pourquoi est-ce que tu m'as envoyé ce message ? lui lança-t-elle soudain. Pourquoi me faire venir ici ? À quoi cela sert-il ?

— Il fallait que je te voie. Tu me manquais.

— Tu ne comprends donc pas ? Nous ne pouvons pas agir ainsi. C'est fini entre nous.

— Non, Sophie. Non !

Elle le repoussa, puis le contourna et courut vers son cheval.

— Je dois partir, tout de suite.

Elle s'étonnait elle-même du calme qu'elle parvenait à garder, alors qu'intérieurement elle était brisée. Ses mains ne tremblèrent même pas quand elle passa les rênes par-dessus la tête de sa jument, mit son pied dans l'étrier et se hissa en selle.

— Si tu fais ça, déclara Ben, c'est pour toujours. Tu le sais ?

— Bien sûr que je le sais, mais quel autre choix est-ce que j'ai ? Comment pourrais-je rester avec toi après ce qui est arrivé ?

Après ce qui est arrivé, Evie ne souhaite qu'une chose : s'en aller.

Loin de Fever Hill et de sa mère, loin de Sophie, de Ben et de ce pauvre enfant mort. Et surtout loin d'elle-même : loin d'Evie Quashiba McFarlane, la fille à quatre yeux de la femme obeah.

Donc la voilà assise dans le train, un compartiment de troisième classe vide, sortant la tête par la fenêtre alors que le sifflet retentit et que Montego Bay disparaît derrière elle. De toute sa vie, elle n'est jamais allée plus loin que Montpelier, quinze kilomètres tout au plus ; aujourd'hui, elle serre dans ses mains un billet pour Kingston. Même à vol d'oiseau, c'est à plus de cent cinquante kilomètres.

Mais elle est contente, vraiment contente. Elle a été tellement remplie de sombres sentiments ; c'est pour elle un grand soulagement d'être partie. D'avoir tout laissé derrière elle – maison, famille, amis. Y compris ce fichu journal de Cyrus Wright.

272

Hier soir, après avoir bouclé sa petite valise de fer, elle s'est assise sous l'ackee pour le terminer. Il ne lui restait plus que quelques pages. Le terminer, puis l'abandonner avec tout le reste.

Elle en est arrivé à 1825. Une année entière s'est écoulée depuis que Cyrus Wright a surpris Congo Eve avec son amant Strap, et qu'il a renvoyé celui-ci à Parnassus. Une année depuis que Congo Eve s'est enfuie pour voir sa sœur cadette et sa fille nouveau-née, Semanthe.

4 OCTOBRE 1825. *La semaine passée, j'ai eu une nouvelle attaque de chaude-pisse, mais j'ai pris beaucoup de pilules au mercure & je suis maintenant complètement remis, grâce à la Providence & à ma propre vigilance.* Cum *la mulâtresse Hanah derrière le local à ordures.*

7 OCTOBRE. *Hier soir, j'ai trouvé Congo Eve dansant le shay-shay toute seule, près de l'aqueduc. À la cheville, elle portait un bracelet de perles de vautour très semblable à celui que son frère Job lui avait donné, et que je lui avais fait jeter dans le fumier. J'étais très fâché & je lui ai crié d'arrêter, mais elle ne l'a pas fait. Alors je l'ai frappée, j'ai arraché le bracelet de cheville, & je l'ai fait fouetter & mettre au collier pour la nuit.*

8 OCTOBRE. *Dans la matinée, je suis allé à l'écurie & je l'ai fait libérer, & je lui ai dit de venir à la maison. Elle m'a regardé de la façon la plus bizarre, & m'a dit que si c'était cela, vivre, alors elle ne voulait plus continuer. Je lui ai dit que si elle ne s'améliorait pas & qu'elle persistait à me défier, elle n'aurait pas la vie heureuse. Après cela, elle*

n'a plus rien dit. J'ai eu du ragoût de poisson des marais pour mon dîner, & une bouteille de cognac français envoyée par le secrétaire de Mr Traherne. Je lui ai trop fait honneur, & je suis à présent très confus & l'esprit embrouillé.

Et là, d'un seul coup, le journal s'arrête.

Il y avait de la place pour la suite, deux pages entières, mais elles sont demeurées blanches. Même pas une dernière ligne de commentaire par une autre main, pour dire ce qu'il est advenu de Cyrus Wright. Donc, Evie ne saura jamais si son ancêtre homonyme s'est enfuie pour de bon, a retrouvé Strap, ou un peu de paix.

Ça l'a mise dans une telle fureur qu'elle a voulu jeter le livre dans l'aqueduc. Mais, à la place, elle est rentrée en courant à la maison, a écrit un mot rapide à Sophie, enveloppé le livre dans du papier brun, et l'a donné à sa mère pour qu'elle le remporte à Eden la prochaine fois qu'elle irait.

Eden.

Ce pauvre enfant mort ! Si seulement elle n'avait pas perdu son temps avec ce maudit livre, qu'elle l'avait plutôt employé à déchiffrer les signes, alors peut-être qu'il serait toujours vivant.

À un moment, quelques heures avant de prendre la malle-poste, elle a pensé à aller voir Miss Madeleine et tout lui raconter. Ça la soulagerait peut-être de savoir que le vieux maître Jocelyn attendait pour prendre la main du petit garçon et l'aider à passer de l'autre côté… Mais elle s'est ravisée. Comment pourrait-elle en parler à Miss Madeleine, quand c'est par sa propre faute que l'avertissement n'a pas été entendu ?

« Non. Laisse ça. Laisse tout ça derrière toi. »

Le sifflet du train retentit. Elle tourne la tête, regarde les cannes défiler sous un grand ciel maussade. Montpelier est passé depuis longtemps, et Cambridge, et Catadupa. Tout a l'air différent ici. Le bétail qui paît dans les chaumes est gris au lieu d'être blanc. Sur un chemin poussiéreux, deux femmes portent de grands tas de cannes sur leur tête, mais Evie ne les connaît pas ; si elle était chez elle, elle les connaîtrait.

Volontairement, elle se sort de l'esprit tous les souvenirs de chez elle, se laisse aller contre le dossier et ferme les yeux. Bientôt, elle s'assoupit.

Elle est réveillée par la porte du compartiment qui se referme bruyamment et par l'homme qui s'assied en face d'elle. Il est jeune, dans les vingt ans, avec une peau très sombre et des vêtements dépenaillés. « Un Nègre de campagne », pense-t-elle, en le regardant par-dessous ses paupières baissées. Il est maigre, mais ses bras sont musclés et ses veines saillantes, à cause d'années passées à couper la canne et faire la récolte.

Le sifflet retentit, et le train redémarre. Elle jette un regard au panneau de la gare. Siloah. Ça n'évoque rien pour elle. C'est l'étranger. Elle est dans un autre pays à présent.

Le jeune homme monté à Siloah est intimidé par sa présence. Toujours les yeux à moitié clos, elle le regarde qui la regarde. Il se tortille en face d'elle et lui lance des coups d'œil admiratifs. « Mon Dieu, pense-t-elle avec lassitude, pourquoi m'as-Tu faite jolie ? À quoi est-ce que ça m'avance ? »

Enfin le jeune homme prend son courage à deux mains et, croisant son regard, il se fend d'un timide sourire.

— Ça a l'air couvert par là-bas, m'dame, remarque-t-il en désignant la fenêtre d'un mouvement de tête. Vous pensez que la pluie va venir ?

Bon, il l'appelle « m'dame », et pas « sœur ». C'est toujours ça de moins à dédaigner chez lui.

— Eh bien, monsieur, répond-elle, avec un regard froid mais sans hostilité, je dirais que c'est entre les mains de Dieu.

Il hoche vigoureusement la tête.

— C'est très vrai, m'dame. C'est la vérité vraie.

Elle détourne la tête, ferme les yeux. C'est un grand et brave ouvrier agricole, qui ne dirait jamais de grossièretés devant une femme. Mais elle ne pourra jamais lui faire longtemps la conversation. Ni à lui ni à personne d'autre.

Elle voudrait être déjà arrivée à Kingston. Elle ne veut plus de Nègres de la campagne en train de l'admirer. Ni de gentlemen buckra à la langue charmeuse. Ni d'obeah, ni de bêtises à quatre yeux, ni de signes de l'esprit à lire de travers.

« Seigneur, quel soulagement d'être partie de Trelawny ! Tu dois fêter ça, ma fille ! Maintenant, tu peux te trouver une belle place tranquille dans une belle école tranquille, épouser un beau métis tranquille. Un pasteur ou un commerçant... peu importe. Pourvu qu'il ait la peau claire, un col amidonné et des manières anglaises civilisées. Pourvu qu'il n'ait jamais mis les pieds à Trelawny.

» Oui. Tu dois fêter ça. »

Quand elle rouvre les yeux, ils ont atteint les hauts pâturages, et tout ce qu'on voit par la fenêtre est de l'herbe de Guinée. Pour la première fois, l'énormité de ce qu'elle a fait lui apparaît.

Elle jette un coup d'œil à l'ouvrier agricole, mais il s'est endormi. Elle penche sa tête à la fenêtre et les larmes coulent, froides sur ses joues. Et tout ce qu'elle voit aux alentours, ce sont des kilomètres d'herbe de Guinée frissonnant sous un ciel maussade.

Le lointain coup de sifflet du train lui parvint, faible écho porté par le vent, et Sophie releva les yeux de ses bagages.

La voie ferrée était à des kilomètres. Peut-être avait-elle juste imaginé qu'elle l'entendait, parce qu'elle en avait envie. Parce que, demain, elle serait dans ce train.

Elle était impatiente que tout soit fini. Impatiente de laisser la Jamaïque loin derrière elle, de retrouver les rues pluvieuses de Londres, le rude travail qui accapare l'esprit et apporte l'oubli.

Elle promena les yeux sur la chambre que Madeleine avait préparée pour elle, avec tant de soin, trois mois plus tôt. Trois mois seulement. Comment était-ce possible ? Elle se rappela la voiture où elle était assise, avec ces touristes américains – comment s'appelaient-ils, déjà ? –, comptant les heures qui restaient avant ses retrouvailles avec sa sœur…

Et aujourd'hui, voyez-les tous, dans ce sillage de tristesse qu'elle laisse derrière elle. Fraser. Madeleine. Cameron.

Ben.

Chaque fois qu'elle pensait à lui, elle sentait le froid la gagner. Elle avait l'impression de tomber d'une grande hauteur à travers un néant glacé. Elle était hantée par son visage, là-bas, juste avant qu'elle s'éloigne sur son cheval. Pour une fois, il n'avait pas su dissimuler ses sentiments : il était anéanti.

« Mais il est solide, se répétait-elle. Il a déjà traversé tellement d'épreuves, il récupère vite. Il s'en remettra. Peut-être s'en est-il déjà remis. »

Il est tôt dans la soirée lorsque Ben arrive à la mer, et il est ivre.

Il débouche sur la plage quelque part à l'est de Salt Wash, regarde ce qu'il reste de rhum au fond de la bouteille, et en prend une autre longue gorgée qui lui brûle la gorge.

Toute la journée, il a marché. Au début, il ne savait pas vers où il allait, et il s'en fichait, pourvu que ce soit loin d'Eden. Il est parti vers l'ouest à travers la forêt, et ensuite sur les rochers nus et brillants de l'autre côté de la colline. Il a descendu la pente en glissant sur les cailloux, traversé la rivière à Stony Gap, et l'a suivie vers le nord.

Au bout d'une heure environ, il s'est arrêté pour regarder autour de lui. La Martha Brae faisait une grande courbe vers l'est, serpentant dans les champs de canne d'Orange Grove. Orange Grove : la partie la plus à l'ouest du domaine d'Eden. « Sophie est quelque part là-bas, a-t-il pensé. Quelque part de l'autre côté de la rivière, derrière ces hectares de canne ondulant dans la brise. » Il a grincé des dents et lui a tourné le dos, pour prendre au nord à travers les pâturages de Stony Hill.

Dans l'après-midi, il est arrivé à Pinchgut, où il a fait une halte pour acheter une bouteille de rhum. Puis il a repris sa marche jusqu'à ce qu'il ne puisse aller plus loin – jusqu'à ce qu'il ait atteint la mer.

La sirène du vapeur côtier le ramène au présent. Il promène un œil vague autour de lui, mais sans rien voir : de fichus arbres obstruent le passage. Dieu sait comment, il est repassé derrière la plage et s'est retrouvé au bord du marais.

Il est près d'une lagune, dans un fourré de palétu-viers. Un horrible endroit qui sent la pourriture. Des racines noires longues comme des pattes d'araignées plongent dans une eau aussi brune et sale qu'un égout.

— Bienvenue à la Jamaïque, grommelle-t-il, puis il se met à rire.

Derrière les palétuviers, il aperçoit la cime des coco-tiers qui bordent la plage. « Tout le pays est là : vous faites cinquante mètres, et vous êtes sur la plus jolie petite plage que vous avez jamais vue ; mais reculez de quelques pas, et c'est comme si vous grattiez la peinture sur les joues d'une vieille nana : tout est pourri et laid par en dessous.

» Bienvenue à la Jamaïque.

» Qu'ils se la mettent où je pense, leur Jamaïque. »

Première chose demain, il descendra au quai – par-don, au vieux quai *Monroe* – et il prendra le premier job qui se présentera, sur un bateau de bananes ou n'importe quoi, mais il se tirera d'ici, merde !

Il frissonne. Il a perdu son chapeau et le soleil est encore horriblement chaud ; pourtant, c'est bizarre, il ne peut pas s'arrêter de frissonner. Ça fait des heures qu'il a vu Sophie s'éloigner à cheval, mais il n'arrive toujours pas à se réchauffer. Et il a cette douleur dans la poitrine, encore pis que ses côtes fêlées. Elle lui fait plus mal qu'aucun des coups qu'il a reçus.

Il a déjà eu ça avant, il y a des années : quand Kate est morte, et encore quand Robbie est parti. On dirait que quelqu'un lui met un hachoir dans le sternum et le coupe en deux par le milieu.

Mais comment est-ce qu'il peut ressentir ça mainte-nant, alors qu'il s'était juré que ça ne lui arriverait plus jamais ?

— Parce que, foutu idiot, marmonne-t-il tout en s'accroupissant et en faisant une grimace à son reflet dans l'eau sale, tu as permis que ça arrive. Pas vrai ? Tu es allé là-bas, et tu l'as laissée te faire ça.

Quel imbécile il a été ! De lui raconter toutes ces salades. « J'ai tout mis au point. Nous irons au Panama, ou en Amérique... Nous pourrons être ensemble ». Quelle honte ! Quelle honte ! Pourquoi est-ce qu'elle aurait eu envie d'être avec lui ?

Il boit une autre gorgée à la bouteille, et l'alcool brûle tout sur son passage, jusqu'à ses boyaux.

« Oublie tout ça, Ben Kelly. Referme le couvercle sur ce gâchis puant et pourri. Claque-le bien fort. »

Puis une idée lui vient à l'esprit. En fronçant les sourcils, il fouille dans sa poche et en tire le mouchoir de Sophie, qu'elle lui a donné à Romilly. Il est couvert de sang séché, mais il distingue encore le petit « S » brodé dans le coin. Pourquoi l'a-t-il gardé ? Il est empoisonné : c'est un mouchoir empoisonné. Quand il l'a utilisé pour nettoyer sa plaie, quelque chose d'elle est entré en lui comme une fièvre putride.

— Eh bien, plus pour longtemps, grogne-t-il.

Il se relève, se cogne la tête sur une branche de palétuvier et pousse un juron.

Une nouvelle égratignure sur sa tempe, et la douleur irradie. Mais c'est bon. C'est propre, c'est dur, et c'est à l'extérieur : pas comme la douleur dans sa poitrine.

Il se met face à l'arbre, pose les mains sur le tronc noir et rugueux, et prend position comme un boxeur ; puis il donne un coup de tête dessus. De nouveau, la douleur flamboie et le sang coule dans ses yeux. Il a une autre plaie sur le front. Oui, c'est mieux comme ça.

Quelque chose de chaud et de poisseux lui descend sur le visage, obstrue sa bouche, fait paraître rouge le soleil. Mais tandis que l'élancement se répand dans sa tête, l'autre douleur dans sa poitrine paraît sombrer et disparaître lentement, comme une pierre qui coule dans une mangrove.

Il s'écarte de l'arbre, recule jusqu'au bord du marais. De l'autre côté de la lagune, un grand héron bleu tourne son gracieux cou pour le regarder.

— Fous le camp ! lui hurle-t-il.

Le héron déploie ses ailes et s'envole vers le ciel.

Ben fourre le mouchoir de Sophie dans le goulot de la bouteille, arme son bras et la lance aussi fort qu'il le peut en direction de l'oiseau.

— Va-t'en d'ici ! hurle-t-il de nouveau. Va-t'en d'ici et ne reviens jamais !

Le sang coule dans ses yeux et se mêle à ses larmes chaudes.

La bouteille retombe dans le marais. Le héron, là-haut, a obliqué vers l'intérieur des terres et traverse paisiblement le ciel du crépuscule.

Deuxième partie

LONDRES, 1910

Chapitre 18

Un après-midi humide et froid de début avril.

La pluie martelait les fenêtres d'un petit bureau miteux. Dans la rue, une paire de chevaux de trait ruisselant d'eau tiraient un chariot, rempli de charbon chargé à l'embarcadère de Lambeth. La rumeur de la gare de Waterloo enfla en un mugissement, quand un train arriva sur le pont au bout de Centaur Street.

Sophie posa le classeur sur son bureau, soulevant un petit nuage de poussière, et promena les yeux autour d'elle avec satisfaction. C'était le genre de travail qu'elle aimait : tranquille, routinier et solitaire. Le révérend Agate était là-haut dans son bureau, travaillant à son *Histoire*, et la pluie tenait éloignés les demandeurs, aussi avait-elle le bureau de l'œuvre de charité de St. Cuthbert pour elle seule.

Rien d'autre à faire que trier les vieilles archives et en jeter la plus grande partie dans la corbeille à papier. Et nul besoin de repenser à cette autre affaire, la lettre non postée qu'elle avait dans son sac.

Sophie ouvrit le classeur et jeta un coup d'œil hâtif à son contenu. Des reçus de l'Assistance publique datant de vingt ans ; des comptes-rendus de la société de bienfaisance. Ou bien : un autre volume du registre quotidien du prédécesseur du révérend Agate, le révérend Chamberlaine. Elle éprouvait une étrange fascination pour son cynisme absolu.

3 JANVIER 1888, avait-il écrit de sa petite écriture penchée vers la gauche. *Mrs Eliza Green, âge 27 ans, 10, Old Paradise Street. Elle est peut-être « Verte » de nom, mais paraît tout sauf verdoyante, & son teint est du jaune le plus rebutant qui soit. Travaille comme putain à St. Thomas. A mis 10 enfants au monde, 4 vivants. Mari à l'asile d'aliénés – et pourtant, elle a l'audace de demander un certificat de maternité pour payer son prochain accouchement ! Lui ai dit que si elle choisit de se livrer à l'inconvenance, elle doit faire face aux conséquences toute seule. Demande refusée.*

Veuve Jane Bailey, âge 45 ans, 8, Orient Street. Physionomie extrêmement quelconque. Mécanicienne depuis 30 ans, mais maintenant arthritique & sans situation. Demande un prêt pour la nourriture & le chauffage. Apparaît décemment honteuse d'être à la charge de la paroisse. L'ai informée que nous ne prêtons jamais d'argent. L'ai renvoyée à la société de bienfaisance.

— Encore plongée dans la même boîte ? lança le révérend Agate, la faisant sursauter.

Debout dans l'embrasure de la porte, il frottait ses deux mains rouges l'une contre l'autre et esquissait un sourire contraint, de sa bouche sans lèvres.

— Vous n'oubliez pas que nous voulons seulement garder les pièces importantes ? Pas besoin de vous ennuyer avec les registres du vieux Chamberlaine...

Elle lui retourna tranquillement son sourire.

— Oui, bien sûr.

Les yeux du révérend glissèrent vers le registre qu'elle avait devant elle, mais il était trop lâche pour en faire mention.

— C'est capital. Capital... Des demandeurs, pendant que j'étais en haut ?

— Deux seulement. J'ai donné à l'un un certificat pour le dispensaire, et à l'autre de l'essence de térébenthine.

Sa bouche se crispa.

— Vous savez, vous ne devez pas hésiter à m'appeler si...

— Vous êtes très gentil, mais je n'ai pas cru nécessaire de vous déranger. C'était seulement un abcès et un cas de croup.

— Ah ! Bien sûr.

Tous deux savaient que s'il avait été là il n'y aurait eu ni certificat ni médicament gratuit. C'était un petit jeu auquel ils se livraient. Sophie acceptait autant de demandes qu'elle le pouvait, tandis qu'il faisait de son mieux pour l'en empêcher.

Non qu'il eût mauvais caractère ; il était juste avare, férocement avare. Et, pour éconduire un demandeur, il était capable d'invoquer presque autant de raisons que le révérend Chamberlaine. Les chômeurs était paresseux, les filles mères n'avaient que ce qu'elles méritaient ; Noirs, Orientaux, juifs et catholiques étaient tous des menteurs. Il arrivait à Sophie de lui envier ses certitudes.

— Capital ! répéta-t-il en se frottant les mains. Bien, bien. Je serai là-haut dans mon bureau, si vous avez besoin de moi.

— Merci, répondit-elle, et elle revint au registre avant même qu'il ne soit sorti de la pièce.

Mais elle se rendit compte avec irritation qu'elle ne parvenait plus à se concentrer. Le révérend Agate avait rompu le charme, fait pénétrer le monde extérieur dans l'atmosphère de paisible ennui qui baignait le petit bureau. Dehors, la pluie ne montrait nulle volonté de se calmer ; elle avait oublié son parapluie, aussi serait-elle trempée lorsqu'elle arriverait chez elle. Elle se rappela qu'elle devait être rentrée à quatre heures, car elle avait imprudemment promis à Sibella d'aller prendre en sa compagnie une tasse de chocolat chez Charbonnel. Et, bien sûr, elle devait arrêter une décision concernant la lettre.

Cela faisait quinze jours qu'elle la transportait dans son sac. Cette lettre l'accompagnait dans son trajet quotidien en métro de Baker Street à Lambeth Nord, dans sa promenade à l'heure du déjeuner au marché du Cut, et pendant ses soirées solitaires dans le salon de Mrs Vaughan-Pargeter dans New Cavendish Street. Ça devenait ridicule. Après tout, elle n'avait qu'à coller un timbre sur l'enveloppe, la poster, et l'affaire serait close. Le lendemain matin, son notaire recevrait ses instructions, et en moins d'une journée elle serait libérée. Alors, pourquoi ne réussissait-elle pas à le faire ?

La réponse était simple : elle avait oublié comment on prenait des décisions. Elle avait construit sa vie de manière à ne pas avoir besoin d'en prendre. Elle s'était délivrée du doute, et – hormis les petites lettres de Madeleine deux fois par mois, toujours un peu cérémonieuses – elle s'était aussi délivrée du passé.

Mais là, prenait-elle la bonne décision ? Que penserait Madeleine ? Et Cameron ? Et Clemency ? Si seulement elle pouvait avoir le plus petit élément lui prouvant qu'elle avait raison !

La clochette au-dessus de la porte tinta ; un homme entra, courbé sous un parapluie ruisselant, et il amena un souffle d'air froid avec lui. Sophie releva la tête, s'attendant à un nouveau demandeur ; elle se trouva face à un Noir bien habillé qui se tenait poliment sur le paillasson, son chapeau à la main. Il avait dans les trente-cinq ans, était solidement bâti et très sombre de peau ; son fort et beau visage rappela beaucoup à Sophie celui de Daniel Tulloch.

Elle en fut tellement saisie qu'elle resta sans voix pendant quelques secondes, le dévisageant et se demandant ce qu'une telle réplique, en plus jeune, du vieux chef palefrenier de Cornelius Traherne pouvait bien faire à Lambeth.

— Je vous demande pardon, est-ce que je vous dérange ? demanda-t-il d'une voix agréable.

Son accent était cockney, non pas jamaïcain, et elle en fut cruellement déçue.

— Euh… pas du tout, non.

— Vous êtes sûre ?

— Tout à fait.

Ils échangèrent des sourires un peu contraints. Elle aurait voulu chasser de son esprit l'impression, absurde, que l'arrivée de cet homme n'était pas due qu'au hasard, mais elle restait sous l'emprise de sa ressemblance avec Danny Tulloch.

Elle le regarda secouer soigneusement son parapluie en direction de la porte, pour qu'aucune gouttelette ne risque de sauter jusqu'à elle.

— C'est juste que je suis de passage à Londres, expliqua-t-il, et je fais la tournée de mes anciens lieux favoris. Est-ce que la société de bienfaisance n'était pas ici ?

— Ils ont déménagé. Ils ont de nouveaux locaux au coin de la rue.

— Ah. Mais St. Cuthbert fonctionne toujours ?

Elle hocha la tête.

— Comme vous pouvez le voir.

— Et c'est vous qui la dirigez ?

— Oh non ! Je suis juste bénévole.

Il jeta un coup d'œil à la petite étagère de médicaments courants qui se trouvait derrière elle.

— Vous êtes médecin ?

Elle baissa les yeux, rangea machinalement quelques papiers sur son bureau.

— Ni médecin, ni infirmière, ni rien. Je distribue quelques remèdes simples, et j'envoie les gens au dispensaire de l'Assistance publique.

Venant de quelqu'un d'autre, elle n'aurait pas apprécié qu'on lui pose des questions ; mais lui était si courtois et discret qu'elle ne s'en formalisait pas. Et pourtant, ça l'ennuyait de se définir de façon négative. « Je suis juste bénévole… Ni médecin, ni infirmière, ni rien. » Pourquoi s'arrêter là ? Pas mariée. Pas fiancée – bien que, si Alexander restait à Londres, ça puisse changer. Pas d'amis, sauf si elle comptait Sibella. Pas de véritable activité. Elle était juste une dame de vingt-six ans, bénévole, qui partageait une maison avec la sœur, veuve, de la vieille Mrs Pitcaithley.

Elle n'aimait pas qu'on lui rappelle combien l'horizon de sa vie s'était rétréci. Une pile de livres de la bibliothèque Mudie, de temps en temps une conférence au British Museum. Le dimanche, déjeuner avec Mrs Vaughan-Pargeter, parce que, ce jour-là, il n'y avait pas de whist.

Son visiteur était observateur. Notant son changement d'expression, il remercia poliment Sophie et se tourna pour repartir. Elle se sentit obligée de faire un effort.

— Vous avez dit que vous rendiez visite à des endroits que vous avez connus. Vous habitiez par ici ?

Il lui fit de nouveau face.

— Oui. Au numéro 9, Wynyard Terrace.

Wynyard Terrace était l'une des rues les plus pauvres du quartier, qui avait jusqu'alors échappé à la vigilance des gens chargés de faire disparaître les taudis, se rappela Sophie. Mais son visiteur saisit de nouveau le fil de ses pensées, et eut un léger sourire.

— Ma mère était trop fière pour être à la charge de la paroisse, alors Pa nous envoyait à sa place. Nous ne devions rien lui dire... Je m'appelle Walker, précisa-t-il après un silence, Isaac Walker.

— Sophie Monroe.

Elle se leva, lui tendit la main et, après un moment d'hésitation, il la saisit.

— Je regarde de vieilles archives, ajouta-t-elle en montrant le registre. Je guetterai votre nom.

— Je ne pense pas que vous le trouverez, répliqua-t-il doucement.

Elle savait ce qu'il voulait dire : pour le révérend Chamberlaine, le jeune Isaac Walker avait dû être une « demande rejetée » avant même d'avoir passé la porte.

— Bien, reprit-il, je vais partir. Merci de m'avoir consacré quelques instants.

— Revenez, proposa-t-elle – et, à sa propre surprise, elle le pensait.

— Merci. Je le ferai peut-être.

La journée avait plutôt mal tourné.

Dans le compartiment bondé, et sentant l'humidité, du métro qui filait en bringuebalant dans les ténèbres, elle tâchait de retrouver son calme. Elle se répétait qu'Isaac Walker était juste un aimable et courtois cockney ayant réussi dans la vie. Certes, un cockney *noir* ayant réussi était assez inhabituel. Mais, bon, c'était une simple coïncidence qu'il soit arrivé au moment précis où elle espérait recevoir un signe, une indication. Une coïncidence qu'il lui ait rappelé quelqu'un qu'elle avait connu en Jamaïque.

Elle s'en voulait beaucoup. Un fait aussi anodin suffisait donc à perturber sa tranquillité d'esprit, durement gagnée ? Il ne lui en fallait pas plus pour avoir le mal du pays ?

En sortant de la station de Baker Street, elle alla au premier distributeur et acheta, d'un geste décidé, un timbre à un penny. Elle n'avait pas besoin de coïncidences pour l'aider à se décider. Elle pouvait fort bien prendre son destin en main.

Mais, une fois qu'elle eut trouvé une boîte aux lettres, elle connut un nouvel accès d'indécision. « Tu es faible, se dit-elle avec mépris. Faible, faible, faible ! »

Le coupé de Sibella était devant la maison de New Cavendish Street, et Sibella elle-même l'attendait avec impatience dans le salon.

— Est-ce que tu as demandé du thé ? s'enquit Sophie tout en enlevant ses gants.

— Je croyais que nous sortions, répondit Sibella en fronçant les sourcils. Tu ne vas pas me dire que tu as oublié ?

Sophie réprima un geste d'irritation. Elle était fatiguée et elle avait besoin d'être seule. Mais, visiblement, le chocolat chez Charbonnel était de ces moments qu'on ne sacrifie pas. Dieu merci, Sibella repartait la semaine suivante !

Elle tenta de changer de sujet.

— Qu'est-ce que tu as fait aujourd'hui ?

— Mrs Vaughan-Pargeter m'a emmenée faire un tour, déclara Sibella, d'un ton accusateur que Sophie choisit d'ignorer. Nous sommes allées dans ce nouveau grand magasin.

— Selfridge's ? Oh, est-ce que ce n'est pas magnifique ?

— Personnellement, je le trouve beaucoup trop grand et plutôt vulgaire. Et les vêtements ! Ces jupes entravées ! Et aussi quelque chose d'épouvantable appelé une robe « tube ». Elles sont très bien pour quelqu'un comme toi ; mais si on a un tant soit peu de formes, c'est une catastrophe.

C'était l'une de ses rengaines favorites. Elle avait pris du poids depuis son mariage, et même maintenant, en tenue noire de veuve, elle était presque grosse.

Sophie s'assit sur le canapé, se frotta les tempes et se demanda comment elle s'était mise dans une telle situation : devoir tenir compagnie à une femme qu'elle n'appréciait même plus.

Elle avait été fort étonnée quand elle avait reçu la lettre de Sibella le mois précédent, car elles n'avaient pas correspondu depuis que Sophie avait quitté la Jamaïque.

« *Comme tu le sais sûrement,* lui écrivait Sibella après une courte introduction, *j'ai récemment perdu mon cher Eugene* ». Bien sûr, Sophie en avait entendu parler. Les lettres de Madeleine, si elles étaient courtes, n'étaient pas avares en détails factuels ; et Alexander, à sa façon brouillonne, se souvenait parfois de mentionner sa sœur.

Sophie avait appris par lui que le mariage n'avait pas été un succès. Dès la lune de miel finie, « cher Eugene » s'était mis à passer tout son temps à Kingston, où il avait joué avec acharnement jusqu'à ce qu'il soit terrassé par la malaria. Sibella et lui avaient vécu le plus souvent séparés, et sa disparition ne l'avait pas accablée de chagrin. Elle avait simplement renoncé à sa petite maison dans le domaine Palairet, s'était débarrassée de l'influence étouffante de sa belle-mère et était retournée à Parnassus. Les Palairet n'avaient rien fait pour la retenir, parce qu'elle avait des goûts dispendieux, et que son unique enfant était mort à la naissance.

Bien sûr, je suis inconsolable, écrivait laconiquement Sibella, *alors papa m'envoie à Londres pour que je me change les idées. Je serais venue depuis longtemps s'il n'y avait eu le prix catastrophique du sucre et l'horrible tremblement de terre de 1907. Ça a été une telle épreuve ! La maison du cher Eugene en ville a été entièrement détruite, et même les intérêts de Papa ont été affectés. Les assureurs ont été absolument ignobles. Bien sûr, je ne comprends pas tout. En plus, s'inquiéter au sujet de l'argent est vulgaire et vous enlaidit, donc j'ai décidé que je ne m'inquiéterais pas.*

Je resterai à Londres un mois, et je voudrais que tu me fasses visiter la ville parce que je ne pourrai sûrement pas compter sur Alexander pour cela. Mais j'ai peur de devoir habiter à l'hôtel, puisque papa a dû vendre notre maison de St. James's Square. Est-ce que ce n'est pas horrible ? Tant de changements. C'est trop injuste !

« Tant de changements » : pendant les trois semaines précédentes, ç'avait été son refrain permanent.

Maintenant, elle jouait négligemment avec un gland d'un des coussins de Mrs Vaughan-Pargeter, et examinait le tailleur gris de Sophie d'un œil réprobateur.

— Tout est si différent depuis que je suis venue la dernière fois, se lamenta-t-elle.

— C'est la vie, rétorqua Sophie, sans feindre la moindre sympathie.

— Et ce n'est pas seulement Londres : Trelawny court à la ruine. Tu devrais rentrer et voir par toi-même.

Son ton insinuait que Sophie s'en était tirée impunément pendant des années, et qu'elle ferait bien de réparer au plus vite.

— C'est horrible, poursuivit-elle. Des domaines font faillite tous les jours. Tu sais que le vieux Mowat s'est suicidé ?

— Oui, tu me l'as déjà dit.

— Et moi qui comptais sur Londres pour me remonter le moral…

Elle avait l'air dépitée, comme si cette ville avait manqué à ses devoirs envers elle.

— Tous ces affreux omnibus à moteur. Et ces trains souterrains, quelle idée ridicule ! Qui a envie de prendre un horrible train sous le sol ?

Sophie soupira. L'expérience du métro avait été un désastre. Dans son unique tentative pour faire le trajet depuis son hôtel à Berner's Street jusqu'aux boutiques de Kensington, Sibella avait trouvé le moyen de manquer la nouvelle station d'Oxford Circus et d'arriver à

Baker Street. Là, elle avait pris la ligne de Bakerloo au lieu de la ligne circulaire, et de ne pas voir apparaître South Kensington l'avait mise dans un tel état de nerfs qu'un employé avait dû l'aider à descendre. Après quoi, elle avait déclaré que tout le système était impossible, et avait loué pour le reste de son séjour un brougham qui venait la prendre à son hôtel.

Elle avait perdu son sang-froid, tout simplement. Elle n'avait pas séjourné à Londres depuis dix ans et tout l'effrayait. La circulation, les nouvelles cabines téléphoniques, même la plus inoffensive des suffragettes en train de faire la quête. Tout lui faisait peur ou horreur, et c'est pourquoi elle avait tant besoin de Sophie.

En la regardant jouer avec le gland du coussin, cette dernière sentit un éclair de sympathie la traverser. Après tout, étaient-elles si différentes ? D'une certaine manière, elle aussi avait perdu son sang-froid.

C'était une pensée humiliante et, par contrecoup, ça lui rendit la détermination dont elle avait besoin. Elle se remit debout, alla au cordon et sonna la femme de chambre. Puis elle expliqua à Sibella :

— Il faut juste que je donne quelque chose à Daphne ; ensuite nous pourrons partir.

Après quoi, elle ouvrit son sac et ressortit la lettre.

— Daphne, expliqua-t-elle rapidement à la femme de chambre dès son apparition dans la pièce, voulez-vous bien prendre cette missive et faire en sorte qu'elle soit postée immédiatement ? Ça m'est sorti de la tête en rentrant, mais elle doit partir tout de suite.

— Oui, Miss, murmura la fille, apparemment guère ravie à l'idée de courir sous la pluie jusqu'à la boîte.

Tandis qu'elle prenait la lettre des mains de Sophie, elle toucha ses doigts glacés et releva les yeux, inquiète.

— Vous allez bien, Miss ?

— Oui, répondit Sophie avec un bref sourire. Faites comme je dis, voulez-vous ? Sans attendre.

Sibella n'avait pas suivi la scène. Elle était près de la tablette de cheminée, examinant son nouveau chapeau de deuil dans le miroir.

— Ça me paraît incroyable qu'ils aient trouvé quelqu'un pour acheter la vieille maison, lança-t-elle.

— Quelle maison ? murmura Sophie tout en allant à la fenêtre.

« Allons, se dit-elle intérieurement. Ce n'était pas si dur, non ? »

— Celle du vieux Mowat, bien sûr. Arethusa.

Sophie tira le rideau et regarda en bas dans la rue. La pluie tombait à verse. Elle vit une robuste vieille dame dans une cape de pluie tirant par sa laisse un petit épagneul ébouriffé ; un homme de grande taille, très mince, qui réglait la course d'un fiacre. Daphne se blottissant sous son parapluie pendant qu'elle courait poster la lettre.

« Tu as pris la bonne décision », pensa Sophie. Pourtant, elle se sentait chancelante, malade, et n'arrivait pas à se réchauffer.

— Je me demande qui a bien pu l'acheter, poursuivit Sibella, toujours devant son miroir.

— Mais quoi ?

— Arethusa ! Tu ne m'écoutes vraiment pas ?

— J'imagine que quelqu'un l'a aimée, observa Sophie, les yeux toujours baissés vers la rue. Un planteur de café, ou un riche Américain.

— Plus facile à dire qu'à faire, en des temps pareils, remarqua Sibella.

— Oh, je ne sais pas, répliqua Sophie en se détachant de la fenêtre. Moi-même, je viens bien de vendre Fever Hill.

L'expression de Sibella l'aurait fait rire si elle n'avait été elle-même au bord des larmes : les yeux de son amie s'ouvrirent en grand, son menton tomba sur sa poitrine, puis sa bouche se referma dans un claquement.

— Ne dis rien, commenta Sophie. Je n'ai pas envie d'en parler.

— Mais...

— Sib, s'il te plaît. Est-ce que nous pouvons juste aller chez Charbonnel, prendre tranquillement une tasse de chocolat, et faire comme si je n'avais rien dit ? Je te raconterai tout à ce sujet demain, c'est promis. Mais demain, pas aujourd'hui.

Demain... D'ici là, Mr Fellowes aurait reçu la lettre et marmonnerait sans doute : « Bien, bien, elle a enfin pris sa décision. » Ensuite, il enverrait un homme chez le notaire de l'acheteur, avec les papiers qu'elle avait signés plusieurs semaines auparavant, et tout serait terminé. Il serait définitivement trop tard pour changer d'avis.

Pour échapper aux mimiques stupéfaites de Sibella, Sophie se retourna vers la fenêtre. Le fiacre repartait, et le grand homme mince déployait son parapluie. Il jeta un coup d'œil au brougham de Sibella, eut un petit sursaut et s'éloigna dans la rue.

Sophie laissa retomber le rideau et revint vers Sibella.

Chapitre 19

L'Honorable Frederick Austen jeta un regard mélancolique au brougham attendant devant l'élégant petit hôtel particulier, puis s'arracha à ses pensées et marcha jusqu'au carrefour, avant de s'engager dans Mansfield Street.

Quel idiot il était ! Avoir réglé son fiacre, sous la pluie battante, à trois rues de la maison de son employeur, dans le seul espoir d'apercevoir la fascinante jeune veuve qui semblait se rendre quotidiennement à New Cavendish Street.

Il n'avait vu qu'une seule fois son visage, mais ç'avait été suffisant. Elle était charmante : de grands yeux bleus, une bouche petite et si adorable ; et une silhouette vraiment magnifique. Une femme aussi belle avait sûrement un caractère en rapport ?

Mais bien sûr, il n'en saurait jamais rien, parce qu'il ne pouvait même pas rêver de lui être présenté. Si elle l'avait seulement regardé – ou, que le ciel le protège, si elle lui avait *parlé* –, il serait mort de peur.

De toute façon, pourquoi lui aurait-elle parlé ? Il était bien le dernier homme au monde susceptible de trouver grâce aux yeux d'une dame : il ressemblait à une autruche. Tous les Austen ressemblaient à des autruches. C'était leur air de famille. Ils avaient des cous longs et maigres, de grands nez en forme de bec, et dans son cas particulier des cils pâles et des yeux d'insomniaque bordés de rouge.

Donc, tout bien considéré, mieux valait qu'ils ne se rencontrent jamais.

Il tourna à gauche dans Queen Ann Street, puis à droite dans Chandos Street, enfin se dirigea, dans Cavendish Square, vers la grande maison de pierre dont son employeur commençait déjà à se lasser.

Un homme qui se lassait vraiment vite, son employeur. D'humeur changeante. Jamais satisfait. Imprévisible. Une véritable pierre brute, mal dégrossie.

— Nous vous appellerons mon « secrétaire », lui avait-il déclaré lors de leur première, et extraordinaire, entrevue à l'hôtel Hyde Park. Je vous paierai trois fois le salaire normal, mais vous le mériterez : votre travail sera de m'apprendre tout ce que je voudrai savoir.

Une exigence singulière, surtout quand elle émanait d'un ancien va-nu-pieds (et sans doute pire) et était adressée à un membre de l'aristocratie. Mais Austen avait accepté le poste car il avait à sa charge quatre sœurs célibataires, trois vieilles tantes sans le sou, et, à Tipperary, un manoir de quatre-vingt-dix pièces auquel une large partie du toit manquait. Ainsi avait commencé ce qui devait être la plus fatigante, la plus déconcertante et la plus divertissante année de sa vie.

« Tout ce que je voudrai savoir » concernait en effet tout et n'importe quoi : quoi lire et comment parler ; comment s'habiller et quoi manger ; où habiter et où monter ses chevaux. Bref, comment être un gentleman.

Au début, ce fut comme d'instruire un sauvage. L'histoire, la religion et les arts étaient complètement inconnus de son employeur. Il n'imaginait pas qu'on devait aller chasser en Écosse en septembre, ni n'avait entendu parler d'Ascot. Mais quand un sujet l'intéressait, il s'y donnait à fond.

À sa surprise, Austen aima son travail. Il aimait les débats et les discussions qu'il entraînait, il aimait le sens moral rude et sans trace d'influence religieuse de son employeur. Quelques mois plus tôt, ils avaient commencé l'étude de la Bible, et Austen avait été étonné par la condamnation catégorique de Jacob – pour avoir soutiré son droit d'aînesse à son frère –, qu'avait formulée son employeur, ainsi que par son scepticisme concernant le péché originel.

— Donc, d'après ça, avait-il observé en pointant son index sur le Livre, parce que Ève a pris la pomme, tout est leur faute – aux femmes, je veux dire ?

Austen fut forcé de reconnaître que c'était malheureusement le cas.

— Mais comment conciliez-vous cette idée avec ce que vous appelez « le devoir du gentleman de respecter le sexe faible » ?

Austen en était épaté ; jusque-là, il n'avait jamais établi de lien entre la Genèse et la manière de traiter convenablement une dame.

— Le « sexe faible » ? grommela à ce sujet son employeur. Ce sont bien elles qui font les fichus mômes, non ?

— « Enfants », corrigea doucement Austen, car rectifier le langage de son employeur était une part importante de ses attributions.

Ce dernier le dévisagea, puis lança :

— Austen, est-ce que vous avez jamais vu une femme accoucher ?

Austen rougit et murmura que non. Son employeur esquissa un sourire.

— Non, je ne le pensais pas non plus.

Mais il ne rit pas, et Austen l'apprécia pour cela. Il l'appréciait et avait peur de lui dans des proportions égales. Il aimait son intelligence, ses jugements froids et sans illusions sur le monde. Il aimait la désinvolture que son employeur manifestait à l'égard de son énorme fortune – acquise, lui avait-il brièvement expliqué, dans des « opérations de prospection » avec un associé au Brésil. Austen appréciait que, tout en travaillant à améliorer son accent, son employeur ne voulût pas en faire trop.

— Je ne peux pas parler comme si je sortais d'Eton, avait-il remarqué d'un ton pince-sans-rire, puisque je n'y suis pas allé.

Par-dessus tout, Austen admirait l'indifférence de son employeur envers l'opinion d'autrui, aux antipodes de sa propre attitude. Lui-même était sujet à de violents accès de gêne et de timidité.

Toutefois, il était un autre aspect de son employeur qui le troublait, qu'il ne comprenait pas. Ses humeurs noires et ses phases taciturnes qui pouvaient durer des jours entiers. Et aussi la distance qu'il établissait avec les autres, et sur laquelle il ne fallait jamais empiéter. Deux mois plus tôt, alors qu'ils se préparaient à quitter Dublin, Austen avait été étonné d'entendre son employeur donner l'ordre de vendre tous ses pur-sang de prix.

— Mais… je pensais que vous étiez attaché à eux, avait-il hasardé.

Son employeur l'avait fixé avec des yeux soudain froids et durs.

— Je ne suis attaché à rien, avait-il rétorqué. Ni à mes chevaux, ni à Isaac, ni à vous. Rappelez-vous-en, mon ami.

Il n'avait pas fallu longtemps à Austen pour apprendre, également, que « pourquoi » ne faisait pas partie du vocabulaire en usage auprès de lui. Et pourtant, il aurait eu bien des questions à lui poser, commençant par ce mot : Pourquoi ne sortez-vous jamais dans le monde ? Pourquoi vous donnez-vous le mal d'améliorer votre langage, alors que vous n'attachez aucune importance à ce que les gens pensent ? Pourquoi avez-vous embauché un détective privé ? Pourquoi, depuis que nous sommes arrivés à Londres, sortez-vous seul tous les après-midi ?…

Comme à son habitude, son employeur était dehors quand Austen arriva à la maison. Seul Mr Walker était là, constata-t-il avec un sentiment de gêne, lorsqu'il monta et ouvrit les portes du salon.

Il s'arrêta sur le seuil, indécis. Mr Walker, assis dans un fauteuil, se figea avec une tasse de thé dans une main et le *Daily Mail* dans l'autre.

La gêne était réciproque. Mr Walker était bien plus conventionnel que son associé, et aussi bien plus prudent – ce pourquoi, sans doute, ils avaient fait une si bonne équipe au Brésil. Mais ce trait de caractère le rendait mal à l'aise avec des gens comme Austen, qu'il savait être ses supérieurs.

Pour sa part, Austen ignorait comment se comporter avec lui. Jusqu'à l'année précédente, il n'avait jamais parlé à un Noir de sa vie – sans parler d'habiter sous le même toit que lui. Il appréciait l'homme, et même il le respectait d'une certaine manière ; mais il ne pouvait se détendre en sa présence. Ç'aurait été comme faire preuve de familiarité envers un majordome.

Maladroitement, Mr Walker posa le *Daily Mail* sur la table à thé, se remit sur ses pieds et se passa la main dans les cheveux.

— Le thé est froid. Voulez-vous que je sonne pour qu'on nous en rapporte ?

Austen rougit ; ce serait affreux, pour eux deux, s'il s'asseyait pour prendre le thé avec lui.

— Non, murmura-t-il, je ne voudrais pas vous déranger…

La porte d'entrée claqua, en bas, et quelques instants plus tard Austen poussa un soupir de soulagement : son employeur montait l'escalier. En arrivant dans la pièce, celui-ci regarda alternativement les deux hommes et sourit.

— Qu'est-ce qui se passe, Austen ? Vous vous êtes encore chamaillé avec Isaac ?

Les joues d'Austen s'enflammèrent.

— Oh, monsieur, je ne songerais jamais à…

Son employeur lui frappa sur l'épaule.

— Je ne parlais pas sérieusement.

Il alla se verser une tasse de thé froid, la but d'un trait, puis se jeta dans un fauteuil avec la souplesse et la grâce qu'avaient toujours ses mouvements.

— Alors, mon vieux, qu'est-ce que tu as fait ? demanda-t-il à Mr Walker.

Parfois, avec son associé, il retombait dans ses anciennes façons de parler. Mais Austen le soupçonnait de le faire pour taquiner son secrétaire.

— Je suis allé jusqu'aux docks, répondit Mr Walker, avec un regard embarrassé à Austen.

— Et merde, Isaac, pourquoi ?

Mr Walker haussa les épaules.

— J'sais pas. Et à la société de bienfaisance, aussi. En tout cas, là où elle était avant.

— Mais pourquoi ?

— J'sais pas. Des histoires du vieux temps.

Son associé secoua la tête.

— Bon Dieu, Isaac, tu devrais vraiment laisser tout ça derrière toi…

Isaac sourit. Son associé s'approcha de lui et lui donna gentiment une tape sur la joue.

Austen se sentait confusément tenu à l'écart. Il appréciait son employeur, et il aurait voulu que celui-ci l'apprécie aussi. Cette scène lui rappelait l'école, quand les autres garçons le mettaient en quarantaine parce qu'il aimait le grec.

Depuis la porte, il s'éclaircit la gorge. Son employeur tourna la tête.

— Qu'est-ce qu'il y a, Austen ?

— Hum… Pas « bon Dieu », répondit-il doucement. Est-ce que je peux suggérer plutôt « Seigneur » ?

Son employeur l'examina un moment puis éclata de rire.

— Au lieu de vous pavaner comme ça à la porte, si vous veniez prendre une tasse de thé ?

Austen se permit un timide sourire et se dirigea vers le canapé.

— Très bien, Mr Kelly, dit-il.

C'est dimanche matin, Ben va à la boulangerie chercher le dîner avec sa grande sœur, et tout va super bien.

Le temps est un peu frisquet mais la grande boîte de pudding lui réchauffe les mains, et l'odeur des morceaux de viande lui fait des nœuds dans le ventre.

C'est le meilleur moment de la semaine, parce qu'il a Kate rien que pour lui. Elle dit que, quand il aura dix ans, il pourra aller à la boulangerie tout seul, mais pas avant, sinon un costaud lui flanquera une volée et piquera le dîner. Mais Ben sait que c'est juste un prétexte. La vérité, c'est qu'elle aime ça, venir avec lui.

Elle est super, Kate. Elle a des yeux bleu clair, des cheveux comme des fils de cuivre et des taches de rousseur partout. Elle déteste ça mais lui, Ben, les trouve géniales. Elle peut être une vraie brute, lui faisant se laver la tête tous les dimanches et lui tapant dessus s'il ne le fait pas. Mais elle est aussi le plus chic petit lot que vous avez jamais rencontré, et elle a le rire le plus fort de tout East Street. Et quand elle sort une blague, elle regarde toujours Ben en premier, parce qu'elle sait qu'il comprendra avant les autres. Pa déteste ça, mais ça rend Ben si fier que ça lui fait mal.

Aujourd'hui, elle est toute pomponnée pour aller voir son petit ami. Elle a ressorti sa robe bleue du mont-de-piété et elle a même mis son corset. Ce qui veut dire que Jeb Butcher n'est pas très loin.

Bien sûr, il les attendait au coin de Walworth Place. Il est marchand des quatre-saisons ; jusqu'à ce que Kate ait le béguin pour lui, Ben voulait lui aussi être marchand des quatre-saisons, et porter une veste en velventine, et des falzars qui s'écartent en dessous du genou comme des éteignoirs. Mais, depuis un mois, Kate parle d'aller vivre avec Jeb. Elle plaisante, bien sûr, mais ça fait mal au cœur à Ben rien que d'y penser.

Maintenant, ils sont arrivés dans East Street, et lorsqu'ils sont presque au numéro 39, Jeb se tire chez lui. C'est là que Ben lance à Kate :

— J'ai un cadeau pour toi.

— Un cadeau ? elle répond, et elle lui sourit. C'est gentil…

— Voilà, il lui dit fièrement.

C'est une pipe, une bonne pipe en argile blanc avec un long tuyau pour faire une fumée bien douce, juste comme elle les aime. Ça fait des jours et des jours qu'il attend l'occasion de la lui donner.

Elle la prend, mais alors sa figure devient toute froide et dure. Merde alors ! Elle ne l'aime pas... Le cœur de Ben tombe comme une pierre dans sa poitrine.

— Où est-ce que tu as eu ça, Ben ?

— Je l'ai trouvée.

— Tu veux dire que tu l'as piquée, hein ?

— Pas du tout...

— Si, tu l'as piquée. C'est la pipe de la vieille Mrs Hanratty. Je l'ai vue la fumer.

Ben ne dit rien. Jack et lui sont tombés sur la vieille bique quelques jours plus tôt, et ils lui ont tiré ses économies qui étaient cousues dans ses culottes. Quelle partie de rigolade ! Elle était là dans le caniveau, criant : « Au meurtre ! », secouant ses guibolles toutes jaunes et maigres en l'air comme un scarabée.

En fait, elle avait seulement deux shillings et sa pipe porte-bonheur, et aussi une petite branche de quelque chose qui devait être de la bruyère, d'après Jack. Jack a pris le fric, a donné la pipe à Ben et a jeté le reste dans l'égout. Mais après, Ben aurait voulu qu'ils lui aient laissé son bout de bruyère, à la vieille bique.

Kate lui rend la pipe sans un mot, et ils pénètrent dans la maison. Elle est en rogne, Ben le voit bien, mais il n'a plus le temps de rien lui dire, parce qu'ils sont rentrés.

Kate pose le pudding sur la table, tout le monde prend une cuillère et l'enfonce dedans : Jack et Lil et Pa, et Ma avec le bébé endormi sous ses nénés. Robbie est dans un coin comme d'habitude, en train de regarder l'araignée. Il fait ça toute la journée. Peut-être qu'il pense que l'araignée prépare quelque chose, au lieu de juste se pavaner au milieu de sa toile.

Ben essaie de faire que Kate le regarde, mais elle ne veut pas. Elle est en boule et il sait pourquoi : Mrs Hanratty est une voisine et on ne tire pas des choses à ses voisins.

Il se sent bouillant et énervé à l'intérieur, et il en veut à Kate, parce que c'est à cause d'elle s'il est comme ça. Elle attend qu'il fasse quoi, qu'il dise pardon ? Et merde !

Pa racle les derniers morceaux de pudding dans la boîte et lance un regard à Kate.

— Tu as mis longtemps à rentrer. Où est-ce que tu es allée ?

— À la boulangerie, bien sûr. Où tu croyais ?

Jack, Lil et Ben gardent leurs têtes baissées. Les yeux de Ma vont de Pa à Kate. Elle entortille une mèche de cheveux autour de son doigt maigre. Bientôt elle va commencer à pleurnicher, c'est sûr.

Ben pose sa cuillère, doucement, pour ne pas mettre Pa en rogne. Si seulement Pa pouvait être de bonne humeur aujourd'hui, raconter des histoires et rigoler comme il fait parfois... Si seulement il n'en pinçait pas pour Kate !

— Tu es allée avec ce Jeb Butcher, insiste Pa en la regardant.

— Non, dit Kate.

— Tu y es allée ! crie Pa.

Kate se lève et va à la fenêtre, en mettant les bras autour de sa taille. Pa la regarde. Il regarde comment sa robe colle à ses hanches et comment ses nénés pointent au-dessus. Ben connaît bien ce regard : c'est le même que Jack a eu pour Lil l'été dernier, quand il faisait si chaud qu'ils dormaient tous à poil.

Oh, et puis après ? Quand Jack s'est tapé Lil, ils sont vite redevenus amis ensuite, alors peut-être que ça sera pareil avec Pa et Kate ? Un peu d'engueulade et ils redeviendront amis. Et Kate ne partira pas vivre avec Jeb.

— Tu étais dehors avec ce Jeb Butcher, recommence Pa.

— Non, dit Ben pour aider Kate. On a fait un détour pour rentrer parce que… parce qu'il y avait des chevaux à Walworth Place, des gros chevaux de trait.

Les yeux verts de Pa se posent vers lui comme s'ils allaient le transpercer.

— De quoi tu parles ?

Ben avale sa salive.

— J'aime pas les chevaux de trait, j'ai eu peur.

C'est vrai qu'il a eu peur. Sauf qu'il n'y avait pas de chevaux à Walworth Place, il y avait seulement Jeb.

Pa se penche vers lui par-dessus la table. Il s'approche si près que Ben sent le charbon sur lui, et il voit la poussière noire accrochée dans les rides qu'il a du nez jusqu'à la bouche… Cette bouche. Des lèvres comme celles d'une statue, si dures qu'elles pourraient avoir été dessinées au couteau. Avec cette bouche, Pa peut vous balancer un sourire qui vous fera monter jusqu'au plafond, ou il peut vous passer un savon au point que vous aurez envie de ramper dans l'égout. Et jamais vous pouvez dire ce qui va venir le moment d'après. Vous savez juste que vous feriez n'importe quoi pour qu'il vous aime bien, si seulement vous voyiez quoi faire.

— Peur ? lâche Pa d'une voix qui serre le ventre de Ben comme un piège à rat, et en ricanant. Peur de canassons ?

— Ils avaient des grosses pattes, marmonne Ben.

— Des grosses pattes ! répète Pa. S'ils voient que tu as peur, c'est là qu'ils vont t'écraser avec leurs grosses pattes ! Mais si tu leur fais pas voir que tu as peur, tout se passe bien. Tu sais pas encore ça ?

Ben secoue la tête. Il déteste que Pa le croit froussard, mais il faut bien qu'il aide Kate.

— C'est pas que j'aime pas les chevaux, il dit, juste que j'aime pas les chevaux de trait.

Pa grogne, mais ensuite il ne ricane plus comme avant, il se met à rire.

— Oh, alors comme ça, c'est juste avec les chevaux de trait que tu as un problème ?

Ben lui jette un regard incertain, puis hoche la tête.

— Eh bien, ajoute Pa, en promenant le regard sur les autres, voilà qu'on a un foutu avocat dans la famille ! Un sacré malin d'avocat, qui sait jouer avec les mots !

Lil se met à rire, et aussi Jack et Ma, mais c'est plus du soulagement que parce qu'ils trouvent ça drôle. Kate revient à table, se rassied, et le ressort qu'il y avait dans le ventre de Ben se relâche un peu.

Ça irait si seulement Kate voulait bien le regarder. Mais elle est encore fâchée à cause de la pipe de la vieille Mrs Hanratty. Donc, après le dîner, Ben sort discrètement de la maison. Quand il revient, peut-être une heure après, les rideaux sont tirés, Ma et Pa sont dans la pièce du fond et les autres dans celle de devant. Jack dort ratatiné sur lui-même, Lil berce le bébé sur ses genoux et Robbie est dans son coin, en train de regarder l'araignée.

Kate est assise près de la fenêtre, son plateau sur les genoux, en train de faire des violettes. Elle a rabattu un bout du papier journal de la fenêtre pour laisser entrer la lumière du réverbère, et elle est jolie comme un tableau. Ses cheveux cuivrés et les violettes en papier sur le plateau, et le pot de verre bleu de la colle. Toutes ces jolies couleurs !

Ben se glisse jusqu'à elle, en évitant de toucher aux violettes, pour ne pas les salir. Il lui dit :

— J'ai rendu la pipe à Mrs Hanratty.

Elle finit une autre violette et la pose sur le plateau.

— Je lui ai pas dit pardon, murmure-t-il. Je l'ai juste laissée sur son lit pour qu'elle la trouve.

— C'est bien, répond Kate sans le regarder.

Un peu plus tard, Ben est assis avec Robbie en face de l'araignée, et elle vient, s'accroupit et lui met un mug dans les mains. C'est son mug d'étain à elle avec les roses peintes dessus, celui que Jeb lui a donné.

— Du bouillon, elle lui dit.

C'est son préféré. Elle l'a fait juste comme il aime, avec le pain bien écrasé dans l'eau, et du saindoux par-dessus pour donner du goût. Elle a dû aller chez la voisine pour faire chauffer l'eau.

Il la regarde en coin.

— C'est à cause de cette foutue pipe ?

Elle penche un peu la tête.

— Peut-être. Attention avec ça, c'est chaud.

— Fumant, plaisante-t-il.

Elle sourit, puis se pique au feu et lance :

— Tu en piperas mot à personne, c'est promis ?

— Tais-toi un peu, pipelette, ou tu vas réveiller le bébé.

Elle lui donne une tape sur la joue, et retourne à son travail.

Ben se réveilla en sursaut pendant que Norton tirait les rideaux.

Pendant un moment, il ne sut pas où il était. Son cœur battait la chamade. Il ne bougeait pas, luttant contre l'attraction du rêve.

Dehors, il faisait encore sombre. La pluie tambourinait contre les carreaux de la fenêtre et le réverbère brillait. Il était sept heures et un feu brûlait déjà dans la cheminée. La femme de chambre qui était entrée sans bruit dans la pièce, deux heures plus tôt, pour l'alimenter, n'avait pas réveillé Ben : depuis qu'il était à Londres, il dormait comme une souche.

Et il rêvait, aussi.

En se frottant le visage, il s'appuya sur un coude et regarda Norton poser le plateau du café sur la table.

Le rêve s'accrochait à lui, il ne parvenait pas à s'en détacher. Tous les petits détails, comme sa robe bleue ou les roses sur le mug. Sa terreur qu'elle puisse partir, le quitter. Vingt ans après, il n'avait rien oublié. Bon sang...

Imperturbable, Norton tisonna le feu, baissa la lampe à gaz, puis alla dans la penderie prendre les vêtements de son maître. Le tout sans un mot. Ben détestait parler le matin.

Il sortit du lit, enfila sa robe de chambre et se leva, sans quitter des yeux le feu. Même sans celui-ci, la pièce aurait été chaude, car il achetait toujours des maisons munies de tuyaux d'eau chaude dans chaque pièce. À quoi aurait-il servi d'être riche si on ne pouvait pas avoir chaud ?

Il se retourna pour contempler la chambre. Dans la lueur dorée de la lampe à gaz, le mobilier était beau mais sans ostentation. La patine de l'acajou bien ciré, l'éclat bleu des tentures de soie damassées, le riche reflet des reliures de maroquin... qu'est-ce que Jack en aurait pensé ? Ou Lil, ou Kate ?

« Bon Dieu, pourquoi se mettre à rêver d'eux maintenant, après toutes ces années ? »

Norton apparut à la porte de la penderie et s'éclaircit discrètement la gorge.

— Allez-vous monter à cheval ce matin, monsieur ?

— Non.

— Très bien, monsieur.

Ben alla à la fenêtre et regarda au-dehors. Le ciel s'éclaircissait et la pluie diminuait.

— À la réflexion, oui.

Il venait d'acheter un trois-ans chez Tattersall : un grand alezan un peu flambard qui avait besoin d'être pris en main. C'était un défi à relever ; mais Ben savait que, lorsqu'il le revendrait quelques mois plus tard, ce serait un bien meilleur cheval.

— Très bien, monsieur, dit Norton, et il se retira en silence.

Norton était parfait : voix mesurée, démarche silencieuse, complètement imperméable aux humeurs de son maître. Certes, nul ne savait ce qu'il pensait vraiment de Ben – un homme qu'il aurait évité de croiser dans la rue cinq ans auparavant. Mais quelle importance, du moment qu'il faisait son travail ?

Parfois, Ben devait encore se remettre en mémoire qu'il était riche. Il avait l'impression d'être dans une pièce de théâtre. Isaac ressentait la même chose.

— Tu vois, Ben, lui avait-il avoué une fois. Maintenant, je suis « monsieur Walker » ou « monsieur », mais à l'intérieur je reste le vieil Isaac, le petit Nègre de Lambeth.

C'était pareil pour Ben.

Beaucoup de choses dans la richesse l'ennuyaient. Devoir changer tout le temps de vêtements, et la cérémonie des repas. Les domestiques partout autour de vous. Devoir planifier sa journée à l'avance : « Est-ce que vous monterez à cheval ce matin ? » « Comment diable est-ce que je le saurais, je viens juste de me réveiller… »

Ben alla se verser une tasse de café, regagna fenêtre. Le café était bon. Il avait intérêt à l'être. Il était suffisamment cher pour cela : six shillings la livre, dans une boutique raffinée de Piccadilly. Et en plus, quand Ben l'avait rapporté à la maison, il avait eu droit à une réprimande de la cuisinière – pas en face, bien sûr, mais par l'intermédiaire d'Austen. Apparemment, il n'était pas censé acheter du café lui-même. Une boîte de cigares ou une caisse de vin, passe encore – Dieu sait pourquoi – mais c'était tout.

Eh bien, merde, il achèterait ce qu'il voudrait ! C'était ce qui lui plaisait le plus, acheter des choses. Puis s'en débarrasser.

C'était l'avantage, avec l'argent : tout était entièrement prévisible. On achetait un bon bordeaux ou un cigare, et on savait exactement ce qu'on avait. L'argent ne décevait jamais – pas comme les gens.

Mais *six shillings* la livre ! Quand il pensait à Kate, gagnant six pence pour douze douzaines de violettes en papier…

Encore cette lancinante impression de perte. Quel fichu rêve ! Avant d'arriver à Londres, il n'en avait jamais fait un seul. Au Panama, en Sierra Leone, au Brésil, il dormait paisiblement.

Peut-être était-ce le fait même d'être à Londres. Après tout, Londres recelait bien d'autres souvenirs encore, en plus de Kate, Jack et les autres. Cavendish Square n'était pas très loin de Portland Road. Quelques jours plus tôt, il avait même pensé y aller, juste pour voir si le studio du photographe était encore là. Il s'était ravisé à la dernière minute.

Alors, peut-être était-ce le fait de penser… ou plutôt, d'essayer de ne pas penser à elle qui l'avait remué intérieurement ?

Malgré lui, il jeta un coup d'œil au tableau au-dessus de la cheminée. C'était une huile de Montego Bay, qu'il avait vue à Paris et pour laquelle il s'était pris d'affection. Elle n'était pas excellente, mais au moins l'artiste savait à quoi ressemblaient des palmiers royaux, des poincianas et des bougainvillées.

C'était curieux, mais la Jamaïque lui manquait toujours. Voilà sans doute pourquoi il avait échoué au Brésil : parce qu'il s'y sentait comme chez lui, avec les perroquets et les moricauds. Et maintenant qu'il habitait Londres, il allait parfois jusqu'aux jardins de Kew, juste pour se trouver dans la serre des palmiers, respirer cette odeur humide et chaude, voir si la vanille était en fleur.

— Norton ! appela-t-il par-dessus son épaule.

Le valet de chambre apparut.

— Monsieur ?

— J'ai changé d'avis. Pas de cheval. Je vais à Kew.

— Très bien, monsieur.

Chapitre 20

— Oh, Kew ! lança Sibella avec mauvaise humeur, tandis que le train traversait les faubourgs, c'est telle-ment bourgeois… Je ne comprends pas pourquoi nous n'allons pas à Richmond.

— Parce que, répondit son frère avec un clin d'œil amusé à Sophie, c'est une matinée humide et froide, et nous préférons être bien au chaud dans la serre des palmiers, plutôt qu'en train de grelotter avec une troupe de cerfs faméliques.

— Je ne crois vraiment pas qu'ils soient faméliques, rétorqua Sibella. C'est un parc royal. Pour autant que je sache, il n'y a rien de royal à Kew, si ?

Se tournant vers la fenêtre, elle examina son reflet dans la vitre. Une fois satisfaite de son nouveau manteau à poches et à col de zibeline, elle repartit à l'attaque.

— Toutes ces affreuses maisons alignées, et ces tramways, et… et ces excursionnistes !

Sophie se demanda, amusée, ce qui incitait Sibella à ne pas les ranger eux-mêmes dans cette catégorie.

— J'imagine, dit-elle, que nous serons à l'abri de la foule, un mercredi matin d'avril.

Mais Sibella l'ignora.

— Je préfère tellement Richmond ! insista-t-elle. Et je voulais voir ce nouveau théâtre. Apparemment, c'est le comble du chic.

— À Kew, tu peux voir le nouveau pont, plaida Sophie.

— N'essaie pas de m'amadouer, grogna Sibella en pivotant vers la fenêtre.

Sophie et Alexander échangèrent à nouveau des regards irrités, et Alexander leva les yeux au ciel. Il avait rejoint les deux jeunes femmes juste avant qu'elles ne partent, au grand soulagement de Sophie : Sibella était impossible depuis qu'elle lui avait dit pour Fever Hill.

— Mais c'est le berceau de ta famille ! avait-elle fait valoir d'un ton indigné par-dessus de son chocolat, ignorant la requête de Sophie qu'elles n'abordent pas le sujet.

— Nous n'avons pas de berceau de famille, avait répliqué celle-ci. Nous ne faisons pas partie de l'aristocratie. Et même si c'était le cas, notre « berceau » aurait été Strathnaw… que Madeleine a vendu il y a des années, souviens-t'en.

Elle avait cru trouver là un argument de poids, mais Sibella l'avait aussitôt balayé.

— J'ai peur lorsque je pense à la réaction de tante Clemency…

— Clemency ne peut pas continuer de vivre à Fever Hill toute seule, avait répondu Sophie, sur la défensive. En plus, j'ai entendu dire qu'elle passait déjà une bonne partie de son temps à Eden.

— Mais quand même…

— Sibella, c'est fait. J'ai signé les papiers. J'ai…

— Mais *pourquoi* ?

Alors, Sophie s'était lancée dans l'argumentation qu'elle avait préparée à l'avance : l'obligation morale à laquelle elle se sentait tenue de rembourser Cameron pour son éducation ; son désir, aussi, de mieux remercier Mrs Vaughan-Pargeter pour le gîte et le couvert qu'elle lui offrait. Sibella l'avait écoutée – en l'interrompant brutalement pour lui demander la somme exacte qu'elle estimait devoir à Cameron –, mais sans s'apercevoir que toutes ces raisons étaient de pure façade.

Le véritable motif de Sophie pour vouloir vendre Fever Hill était bien plus simple : elle avait besoin de couper les ponts avec la Jamaïque. En se débarrassant de Fever Hill, elle se libérerait du chagrin et des regrets, elle redeviendrait enfin libre.

Mais alors, pourquoi ne ressentait-elle aucun mieux ? s'interrogeait-elle.

— Est-ce que nous en informerons Alexander ? avait demandé Sibella en remuant son chocolat.

— Pas encore, s'était empressée de répondre Sophie. Il faut d'abord que je l'écrive à Madeleine et Cameron.

Sibella avait paru scandalisée.

— Tu veux dire que tu ne leur en as pas parlé ? Oh, Sophie…

Une fois de plus, celle-ci avait été sur la défensive.

— En quoi est-ce que ça a de l'importance ? C'est bien à moi de prendre cette décision ?

— Mais…

— Sib, s'il te plaît, parlons d'autre chose. Et pas un mot à Alexander jusqu'à ce que je te le dise.

Sophie avait fini par arracher à Sibella une promesse solennelle de garder le silence, puis elles avaient abandonné le sujet.

« Tu as pris la bonne décision, songea Sophie, tandis qu'elle parcourait avec Alexander la jungle humide et verte de la serre des palmiers – car Sibella avait refusé de " tenir la chandelle " et était partie explorer une serre voisine. Tu avais besoin de rompre et tu l'as fait. Maintenant, tu es libre… »

Mais alors, que faisait-elle dans le seul endroit de tout Londres qui lui rappelait la Jamaïque ? s'interrogea-t-elle presque aussitôt après.

Elle leva la tête et contempla les feuilles compliquées, vert et or, d'une fougère arborescente qu'on aurait bien vue dans les jardins d'Eden. Elle prit une grande inspiration ; l'air était aussi chaud et aussi humide que dans la forêt d'Overlook Hill. Seuls les sons étaient différents : au lieu de la stridulation des grillons, elle entendait le doux sifflement des humidificateurs, le murmure des élégants visiteurs en train d'admirer les palmiers.

Alexander tendit la main et écarta une feuille qui se trouvait devant le chapeau de Sophie. Elle sourit. Charmant, beau, plein de prévenances Alexander. Comme il avait changé ! Si quelqu'un lui avait dit, deux mois plus tôt, qu'il allait devenir pour elle un ami, elle ne l'aurait jamais cru. Alexander Traherne ? Ce jeune homme suffisant et paresseux ?

Mais, Sibella ne se lassait pas de le répéter, son frère s'était amendé. Il avait cessé de jouer, liquidé toutes ses dettes. Il rendait même fréquemment visite à la riche tante Salomon de sa mère.

— Et quant à cette histoire de palefrenier, avait affirmé Sibella à Sophie, personne n'était plus désolé qu'Alexander quand il a découvert que Papa avait fait renvoyer le type. Il a remué ciel et terre pour essayer d'arranger les choses, mais à ce moment-là l'autre avait fui le pays. Il avait filé au Pérou, ou au Panama, quelque chose dans le genre.

Le *type* ! Avec son talent pour accommoder les choses à sa manière, Sibella feignait d'avoir oublié le nom de Ben – sans parler du fait que Sophie avait jadis été amoureuse de lui. Son coup d'œil en coin pour voir comment celle-ci prenait la chose l'avait pourtant trahie…

Comme Sophie et Alexander tournaient dans une allée plus tranquille qui longeait la serre des palmiers, le jeune homme frappa les dalles de sa canne et fronça les sourcils.

— Sophie…, commença-t-il sans la regarder.

— Oui ?

Il hésita, puis reprit :

— Ce travail que vous faites, cette histoire de bénévolat…

— Vous voulez dire à St. Cuthbert ?

Il acquiesça, puis ajouta :

— Vous y êtes vraiment attachée ?

Sa question la surprit : il n'avait jamais évoqué le sujet jusque-là, sinon pour plaisanter et se moquer d'elle.

— Je ne sais pas, répondit-elle. Je suppose que je le suis, oui. Ça me fait me sentir utile.

De nouveau, il hocha la tête.

— Je m'interrogeais là-dessus parce que… est-ce que vous seriez très malheureuse si les circonstances devaient vous en éloigner ?

Maintenant, elle voyait là où il voulait en venir, et se demandait comment l'en détourner.

— Je veux dire, poursuivit-il, pourquoi les taudis ? Vous pourriez être « utile », comme vous le dites, n'importe où, n'est-ce pas ? Vous n'êtes pas obligatoirement liée à Lambeth, ni… ni même à Londres…

Il avait raison, bien sûr. Mais « pourquoi les taudis ? » était une question plus difficile qu'il n'y paraissait. Elle-même n'y avait jamais apporté de réponse satisfaisante – même si parfois, dans ses moments noirs, elle se demandait si Lambeth n'était pas pour elle un moyen de garder un lien avec le passé. Un lien avec Ben.

Mais c'était absurde, bien sûr. Et la seule raison pour laquelle elle y repensait à cet instant, c'était parce qu'elle était tourmentée par l'histoire de Fever Hill.

— Je pourrais en partir demain, lâcha-t-elle, avec une soudaineté qui fit sursauter Alexander.

— Ah… J'espérais que vous diriez ça.

Ils marchèrent un moment en silence ; puis Alexander fit une halte, retira son chapeau et passa une main dans sa chevelure.

« Tiens, il est nerveux », pensa Sophie avec surprise. Mais non, Alexander n'était jamais nerveux – elle trouvait même cela assez étrange…

— J'imagine que vous avez une idée de ce qui vient après, déclara-t-il.

— Alexander…

— Je vous en prie, écoutez-moi jusqu'au bout. Je vous promets que je ne serai pas long.

Il fit une pause, puis se lança :

— Je sais que, par le passé, je ne me suis pas toujours comporté comme il le fallait. Je veux dire, j'ai un peu exagéré avec les cartes, et… eh bien, ce genre de choses.

Elle se retint de sourire. « Ce genre de choses » englobait sans doute des soupers au champagne à Spanish Town avec des dames de réputation douteuse, et des dettes de jeu aux courses augmentant avec la rapidité d'un feu de canne.

— Mais je crois sincèrement, reprit Alexander d'un ton sérieux, que j'ai fini par revenir dans le droit chemin. Je sais que vous ne m'aimez pas vraiment. Enfin… pas véritablement.

— Je vous aime beaucoup. C'est la vérité. Vous le savez, n'est-ce pas ?

Il lui fit un léger sourire.

— Vous êtes un amour de me dire cela. Mais vous comprenez, ma chère, moi je fais bien plus que vous aimer « beaucoup ». Et je pense, même si dire une chose pareille peut paraître présomptueux, que je pourrais vous rendre heureuse.

Elle le pensait aussi. Alexander était prévenant, beau et bien élevé. Et tous les gens qu'elle connaissait approuveraient sans réserve ce mariage. Oui, il la rendrait heureuse – en tout cas, aussi heureuse qu'elle méritait de l'être.

— Je crois que vous avez raison, déclara-t-elle.

De nouveau, il eut un léger sourire.

— Ça veut dire que vous allez y réfléchir ?

Elle était debout devant lui, les yeux levés vers les siens. Dans la lumière verte, ceux d'Alexander étaient d'un turquoise saisissant ; son visage avait des traits réguliers de statue classique.

— Je vais y réfléchir, oui.

Ils reprirent leur marche, dans l'étroite allée, vers l'extrémité de la serre aux palmiers. Devant eux, un vanillier grimpait le long du tronc fibreux d'un palmier. Un enchevêtrement de fougères paon laissait suinter des gouttes d'humidité. Sophie sursauta soudain en apercevant, à leurs pieds, une petite touffe d'orchidées.

Elles avaient des tiges tubulaires, sans feuilles, et d'insignifiantes fleurs vert pâle. Ce n'étaient pas des orchidées coquillages. Sûrement pas. Elles leur ressemblaient, mais si on y regardait de plus près elles étaient en fait très différentes.

Sophie se demanda si les gens apportaient des orchidées à leurs morts, et quelle sorte de fleurs Madeleine mettait sur la tombe de Fraser – cette tombe qu'elle-même n'avait jamais vue.

— Vous savez, observa-t-elle sans regarder Alexander, dans l'ensemble je suis heureuse comme je suis.

— Mais l'êtes-vous vraiment ? répliqua-t-il à mi-voix.

— Je suis… satisfaite, oui.

— Et pourtant, la Jamaïque vous manque.

— Non.

— Sophie… si. J'ai bien vu comment vous devenez silencieuse quand Sibella en parle, ou quand nous venons ici voir les palmiers. La Jamaïque vous manque, et vous en avez peur.

Elle le considéra avec surprise ; elle ne l'aurait pas cru aussi perspicace.

— Vous en avez peur, continua-t-il, à cause de ce qui est arrivé à votre neveu, et en même temps vous avez terriblement besoin d'y être. Mais justement, ne voyez-vous pas que votre chance est là ? Vous pouvez y retourner sans rentrer chez vous : vous seriez heureuse à Parnassus, j'y veillerais. Et personne ne vous forcerait le moins du monde à aller à Eden si vous n'en avez pas envie.

Elle tourna la tête et regarda à travers les parois vitrées de la serre. Deux dames portant d'énormes chapeaux et enveloppées dans des manteaux à la mode traversaient malaisément les pelouses en direction des salons de thé. Un gentleman âgé s'était arrêté dans une allée de gravier et s'appuyait sur sa canne. Un homme mince aux cheveux noirs, en manteau d'astrakan, sortit de la serre voisine et s'éloigna rapidement.

Quelque chose dans sa façon de se déplacer rappela Ben à Sophie : il avait la même démarche élégante, et la même vivacité dans ses mouvements…

« Qu'est-ce qui se passe avec toi ? songea-t-elle avec colère. Pourquoi est-ce que n'importe quel bel homme aux cheveux sombres te rappelle-t-il Ben à tous les coups ? »

Mais bien sûr, elle connaissait la réponse : c'était à cause de Fever Hill, et d'Isaac Walker, et des orchidées. À cause de la centaine de petites coïncidences quotidiennes qui lui évoquaient toujours la Jamaïque.

Alexander se trompait : elle ne pouvait pas rentrer, et jamais elle ne le pourrait.

Elle tourna la tête et le regarda en face.

— Cher Alexander, déclara-t-elle doucement. Je suis vraiment désolée, mais je ne peux pas vous épouser.

Il était trop bien élevé pour ne pas faire bonne figure. Ses traits se crispèrent un peu, mais il parvint à esquisser un sourire.

— C'est parce que vous ne m'aimez pas, murmura-t-il. C'est cela, n'est-ce pas ?

— Non, pas du tout, répondit-elle, en toute sincérité.

Au contraire, le fait qu'elle ne l'aimait pas était ce qui l'attirait le plus en lui. Elle ne voulait pas d'amour. Elle en avait fini avec ça. Elle voulait juste la paix, et peut-être un peu d'affection.

Il redressa les épaules, lui fit un autre de ses petits sourires.

— Eh bien, je vous préviens franchement, ma chère : je vous reposerai la question dans un mois. Et, qui sait ? si j'ai de la chance, peut-être que vous direz oui.

Elle se sortit de l'esprit toute idée de Fever Hill, d'orchidées coquillages et de Ben, et lui retourna son sourire.

— Qui sait ? répliqua-t-elle. Un jour, peut-être...

L'ange sans tête était assis très droit sur la stèle, près de la porte du cimetière, les jambes nonchalamment croisées sous sa robe de marbre flottante. On aurait dit qu'il s'était juste posé pour réfléchir un peu sur une des belles tombes de l'endroit.

L'inscription disait : GEORGE SOLON LADD, 47 ANS, DE SAN FRANCISCO. 1889. « Loin de chez lui », pensa Ben.

Il se mit lentement en marche dans la large avenue de gravier, entre les bataillons bien ordonnés des morts de première classe. Obélisques de granit pointus et mausolées sans fenêtres. Toute une assemblée d'anges, qui s'ignoraient tranquillement les uns les autres.

Nécropole de Kensal Green. Nécropole, ça voulait dire « cité des morts. » Il fallait qu'il lui rende visite.

Ben essaya d'imaginer sa famille réinstallée ici. Kate et Jack, et Lil et Robbie, et Ma. Il ne pouvait pas faire ça. Ils avaient vécu dans une cité toute leur vie, et ça les avait tués. Comment pourrait-il les traîner dans une autre cité, et les y laisser pour l'éternité ?

Et même s'il le faisait, ils seraient tout au bas de l'échelle. Partout où il regardait, il y avait un sir William-ci et un lord Juge-ça. Un membre du Parlement, un autre de l'Académie des sciences, un haut fonctionnaire de la police de Londres. Ce dernier fit venir un sourire désabusé sur ses lèvres. Il imaginait la tête de Jack si on l'installait à côté d'un flic. Pauvre vieux Jack ! Il ne pourrait plus en fermer l'œil.

Non, ç'avait été une erreur de venir ici. Tout comme ça en avait été une d'aller à Kew. Maudit Kew !

Mais comment aurait-il pu deviner qu'il la verrait là-bas ?

Sibella Traherne. « Miss Sibella », l'avait-il d'abord nommée mentalement, puis il s'était repris. En plus, elle n'était plus une Traherne mais une Palairet. Et peut-être veuve – à moins qu'elle n'ait été en deuil de son père, ou de son frère.

Au moins, elle ne l'avait pas reconnu. Elle lui avait seulement jeté un coup d'œil quand ils s'étaient croisés dans la serre, avec la discrète évaluation à laquelle toute jeune femme soumet n'importe quel homme de moins de soixante ans.

Elle avait un peu engraissé depuis la dernière fois qu'il l'avait vue, mais elle était encore assez jolie à sa manière placide, un peu bovine – même si une petite ride était apparue entre ses yeux, lui donnant un air maussade, et si elle commençait à ressembler un peu à la chère vieille reine disparue – dans sa jeunesse, bien sûr.

« Ça alors, s'était-il dit, pendant qu'il la croisait. Sibella Palairet à Londres ! Mais après tout, quoi d'étonnant ? Elle y vient sans doute une fois par an pour faire des courses, et pour garder le contact avec ses amis. Elle doit voir souvent Sophie. »

Bon Dieu ! *Sophie*… Il avait su alors qu'il devait quitter Kew au plus vite.

En y repensant, il accéléra le pas pour remonter l'avenue principale de la nécropole, et ses semelles crissèrent fort sur le gravier. Il dépassa un couple bien habillé qui faisait une promenade et leur jeta un regard dur, coléreux.

Peut-être l'erreur avait-elle été, au départ, de s'installer à Londres. Après tout, l'idée qu'il pourrait croiser Sophie dans la rue l'en avait tenu éloigné pendant des années. Mais un matin, il s'était réveillé en se disant : « Bon sang, tu la laisses décider de ce que tu dois faire ? Si tu veux aller à Londres, tu n'as qu'à y aller. Pas question qu'elle te dicte tes choix. »

C'étaient de belles paroles, songea-t-il en continuant de fouler le gravier pour gagner la chapelle, mais c'était encore une erreur. Les dents serrés, il finit de monter l'avenue, entre les ifs silencieux et les peupliers frémissants, pour arriver finalement devant une pelouse bien entretenue.

Un socle énorme, haut de six mètres, se dressait au milieu. Quatre lions ailés y trônaient, supportant un monument abondamment décoré. L'inscription sur le côté disait : Sophia 1777-1848. Son Altesse Royale la princesse Sophia, 5ᵉ fille de Sa Majesté le roi George III.

La princesse Sophia.

Il en oublia de respirer. C'était comme si un message lui était personnellement adressé, là : « Tu crois peut-être que tu as fait quelque chose de ta vie, Ben Kelly. Mais la vérité, c'est que tu ne fais pas partie de la bonne société, et que tu n'en feras jamais partie. Il y a des choses qui resteront toujours hors de ta portée, autant qu'une princesse sur son piédestal. »

La princesse Sophia.

Incroyable comme tout revenait d'un coup ! La douleur. Le chagrin. La colère. Sophie, le visage pâle et déterminé dans le clair-obscur de la forêt, lui annonçant qu'elle partait, que c'était fini. Foulant tranquillement aux pieds ses rêves, comme un enfant piétine un château de sable.

La princesse Sophia. Pour toujours hors de sa portée.

Il releva le col de son manteau d'astrakan, traversa à vive allure la colonnade grecque de la chapelle et dévala ensuite l'escalier. Il tomba presque sur Austen, agenouillé sur le côté.

— Vous ? s'exclama Ben. Que diable faites-vous ici ? Vous me suivez ?

Austen rougit et perdit presque l'équilibre dans l'herbe.

— Nnon, bien sûr…, balbutia-t-il.

— Alors, qu'est-ce que vous faites ?

Austen tendit la main vers un bouquet de lys qu'il avait laissé tomber dans l'herbe ; sa grande pomme d'Adam montait et redescendait frénétiquement le long de son cou.

— Euh, je… rends visite à ma grand-mère.

— Oh, désolé ! C'est juste que je ne m'attendais pas à vous voir, c'est tout.

Ben pivota sur ses talons et repartit par là où il était venu. « Saleté de nécropole de Kensal Green. Saleté, toutes ces idées stupides ! »

Il entendit des pas hésitants derrière lui, constata en se retournant que Austen le suivait à quelques mètres de distance.

— Je croyais que vous étiez venu voir votre grand-mère ? lui lança-t-il d'une voix brusque.

Austen fit son hochement de tête caractéristique – comme si son cou plongeait vers le sol – qui rappelait toujours à Ben une autruche.

— Et aussi ma mère, répondit-il en brandissant les lys comme une preuve. Elle est juste là, après la chapelle.

« Bien sûr qu'elle y est, songea Ben. Où donc pourrait-elle être, sinon dans l'avenue principale avec les autres gros bonnets ? » Encore une fois, pourtant, il ne put s'empêcher de s'excuser.

— Désolé. Je vais partir et vous laisser avec elle.

— Non, je vous en prie, ne partez pas à cause de moi…

Ben haussa les épaules.

— Comme vous voulez, marmonna-t-il, et il ralentit le pas.

Ils retraversèrent ensemble la chapelle ; peu après, Austen s'arrêta devant un affreux mausolée de granit rose tacheté, gardé par quatre sentinelles de marbre vert glauque, qui arboraient des turbans et de grosses moustaches. « Pas d'anges, donc », nota Ben, avant de s'écarter pour laisser un peu d'intimité à Austen.

Du coin de l'œil, il vit son secrétaire se baisser pour poser les lys devant la porte de pierre nue. Sur le fronton qui la surmontait, cinq lignes en grandes capitales romaines célébraient les exploits du GÉNÉRAL DE DIVISION, L'HONORABLE SIR ALGERNON AUSTEN KCB, DE L'ARMÉE DU BENGALE ET MEMBRE DU CONSEIL SUPÉRIEUR DES INDES, CHEVALIER DE LA LÉGION D'HONNEUR… et cætera, et cætera. En dessous, on avait glissé une inscription en caractères gothiques serrés : *EUPHAEMIA, 1860-89, VEUVE DU SUSNOMMÉ, ET MÈRE BIEN-AIMÉE DE CINQ ENFANTS AFFLIGÉS.*

Austen se redressa et rejoignit Ben, qui désigna les lys.

— Est-ce qu'ils sont aussi pour votre père ou juste pour votre mère ?

— Juste maman, répondit Austen du tac au tac ; puis il croisa le regard de Ben, et parut gêné. Pour tout dire, je n'ai jamais beaucoup aimé mon père.

— Moi non plus, répliqua Ben.

Austen regarda pensivement l'épitaphe paternelle.

— Il ne pouvait pas supporter les enfants. Nous ne devions jamais nous trouver sur son passage. Si jamais nous oubliions et qu'il nous croisait, il agitait la main en murmurant : « Disparais, disparais », et nous fuyions comme des lapins.

Ben pensa que c'était sans doute l'équivalent, dans la bonne société, de se prendre une taloche.

Il avait l'impression bizarre qu'il devait répondre à la confidence d'Austen par une de son cru. Aussi lui expliqua-t-il en quelques mots son idée de faire transférer sa famille à Kensal Green.

— Bien sûr, il faudra d'abord que je les trouve, et ça ne sera pas facile. Ils n'ont pas précisément été enterrés dans un mausolée.

Austen hocha la tête.

— D'où le, euh… détective privé ?

— C'est exact.

— Je me posais la question.

Il y eut un silence, puis Austen ajouta :

— Je suis désolé. C'était inopportun.

— Quoi ? De vous poser la question ?

— Non. De vous dire que je me la posais.

Ben lui jeta un regard amusé. Voilà ce qu'il appréciait chez Austen : sa discrétion, et la précision avec laquelle il s'exprimait.

— Donc, si le détective réussit, reprit Austen, enhardi par le silence de Ben, vous pensez le faire ? Je veux dire, le… transfert à Kensal Green ?

— Non, déclara Ben en promenant les yeux autour de lui. Trop chic. Trop construit. Et fichtrement trop froid.

Austen enfouit son grand nez dans le col de son pardessus et hocha de nouveau la tête.

— Alors, qu'envisagez-vous d'autre ?

Ben ne répondit pas. Il s'arrêta, jeta un coup d'œil à la tombe de la princesse Sophia derrière lui.

— Je ne sais pas, dit-il, peu désireux de dévoiler davantage ses plans. Il va falloir que j'y réfléchisse.

Chapitre 21

Sibella prit la canne de son frère, frappa au plafond du brougham et ordonna au cocher de continuer à faire le tour du parc. Puis elle se tourna vers Alexander et pinça les lèvres.

— Il est grand temps que tu regardes les choses en face, lança-t-elle d'un air solennel. Tu dois te marier pour trouver de l'argent, un point c'est tout.

— Mais c'est bien ce que j'essaie de faire ! protesta-t-il. Ce n'est pas ma faute si elle dit non…

Avec une cordiale antipathie, il regarda Sibella prendre ses aises contre les coussins. Elle s'amusait énormément. Elle adorait quand il s'était mal conduit, car elle pouvait alors jouer à la sœur responsable et « faire son devoir », selon ses propres termes, en lui transmettant les messages toujours plus courroucés de leur père.

— Je ne crois pas que tu apprécies pleinement la gravité de ta situation, lui déclara-t-elle d'un ton sévère. Sophie Monroe est absolument ta dernière chance.

— *Ma* dernière chance ? s'exclama-t-il avec indignation. Et elle, alors ?

— Qu'est-ce que tu veux dire ?

— Eh bien, j'en ai assez, Sib ! J'aime beaucoup Sophie, mais tu dois admettre qu'elle a quelques handicaps très sérieux.

— Du genre ?

— Eh bien, pour commencer, elle est de naissance illégitime. Et c'est une terrible bas-bleu. Et dans le genre problématique, rappelle-toi sa maladie, et aussi cette horrible histoire avec le palefrenier.

— C'est justement à cause de ces « handicaps », rétorqua-t-elle avec sécheresse, que tu as une petite chance. N'importe quelle autre fille avec une fortune comme la sienne ne te toucherait même pas avec une canne de polo.

— Oh, je…

— C'est vrai ! Dis-moi, Alexander, approximativement… qu'est-ce que tu as comme dettes, aux courses ?

Alexander passa son index sur sa lèvre inférieure et se demanda ce qu'il allait lui répondre.

— Approximativement ? Voyons… environ cinq mille ?

Les yeux de sa sœur lui sortirent de la tête.

— Alexander ! Jamais je n'aurais imaginé que c'était autant !

« Oh si ! tu l'as imaginé, lui répondit-il intérieurement. Et si je t'annonçais que la véritable somme est quatre fois supérieure, est-ce que tu ne serais pas ravie ? »

Même lui se rendait compte que vingt mille livres commençaient à représenter une belle somme. Mais il n'y était vraiment pour rien. Ç'avait été un petit dîner si amusant : les types avaient commencé à blaguer, et avant qu'il ait bien réalisé ce qu'il faisait, il avait parié avec Guy Fazackerly un montant absurde sur sa rosse dans la Silver Cup. Mais la maudite bête était tombée, et il s'était retrouvé Gros-Jean comme devant. Vingt mille ? Bien sûr qu'il pourrait payer. Qu'on lui laisse juste quelques mois, pour se retourner.

Il ne pouvait guère ne pas honorer une dette envers quelqu'un de son monde. Mais, de toute façon, la traite arrivait à échéance seulement au jour de l'an, et c'était dans huit mois. Plus de temps qu'il ne lui en fallait pour épouser Sophie. Et plus de temps, aussi, qu'il n'en fallait à Sib pour ferrer son riche admirateur, ce qui serait une garantie supplémentaire. Alors, pourquoi cherchait-elle à l'inquiéter ainsi ? Pourquoi les femmes étaient-elles d'aussi damnées idiotes ?

Il la gratifia de son plus charmant sourire et lui dit :

— Sib chérie, tout cela n'est-il pas un peu théorique ? Après tout, le paternel ne vivra pas éternellement. Et ensuite je serai propriétaire foncier, selon les vœux du Tout-Puissant.

— Serait-ce que tu ne m'as pas écoutée ? Papa perd patience avec toi !

Alexander réprima un bâillement.

— Je suis très étonné qu'il lui en reste encore à perdre. Il perd patience avec moi depuis que j'ai huit ans.

— Sois un peu sérieux. Si tu ne rentres pas là-bas et que tu ne règles pas les choses avec lui immédiatement, je ne réponds pas des conséquences.

— Mais… qu'est-ce qu'il veut que je fasse ?

— Pour commencer, que tu lui envoies un inventaire précis de tes dettes.

— Comment est-ce que je pourrais faire ça ? Je ne suis pas employé de banque…

Elle poussa un soupir théâtral.

— À défaut, il veut tes explications, en détail, sur la façon dont tu prévois de les régler.

— Mais je ne peux pas les régler ! Je n'ai pas d'argent ! Qu'est-ce que je devrais faire, travailler dans une boutique ?

— Ne dis pas d'absurdités.

— Alors quoi ? J'ai essayé tout le reste…

Et c'était vrai : il avait essayé toutes les professions ouvertes à un gentleman. Il s'était engagé dans la Garde royale, et y était resté un mois. Il s'était assis pendant toute une semaine derrière un bureau de la City. Il avait même travaillé quinze jours dans un horrible cabinet d'avocat. Ce n'était tout simplement pas fait pour lui.

— Pourquoi les gens ne veulent-ils pas comprendre ? se plaignit-il. Je ne peux pas travailler. Je ne suis pas né pour ça. C'est un mauvais tour de la Providence, mais c'est ainsi. Je suis né pour être propriétaire foncier et rien d'autre.

— Parfait, mais d'ici là, il faut bien que tu te débrouilles, non ?… Quel dommage, remarqua Sibella en secouant la tête, que tu n'aies pas pu être un peu attentionné envers tante Salomon…

— Mais comment est-ce que j'aurais pu ? Je ne suis pas fait pour fréquenter les juifs.

— Si tu t'y étais mieux pris, elle aurait fait de toi son héritier.

Il y réfléchit un moment, puis hasarda :

— Je suppose qu'il n'y a pas la moindre chance que la vieille fille…

— Pas la moindre. Je lui ai rendu visite la semaine dernière.

« Et comme tu dois t'en réjouir ! » pensa-t-il, en regardant sa sœur avec aversion.

Tout cela était si déplaisant ! Pourquoi le monde se montrait-il aussi dur avec lui ? Il avait très peu de besoins : une maison agréable, quelques chevaux corrects, peut-être une écurie de poneys de polo. Être convenablement habillé, donner de temps en temps des dîners pour ses amis. Avoir une gentille fille dans un joli petit appartement, et peut-être fréquenter une des meilleures maisons quand la gentille fille était souffrante.

Il laissa son esprit errer vers celle qui était restée derrière lui en Jamaïque. Il devrait lui acheter un petit quelque chose, la prochaine fois qu'il irait dans le West End. Peut-être une de ces ombrelles japonaises en papier ? Ça ne coûterait pas trop cher, et elle serait tellement reconnaissante... Des filles comme elle étaient faciles à contenter.

— Ce dont tu dois être conscient, reprit Sibella, c'est que papa n'en supportera pas beaucoup plus.

Elle ouvrit son nouveau sac à main en crocodile, en examina le contenu, puis le referma avec un bruit sec.

— Il parle sérieusement de te rayer de son testament, et de faire de Lyndon son héritier.

La bouche d'Alexander devint sèche. Lyndon, héritier de Parnassus ? Ce petit voyou de Lyndon, avec son nez crochu, ses cheveux noirs et gras ? C'était inimaginable. Le paternel ne tomberait certainement pas aussi bas.

— Bien sûr, nous devons empêcher ça, ajouta Sibella – lui rappelant du même coup les raisons pour lesquelles il la préférait à Davina. Et, pour commencer, tu dois absolument rembourser tes dettes.

Après un silence, Alexander tenta une suggestion :

— Quand tu épouseras ce type dans la finance que notre père a en vue, sûrement il...

— Mr Parnell, le coupa Sibella d'un ton sévère, est tout ce qu'il y a de plus collet monté. Le moindre soupçon de dettes de jeu, et il décampera pour de bon. Et si par malheur ça devait arriver, je serais sans mari, papa serait sans associé d'affaires, et toi, mon frère, tu serais à la rue pour de bon !

— Ce qui nous ramène à Sophie Monroe.

— Exactement.

— Ne t'inquiète pas, Sib : elle changera d'avis, c'est une question de temps.

— Malheureusement, Alexander, nous n'en avons pas tant que ça devant nous, du temps.

Elle fit une pause pour ménager ses effets, puis asséna :

— Elle a l'intention de donner une partie de sa fortune à son beau-frère.

Alexander la regarda.

— Mais tu m'as dit qu'elle avait seulement vendu la propriété, tu ne m'as jamais parlé de…

— Eh bien, je t'en parle maintenant.

Il tourna la tête pour contempler le parc et affirma :

— Bien sûr, il n'acceptera jamais.

— Pourquoi pas ? Dieu sait que toi, tu accepterais.

— Oui, mais je ne suis pas Cameron Lawe.

Sibella grommela, comme pour signifier qu'il n'était pas né, l'homme qui refuserait un cadeau de plusieurs milliers de livres.

— Quoi qu'il en soit, tu comprends à présent pourquoi il faut aller vite, je suppose ?

Alexander hocha la tête d'un air pensif.

— Bien. Tu es également d'accord avec le fait que tu dois retourner en Jamaïque dès que possible, pour arranger les choses avec papa, et remettre ce sale petit Lyndon à sa place une fois pour toutes ?

— Et le meilleur moyen d'y arriver, c'est d'annoncer mes fiançailles avec Sophie Monroe.

— Exactement.

Il passa de nouveau son index sur sa lèvre inférieure, puis regarda Sibella et sourit.

— Alors, ne t'inquiète pas, ma chère. C'est comme si c'était fait.

Elle lui lança un regard sceptique, mais il répéta :

— Ne t'inquiète pas, je te dis. Je ne suis pas du genre à échouer dans ce que je fais.

— On voit toujours où en sont les gens à l'état de leurs fenêtres, expliqua son employeur à Austen.

Il leva les yeux vers les maisons étroites, noires de suie, qui semblaient pencher les unes vers les autres au-dessus de la chaussée.

— Si vous avez des rideaux *et* des stores, alors vous êtes comme un coq en pâte. Quand vous avez dû vendre les rideaux, ça va déjà moins bien. Et quand il ne vous reste plus que le papier journal, vous avez touché le fond.

Il remonta son col et plissa les yeux pour se protéger de la pluie. Ils étaient sortis sans parapluie, et leurs vêtements commençaient à s'imprégner d'eau ; mais il ne semblait pas le remarquer.

— C'est curieux, poursuivit-il, mais entre un bout de journal et des rideaux plus des stores, il n'y a pas grand-chose – juste un peu de malchance. Vous tombez d'une échelle, vous avez un accès de fièvre, et tout à coup vous êtes dans le ruisseau, incapable d'en ressortir.

Il était d'une humeur bizarre depuis plusieurs jours. Nerveux, coléreux, plus imprévisible que jamais. Austen avait, à deux reprises, en descendant la nuit pour chercher un livre, trouvé son employeur debout à la

fenêtre, dans son long peignoir turc, en train de regarder au-dehors la chaussée luisante.

Et cet après-midi, il avait soudain décidé d'emmener Austen faire ce qu'il appelait un « petit tour ».

— Il est temps pour vous de connaître votre propre
ville, lui avait-il lancé, une lueur de colère dans l'œil.

Ils avaient quitté Denmark Street, s'étaient frayé un
chemin dans la foule de Shaftesbury Avenue, puis
avaient tourné dans Monmouth Street. D'un seul coup,
Austen n'avait plus su où il était. Il n'avait jamais vu
autant de vêtements d'occasion : présentoir sur présentoir de jupes informes et graisseuses, de vestes élimées
qui tournaient tristement sous la pluie.

— D'où tout cela vient-il ? demanda-t-il.

Son employeur lui jeta un regard agacé.

— De chez les morts, qu'est-ce que vous croyez ?

Austen cligna des yeux.

— Mais… n'est-ce pas mauvais pour la santé ?

— Qu'est-ce qui vous fait croire que c'est plus sain
si vous allez chez un tailleur ?

Ils s'arrêtèrent devant une étroite vitrine et son
employeur fit un signe de la tête, comme pour illustrer
son propos. À l'intérieur, Austen vit une jeune femme
assise sur un tabouret, en train de coudre une veste
Norfolk. Malgré le froid, elle ne portait qu'une jupe de
popeline et un chemisier défraîchi ; mais comme elle
n'avait pas encore fixé les manches de la veste, elle
avait passé ses bras à travers pour se réchauffer. Austen ne put s'empêcher de remarquer qu'elle ne portait
pas de corset. Lorsqu'elle toussait, sa poitrine se
balançait librement sous son chemisier.

— Voilà, commenta son employeur, pourquoi on ne
doit jamais lésiner sur son tailleur. Elle a une mauvaise
toux et elle ne peut s'offrir de charbon, alors pourquoi

est-ce qu'elle n'enfilerait pas les manches pour avoir un peu plus chaud ? Et si la pauvre vieille attrape quelque chose, dix contre un que vous l'aurez aussi, quand vous mettrez vos belles fringues toutes neuves.

Austen garda le silence. Il se rappelait que sa sœur Iphigeneia avait survécu de justesse à un accès de typhus, à Noël, peu après avoir pris livraison de son nouveau tailleur d'hiver. Jusque-là, il n'avait fait le lien entre les deux que parce qu'Iffy s'était plainte de devoir faire ajuster le vêtement, après avoir autant maigri.

— Venez, lui dit son employeur. Je veux jeter un coup d'œil à mon ancien quartier.

Au soulagement d'Austen, ils hélèrent un fiacre et son employeur commanda au cocher de les emmener à East Street, au sud du fleuve. Tandis qu'ils traversaient le Strand, il lui demanda soudain :

— Vous vous rappelez Holywell Street ?

Les oreilles d'Austen rougirent.

— Euh, je ne peux pas dire que je…

— Bien sûr que si ! Tout le monde connaît Holywell Street. Les meilleures boutiques de pornographie de Londres. Ma sœur Lil se faisait des bonnes rentrées en posant pour des photos. Dommage qu'on l'ait démolie pour faire place au Strand.

Austen sentit qu'il commençait à moins apprécier ce « petit tour ». Où son employeur voulait-il en venir, et pourquoi le lui infligeait-il ? Espérait-il l'humilier ? Le tenait-il pour responsable, en tant que membre de la pairie ?

Pour finir, le fiacre s'arrêta dans une partie misérable de Lambeth. Austen s'efforçait de voir à travers la vitre, non sans appréhension. Mais, à son grand soulagement, son employeur demanda au cocher d'attendre.

— Nous y sommes, annonça-t-il avec un grand geste ironique. East Street. Mon Dieu, comme ça a changé…

« En mieux ou en pis ? » se demanda Austen, résistant à l'envie de sortir son mouchoir et de le presser contre sa bouche.

Des façades d'immeubles décrépis s'élevaient de part et d'autre de la rue, et du linge taché de suie pendait aux fenêtres. Au milieu de la chaussée, une flaque brune et huileuse s'étalait à l'entrée d'une canalisation bouchée, d'où s'échappait une puanteur si forte qu'elle lui soulevait le cœur et faisait danser des points noirs devant ses yeux.

Trois galopins au visage mangé par les puces les contemplaient depuis une porte. Une femme à l'allure malpropre se grattait le bras avec une vigueur indiquant clairement la présence de poux. Au-dessus de son oreille, elle avait un morceau sanguinolent de cuir chevelu nu, là où une touffe de cheveux lui avait été arrachée jusqu'aux racines.

— Avant, c'étaient seulement des maisons – cinq familles pour une maison – murmura son employeur, en secouant la tête. Il n'y avait pas ces fichus immeubles.

— Je croyais que vous viviez au nord du fleuve, parvint à dire Austen, d'une voix contrainte.

— À Shelton Street ? C'était après, après la mort de Ma.

Un des galopins s'était approché d'eux. Il avait les pieds nus et couverts de croûtes, un visage pâle et chafouin, et paraissait évaluer ce qu'il pourrait leur voler. L'employeur d'Austen avait levé les yeux vers les fenêtres, mais il sentait le regard du gamin, et il finit par se tourner vers lui.

— À ta place, je ne ferais pas ça, lui déclara-t-il doucement.

Le gamin croisa son regard et recula.

— Vous avez dit que votre mère était morte, observa Austen. Comment est-ce qu'elle ?...

Son employeur secoua la tête, le visage impassible.

— Je ne sais pas. Un jour, elle ne s'est simplement pas réveillée. Nous avons pensé que peut-être Pa l'avait frappée un peu plus fort que d'habitude. (Il fit une pause avant de poursuivre.) C'était l'été, et nous n'avons pas eu les moyens de l'enterrer pendant une semaine. Bon Dieu, cette odeur, je ne l'oublierai jamais !

Austen avala péniblement sa salive.

Ils firent demi-tour et revinrent vers le fiacre, mais au bout de quelques pas Austen s'aperçut que le galopin les suivait.

— Il n'abandonne jamais ! constata son employeur en riant. Tiens, ajouta-t-il en lançant une pièce au garçon. Pour ta persévérance.

Comme ils arrivaient au fiacre, il jeta un dernier coup d'œil en arrière.

— Vous voyez, là-bas ? lança-t-il à Austen en lui montrant une fenêtre. Des journaux... Je vous l'ai dit, ça ne rate jamais... Mais derrière celle-là, ajouta-t-il en en désignant une autre avec une touche de mépris, ils ont des prétentions : un morceau de papier peint volé dans un chantier de construction...

— Et alors ? ne put s'empêcher de répliquer Austen. Qu'est-ce qu'il y a de mal à ça ? Au moins, ils essaient...

— Ils essaient d'être quoi ? Respectables ?

— Eh bien, pourquoi pas ?

— Respectables. *Respectables...* (Ses yeux verts étincelèrent.) C'est quand on rêve de respectabilité qu'on reste dans des endroits comme ici. La mère d'Isaac était « respectable ». Il m'a raconté un jour qu'elle avait l'habitude de mettre son chapeau pour brosser son foutu pas de porte. Et quand elle apportait un paquet de fringues au mont-de-piété, elle le cachait sous son manteau pour que personne ne la voie... Austen, si j'avais été comme ça, je serais toujours ici, à East Street. Je serais intimidé par des gens comme vous.

Austen ne sut que répondre.

Ils remontèrent dans le fiacre, et son employeur donna au cocher l'adresse d'une œuvre de charité, dans Centaur Street. Tandis qu'ils roulaient sur les pavés, Austen s'éclaircit la gorge.

— Pardonnez-moi, Mr Kelly, mais il faut que je vous pose une question : pourquoi m'avez-vous emmené aujourd'hui ?

— Qu'est-ce que vous voulez dire ?

Austen se mit à rougir.

— Vous sentez que je suis mal à l'aise, j'ai l'impression que ça vous fait plaisir, et je ne trouve pas que ce soit juste. Je veux dire, il est certain que j'ignore tout des pauvres, mais je ne crois pas mériter pour autant d'être blâmé ou... humilié. Après tout, jusqu'à ces derniers temps, vous-même n'en connaissiez pas beaucoup sur... eh bien, sur...

— ... sur les clubs pour gentlemen, et sur Fortnum's, et sur l'art de monter à cheval à Rotton Row. Pourquoi je vous ai emmené ? Je me suis posé la question moi-même. Mais vous vous trompez : ce n'était pas pour vous humilier. Je ne pensais pas du tout à ça. Je suppose que... je voulais un témoin.

— Un témoin ?

Son employeur contempla un moment la foule qui se pressait sous la pluie.

— Tant de changements, murmura-t-il comme pour lui-même. La moitié des vieux taudis nettoyés. Les cages à lapins abattues. Même Holywell Street est partie. Comme si rien de tout ça n'avait jamais existé. Comme si aucun d'eux n'avait…

Il s'interrompit, secoua la tête.

— Je ne suis pas sûr de bien comprendre, souffla Austen.

— Je ne suis pas sûr que ce soit nécessaire, commenta son employeur.

Austen posa les mains sur le pommeau de sa canne et résolut de se taire.

Le fiacre arriva enfin devant une petite maison miteuse, dans une rue pavée au sud de Waterloo, avec un pont de chemin de fer qui passait au bout. Au-dessus de la porte, un panneau à la peinture écaillée annonçait : Œuvre de charité de St. Cuthbert pour les pauvres méritants. Par les fenêtres sales, Austen apercevait des gens à l'intérieur. Il allait faire la remarque que l'endroit était plutôt bondé quand il remarqua le brougham arrêté de l'autre côté de la rue.

Son cœur fit un bond dans sa poitrine : c'était la voiture de cette fascinante jeune veuve de New Cavendish Street. Il en était sûr. Il reconnaissait l'éraflure en forme de « L » sur le panneau de la porte.

— Est-ce que… nous entrons jeter un coup d'œil ? s'enquit-il d'une voix étranglée.

Son employeur secoua la tête.

— Non, je voulais juste voir.

La déception d'Austen était si grande qu'il en grimaça presque.

— C'est un peu dommage, non ? hasarda-t-il. Je veux dire, être venu jusqu'ici…

— Allez-y si vous voulez, je resterai ici.

— Non, non, murmura Austen conscient qu'il n'aurait jamais le courage d'y aller seul.

Son employeur se pencha alors en avant et frappa au plafond du fiacre, pour indiquer au cocher de poursuivre son chemin.

« Une autre chance d'envolée », songea Austen, plein de rancœur envers lui-même. Bon sang, c'était sans doute la meilleure occasion qu'il aurait jamais, et il l'avait laissé filer !

Tandis que le fiacre redescendait la rue, Sophie enregistrait l'appel exaspéré du révérend Agate à un peu de calme et de silence, tout en s'efforçant d'entendre la demande murmurée par la vieille Mrs Shaughnessy d'un certificat pour le dispensaire. Mais elle priait également Mrs Carpenter d'attendre son tour, et, enfin, tentait d'ignorer Sibella qui se tenait à la fenêtre, un mouchoir ostensiblement pressé sur la bouche.

— Sophie, dépêche-toi ! s'écria celle-ci, élevant la voix pour couvrir les pleurs du bébé de Mrs Carpenter. Je ne peux pas laisser la voiture attendre plus longtemps dans un endroit comme celui-ci.

Le révérend Agate lui lança un regard indigné, qu'elle ignora.

— Je serai prête dans un instant, répondit Sophie, en le regardant avec soulagement remonter dignement l'escalier.

Elle tendit son certificat à Mrs Shaughnessy, puis prit une bouteille de sirop calmant sur l'étagère et la donna à Mrs Carpenter.

— Une cuillerée à thé trois fois par jour, recommanda-t-elle, tout en s'efforçant de ne pas regarder le bébé, qui était fort laid et avait de la morve au nez.

Quand la porte se fut refermée en tintant derrière la dernière quémandeuse, elle souffla, puis s'assit à son bureau, posa ses coudes sur la pile de registres et prit sa tête dans ses mains. Ses tempes la lançaient, la fatigue lui piquait les yeux. Elle n'avait pas dormi correctement depuis plusieurs jours, s'inquiétant au sujet de Fever Hill, se demandant si Madeleine avait déjà reçu sa lettre.

Pourquoi tout était-il si compliqué ? Elle était impatiente d'en être déjà à la semaine suivante, quand Alexander et Sibella seraient à bord du vapeur postal, en route pour la Jamaïque. Elle aurait voulu, aussi, avoir la force de jeter les registres du révérend Chamberlaine, au lieu de les laisser s'empiler sur son bureau. Elle commençait à trouver sa froideur et sa causticité étrangement déprimantes.

Sibella suivit des yeux par la fenêtre, avec un mélange de dégoût et de fascination, Mrs Carpenter qui s'éloignait dans la rue, portant sur sa hanche l'enfant qui continuait de pleurnicher.

— Sophie, comment est-ce que tu peux supporter ça ? Jamais je n'aurais envisagé de venir ici, si j'avais su que ce serait moitié aussi infect.

— Je ne t'ai pas demandé de venir, murmura Sophie.

Sibella pinça les lèvres et rétorqua :

— Pardonne-moi de vouloir délivrer une amie des horreurs de la ligne de Bakerloo…

Sophie ne répondit rien. Son regard était tombé sur une page du registre qui reposait, ouvert, au-dessus de la pile. « *22 JANVIER 1889*, lut-elle. *Mrs Bridget Kelly,*

39, East Street. » Quelque chose dans l'adresse lui était vaguement familier.

— Tu attendais des visiteurs ? lui demanda Sibella.

— Pardon ?

— Ce fiacre. Il s'est arrêté là-dehors, puis il est reparti.

— Ils cherchaient peut-être leur chemin.

« East Street. Les Kelly d'East Street... Oh, mon Dieu. Non ! »

« On vivait dans deux pièces dans East Street », lui avait raconté Ben, ce jour-là, à la clinique. Elle n'y avait pas repensé depuis des années – elle n'avait pas voulu y repenser –, mais le souvenir en était encore si vivace qu'elle le revoyait presque en train de prononcer cette phrase.

— Si tu as fini, repartit, Sibella d'un ton impatient, nous pouvons y aller... Sophie ? Est-ce que tu m'écoutes ?

— Oui, un instant...

Elle tendit une main hésitante, toucha le registre. Soudain, elle avait peur. Elle ne souhaitait pas savoir ce qu'il disait. Pourquoi le devrait-elle ? C'était il y a tant d'années...

Mrs Bridget Kelly, lut-elle, *39, East Street. Immigrante irlandaise. 32 ans, mais en paraît 50 – elle est si ravagée & négligée. Le mari, Padraig, charbonnier aux grossières idées radicales, actuellement « souffrant » (c'est-à-dire qu'il boit), qui a été licencié pour avoir assisté à une réunion « syndicale », et apprend maintenant que le monde peut se passer de lui. La famille doit 5 semaines de loyer à 10 £ par semaine, la logeuse exige 15 £ comptant, Mrs Kelly dit qu'elle ne les a pas ; elle dit qu'ils devront déménager dans des chambres meublées*

moins chères si elle ne peut pas les trouver. Elle
gagne 2,6 pence la semaine au travail à la pièce, &
les enfants contribuent. Le fils aîné, Jack, 14 ans,
travaille comme chef d'équipe à 4 £ par semaine.
Les filles, Katherine, 15 ans, & Lilian, 13 ans, sont
dévideuses de soie à 2 £ chacune, mais largement
signalées comme se livrant à des activités immora-
les, même si, bien sûr, Mrs Kelly le nie. Benedict,
8 ans, est censé « être à l'école » ; Robert, 2 ans, est
rachitique ; et le bébé qui vient de naître est jaune
& laid.

« Benedict », se répéta-t-elle, sous le choc. J'avais
toujours cru que c'était Benjamin, ou simplement Ben.

Elle n'essaya même pas de se convaincre que c'était
une autre famille. C'était la sienne, à coup sûr.

Était-ce en fait pour cette raison qu'elle avait pris ce
poste à St. Cuthbert ? Était-ce pour cela qu'elle avait
parcouru volume après volume les registres du révérend Chamberlaine ?

Eh bien, elle avait maintenant sa récompense : ce
martèlement fiévreux dans sa poitrine, cette conviction
lancinante que, où qu'elle aille et quoi qu'elle fasse,
elle ne serait jamais délivrée de lui.

— Sophie ! s'écria Sibella. Je vais vraiment perdre
patience...

— J'arrive, murmura-t-elle tout en parcourant encore
quelques lignes.

Manifestement, écrivait le révérend Chamberlaine,
les Kelly sont loin d'être respectables, et absolu-
ment indignes de toute forme d'aide. Je l'ai dit à
Mrs Kelly en termes très nets, et j'ai suggéré, comme
ils sont catholiques, qu'elle s'adresse aux autorités

*de St. George. Elle m'a répondu que St. George
l'avait déjà rejetée, & que nous étions son dernier
recours. Comme c'est flatteur ! Demande refusée.*

Sophie demeura quelque temps sans pouvoir détacher les yeux de l'écriture en pattes de mouche, penchée vers la gauche. Puis elle referma le registre, le
rajouta à la pile des autres volumes, et entassa le tout
dans la corbeille à papier. Enfin, elle fourra un vieux
journal par-dessus, pour les recouvrir.

Ensuite, elle se leva et frotta ses paumes sur ses
cuisses, comme pour faire disparaître la moindre trace
d'eux.

— Voilà, lança-t-elle à l'adresse de Sibella. Je prends
mon chapeau, et nous y allons.

Chapitre 22

Tout est différent depuis que Pa s'est fait virer.

Quand ils habitaient East Street, Ben était toujours dehors à chaparder à droite à gauche avec Jack ou Lil. Mais maintenant ils ont déménagé au nord du fleuve, Lil est tout le temps dans Holywell Street, Jack a trouvé un boulot aux docks et est parti vivre dans un foyer sur West India Dock Road. Ben n'aurait jamais cru qu'il lui manquerait, mais si.

Il n'aurait jamais cru non plus que Ma lui manquerait, ni le bébé, mais si. Tout est différent. Pa est tout le temps au Lion, et quand il rentre il crie sur Kate ou il la regarde comme fait un chat avec une souris, ce qui est encore pire. Et Kate est différente, elle aussi. Elle a cet air méfiant quand Pa est dans le coin, et elle ne rit plus.

Robbie est le seul qui est resté pareil. Il n'a même pas remarqué qu'ils ont quitté East Street. Il s'est juste trouvé un coin dans la nouvelle pièce et s'est installé pour attendre une autre araignée. Hier, Kate a dit à Ben que quelque chose ne va pas chez Robbie.

— Il lui manque une case quelque part. Il va falloir que tu veilles sur lui, Ben. Tu es le grand frère, maintenant.

La façon dont elle a dit ça ! Ça lui a fait froid à l'intérieur.

— Mais tu seras là, toi aussi, a-t-il répondu. Tu veilleras sur lui aussi.

Elle a posé la violette qu'elle venait de finir et a tendu la main pour en commencer une autre.

— Oui, mais pas toujours.

— Pourquoi pas ?

— Parce que je ne serai pas toujours là.

— Mais tu viendras à la cueillette du houblon, hein ? À la fin de l'été, on va toujours dans le Kent pour le houblon.

Elle a ouvert la bouche, puis l'a refermée.

— Je viendrai si je peux.

Ça se passait hier, et ça l'a rongé depuis. Qu'est-ce qu'elle voulait dire avec : « Si je peux ? » Qu'est-ce qu'elle voulait dire ?

Alors ce matin, il est descendu aux docks pour demander à Jack, mais Jack ne pouvait pas lui parler.

— Casse-toi, lui a-t-il lancé, sans même s'arrêter. Si je cause pendant le travail, je serai viré. Tu sais pas encore ça ?

Alors, Ben a attendu toute la journée qu'il ait fini. Mais lorsqu'il y a eu le coup de sifflet, Jack est passé devant lui et est allé directement dans le foyer. Ben n'a pas voulu le suivre à l'intérieur. Jack est un docker à présent. Il serait capable de lui casser la figure, s'il le voyait entrer là-bas.

Ben déteste les docks, et pas seulement parce qu'ils lui ont pris son grand frère. Il déteste les matelots indiens tatoués, et les Négros et les Américains. Il déteste le vacarme des grues à vapeur et le bruit de ferraille des chariots. Mais surtout, il déteste le sucre.

La première fois où il est venu, il a trouvé que c'était génial. Des sacs et des sacs de sucre. Partout sur les quais, bruns et poisseux, et cette odeur qui flotte dans l'air. Bientôt on s'en bourre les poches, on s'en fourre dans la gueule – et puis on tombe sur les genoux et on vomit le tout.

Elle vous suit partout, cette odeur de sucre. Elle colle à vos fringues, à votre peau, à vos rêves. Il la sent sur lui en ce moment, alors qu'il retourne à Shelton Street.

Il est crevé, vraiment crevé. Les pieds douloureux, des points noirs devant les yeux, et il a si faim que ça lui fait mal. Mais il arrive juste dans leur rue quand il se rappelle qu'il devait s'arrêter chez le pharmacien et prendre un penny de bâton noir pour Lil. Merde alors ! Elle va être furax qu'il ait oublié.

— C'est pour quoi faire ? lui a-t-il demandé ce matin, quand elle lui a donné le penny.

Elle a fait l'étonnée.

— Hein, tu sais pas ?

— Allez, Lil, c'est pour quoi ?

Elle a souri.

— Tu en coupes un morceau, tu en fais des pilules, et hop ! tu es plus enceinte.

— Tu parles…

— Sans blague, c'est vrai. Ça marche super bien. Sauf que tu dois faire attention parce que c'est du plomb, alors si tu en prends trop, tu deviens toute bleue et tu claques. De façon atroce.

Elle a fait une grimace, et ils ont ri tous les deux.

Lil est okay. Mais elle devra attendre jusqu'à demain pour son bâton noir, parce qu'il est trop crevé pour y retourner maintenant. En plus, c'est pas sa faute à lui si elle est en cloque.

Il arrive à la maison, et il sait immédiatement qu'il y a des problèmes. Tous ces cris et ce vacarme qui viennent de là-haut, de chez eux ! Il s'arrête en bas de l'escalier, et d'un seul coup, il a le cafard. Il ne veut pas de problèmes. Il veut juste se traîner dans le coin avec Robbie et piquer un roupillon.

Voilà que la porte s'ouvre, et Pa sort. Il descend l'escalier en trébuchant, puis il aperçoit Ben et s'arrête en tanguant sur ses jambes. Il a un sérieux coup dans le nez et il n'est pas trop stable sur ses guibolles, mais assez quand même pour prendre son fils par l'épaule et le secouer comme un rat.

Ben ne veut pas crier, pas question. Il ne respire pas, ne bouge pas, il attend juste que ça s'arrête.

Pa approche son visage et le fixe dans les yeux. Il a l'air en colère mais aussi autre chose, comme s'il avait honte. Puis il pousse Ben contre le mur et il s'en va.

Ben se relève en se frottant l'épaule et se dit que ça n'est pas trop grave. Pa va rester au Lion pendant au moins deux heures, donc tout va bien.

Une minute plus tard, c'est Kate qui sort sur le palier, et le cœur de Ben manque de s'arrêter. Elle est toute pomponnée, dans sa robe bleue, et a mis le chapeau avec les violettes autour du bord. Mais elle a un œil fermé tellement il est enflé, et elle a perdu des boutons sur le devant de sa veste. Puis il voit le sac de voyage dans sa main, et c'est comme s'il avait reçu un coup dans le ventre. Non, non, non !

Il repousse sa casquette vers l'arrière de sa tête et il prend l'air joyeux. Peut-être que s'il est joyeux, elle ne partira pas ?

— Où tu vas comme ça ? il lui demande.

Elle descend l'escalier, le sac cognant contre sa jambe, puis elle s'assied sur la marche du bas.

— Viens ici, Ben, elle lui dit, d'une voix très basse et très calme.

Vu de près, son bon œil est très bleu, mais aussi tout entouré de rouge.

— Ben, elle reprend, en lui frottant le bras comme si ça allait arranger les choses. Il faut que je parte, Ben…

Il ouvre la bouche, mais rien ne sort. Il reste juste là, bouche bée, comme un poisson.

— Il faut. Je ne peux plus rester ici.

Il essaie d'avaler sa salive, mais il ne peut pas. Il a cette masse coincée dans sa gorge, comme un morceau de pain ou quelque chose d'autre.

— Je vais retrouver Jeb, continue-t-elle sans le regarder. Je t'enverrai un mot, dès que je saurai où nous habiterons. Mais tu dois promettre de ne pas le dire à Pa.

— Kate, non…

Il tend la main pour lui toucher le visage, mais il le manque et fait tomber une violette de son chapeau. Il la ramasse, l'essuie et tente de la remettre dessus, mais il n'y arrive pas. Tout tourne autour de lui, il y voit à peine.

— Si je reste ici, assure Kate, je finirai par le tuer. Ou c'est lui qui me tuera.

— Je le tuerai pour toi, murmure Ben.

Elle lui touche la joue.

— Oui, tu le ferais, petit idiot. C'est encore une raison pour que je parte d'ici.

— Je viens avec toi, dit-il en lui prenant la main.

— Non, ce n'est pas possible, répond Kate avec un petit air triste.

— Pourquoi ? Je serai toujours…

— Ben, non. Jeb ne peut pas te prendre toi aussi. Comment est-ce qu'il ferait ? Il a à peine les moyens de me prendre moi, alors toi et Robbie…

— Je me fiche de Robbie !

— Il ne faut pas. Tu dois rester ici et veiller sur lui. Tu es le grand frère, maintenant.

— *Non, Kate, non. Non !...*

Il est encore en train de crier au moment où elle le bouscule pour passer, ensuite elle ouvre la porte et sort en courant dans la rue.

Quelqu'un frappa à la porte de son bureau ; Ben releva la tête et regarda autour de lui, comme s'il ne reconnaissait pas les lieux. Il prit une grande inspiration, se passa les mains sur le visage. Puis il s'éclaircit la voix.

— Qu'est-ce que c'est ?

Le majordome ouvrit la porte.

— Mr Warburton désire vous voir, monsieur.

Ben regarda la pendule sur le bureau : dix heures du matin. Warburton était à l'heure, comme d'habitude. Les détectives privés semblaient y mettre un point d'honneur.

Il contempla ses mains, sur le bureau en maroquin vert, s'efforça de revenir à la réalité. Cela faisait trois heures qu'il avait émergé de ce rêve, pourtant il ne pouvait toujours pas s'en défaire. Il en était sorti épuisé, avec l'impression lancinante d'une perte.

Le majordome toussota discrètement. Ben se redressa dans son fauteuil.

— Faites-le entrer, dit-il.

Sophie entendit la porte d'entrée s'ouvrir et se refermer furtivement. Elle enfila son peignoir et sortit sur le palier pour écouter.

En bas, dans le hall, Mrs Vaughan-Pargeter renvoya la femme de chambre et alla, sur la pointe des pieds, accueillir elle-même Sibella Palairet.

— Je suis *tellement* désolée, ma chère, murmura-t-elle, secouant si vivement la tête que ses joues poudrées en frémirent, et que ses perles de jais fusèrent sur la mousseline de soie de sa robe, mais j'ai très peur qu'elle ne veuille voir personne.

— Même pas moi ? murmura Sibella, interloquée.

Mrs Vaughan-Pargeter secoua de nouveau la tête.

— Le problème, c'est qu'elle est toujours très déprimée. Elle ne veut rien manger, on dirait que plus rien ne l'intéresse. C'est entièrement la faute de cet homme affreux, affreux...

— Mais sûrement, elle...

Leurs voix s'évanouirent quand elles passèrent dans le salon.

Sophie retourna dans sa chambre, ferma la porte et s'adossa contre elle. La distance jusqu'au lit lui paraissait infranchissable. Elle glissa jusqu'au sol, entoura ses genoux de ses bras.

« Cet homme affreux, affreux. »

Le révérend Agate n'était pas un homme affreux. Il avait raison et c'est tout. Il avait eu raison d'être en colère, et horrifié, et soulagé. Il avait eu raison de s'emporter.

— Vous auriez pu tuer cet enfant ! avait-il crié, en brandissant la bouteille incriminée.

Un opiacé assez fort pour endormir profondément un adulte – et Sophie l'avait donné à Mrs Carpenter pour apaiser son bébé.

« Vous auriez pu tuer cet enfant ! »

Bien sûr, le révérend Agate s'était emporté. Quelle importance, pour lui, que Sophie ait fait une erreur, une simple erreur ? Quelle importance que le bébé se soit finalement réveillé sans dommage, après avoir donné à sa mère ses premiers moments de paix depuis plusieurs mois ? Ce qui comptait pour lui, c'était qu'il était tenu pour responsable de l'incident. Il y avait eu des questions posées par le pasteur et par les administrateurs de St. Cuthbert, une note sévère du médecin du dispensaire. Mrs Carpenter avait forcé sa porte et l'avait houspillé comme une poissonnière, dans l'espoir d'en tirer un dédommagement.

« Vous auriez pu tuer cet enfant ! »

Les mots tambourinaient à ses oreilles, semblaient résonner contre les murs.

Elle était hantée par l'arbitraire apparent de la situation, l'absence de tout signe d'avertissement. Elle avait commencé ce jour fatal comme elle en avait commencé tant d'autres avant lui ! Elle avait pris un bain, s'était habillée, avait déjeuné et ouvert ses lettres. Ensuite, elle était allée à St. Cuthbert – avec la sensation de léger ennui, pas désagréable, qui l'y accompagnait toujours. Elle avait tranquillement discuté avec le révérend Agate ; puis l'après-midi avait été plus animé, Sibella était arrivée à l'improviste.

C'est alors que, sans s'en rendre compte, elle s'était avancée jusqu'au bord du précipice. Elle avait donné la mauvaise bouteille à Mrs Carpenter, et l'avait laissée repartir avec. Seule la constitution de fer du bébé lui avait évité une accusation d'homicide involontaire. Si ce bébé avait été un peu plus faible, ou Mrs Carpenter un peu plus généreuse avec le « sirop calmant », Sophie Monroe aurait tué un enfant.

« Sophie Monroe, tueuse d'enfant. » Chaque fois qu'elle y repensait, elle en avait des sueurs froides.

Elle ne pourrait jamais retourner à St. Cuthbert. Elle ne pourrait jamais plus affronter personne en face. Toutes ses idées sur Ben et sur les registres du révérend Chamberlaine, balayées ; Fever Hill n'avait plus d'importance. Rien ne comptait plus que *ça*.

Le révérend Agate avait raison : elle ne devait pas essayer d'aider les gens, ni de se rapprocher des malades.

Elle avait l'impression d'être au sommet d'un volcan et de voir la mince croûte se briser sous ses pieds, pour dévoiler la lave orange qui bouillonnait par en dessous. Il suffisait d'une simple erreur, et un enfant mourait. La mauvaise bouteille prise sur une étagère dans un moment d'inattention. Le moindre symptôme qu'on ne voit pas, ou qu'on interprète de travers. Le mal d'estomac anodin en apparence, qui se révèle être une fièvre cérébrale mortelle.

Comme si tout recommençait, elle se remémorait ces jours terribles après la mort de Fraser. Tout le monde lui répétait sans cesse que ce n'était pas sa faute, mais ça l'était. Elle le savait.

Elle jeta un coup d'œil au coffret à bijoux sur la coiffeuse. Dans le casier du bas se trouvait une petite enveloppe couleur ivoire, contenant un papier de soie bleu plié en quatre et, à l'intérieur, une mèche de cheveux de son neveu.

Clemency la lui avait offerte le jour où elle avait quitté Eden, et cette fois, elle n'avait pas osé refuser. Pendant toutes ces années, l'enveloppe était restée dans le fond de son coffret à bijoux : jamais regardée, mais jamais oubliée non plus. Maintenant, elle pouvait presque la voir s'ouvrir toute seule sous ses yeux.

« Vous auriez pu tuer cet enfant ! »

Comment avait-elle jamais osé aider les malades ? Comment avait-elle jamais osé faire quoi que ce soit ?

Le détective privé était assis sur le bord de son fauteuil et passait un doigt à l'intérieur de son col de Celluloïd à bon marché. C'était un homme honnête, méticuleux, imaginatif et inquiet. Ben devinait qu'il avait une femme inquiète et une couvée d'enfants inquiets.

— À ce jour, expliqua-t-il, en scrutant avec inquiétude son calepin, comme si ce dernier pouvait contenir une information qu'il aurait oubliée, un certain progrès a été fait concernant votre... concernant la mère, monsieur. (Il fit une pause.) Malheureusement, les, heu... les dépouilles s'avèrent relativement inaccessibles.

Ben se pencha en arrière dans son fauteuil, tapota le dessus du bureau avec son stylo.

— Ce qui veut dire ?

Le détective passa de nouveau un doigt sous son col.

— Je suis au regret de vous l'apprendre, mais... voyez-vous... une certaine... construction, disons, a été bâtie sur ce qui était autrefois le cimetière.

— Quel genre de construction ?

— Une... une brasserie.

Ben réfléchit quelques instants, puis éclata de rire. Pauvre vieille Ma ! Elle n'avait jamais eu beaucoup de chance quand elle était en vie, et voilà qu'ils étaient allés lui coller une fichue brasserie au-dessus d'elle...

Le détective était déconcerté ; il baissa les yeux vers ses notes, puis les releva, et fit mine de s'intéresser à l'aménagement du bureau qui l'entourait.

Ben cessa de rire aussi brusquement qu'il avait commencé. Il tapota de nouveau le dessus du bureau.

— Et pour la… sœur aînée ?

Ça le mettait en colère de ne pouvoir se résoudre à prononcer son nom. Mais il ne le pouvait pas, pas après ce fichu rêve.

— Ah oui, euh, Katherine… Je regrette, monsieur, déclara le détective, la mine sombre. Rien encore.

Ben posa le stylo et se frotta les tempes.

— Mais pour le plus jeune frère, enchaîna son interlocuteur, d'une voix plus animée, les choses commencent à avoir l'air, disons, prometteuses. Je pense que je peux aller jusqu'à vous annoncer que dans quelques semaines…

Ben lui lança un regard perçant.

— Vous êtes sûr que c'est lui ?

— Eh bien, je… je le crois.

— Vous le croyez ? Je veux une certitude.

Le détective avala sa salive. Il avait l'air d'un lapin piégé dans un cercle de lumière.

— Bien sûr, monsieur. Monsieur a toujours été des plus clairs là-dessus. Et j'ai noté ici tous les… les moyens d'identification : les plaques, les crucifix, et ainsi de suite. (Il leva son calepin comme une preuve.) Vous pouvez compter dessus, monsieur. Il n'y aura pas d'erreur.

— Cela vaudrait mieux, répliqua doucement Ben, sans cesser de fixer l'homme dans les yeux. Si vous me trompez, je le saurai, souvenez-vous-en.

Quelques gouttes de sueur perlèrent au front du détective.

— Monsieur, je n'imaginerais pas un instant… Vraiment, je n'imaginerais jamais de…

Ben se laissa aller contre le dossier de son fauteuil, passa une main sur ses yeux. Il s'en voulait de rudoyer ce pauvre homme, cet honnête homme qui, bien sûr, n'oserait pas lui mentir. C'était même pour ça qu'il lui avait confié ce travail.

— Autre chose ? demanda-t-il.

Le détective retourna à son calepin, d'un air plein d'espoir, mais ses épaules s'affaissèrent.

— Pas vraiment, non.

Soudain, toute son énergie parut l'abandonner. Il semblait réellement croire qu'il allait être congédié.

Ben se frotta de nouveau les tempes. Tant d'efforts, et il ne parvenait toujours pas à retrouver Kate !

Pourtant, elle le voulait aussi. Oui, elle le voulait sûrement. Tout ce qui était arrivé, les rêves, et cette fois en Jamaïque où elle était apparue à Evie le montraient bien.

« Mais pourquoi en Jamaïque ? » se demanda soudain Ben. Pourquoi seulement là, et jamais au Brésil, en Sierra Leone ou au Panama ?

La *Jamaïque*.

Il se redressa. Était-ce cela que Kate essayait de lui dire ?

Son cœur s'emballa dans sa poitrine, il en oublia sa fatigue. La *Jamaïque !* Il projetait d'y retourner depuis un certain temps, maintenant ; juste pour leur montrer ce à quoi il était arrivé, peut-être donner une leçon à un ou deux d'entre eux. Alors, pourquoi ne pas y emmener aussi ses morts ?

Pourquoi n'y avait-il jamais pensé jusque-là ? C'était parfait, pourtant : l'air propre et doux, la chaleur, les couleurs. Tout ce qu'ils n'avaient jamais eu quand ils étaient vivants.

Il jeta un coup d'œil au détective qui était docilement assis, tête baissée, attendant d'être licencié.

— Dans quelques jours, lui dit-il, je vais quitter Londres pour de bon.

Le détective releva la tête, lui adressa un petit sourire crispé.

— Très bien, monsieur.

— J'irai à la Jamaïque.

Les épaules étroites de l'homme s'affaissèrent.

— Oui, monsieur.

— Je voudrais que vous continuiez votre travail, que vous redoubliez d'efforts. Je vais vous verser un acompte mensuel, disons de dix livres. Est-ce que ça ira ?

La bouche du détective s'ouvrit, deux taches de couleur apparurent sur ses joues cireuses.

— Est-ce que ça ira ? répéta Ben.

— Oui, monsieur. Bien sûr, monsieur. Et… si vous me permettez de le dire, monsieur, c'est très généreux…

— Je veux un rapport chaque semaine, sans faute.

« *Rapports hebdomadaires* », inscrivit l'homme de son écriture soignée, et il le souligna deux fois. Puis il releva la tête et demanda :

— Et où devrai-je, heu ?…

Ben leva la main.

— Vous verrez les détails avec mon secrétaire. Mais surtout, soyez ponctuel, et adressez vos rapports à lui plutôt qu'à moi : l'Honorable Frederick Austen, Fever Hill, Trelawny.

Le détective acquiesça, et nota le tout dans son calepin.

Le rideau venait de tomber sur le premier acte du *Trouvère* ; Sibella était déjà sortie pour aller voir une connaissance dans une autre loge, après avoir envoyé Alexander commander du champagne.

Sophie n'en voulait pas, mais Sibella avait insisté.

— Tu ne peux pas venir à l'opéra et ne pas prendre de champagne.

— Est-ce que nous ne pouvons pas avoir le champagne sans l'opéra ? avait suggéré Alexander.

— Stupide garçon ! avait rétorqué sa sœur. Maintenant, fais ce qu'on te dit et va le chercher.

Pendant leur absence, Sophie joua avec le gland de son sac du soir, en espérant qu'ils reviendraient bientôt. C'était la première fois depuis quinze jours qu'elle sortait de la maison, et elle ne parvenait pas à se défaire de l'impression que tout le monde la regardait. « Voilà cette femme qui a presque tué un bébé. Une affaire déplorable, déplorable ! »

C'était ridicule, bien sûr, car personne ne savait pour le bébé de Mrs Carpenter ; et s'ils avaient su, ils s'en seraient moqués. Mais c'était plus fort qu'elle, elle ne pouvait s'en empêcher.

À son grand soulagement, Alexander revint bientôt, avec dans son sillage un serveur portant un seau à glace, des verres et deux bouteilles de Piper-Heidsieck.

Tandis qu'elle les regardait, elle ressentit un élan de gratitude. Comment croire qu'une quinzaine de jours plus tôt elle avait hâte d'être libérée des Traherne… Après l'horrible événement qui s'était produit à St. Cuthbert, Sibella avait décidé, sans même en référer à Sophie, de prolonger leur séjour en Angleterre, afin d'aider son amie « pour tout », comme elle le disait. Et aujourd'hui, Sophie ne pouvait plus rien faire sans eux. Elle ne *voulait* plus rien faire sans eux, plus jamais.

Parfois, elle s'inquiétait à l'idée de devenir dépendante d'eux ; mais ensuite, la réalité lui tombait dessus : elle ne *devenait* pas dépendante, elle l'était déjà.

363

Ç'avait été une illusion, une simple illusion, d'imaginer qu'elle réussirait à vivre autrement.

Autrefois, elle avait cru qu'elle pourrait être indépendante, accomplir quelque chose par elle-même. Maintenant, elle savait que c'était une erreur. St. Cuthbert le lui avait appris.

— Sophie, déclara Alexander, tandis que le serveur quittait la loge et qu'il lui tendait un verre de champagne, Sophie… je peux vous parler un moment ?

— Bien sûr, répondit-elle avec un sourire.

Elle prit une gorgée de champagne. C'était juste ce dont elle avait besoin : glacé, brut et délicieux.

Il fit une pause, comme s'il cherchait ses mots. Elle savait ce qui allait suivre, elle y avait beaucoup réfléchi. Et elle savait que ce qu'elle allait faire était bien.

— Je ne sais pas si vous vous en souvenez, commença-t-il, mais il y a quelques semaines, je vous ai dit que j'attendrais un moment avant de vous demander si vous voudriez…

— Oui, le coupa-t-elle.

Il lui lança un regard interrogateur.

— Oui, répéta-t-elle. Alexander, la réponse est oui.

Chapitre 23

Fever Hill prit Ben complètement par surprise.

Il ne s'était jamais attendu à l'aimer. Il ne l'avait acheté que par caprice, parce que ça l'amusait d'imaginer leurs têtes quand ils l'apprendraient. Mais dès qu'il y arriva, il en tomba amoureux.

C'était en mai, juste après les pluies, et le domaine débordait de vie. L'air bourdonnait, grouillait et gazouillait. Les arbres étaient en pleine floraison – cassiers jaune citron et lauriers-roses poussiéreux, poincianas vermillon et jacarandas bleu poudré. Un matin, debout sur le grand escalier de marbre, il contempla les champs de canne scintillant au soleil et songea avec étonnement : « Oui, je suis chez moi. »

Pour la première fois de sa vie, il se sentait en paix. Plus de nervosité ni d'idées noires, plus de rêves des jours anciens. Fini avec tout cela. Il l'avait laissé derrière lui, à Londres.

Pendant deux mois, il vécut paisiblement sur la propriété. Il avait laissé la gestion du domaine au directeur qui s'en occupait déjà du temps de Cameron Lawe, avait acheté une demi-douzaine de pur-sang et entrepris de les dresser. Isaac vint passer plusieurs semaines, préférant arpenter les collines que diriger son propre domaine à Arethusa, de l'autre côté de Falmouth. Austen lui-même se plaisait ici, ayant confessé une passion pour l'étude des oiseaux.

Les semaines s'écoulèrent. Ben voyait avec amusement Isaac et Austen s'habituer l'un à l'autre, allant jusqu'à observer les oiseaux ou partir en excursion ensemble. Lui-même consacrait ses journées à de longues chevauchées solitaires et ses nuits à veiller, en buvant du rhum et en dévorant un livre après l'autre. Il était en paix.

Puis, au milieu du mois de juillet, arriva le télégramme du détective privé.

Votre frère Robbie, vos sœurs Lilian et Katherine retrouvés. Rapport suit. Demande instructions.

Robbie, Lil et Kate. Retrouvés. Après tout ce temps !

Debout dans la véranda, Ben fixait le télégramme, en essayant de chasser un bizarre et tenace sentiment d'appréhension.

« Ils *méritent* d'être ici, se dit-il avec colère. Ils méritent d'échanger la puanteur et le brouhaha de Londres contre la paix de Fever Hill. »

Mais il n'arrivait pas à chasser complètement la crainte que ce qui l'avait tourmenté à Londres le suive jusqu'ici.

Deux jours plus tard, cependant, Austen et lui montèrent dans le train pour Kingston, et s'occupèrent de prendre toutes les dispositions nécessaires pour faire venir les corps. Ils passèrent plusieurs heures dans des agences maritimes et au bureau du télégraphe. Quand Ben parlait de son frère et de ses sœurs en les appelant

« les dépouilles », il claquait fort le couvercle sur le souvenir des gamins rudes et blagueurs avec lesquels il avait grandi. Puis, lorsqu'il ne put en supporter davantage, il laissa Austen finir le travail et emmena Evie déjeuner.

Il l'invita au Constant Spring Hotel, à une dizaine de kilomètres de la ville, s'assit confortablement dans la voiture de location et goûta le plaisir manifeste de la jeune femme. Elle aima tout : la promenade dans les coteaux couverts de poincianas et de bougainvillées, le grand hôtel avec ses jardins impeccables et ses magnifiques terrasses, l'énorme menu entièrement français, sans la moindre trace de plats jamaïcains. Elle aima le fait que les convives – pour la plupart de riches touristes anglais et américains – soient tous blancs, sauf une famille de métis fortunés qu'elle crut bon de snober, car ils étaient plus foncés de peau qu'elle.

Elle portait une étroite robe de soie vert pâle qui allait bien à sa silhouette élancée, ainsi qu'un élégant chapeau de fine paille claire à larges bords, orné de fleurs en soie crème. Les deux, chapeau comme robe, semblaient coûteux, et Ben se demandait comment elle avait pu se les offrir avec son salaire de professeur. Mais il écarta cette idée comme ne le regardant pas, et complimenta Evie pour sa beauté.

Elle le remercia, avec un petit signe de tête plein de dignité, se pencha ensuite vers lui et murmura :

— Nos voisins doivent penser que je suis ta maîtresse.

— Je me faisais la même réflexion, oui. Est-ce que ça t'ennuie ?

Elle le contempla un moment, avant de lui sourire et de secouer la tête.

— Non, à condition que tu promettes d'aller t'expliquer avec le directeur de l'école si jamais le bruit se répand.

— À ton service.

Elle prit une gorgée de champagne et lui jeta un regard malicieux.

— À propos, Ben... est-ce que tu t'es trouvé une maîtresse ?

— Tu sais très bien que non, répondit-il doucement.

Il aurait dû savoir qu'elle lui poserait la question. Et ça parut la choquer qu'il ne soit toujours pas marié à l'âge de trente ans.

— Cho ! lança-t-elle, se mettant à parler patois pour le taquiner. Tu me fais marcher ou quoi ? Qu'est-ce que tu attends ? Tu dois désespérer toutes les mères de la bonne société du nord de l'île !

— Quelle tristesse, vraiment ! répliqua-t-il d'un air pince-sans-rire. Mais, et toi ? Quand est-ce que tu me présenteras à ton mystérieux amoureux ?

— Jamais, si possible.

— Pourquoi ?

— Parce que je te connais : tu le harcèlerais et finalement le ferais fuir. Parfois, tu te conduis comme si tu étais mon grand frère.

— Parfois, c'est un peu ce que j'ai l'impression d'être.

— Mais, Ben, répliqua-t-elle gentiment, je n'ai pas besoin d'un grand frère. J'ai vingt-huit ans.

Evie avait raison. Elle s'en était merveilleusement bien sortie toute seule. Elle avait un excellent poste de professeur, dans un des meilleurs collèges pour filles de l'île, une jolie petite maison dans une rue tranquille et bordée d'arbres à Liguanea, au-dessus de Kingston. Sa façon de parler elle-même avait changé : elle avait maintenant un accent créole anglicisé, ne se remettant de temps en temps à parler patois que pour rire.

Elle était à des années-lumière du vieux village d'esclaves, et Ben n'avait garde de le lui rappeler. En sept ans, elle n'était jamais retournée à Trelawny ; elle ne parlait jamais de sa mère, ni des visions qu'elle avait eues étant enfant.

Peu après son arrivée, il lui avait posé une question à ce sujet. Elle s'était tournée vers lui, les joues enflammées, et lui avait rétorqué d'un ton brusque :

— Tout ça est fini, et je te serai reconnaissante de ne jamais m'en reparler.

À en juger par la violence de sa réaction, ça ne devait pas être fini, mais il s'était abstenu de le lui faire remarquer.

Le serveur vint remplir les verres, et Evie se concentra sur sa glace à l'ananas, l'entamant à petits coups de cuillère.

— Alors, demanda-t-elle soudain, pourquoi est-ce que tu l'as acheté ? Pourquoi es-tu allé acheter Fever Hill ?

Il prit un cigare dans son étui, le fit tourner entre ses doigts.

— Je le sentais comme ça.

Si elle remarqua la vivacité de son ton, elle n'en fit pas montre.

— Mais tu aurais pu acheter n'importe quel domaine en Jamaïque. Pourquoi Fever Hill ? C'est à cause de So…

— Je ne sais pas, l'interrompit-il d'un ton sec. Est-ce que nous pouvons parler d'autre chose ?

Elle l'examina quelque temps, de ses longs yeux en amande pleins de mystère ; puis elle reposa sa cuillère et prit une gorgée de champagne.

— Tu l'as acheté parce qu'il appartenait à Sophie, énonça-t-elle ensuite, calmement.

— Evie…

— Parce que tu ne peux pas l'oublier. Parce qu'elle t'a brisé le cœur.

— Je l'ai acheté parce qu'il était sur le marché, et que j'aimais l'idée d'agacer Cornelius Traherne, marmonna-t-il entre ses dents. Maintenant, s'il te plaît, est-ce que nous pouvons parler d'autre chose ?

— Agacer Cornelius Traherne, répéta-t-elle en souriant. Voilà une idée qui me paraît sympathique.

Il fit semblant d'en être amusé, mais elle n'était pas dupe : elle avait gâché l'ambiance et elle le savait – même si elle ne regrettait rien.

Ils terminèrent leur déjeuner dans une bonne humeur un peu forcée. Ensuite, Ben ramena Evie à Liguanea et la déposa devant sa jolie petite maison. Elle lui fit promettre de ne pas rester trop longtemps avant de revenir en ville ; quand il lui répondit qu'il était occupé à Fever Hill, elle se contenta de sourire et lui souhaita bonne chance. Il ne lui demanda pas ce qu'elle voulait dire par là.

De retour à son hôtel, il trouva un mot d'Austen :

Des complications concernant le transport m'ont obligé à retourner à Port Royal. Irritant, mais les problèmes peuvent être résolus. Je serai de retour à six heures. A.

Ben jura entre ses dents. Il aurait aimé ne pas se retrouver seul à cet instant, pour éviter de ruminer sur ce qu'Evie lui avait dit.

Il sortit dans la véranda, commanda du thé et le journal, et resta un moment les mains dans les poches, à contempler les petits groupes de touristes flânant sous les palmiers royaux, et derrière eux les bateaux de pêche qui dansaient dans le port.

Le Myrtle Bank était le meilleur hôtel de la ville ; il était magnifiquement situé sur Harbour Street, avec une vue dégagée sur la mer. Comme une grande partie de Kingston, il avait été détruit par le tremblement de terre trois ans auparavant, mais avait été luxueusement reconstruit depuis. Tout y était neuf, riche et récent. « Comme moi », songea Ben. L'idée l'amusa, et le ragaillardit un peu.

Le thé arriva, et avec lui le *Daily Gleaner*. Il s'assit et se força à le lire intégralement, pour maintenir ses humeurs noires à distance. Il éplucha les nouvelles de l'étranger arrivées par télégramme aussi bien que les événements locaux. Il apprit quel cheval avait gagné la King's Purse à la réunion de Spanish Town, que la chorale métisse de Jamaïque faisait une tournée à succès en Angleterre, et que la fille du gouverneur partait sur l'*Atlanta* passer des vacances dans la mère patrie.

En dessous, il y avait un petit paragraphe qu'il faillit manquer, car un serveur était venu lui demander s'il avait besoin d'autre chose…

Arrivés par le vapeur postal hier matin, lut-il tout en congédiant l'homme d'un geste de la main, *Mr Augustus Parnell, le célèbre financier de la City, voyageant avec Mr Alexander Traherne du domaine de Parnassus, Mrs Sibella Palairet, et Miss Sophie Monroe, propriétaire jusqu'à ces derniers temps du domaine de Fever Hill. Le groupe séjournera une quinzaine de jours au Myrtle Bank Hotel, avant de partir pour Trelawny. Notre correspondant a appris avec un grand plaisir que Mr Traherne et Miss Monroe ont récemment échangé des promesses de mariage.*

Le dîner était fini, et des flots de lumière dorée ruisselaient sur les pelouses de l'hôtel. Des lucioles émaillaient de taches lumineuses les buissons d'hibiscus. Des chauves-souris plongeaient sur les papillons qui assaillaient les globes électriques sur les terrasses. Les eaux du port miroitaient dans la lumière froide et bleue de la lune.

C'était une vision paisible et Ben, debout avec Austen sur le balcon de sa suite, aurait voulu la goûter pleinement. Mais son sens du plaisir s'était dissipé comme de l'eau coulant sur du sable. D'abord les questions et les remarques d'Evie, puis cette demi-douzaine de lignes dans un journal.

« Tant pis pour la paix, songea-t-il, s'il en faut aussi peu pour la mettre à mal. »

Il alluma un cigare et contempla les petites flaques de lumière jaune sur les terrasses, en dessous de lui, où des messieurs en habit et des dames couvertes de bijoux bavardaient devant café et liqueurs. Il ne reconnut personne, et se méprisa d'espionner ainsi.

À côté de lui, Austen lui demanda si quelque chose n'allait pas. Ben secoua la tête et répondit :

— Répétez-moi un peu ce que vous m'avez expliqué tout à l'heure…

Austen hésita.

— Vous voulez dire les… heu, dispositions qui ont été prises ?

— Bien sûr, répliqua Ben d'un ton brusque. À quoi est-ce que vous pensiez d'autre ?

Austen se tut. Ben écrasa son cigare et tendit la main vers un autre.

— Répétez-le-moi encore, vous voulez bien ?

Le serveur vint enlever les restes du dîner, apportant du café et du brandy. Austen attendit qu'il soit reparti, puis redit à Ben les dispositions prises. Mais ce dernier s'était replongé dans la contemplation des terrasses, et n'en écouta pas un traître mot.

Ils avaient dîné dans sa suite, parce qu'il ne voulait pas risquer de tomber sur elle dans les salles communes. Mais il se détestait pour sa lâcheté – et plus encore pour sa stupidité. Pourquoi n'avait-il pas songé qu'elle pourrait revenir en Jamaïque ? Pourquoi n'avait-il pas songé qu'elle pourrait se marier – et que, si elle le faisait, elle choisirait sans doute le meilleur de ses prétendants, Alexander Traherne ?

Une demi-douzaine de lignes dans un journal, et sa paix s'était envolée. Il n'en fallait donc pas plus ?

Mais en quoi cela lui importait-il, où elle était ou ce qu'elle faisait ? Une demi-douzaine de lignes sur quelqu'un qu'il n'avait pas vu depuis des années ? En quoi cela comptait-il ?

Il fit les cent pas sur le balcon en fumant son cigare, conscient du regard d'Austen posé sur lui. Il se sentait lourd de colère, et aussi d'autre chose : une sorte de peur.

Fever Hill n'était qu'à six kilomètres de Parnassus. Vivrait-elle dans la grande maison avec son mari, ou Cornelius leur donnerait-il la maison de Waytes Valley ? Devrait-il subir les entrefilets de la *Falmouth Gazette* sur les cérémonies du mariage et les… baptêmes ? La jeune Mrs Traherne lui ferait-il quitter de force Fever Hill, comme elle lui avait auparavant fait quitter la Jamaïque ?

Non. *Non* ! Il ne la laisserait pas faire cela.

Derrière lui, Austen interrompit ses explications, et lui demanda s'il voulait un brandy. Ben secoua la tête et continua de faire les cent pas.

« En fait, quand on y pense, songea-t-il en regardant une mangouste glisser silencieusement sur les pelouses, tu as eu de la chance. Sans cet article du *Gleaner,* tu aurais pu tomber sur elle n'importe quand. Comme ça au moins, tu peux choisir ton moment et conduire l'affaire comme tu l'entends. »

Présenté ainsi, c'était déjà moins déplaisant. Ça pouvait même se révéler amusant. Il écrasa son cigare sous son talon et se tourna vers Austen.

— Toutes ces dispositions m'ont l'air parfaites, conclut-il. Et, à la réflexion, je prendrai ce brandy.

Sophie avait redouté son arrivée à la Jamaïque.

L'*Atlanta* était attendu le vendredi à sept heures du matin. Deux heures plus tôt, elle était sur le pont avec une poignée de touristes américains somnolents qui guettaient la première vision du port de Kingston. Ni Alexander, ni Sibella, ni Gus Parnell n'étaient encore réveillés, ce qui était conforme à ses souhaits : elle avait besoin d'être seule. Quand les montagnes pointues et vertes s'élevèrent au-dessus de l'horizon, elle dut lutter pour retenir ses larmes.

Le soleil monta rapidement dans le ciel, dissipant la brume. Les couleurs devinrent vite si intenses qu'elles en étaient aveuglantes. Elle vit des pics émeraude se dresser dans un ciel d'un féroce bleu tropical ; un éblouissement de sable blanc et de toits rouge brillant, de grands palmiers royaux tout hérissés de pointes ; le long de Harbour Street, un flamboiement de poincianas.

Elle ressentit un choc douloureux, fait de désir et de nostalgie, et une étrange sorte de peur : comme si elle émergeait d'un rêve terne, pas spécialement menaçant, mais qui durait depuis des années.

Une heure plus tard, elle était sur le quai avec les autres, reprise par le chaos familier de Kingston un matin de semaine. Elle respirait l'odeur d'encens émanant des établissements chinois, et celle, épicée, de noix de coco provenant des marmites de bouillie de maïs ; la poussière, le crottin de cheval et les pralines de noix wangla, qui devenaient collantes au soleil. Le bruit aussi était assourdissant : celui de la fanfare du régiment des Antilles venu accueillir le paquebot, mêlé au vacarme des voitures, des trams et des chariots qui passaient dans la rue. Elle se fraya un chemin à travers des monticules irisés de lutjadinés et de perroquets de mer, les charrettes à bras des colporteurs chargées des dernières prunes de juin et des premières oranges. Dans une brume de poussière rouge, elle vit des touristes empruntés dans leurs costumes blancs tropicaux et leurs casques de liège flambant neufs ; des hommes d'affaires en queues-de-pie et hauts-de-forme noirs ; des Chinois à bicyclette ; des Indiennes en saris éclatants ; des pêcheurs en salopettes bleues et chapeaux jippa-jappa. Des pickneys couraient entre les jambes des passants, et des vautours perchés sur les mâts du télégraphe, la tête rentrée dans les épaules, surveillaient la scène avec une gravité d'employés de pompes funèbres.

Pour la première fois depuis sept ans, la richesse du patois lui frappa les oreilles : « T'ois pence pou'aller à l'hôtel, me genkelman ! T'ois pence, t'ois pence seulement ! » « Des paniers pa'tout ici, me lady ! Des poissons, toutes les so'tes de poissons ! » « Prunes du paradis ! Boules de Tambrin ! Des mangues, des mangues bien mûres ! » Elle se sentait meurtrie de partout, les nerfs à vif, et était trop heureuse de laisser Alexander prendre la direction des opérations.

Il l'avait fait pendant les deux mois écoulés et, passé l'étonnement des débuts, elle y avait trouvé un grand soulagement. Il avait veillé à tout. Il avait fait publier l'annonce des fiançailles dans le *Times*, et s'était occupé avec Mrs Vaughan-Pargeter de faire les bagages de Sophie ; il avait même secrètement œuvré avec sa sœur pour constituer le trousseau de la mariée. Il avait pris les billets pour la Jamaïque, et expliqué à Sophie que, *bien sûr,* elle séjournerait à Parnassus, il n'était pas question qu'elle aille ailleurs.

Ils savaient tous les deux qu'« ailleurs » voulait dire Eden, mais qu'elle ne pouvait encore en affronter l'idée. Dans ses courtes lettres à Madeleine, elle avait évité d'aborder la question d'une visite ; elle avait remarqué, non sans un pincement au cœur, que sa sœur faisait de même, se limitant à exprimer prudemment sa surprise à l'annonce de ces fiançailles aussi soudaines, et une discrète approbation. Bizarrement, Madeleine ne disait rien de Fever Hill ; et, après sa première lettre annonçant la vente, Sophie n'avait pas eu le courage d'y faire de nouveau allusion.

Mais quelle impression étonnante d'être en Jamaïque en touriste… Prendre des chambres dans un grand hôtel d'Harbour Street, au lieu d'être juste en visite pour le week-end et de séjourner chez la belle-sœur de Mrs Herapath, à Half Way Tree. À sa propre surprise, Sophie goûtait plutôt la situation. Après tout, une touriste est en transit, une touriste peut repartir quand elle veut.

On était lundi après-midi, leur quatrième jour à Kingston ; Sibella et elle revenaient juste à l'hôtel, après une journée de courses. Elles étaient allées chez Dewey, dans King Street, pour acheter des dessous de gaze indienne ; chez Joseph, dans Church Street, pour des chaussures de toile et des caoutchoucs ; et dans une demi-douzaine d'autres boutiques sur leur parcours. Mais la chaleur dans les rues était devenue insupportable, car la brise de mer, qu'à Kingston on appelle « le docteur », était retombée, et la brise de terre ne se lèverait pas avant deux bonnes heures.

Alexander et Gus Parnell étaient tous les deux sortis « pour affaires » ; Sibella s'était déclarée morte de fatigue et était montée s'étendre. Sophie, qui n'avait nulle envie de l'imiter, flâna un moment dans les jardins, puis trouva une petite table dans un coin ombragé et commanda du thé.

Après la poussière et le vacarme des rues, les jardins de l'hôtel étaient délicieusement frais, fréquentés seulement par une poignée de touristes, fort discrets, qui admiraient tranquillement la vue. Sophie s'enfonça dans son fauteuil et s'éventa avec son gant, contemplant le grand amandier sauvage au-dessus de sa tête : une savante alternance de grandes feuilles vert foncé et de petites fleurs vert pâle, avec entre elles des fentes de ciel bleu et chaud.

Deux perroquets à dos jaune se poursuivaient d'une branche à l'autre, ils s'envolèrent à travers les jardins. Un oiseau-mouche arriva pour se nourrir aux fleurs ; ses petites ailes formaient une tache irisée vert sombre, les longues et minces plumes de sa queue ondulaient au moindre souffle de brise. « Je n'arrive pas à y croire, pensait Sophie, tandis qu'elle le suivait des yeux de fleur en fleur. Je suis revenue à la Jamaïque, je n'arrive pas à y croire ! »

— Je n'y crois pas, dit courtoisement une voix d'homme, juste derrière elle. Cela peut-il vraiment être Sophie Monroe, de retour en Jamaïque après tout ce temps ?

La voix lui était étonnamment familière – et en même temps, elle ne l'était pas tout à fait. Elle se retourna, en se protégeant les yeux de la main contre le soleil ; mais il était à contre-jour, et au début elle ne réussit pas à distinguer son visage.

Puis le soleil parut s'assombrir, des taches sombres lui passèrent devant les yeux… Non, pas lui, ça ne pouvait pas être lui !

Il la fixait, la tête légèrement sur le côté, une expression amusée sur le visage. Il portait un costume de lin blanc, un panama, et il avait les mains dans les poches de son pantalon, l'air parfaitement à l'aise.

— C'est bien vous, n'est-ce pas ? répéta-t-il. Est-ce que je peux m'asseoir un moment, ou attendez-vous quelqu'un ?

Elle avala sa salive, puis, incapable de prononcer un mot, elle hocha la tête, et désigna maladroitement le fauteuil de rotin, de l'autre côté de la petite table à thé.

Rien ne semblait plus réel, tout à coup. Non, elle n'était pas assise sous un amandier sauvage, dans les jardins du Myrtle Bank Hotel, ce n'était pas Ben qui se trouvait en face d'elle. Ça ne pouvait pas être lui.

Et pourtant si, c'était lui, c'était bien lui. Les mêmes yeux étroits et verts, le même visage ferme et beau, la même silhouette souple et mince. Jusqu'à la même fine cicatrice verticale qui coupait son sourcil droit.

Il était comme avant… et il ne l'était pas : il avait aussi complètement changé. La dernière fois qu'elle l'avait vu, il était hirsute, couvert de bleus ; ses vêtements étaient fripés ; et après qu'elle lui eut dit que c'était fini entre eux, son visage avait blêmi sous le choc. Le svelte gentleman qui se tenait à présent devant elle semblait parfaitement maître de lui. Il était habillé avec une élégance désinvolte et naturelle, s'exprimait avec une politesse un peu distante, sans la moindre trace d'accent cockney.

— Ben ? dit-elle, stupidement.

Son prénom sortit de sa bouche comme une sorte de croassement, et elle se sentit devenir écarlate.

Il s'assit, posa son chapeau sur le sol à côté de sa chaise et croisa les jambes, se pencha en arrière et lui sourit. C'était un sourire plein de charme, mais dénué de tout sentiment – un sourire mondain, qui ne ressemblait pas à Ben. En tout cas, pas au Ben qu'elle avait connu. Autrefois, il avait soit ce grognement à la fois de méfiance et de sauvagerie, soit son vrai grand sourire, éclatant, qui donnait à Sophie l'envie de pleurer chaque fois qu'il l'arborait.

Il lui déclara qu'elle avait l'air en pleine forme, lui demanda ce qu'elle avait fait depuis la dernière fois qu'il l'avait vue. Avait-elle passé son diplôme ?

— Non, répondit-elle, et elle murmura quelque chose à propos de St. Cuthbert.

— Bénévole dans une œuvre de bienfaisance…, répéta-t-il après elle, comme c'est intéressant ! Et vous êtes en Jamaïque depuis longtemps ?

— Quatre jours.

— En fait, lui expliqua-t-il, j'étais moi-même à Londres il y a deux mois. Nous avons dû y être à peu près en même temps. Est-ce que ce n'est pas extraordinaire comme on manque toujours les gens qu'on connaît ? Il s'en faut d'un rien…

Puis il remarqua la bague de saphir et diamant qu'elle avait au doigt, et lui demanda qui il fallait féliciter ; elle s'endurcit intérieurement et lui répondit que c'était Alexander Traherne. Il en parut modérément surpris, puis légèrement amusé.

— J'espère que vous serez très heureuse, lui dit-il, avec le feint enthousiasme qu'on adopte pour parler du mariage d'une vague connaissance.

— C'était dans le *Times*, bredouilla-t-elle, comme pour se justifier.

— J'imagine que ça devait y être, mais j'ai peur de ne pas avoir toujours le temps de lire les journaux quand je suis à Londres.

Le thé arriva, et elle lui proposa d'une voix contrainte de se joindre à elle. Elle eut l'impression d'avoir le ton de quelqu'un récitant un texte ; mais s'il le pensa lui aussi, il n'en laissa rien paraître. Il tendit la main vers son chapeau, se releva en lui disant qu'il la remerciait, mais qu'il devait partir. Il lui suggéra cependant de boire sans attendre, elle devait être morte de soif.

Elle contempla le service à thé, avec le sentiment qu'elle était incapable d'y toucher. Si elle le faisait, elle laisserait tomber la théière ou casserait une tasse.

Il y eut un silence embarrassé. Du moins, elle le ressentit ainsi. Mais Ben, lui, avait glissé une main dans sa poche et s'éventait lentement avec son chapeau, sans paraître gêné.

— Je ne comprends pas, lâcha-t-elle tout à coup.

Il lui sourit.

— Qu'est-ce que vous ne comprenez pas ?

— Je... je veux dire, vous êtes... vous êtes...

— ... riche ? suggéra-t-il d'une voix douce.

— Eh bien... oui.

— Et vous n'avez vraiment jamais rien entendu raconter à ce propos ?

Elle secoua la tête, et il eut un léger rire.

— Alors, il semble que nous soyons tous les deux désespérément mal renseignés. Même si je crois avoir plus d'excuses que vous. À la vérité, je ne m'embarrasse guère de journaux à Fever Hill.

Elle eut l'impression que le sol se dérobait sous ses pieds.

— À Fever Hill ? répéta-t-elle.

Il rit de nouveau.

— Vraiment, Sophie, vous ne saviez pas ça non plus ? Je crois que vous allez avoir de sévères reproches à faire à votre sœur, pour ne pas vous tenir mieux informée…

Chapitre 24

— Je pensais que c'était mieux d'attendre, plaida Madeleine, au-dessus d'une tasse de thé à Parnassus, et de te l'apprendre de vive voix.

Sophie saisit le regard qui s'échangea entre sa sœur et Sibella, et elle comprit alors, avec un choc, que cette dernière avait su pour Ben depuis le début.

— Eh bien, répliqua-t-elle, du ton le plus léger qu'elle put, maintenant que je suis là, tu peux tout me dire…

Madeleine porta sa tasse de thé à ses lèvres, puis la reposa sans y avoir touché. Elle tâchait de paraître à l'aise, mais n'y réussissait pas mieux que Sophie. C'était la première fois qu'elles se revoyaient depuis sept ans. Sibella avait voulu s'éclipser discrètement, mais Sophie avait insisté pour qu'elle reste. Elle se sentait trop nerveuse pour demeurer seule avec sa sœur.

— Il n'y a pas grand-chose à raconter, déclara Madeleine en remuant son thé et en évitant le regard de Sophie. D'après Olivia Herapath, il est resté quelque temps au Panama, puis il s'est lié d'amitié avec un ingénieur noir – celui qui vient d'acheter Arethusa. Ils sont allés en Sierra Leone chercher de l'or, mais n'en ont pas trouvé ; alors ils sont allés au Brésil, où ils en ont trouvé. Du moins, ils ont trouvé des indices qu'il y avait de l'or. Je n'ai pas tout saisi, mais Cameron dit qu'ils ont racheté les droits à très bon marché, et qu'ils les ont ensuite revendus à des compagnies minières avec un énorme profit, puis qu'ils ont vendu l'affaire elle-même avec un profit plus énorme encore. Il semble que Mr Walker – c'est l'ingénieur en question – ait eu une part minoritaire, comme fournissant seulement l'expertise, alors que Mr Kelly... (Elle rougit en prononçant le nom)... était le cerveau de l'opération. C'est lui qui a suggéré de céder l'information plutôt que de faire l'extraction eux-mêmes, et c'est pourquoi il est le plus riche des deux.

« Mr Kelly. » Comme c'était bizarre d'entendre Madeleine l'appeler ainsi ! La dernière fois qu'elle avait parlé de lui, son regard était froid, et son ton féroce. « Je ne lui pardonnerai jamais... J'espère qu'il pourrira en enfer... »

« Et moi ? se demandait Sophie, en regardant sa sœur remuer son thé avec application. Est-ce que tu m'as pardonné, ou est-ce que tu vas me tenir à distance ? »

— Ça a fait l'effet d'une bombe, continua Madeleine d'un ton calme, mais c'est retombé à présent. Et, bien sûr, il ne sort jamais dans le monde.

— J'espère bien que non ! s'écria Sibella, rose d'indignation.

Visiblement, avoir Ben Kelly comme voisin ne lui plaisait guère.

Sophie s'imagina la consternation, à Parnassus, quand ils avaient appris la nouvelle. Un ancien palefrenier, *leur* palefrenier, nouveau propriétaire de Fever Hill ! Cornelius avait dû être dans tous ses états, la pauvre Rebecca mortifiée.

— Est-ce que c'est vraiment retombé ? demanda-t-elle.

— Disons qu'il y a quelques bavardages, répondit prudemment Madeleine.

« Quelques bavardages. » Sophie appréciait les efforts de sa sœur pour minimiser les choses, mais elle imaginait facilement la nature de ces bavardages. Oh, personne ne lui dirait rien en face, mais tout le monde se rappelait sûrement son attachement si choquant pour ce jeune et beau palefrenier de Parnassus. Comme Olivia Herapath devait s'en délecter ! Elle l'entendait s'exclamer : « Ma chère, est-ce que ce n'est pas à mourir de rire ? Le garçon né dans les écuries a finalement racheté tout le château ! Et juste quand elle va se marier, pauvre agneau... Je donnerais cher pour être là lorsqu'ils se rencontreront... »

Il y eut un silence embarrassé, puis Sibella fit diversion en s'extasiant sur les cadeaux que Sophie avait rapportés de Londres. Il y avait un appareil photo de poche, repliable, pour Madeleine, qui avait mentionné dans une de ses lettres qu'elle avait repris la photographie ; une authentique bouteille Thermos pour Cameron, un cadre pour Clemency, et une lampe électrique à pile Toujours-Prête pour Belle, qui l'essayait en ce moment dans les buissons de crotons de l'autre côté de la pergola.

Sophie fit de son mieux pour participer, mais elle savait que c'était un échec. Elle se rendait douloureusement compte de tout ce qui différenciait son retour à la maison cette fois-ci du précédent. Sept ans plus tôt, elle n'avait pas eu besoin de cadeaux pour acheter l'approbation de qui que ce soit. L'accueil avait été sincère, proprement jamaïcain, et s'était déroulé à Eden. Aujourd'hui, elles étaient assises sur des chaises de fer forgé italien sous la pergola rose de Rebecca

Traherne, et leurs paroles glissaient comme des arai-gnées d'eau à la surface d'un étang. Même quand Sibella s'éloigna avec tact – afin « d'aller chercher cet exemplaire des *Modes* pour Madeleine » –, les deux sœurs en restèrent à un niveau superficiel. Madeleine posa des questions sur le trousseau, Sophie lui dit de quelle aide précieuse Sibella avait été, et plaisanta sur l'horreur que les mille-pattes inspiraient à Gus Parnell. Elles ne mentionnèrent pas une fois Fever Hill, ni Ben.

Elles se promenèrent sous la pergola, regardèrent Belle émerger des buissons de crotons, se projetant la torche directement dans les yeux et faisant la grimace.

— Elle va être belle, remarqua Sophie, pour dire quelque chose.

Madeleine soupira.

— C'est un terrible garçon manqué. Elle part se promener à cheval dans tout le domaine, en semant toujours les palefreniers quand ils cherchent à la retenir. Cameron veut l'envoyer à l'école, mais je ne pense pas qu'elle y soit prête.

« Bien sûr que non », pensa Sophie avec un pincement au cœur. Madeleine avait déjà perdu un enfant ; comment pourrait-elle accepter d'en perdre un autre, même si c'était seulement pour se rendre dans une école de filles à Kingston ?

— Tu as sûrement raison, déclara-t-elle néanmoins.

— Tu crois ? Je me le demande. Cameron dit qu'elle ne voit pas beaucoup d'enfants de son âge, en dehors des pickneys. Et elle a une tendance morbide qui m'inquiète.

Sophie la regarda avec surprise ; était-ce une façon d'amener la conversation sur Fraser ?

— On ne dirait jamais qu'elle *joue* avec ses poupées, continua Madeleine, sans quitter des yeux sa fille. Elle organise juste leur enterrement.

— Mais beaucoup d'enfants font ça, non ?

— Oui, mais les cérémonies de Belle sont si compliquées... De véritables neuvièmes nuits jamaïcaines, avec des pois secs dans les poches et des tranches de citron sur les yeux.

— C'est pour empêcher qu'ils deviennent duppies, expliqua Belle, qui avait entendu prononcer son nom et s'était rapprochée.

— Je peux comprendre ça, lui dit Sophie. À ton âge, j'étais fascinée par les duppies. J'étais très malade, tu vois, et je... eh bien, reprit-t-elle, soudain confuse, j'étais tout simplement fascinée.

Elle allait avouer qu'elle avait eu peur de mourir et de devenir elle-même un duppy, mais elle s'était interrompue juste à temps.

Belle leva les yeux vers elle, avec un respect nouveau dans le regard.

— Maman ne m'a jamais dit que tu avais été malade, affirma-t-elle, avec un coup d'œil accusateur à Madeleine. Comment est-ce que tu es allée mieux ? Tu as demandé à l'arbre duppy ?

— Oui, je l'ai fait.

Belle la contempla, bouche bée.

— *Comment* ? Tu lui as fait une offrande ? Qu'est-ce que tu as...

— Belle, l'interrompit sa mère, ça suffit.

— Mais, maman...

— J'ai dit, ça suffit. Maintenant, va demander à Mrs Palairet si tu peux aller aux écuries dire bonjour aux chevaux.

Tandis que Sophie regardait Belle s'éloigner à contrecœur, elle éprouva un sentiment de familiarité. Elle avait environ l'âge de sa nièce la première fois qu'elle était venue à la Jamaïque. Elle avait adoré Fever Hill, et vécu dans la terreur de l'arbre duppy de l'autre côté de la pelouse ; elle idolâtrait sa sœur aînée, et – même si elle ne s'en rendait pas compte à l'époque – elle avait pour Ben un béguin sans espoir.

Il était alors comme un esprit sombre, aux yeux brillants, venu d'un autre monde : sale, sauvage et très grossier, mais toujours étonnamment conscient de ce qu'elle pensait ou ressentait. Comment tout cela avait-il pu changer, si profondément ? Comment avait-il pu devenir cet homme courtois et distant dans son costume de lin blanc ? Comment quelqu'un pouvait-il autant se transformer ?

À côté d'elle, Madeleine dessina une croix sur les dalles avec la pointe de son ombrelle, et demanda quand ça aurait lieu.

— Quand quoi aura lieu ?

— Le mariage.

— Oh, je ne sais pas exactement. Nous n'avons pas fixé de date.

— Ah…

Elles firent quelques pas, puis Madeleine lança :

— Est-ce que tu aimerais te marier à Eden ?

Sophie hésita.

— Cornelius a suggéré Parnassus…

— Quelle bonne idée ! s'exclama Madeleine avec un empressement qui serra le cœur de Sophie. C'est bien plus adapté, continua-t-elle sans la regarder. La maison et le domaine sont beaucoup plus grands, et c'est bien plus pratique pour venir de la ville. Je me demandais…, poursuivit-elle après une pause, il y a toujours quelques objets à toi dans la chambre d'amis. Tu veux que je les fasse descendre, pour que tu puisses les trier ?

— Si tu veux bien, oui.

— Je vais m'en occuper... J'étais tellement impatiente de voir Alexander ! reprit-elle d'un ton mondain, mais j'ai cru comprendre qu'il était...

— ... à Kingston, oui. Nous avions prévu de rester là-bas une quinzaine de jours, mais j'ai changé d'avis ; et lui avait encore des affaires à y régler, donc il a dû repartir.

Sophie avait conscience qu'elle parlait trop, mais cet échange verbal contraint et poli commençait à l'épuiser.

— Sophie, lâcha brusquement Madeleine, en jouant avec son ombrelle, tu l'aimes, n'est-ce pas ?

Sophie en fut surprise ; elle avait oublié combien sa sœur pouvait être directe, quand elle le voulait.

— Pourquoi cette question ?

— C'est juste que ça paraît... eh bien, plutôt soudain. Alors, je m'interrogeais.

— J'aime beaucoup Alexander, déclara Sophie, et elle ponctua cette phrase d'un sourire.

— Oh, Sophie...

— Pourquoi « Oh, Sophie... » ? C'est vrai. Ça l'est réellement.

Puis une pensée fâcheuse lui vint à l'esprit.

— Je devrais peut-être te dire... Alexander ne sait rien à propos de Ben. Je veux dire, il sait que j'étais... attachée à lui, mais il ne sait rien de ce qui est arrivé... cette nuit-là.

Le visage de Madeleine s'était figé.

— Je suis sûre que cela vaut mieux, répondit-elle.

— Je le pense aussi. Je voulais juste que tu sois au courant.

Madeleine hocha la tête et elles continuèrent de marcher, dans un silence contraint.

« Ce qui est arrivé cette nuit-là. » Quelle façon anodine de présenter les choses ! Le moral de Sophie plongea d'un seul coup. Comment pouvait-elle en parler ainsi, alors qu'elle sentait encore aujourd'hui le contact de son dos sous ses mains, l'odeur de sa peau, la chaleur de sa bouche ?

Soudain, elle se trouva dangereusement proche des larmes. Elle cassa la tige d'une rose et commença à en détacher les pétales.

— Comment as-tu pu ne pas m'en avertir ? demanda-t-elle d'un ton sévère. Comment as-tu pu me laisser revenir, sans me prévenir qu'il était ici ?

Le visage de Madeleine se crispa.

— Nous pensions que tu le savais déjà.

— Moi ? Pourquoi ? Qu'est-ce qui vous a donné cette idée ?

— Pour l'amour du ciel, Sophie, tu venais de lui vendre Fever Hill…

— Mais j'ignorais que c'était lui l'acheteur ! Je n'en avais aucune idée…

Madeleine ouvrit son ombrelle avec un claquement sec, fit quelques pas puis se retourna. Sa bouche avait une expression déterminée ; ses yeux brillaient, mais c'étaient des larmes de colère.

— Je n'arrive même pas à imaginer pourquoi tu t'es mis dans la tête de le vendre ! Ni pourquoi tu ne nous en as pas parlé d'abord.

— Parce que vous auriez essayé de m'arrêter.

— Bien sûr que nous aurions essayé !

— Madeleine, je suis désolée. Je suis désolée de ne pas vous en avoir parlé. Mais tu aurais quand même dû m'avertir, pour Ben.

— Non ! s'écria Madeleine, en levant la main comme pour parer une attaque. Non. Nous ne parlerons plus de lui.

— Mais, Madeleine…

— Je ne *peux pas*, la coupa sa sœur d'un ton brusque. Je ne peux tout simplement pas. C'est différent pour toi, Sophie : tu étais loin, tu as été en dehors de tout ça. Mais pour moi, rien n'a changé. Tu peux le comprendre ? *Rien* n'a *changé*.

Sophie regarda le beau visage de sa sœur, noué par l'angoisse, et se demanda comment elle avait pu espérer que les choses s'amélioreraient un jour entre elles.

— Bien sûr, dit-elle doucement. Je comprends. Rien n'a changé.

« Donc, maintenant, j'ai ma réponse, songea-t-elle tandis qu'elle regardait Madeleine s'éloigner pour retrouver sa fille. Elle ne m'a pas pardonné. Peut-être ne le sait-elle pas elle-même, mais c'est vrai. Elle ne m'a pas pardonné, et elle ne le fera sans doute jamais. »

Ramasser du houblon dans le Kent est la meilleure chose que Ben a jamais faite. Du moins jusqu'à ce que Kate s'en aille.

Tous les ans, en septembre, Jack, Kate et lui descendaient à pied dans le Sud, pour économiser le prix du billet de train. Mais cette année, il n'y a que Ben. Il n'est jamais allé là-bas tout seul, et ça lui fait un peu drôle. Mais il a promis à Kate qu'il irait, donc il n'a pas le choix. En plus, il a presque dix ans, et ce n'est pas comme s'il n'avait jamais fait le chemin avant.

Rien que de penser à Kate lui fait mal dans la poitrine. Il ne l'a pas beaucoup vue depuis qu'elle est partie, parce qu'elle et Jeb vivent à des kilomètres, à

Southwark, à côté de Jamaica Road. Ben réussit juste à y passer de temps en temps une demi-heure le dimanche, s'il arrive à filer en douce de Pa.

Donc, maintenant, le Kent. Ça lui prend deux jours à pinces pour aller là-bas, et bien sûr il va dans la même ferme que là où ils sont toujours allés – la ferme de Rumbelow, à trois kilomètres à l'ouest de Leigh. Il fait équipe avec un vieux type qui s'appelle Roger ; Roger s'occupe de tirer sur les branches pendant que Ben fait la cueillette. Roger attrape les longues branches grimpantes et Ben en détache les houblons jusqu'à ce qu'il ne sente plus ses bras. Ils ne vont pas aussi vite que les hommes plus grands et ils ne peuvent pas travailler aussi longtemps que ceux qui viennent en famille, mais ils s'en sortent quand même très bien.

Et quand on a pris le coup, c'est super. Tous ces houblons bien jaunes contre le ciel bien bleu, l'odeur des fleurs et la poussière dorée qui flotte dans l'air… Puis, quand le coup de sifflet arrive, vous restez près de votre corbeille et vous attendez que les mesureurs passent. Le froid monte et vos pieds s'engourdissent, mais bientôt c'est le moment d'aller à la soupe, et à la ferme Rumbelow, c'est bien, parce qu'ils remplissent votre gamelle jusqu'en haut.

Roger et lui arrivent à faire environ sept boisseaux par jour, ce qui donne un shilling à se partager, qu'ils divisent en sept pence pour Ben et cinq pence pour Roger, parce que Ben fait le plus gros du travail. Alors, après deux pence chacun pour la nourriture et un roupillon gratuit dans la paille, ils ont encore pas mal d'argent. En fait, ils sont comme des coqs en pâte.

Et aussi, le Kent, c'est extra. Un jour, à l'heure du déjeuner, Ben a vu deux chevaux jouer dans le champ d'à côté. Il ne savait même pas que les chevaux pouvaient jouer, mais ceux-là le faisaient : lançant leurs sabots en l'air, se mordillant pour rire dans le cou et galopant sans raison – ou peut-être juste parce qu'ils étaient heureux. Les regarder jouer a été la meilleure chose que Ben ait jamais eue dans sa vie. Ou plutôt, ça l'aurait été, si Kate avait été là pour voir ça elle aussi.

Maintenant, les houblons sont récoltés. Roger s'en va dans une ville qui s'appelle Somerset pour voir s'il trouve un autre boulot, et Ben retourne à la maison. Un paquet de fric dans ses poches, mais il refait encore à pinces tout le chemin jusqu'à Londres. Le train coûte une demi-couronne ; ça serait jeter l'argent par les fenêtres, non ?

Il fait froid, il y a du brouillard, un de ces brouillards épais et jaunes qui vous bouchent la gorge et vous piquent les yeux comme du citron. Ça fait un jour et demi que Ben est sur la route et il est crevé : alors il entre dans un café et il demande un penny mix, mais la bonniche ne fait que le regarder sans bouger. Elle ne sait pas ce que c'est, un penny mix, ou quoi ?

— C'est une demi-part de thé, il lui explique, une demi-part de sucre et une cigarette Woodbine. D'accord ?

Finalement, il a son penny mix et il est assis là, sirotant son thé, attendant que le sang recommence à circuler dans ses pieds et laissant ses yeux traîner à droite et à gauche, au cas où. Et justement, voilà qu'un type se lève alors qu'il y a encore la moitié d'une bou-lette de viande dans son assiette. Ça fait un bon petit dîner, pas vrai ?

« Un penny par jour, t'as pas besoin de plus, explique Ben à Kate, la Kate à qui il parle souvent dans sa tête. Tu te prends un penny mix et tu le fais durer, et puis tu regardes autour de toi et t'attends. Jamais tu croirais tout ce que les gens laissent dans leurs assiettes… Juste un penny par jour, et tu peux manger comme un roi. »

Puis tout à coup, ça devient si fort à l'intérieur de lui qu'il se met presque à crier. S'il parle à la fausse Kate dans sa tête, c'est parce que la vraie n'est pas là.

Slippers Place, où elle vit, n'est pas du tout sur son chemin, mais il fait le détour quand même. Sauf que, lorsqu'il y arrive, elle est sortie. La nana de la pièce d'à côté lui dit qu'elle a trouvé un boulot dans une fabrique de fourreaux de parapluie, et qu'elle ne sera pas là avant des heures. Alors il lui demande de dire à Kate que Ben est passé, et il se remet en route pour la maison.

Il fait noir, le temps qu'il arrive à Shelton Street ; il est crevé et il a mal dans la poitrine. Il comptait vraiment voir Kate, et ça lui a fichu un coup qu'elle ne soit pas là.

Pa n'est pas à la maison, coup de chance : mais Lil si, même si elle allait sortir. Et Robbie bondit de son coin avec un grand sourire plein de trous entre les dents.

— Ben !

— Et alors, tu croyais que c'était qui ? dit Ben en riant et en lui donnant une claque sur la joue.

— Tout va bien, Ben ? lui demande Lil en mettant son chapeau.

Elle est plus maigre que quand il est parti, et sa toux ne s'est pas arrangée.

— Très bien, Lil.

— Tu t'es fait combien ? Dis voir...

Il s'incline jusqu'à terre.

— Quinze shillings et six pence, madame.

— Eh bien, si j'étais toi je les planquerais, ou il va te les piquer en un clin d'œil.

Elle parle du vieux, évidemment.

— Comment ça se passe avec lui ? demande Ben.

— Je sais pas. Je m'arrange toujours pour être sortie avant qu'il rentre. Il continue d'en avoir après Kate. Si je traînais par ici, il finirait par me faire dire où elle est… Mais pour ce fric, Ben, crois-moi, planque-le, sans quoi il te frappera et il fauchera le tout.

— Il me frappera de toute façon, répond Ben.

Il n'est pas inquiet pour l'argent : il a déjà planqué dix shillings dans la cachette spéciale, derrière le tuyau de la cheminée, et il garde juste cinq shillings et six pence dans sa poche ; comme ça, Pa aura quelque chose de lui et ne s'énervera pas.

Il donne deux shillings à Lil comme cadeau, puis il dit à Robbie :

— Tiens, Rob, j'ai quelque chose pour toi.

Il plonge la main dans sa poche, en sort une poupée de paille qu'il a piquée sur un rebord de fenêtre, dans le Kent.

— Elle a des cheveux en épis comme les tiens, mais ceux-là sont en or tandis que les tiens non.

— En or ! souffle Robbie, en prenant délicatement la poupée entre ses doigts.

Ben sourit.

— Pas du vrai, petit idiot.

Mais Robbie n'écoute pas. Il emporte le trésor dans son coin et le glisse dans un trou du mur.

« Comme ça au moins, il parlera à quelque chose », pense Ben avant de se retourner vers Lil.

— Tu as vu Kate, alors ?

Elle hausse les épaules.

— De temps en temps.

— Elle va bien ?

Elle jette un regard à Robbie, se penche ensuite vers Ben.

— Elle est enceinte.

— Merde !

— Comme tu dis. Mais le raconte pas à Pa.

— Bien sûr que non.

— Sans blague, hein Ben ? Il faut pas qu'il le sache. Il est toujours bizarre quand il s'agit d'elle… Écoute, il faut que j'y aille. Tu lui dis pas où elle est, d'accord ?

Ben est furieux.

— Tu me prends pour quoi, un idiot ?

Elle sourit, un sourire qui découvre ses dents jaunes.

— T'énerve pas, Ben.

Une fois qu'elle est partie, tout est sombre et tranquille. Ben est recroquevillé sur sa paillasse près de la fenêtre ; au bout d'un moment, Robbie vient se blottir contre lui comme le petit chaton tout maigre qu'il est. Ben ferme les yeux et pense aux chevaux qui jouaient dans le champ.

Tout commence à devenir flou dans son esprit, quand soudain il est réveillé brutalement.

— Où elle est ? crie Pa, en le secouant très fort.

Son grand visage est si près que Ben peut voir la poussière de charbon qui reste collée dans les replis de sa peau. Son haleine empeste comme une bouche d'égout. Ses yeux verts sont baignés de rouge. Il est sérieusement imbibé, et c'est la chance de Ben.

— Où est qui ? marmonne-t-il, en faisant semblant d'être à moitié endormi.

Mais Pa est coriace. Il tire Ben par le bras, si fort que ça lui déboîte presque l'épaule.

— Tu sais très bien qui, sale petit rat d'égout : Kate ! Maintenant, si tu veux pas que je te défonce la tête, tu me dis où elle est !

Ben ouvrit les yeux et regarda les reflets que laissait le soleil sur les chevrons. Il était étendu, à contempler la lumière dorée sur le bois doré, pendant que le rêve s'évanouissait lentement et que les battements de son cœur revenaient à la normale.

Il entendit la domestique entrer sur la pointe des pieds, poser le plateau, murmurer : « Bonjour, maître Ben », et ressortir, toujours sur la pointe des pieds. Il se leva, enfila un peignoir et gagna le balcon.

Après avoir acheté Fever Hill, la première chose qu'il avait faite avait été d'ouvrir les galeries pour que la lumière y pénètre. Fini les ombres, même si ça signifiait laisser entrer la chaleur, car celle-ci ne l'avait jamais dérangé. Désormais, il avait une vue dégagée sur le parc, et l'allée rouge et brune qui descendait entre les grands palmiers royaux ; sur la nouvelle usine au pied de Clairmont Hill, le vieux village d'esclaves par-derrière, puis les ruines de l'ancienne usine ; sur les champs de canne scintillants au soleil d'Alice Grove, avec au loin les pavillons des gardiens qui marquaient l'extrémité nord du domaine. Au-delà, il pouvait encore deviner les vastes étendues de Parnassus, et enfin l'éclat gris-bleu de la mer.

Étrange, de penser que cette galerie du haut dans laquelle il se trouvait était autrefois le domaine de grand-tante May. Ici, elle s'asseyait dans sa chaise droite en acajou, surveillant tout ce qui se passait à la ronde : l'œil de la Justice, posé aussi bien sur les domestiques que sur les ouvriers agricoles. Parfois, Ben avait l'impression de l'apercevoir fugitivement. « Peut-on être hanté par quelqu'un qui n'est pas encore mort ? » se demanda-t-il.

Il repoussa cette idée ; il ne voulait pas penser aux fantômes. Il se pencha sur la balustrade, prit une profonde inspiration, et attendit que la brise de mer disperse les derniers lambeaux de son rêve.

Un mois plus tôt, ça l'aurait encore mis dans tous ses états ; mais à présent, il commençait à comprendre. Evie disait que, quand un duppy a un message à transmettre, il entre parfois dans le rêve de quelqu'un. Au début, il avait cru que Kate pénétrait dans son rêve ; mais aujourd'hui il pense différemment. Il s'est rendu compte qu'il ne rêvait de l'ancien temps qu'après avoir songé à Sophie. D'une certaine façon, c'est donc avec elle que ces rêves ont un lien.

Les deux premières fois, ç'avait été quand il avait conclu l'achat de Fever Hill, puis quand il l'avait vue à Kingston… Oui, il y avait bien un lien. Mais de quelle façon, et pour quelle raison ? Après tout, il avait aimé Kate, il l'aimait encore ; et il n'aimait pas Sophie, plus maintenant.

Elle avait tellement changé ! Autrefois, elle était bavarde comme une pie, surtout si elle était mal à l'aise. Ce jour-là, dans le jardin de l'hôtel, elle n'avait pas dit un mot ou presque. Comme si tout son entrain l'avait quittée, ne laissant qu'un petit être pâle, soumis, effrayé.

Ce jour-là, dans le jardin de l'hôtel… Ben ne pouvait s'empêcher de faire la grimace lorsqu'il y repensait. Il y était allé trop fort, surtout pour l'accent. « Vous avez l'air en pleine forme… Vous devez être morte de soif… Vous allez avoir de sévères reproches à faire à votre sœur… » Dieu du ciel, on aurait dit ce fichu Austen !

L'ancienne Sophie aurait relevé aussitôt cette affectation, et elle ne l'aurait pas épargné ; ce n'était pas son genre. La nouvelle Sophie était juste restée là à le regarder. Difficile d'imaginer qu'il l'avait aimée autrefois.

Mais de toute façon, qu'avait-elle à voir avec Kate ?

Il passa son pouce sur sa lèvre inférieure, puis songea soudain qu'il n'y avait qu'une manière de le découvrir : en cessant de se cloîtrer à Fever Hill et en les rencontrant tous un bon coup – les Lawe, les Traherne, Sophie Monroe. Il devait les rencontrer tous, pour liquider à jamais cette histoire.

Il rentra dans la maison, se servit une tasse de thé puis alluma un cigare.

« Le meilleur thé de Chine dans une tasse en porcelaine, songea-t-il, et un excellent havane : pas tout à fait un penny mix, mais pas loin. »

Ça réussit presque à le faire sourire.

Le soleil matinal jouait sur le couvre-lit en chintz bleu et vert d'Evie, ainsi que sur son chapeau, ses gants et son ombrelle posés dessus.

Bien qu'on soit samedi, elle était levée depuis plusieurs heures, parce qu'elle aimait avoir toujours beaucoup de temps pour se préparer quand son amoureux la sortait. Le samedi était leur jour. Parfois, il réussissait à s'éclipser aussi pendant la semaine ; mais le samedi était leur jour réservé. La semaine précédente, elle avait dû changer tout son programme à la dernière minute quand Ben avait soudain débarqué et l'avait emmenée au Constant Spring.

Elle sourit à ce souvenir. Seigneur Dieu, si jamais ces deux-là se rencontraient, quel grabuge cela ferait !

C'était le problème, avec Ben. Il pouvait bien paraître différent de ce qu'il était sept ans plus tôt, s'habiller et parler autrement, à l'intérieur il était resté le même, et on ne savait jamais ce qu'il pouvait faire l'instant d'après.

Son amoureux, lui, était un parfait gentleman. D'ailleurs, il était parfait dans tous les domaines.

En bas, il y eut un bruit de serrure, et son cœur fit un bond dans sa poitrine. Elle lui avait fait cadeau, deux jours plus tôt, d'une clé de chez elle, mais c'était la première fois qu'il s'en servait. Une clé pour son amant ; quelle chose choquante à faire, indigne d'un professeur ! Mais elle n'avait pu s'en empêcher : elle l'aimait.

Elle entendit son pas montant l'escalier, se regarda dans le miroir tandis qu'il atteignait le palier et s'arrêtait derrière la porte. Ses yeux étaient brillants, ses lèvres pleines, humides et légèrement entrouvertes.

De l'autre côté de la porte, la voix familière l'appela doucement :

— Evie ? Tu es là ?

Elle attendit quelques instants avant de répondre, pour faire durer le plaisir.

— Je suis là, oui, dit-elle, aussi calmement qu'elle le put. Tu peux entrer si tu veux.

Il y eut un rire étouffé, puis la voix répliqua :

— Si je veux ? Oh que oui, je le veux !

La porte s'ouvrit, et l'instant d'après, elle fut dans ses bras. Il la serra contre lui, pressa sa bouche contre la sienne. Elle enfouit les doigts dans ses boucles dorées et murmura :

— Alexander, Alexander… Tu m'as tellement manqué !

Chapitre 25

— J'ai du mal à comprendre, déclara Miss May Monroe avec sa froideur habituelle, pourquoi vous me faites l'honneur de me rendre visite, Mr Kelly – si c'est bien ainsi que je dois m'adresser à vous.

Son regard bleu glacé se fixa sur Ben, puis glissa vers Austen, qui semblait se recroqueviller sur lui-même.

Ben réprima un sourire. La vieille rosse connaissait parfaitement la raison de sa venue. Ça l'amusait juste de jouer à son petit jeu.

Mais pourquoi pas ? À quatre-vingt-onze ans, elle était étonnante. Elle tenait toujours salon, dans sa maison tranquille et pleine d'ombre ; elle s'asseyait toujours avec la même raideur, dédaignant de s'appuyer contre le dossier de sa chaise ; et elle s'habillait toujours de manière impeccable – ce jour-là, une robe à haut col de soie gris étain qui ne faisait aucune concession à la chaleur étouffante de septembre. Peut-être s'était-elle un peu tassée, dans la carapace formée par son corset ; mais son esprit, lui, restait aussi dur qu'un diamant. Et aussi froid.

— C'est aimable à vous de me recevoir, Miss Monroe, répondit-il calmement.

— En effet. Maintenant, répondez à ma question : pourquoi me rendez-vous visite ?

Il croisa, et soutint, le regard bleu qui ne cillait pas.

— J'ai l'intention de sortir dans le monde. Alors, naturellement, ma première idée a été de rendre visite à celle qui est *de facto* à sa tête.

Un pincement des lèvres – peut-être l'équivalent d'un sourire chez elle ?

— Vous avez appris le latin, Mr Kelly. Comme c'est curieux !

Ben garda le silence.

— Mais je ne suis pas en mesure de vous aider, ajouta-t-elle. Il est impossible pour vous d'aller dans le monde : vous êtes un cocher.

À côté de Ben, Austen en eut un hoquet.

— J'ai été bien pis qu'un cocher, répliqua Ben avec un petit sourire. Mais le fait est là, Miss Monroe : vous auriez pu refuser de me voir, et vous ne l'avez pas fait. Donc, je pense que je peux m'autoriser à espérer.

— Vous tirez des conclusions bien trop hâtives.

— Alors, pourquoi m'avez-vous laissé venir ?

— Parce que ça m'amuse de voir ce que vous êtes devenu.

Il devait y avoir autre chose. La vieille mégère détestait « s'amuser ».

— Vous êtes un jeune homme très intelligent, Mr Kelly, poursuivit-elle d'un ton froid, mais, encore une fois : qu'est-ce que vous voulez ?

Ben hésita, puis finit par répondre :

— Vous êtes sans doute au courant que le bal de cet été à Parnassus a été annulé, par égard pour la mort du roi.

La vieille dame inclina son étroite tête grise.

— Cela a été annoncé, oui.

— Et c'était une sage décision, affirma Ben ; mais, après une courte pause, il ajouta : Le fait que les prix du sucre soient au plus bas n'a bien sûr aucun rapport avec cette décision, s'agissant d'un homme comme Cornelius Traherne. Rien à voir avec le désir d'économiser de l'argent…

Les longs doigts gantés enserrèrent plus fort le pommeau en ivoire de la canne. Grand-tante May commençait à être vraiment intéressée – comme toujours lorsqu'il était question d'ennuyer les Traherne…

— Donc, poursuivit Ben, je me disais que je pourrais les remplacer au pied levé, et donner une sorte de… divertissement. Peut-être à Noël.

Les yeux bleus étincelèrent.

— Mais qu'est-ce que vous attendez de moi ?

Ben la regarda dans les yeux.

— J'espérais que vous accepteriez de venir. Alors, tous les autres viendraient.

— Je ne sors jamais.

— Je me disais que vous pourriez faire une exception. Ou au moins envoyer votre voiture et votre valet. J'ai cru comprendre que cela vous arrivait parfois.

Avec une force surprenante, elle frappa de sa canne sur le parquet.

— Je le répète : je ne sors jamais.

Austen se tortilla avec inquiétude sur sa chaise, mais Ben laissa le silence s'installer. Il s'était attendu à cette réaction, car aucune cité ne tombe au premier assaut. Et il n'avait pas l'intention de se mettre à la supplier.

Quand il jugea que le silence avait assez duré, il saisit son chapeau et se leva pour prendre congé. Mais, à cet instant précis, les portes s'ouvrirent, et Kean annonça Mrs Sibella Palairet.

Rondelette et jolie, dans un demi-deuil noir et blanc à la mode, la jeune veuve entra, tout sourires à l'adresse de Miss Monroe. Elle ne remarqua pas Ben immédiatement. Austen bondit sur ses pieds et devint écarlate quand Miss Monroe le présenta ; et le sourire de la jeune veuve se teinta de bienveillance lorsqu'elle apprit que c'était un Honorable. En revanche, il se figea dès qu'elle se tourna vers Ben et le reconnut.

— Mrs Palairet, dit-il avec un signe de tête et un léger sourire.

— Je ne crois pas que nous ayons été présentés, monsieur, lui lança-t-elle avec hauteur.

Ben rit.

— On l'est rarement à son palefrenier.

Ça lui valut une grimace de la part d'Austen, et un regard indéchiffrable de Miss Monroe.

Crispant de nouveau ses doigts sur le pommeau de la canne, la vieille dame lui lança :

— Concernant vos plans, Mr Kelly, il se peut que je trouve convenable de vous envoyer ma voiture et mon valet.

Elle planta son regard dans le sien, le laissa ensuite glisser sur Mrs Palairet, puis le ramena sur lui tandis qu'elle répétait :

— Il se peut.

Que diable voulait-elle ? s'interrogea Ben en jetant à son tour un coup d'œil à la petite veuve, avant de revenir à la vieille sorcière. Et puis soudain, il comprit : la coïncidence de sa visite avec celle de Sibella Palairet n'était pas due au seul fait du hasard. « Sibella Palairet, *née Traherne*... La vieille sorcière avait organisé cette rencontre, et elle lui proposait une sorte de marché : elle enverrait sa voiture et son valet lors de son divertissement de Noël, pour en assurer le succès, et en échange, lui aurait une aventure avec la petite veuve. « Non, c'est impossible ! se dit-il. Même Miss Monroe ne pourrait pas... » Et pourtant, il devait se rendre à l'évidence. Elle était capable d'un tel stratagème et celui-ci serait une grande réussite : pareil scandale pouvait, en effet, faire tomber les Traherne de leur piédestal *et* faire fuir le riche Mr Parnell, sabordant ainsi les espoirs de Cornelius de remettre à flot ses finances ! Soixante-trois ans après avoir été insultée par la demande en mariage d'un parvenu, Miss May Monroe tiendrait enfin sa revanche.

À condition, bien sûr, que Ben décide de coopérer.

Mais, alors qu'il regardait la jeune veuve échanger des propos mondains et insignifiants avec le pauvre Austen, encore tout ébloui, l'image de Mrs Dampiere se présenta à l'esprit de Ben, et il se rappela combien il avait trouvé insupportable d'être utilisé contre son gré. Il devait s'en aller, tout de suite !

Ben prit donc brusquement congé, sans avoir manifesté par un quelconque signe à Miss Monroe qu'il avait compris son petit jeu. Un fois dans la rue, il marmonna une excuse à l'adresse du pauvre Austen qui l'avait suivi, silencieux et troublé ; puis il partit seul à travers la ville pour se changer les idées.

Il se sentait à la fois déçu et furieux contre lui-même. Quel idiot il avait été, d'avoir imaginé que la vieille sorcière pourrait l'admettre dans son cercle enchanté sur ses seuls mérites... Quelle naïveté ! Il aurait dû savoir que l'intégration sociale était toujours soumise à condition. Pour l'occasion, cette condition était de se rouler dans le foin avec Sibella Palairet. Palefrenier autrefois, palefrenier encore aujourd'hui, semblait-il.

Bien sûr, s'il acceptait, cela aurait l'avantage d'infliger un affront aux Traherne… Mais il ne voulait pas agir de cette façon-là. C'était trop… vil – un mot bizarre, peut-être, dans la bouche d'un ancien gamin des rues, mais n'empêche !

Ben tournait et retournait l'affaire dans sa tête quand il passa le coin de King Street, et tomba net sur Cameron Lawe. Instinctivement, il recula et toucha son chapeau en marmonnant une excuse.

— J'espérais justement vous rencontrer, ajouta-t-il.

Cameron Lawe lui jeta un regard dénué d'expression ; puis, après avoir porté la main à son propre chapeau, il s'écarta et poursuivit son chemin sans un mot.

C'était le début de l'après-midi, King Street était vide, aussi n'y eut-il pas de témoin pour voir Ben se faire ainsi rabrouer. La chaleur ne lui en monta pas moins au visage : une chose était de s'entendre dire par une vieille sorcière qu'il n'était pas à sa place ; une autre, bien différente, de voir un homme qu'il avait toujours respecté lui battre froid. Tout en se méprisant pour cette marque de faiblesse, Ben voulait que Cameron Lawe l'aime bien – ou, au moins, qu'il ait bonne opinion de lui.

Se sentant très seul, il remonta la rue et finit par arriver sur la grand-place. Ce n'était pas jour de marché, aussi n'y avait-il qu'une poignée de colporteurs. Il sentit leurs regards posés sur lui tandis qu'il passait devant eux. Sans doute était-ce de la simple curiosité, mais il ne parvenait pas à se défaire de l'impression qu'ils le jugeaient. « Tu n'es pas à ta place dans le monde, devaient-ils penser. Tu pourras essayer de t'y intégrer autant que tu voudras, ça ne marchera jamais. Tu resteras toujours le gamin des rues qui a réussi. »

« Mais pourquoi est-ce que ça t'ennuierait maintenant ? se demanda-t-il avec colère. Tu n'as jamais été à ta place, tu n'as jamais voulu l'être. Pourquoi est-ce que tu te soucierais tout à coup de l'opinion des gens, et de quels gens ? »

Pendant qu'il traversait la place, un souvenir remonta à la surface. Quinze ans plus tôt, il s'était promené dans le même lieu, la même poussière, se sentant tout aussi en colère et seul qu'à cet instant – quand il avait soudain aperçu un visage familier, et qui s'était illuminé à sa vue…

« Bon Dieu, pensa-t-il brutalement, pourquoi penses-tu à ça juste maintenant ? »

Le banc sur lequel la jeune Sophie Monroe était assise alors était toujours là, devant le tribunal. Mais, il était présentement occupé par une jolie petite fille d'une douzaine d'années, aux cheveux sombres, qui lui rappela douloureusement Madeleine.

La fillette portait un tablier à volants sur une robe écossaise rouge et verte, un chapeau de paille qu'elle avait repoussé en arrière. Elle avait le teint éclatant de sa mère, et quelque chose de la bouche volontaire de son père. Et elle regardait Ben avec une intense curiosité, même si elle essayait de ne pas le montrer.

Il mit les mains dans ses poches et marcha jusqu'à elle.

— Bonjour, lui dit-il en arrivant.

— Bonjour, répondit-elle timidement.

— Alors, tu as toujours ton cheval à rayures ?

Elle en rougit de plaisir.

— Je ne pensais pas que vous vous souviendriez de moi.

— Je ne pensais pas que tu te souviendrais de moi non plus.

— Bien sûr que si. Vous m'aviez dit que Spot avait un canon cassé et que je devais l'abattre.

— Et tu l'as fait ?

Elle rit.

— Non ! Je l'ai toujours, il dort avec moi dans mon lit. Et maintenant, j'ai aussi un vrai cheval. Un poney, en fait.

— Comment il s'appelle ?

— Biscotte. C'est une alezane, et elle est *très* nerveuse.

Ben essaya de ne pas sourire à l'idée d'une biscotte nerveuse.

— Les alezans le sont souvent, remarqua-t-il.

— Je ne veux pas dire qu'elle a mauvais caractère, s'empressa-t-elle de préciser, comme si elle s'était montrée déloyale à l'égard de sa monture. Elle est très obéissante – avec moi en tout cas.

— Tant mieux.

Ça le changeait, de parler à quelqu'un qui était content de le voir, et il fut tenté de rester un moment avec elle. Mais il ne pouvait guère se le permettre, après ce qui venait de se passer entre lui et le père de l'enfant.

— Je crois que je ferais mieux de partir, observat-il.

Elle fit la moue.

— Oh, mais j'ai tout mon temps, franchement. J'attends papa, et il reste toujours une éternité quand il va chez le sellier.

— C'est pour ça que je ne peux pas rester, dit Ben. Tu comprends, ton papa et moi ne nous entendons pas toujours très bien. Je ne voudrais pas te causer des ennuis.

— Oh, répliqua-t-elle, c'est sans doute à cause du temps : tout le monde est grognon avant les pluies, même papa. Et ensuite, quand il commence à pleuvoir, tout le monde est encore grognon *à cause* de la pluie.

Ben sourit ; soudain, il se sentait beaucoup mieux.

— Ça doit être ça, tu as raison, répondit-il.

— Alors je l'ai regardé de haut en bas, dit Sibella, les yeux brillants, et je lui ai déclaré très fermement : « Je ne crois pas que nous ayons été présentés, monsieur. » Oh, tu aurais dû voir son visage ! Il ne savait absolument pas quoi dire : tout à fait décontenancé.

Sophie serra les dents et lutta contre l'envie de crier ; Sibella avait dû lui raconter cette histoire une centaine de fois. Elle était revenue triomphalement de Falmouth, parce qu'elle avait remis à sa place « ce Mr Kelly ».

Dans les jours qui suivirent, elle ne cessa de raconter l'histoire à tous ceux qui voulaient l'entendre, jusqu'à ce que Sophie se demande si ces yeux brillants et ces joues enflammées ne signifiaient pas davantage que la joie d'avoir lavé un simple affront. Même Gus Parnell, le plus flegmatique des hommes, commença à jeter des regards pensifs à sa promise. Pour finir, Cornelius fit venir sa fille dans son bureau. Quand Sibella en ressortit, elle était pâle, tremblante, et cessa de proclamer comment elle avait battu froid à Ben Kelly.

Sophie ne parvenait pas à la prendre en pitié. Chaque fois que Sibella avait raconté cette maudite histoire, l'attention générale s'était portée sur elle-même, pour voir comment elle prenait la chose. Tous se rappelaient ce petit épisode, sept ans plus tôt – même si personne ne savait exactement jusqu'où c'était allé.

Septembre fit place à octobre, mais les pluies ne venaient toujours pas. La chaleur augmentait, les gens se montraient irritables. Et Sophie commençait à se rendre compte qu'elle avait commis une énorme erreur en acceptant d'épouser Alexander.

Au début de leur arrivée à la Jamaïque, elle lui avait été reconnaissante de la dorloter et de la tenir à l'abri du monde extérieur. Mais, les mois passant, elle était devenue de plus en plus nerveuse. Elle n'était pas habituée à ne rien faire ; et, à Parnassus, les dames n'étaient pas censées être actives. Alexander lui fit discrètement comprendre qu'il désapprouvait ses sorties à cheval seule, et qu'il ne souhaitait pas non plus qu'elle voie sa vieille amie Grace McFarlane.

— Ça ne se fait pas de fraterniser avec ces gens, lui déclara-t-il avec son plus charmant sourire. Surtout pas les McFarlane.

— Mais pourquoi pas ? lui demanda-t-elle avec surprise. Je suis amie avec Evie depuis que nous sommes enfants.

— Oui, lui répondit-il patiemment, mais vous n'êtes plus une enfant, maintenant.

— Dans un mois environ, elle reviendra pour les vacances. Vous n'êtes sûrement pas en train de suggérer que je ne devrais pas la rencontrer ?

— Je ne peux pas imaginer que vous en ayez envie, étant donné l'endroit où elle vivra alors.

Il n'avait pas besoin d'en dire plus : la mère d'Evie habitait toujours dans le vieux village d'esclaves à Fever Hill, et il était évident pour lui que Sophie n'irait pas par là-bas.

Il avait peut-être raison à ce sujet, mais ça ne changeait pas la conviction de la jeune femme d'être dans une fausse position : elle était étrangère à Parnassus, elle ne s'y intégrait pas. Elle avait été stupide de croire que ce serait possible.

Mais comment pourrait-elle quitter Alexander – lui toujours si gentil, si prévenant envers elle, et qui ne lui avait rien fait de mal ? Ce serait la plus brutale et la plus humiliante des volte-face. Elle imagina la consternation qui régnerait à Parnassus. Elle était leur invitée d'honneur depuis plusieurs mois ; Rebecca l'avait couverte de cadeaux, Sibella la traitait comme sa sœur. Cornelius lui avait même acheté un cheval. Et tout était *arrangé :* les notaires avaient préparé les accords, le trousseau était acheté ; tout le monde s'attendait que le mariage ait lieu.

En outre, même si elle avait le courage de rompre, où irait-elle ? Elle n'était toujours pas passée à Eden, pas même un après-midi ; elle ne parvenait même pas à l'envisager. Chercher refuge là-bas était hors de question. Ça ne lui laissait comme solution que Londres, et Mrs Vaughan-Pargeter.

Les semaines succédaient aux semaines, et Sophie ne faisait rien. Elle ruminait sans fin de noires pensées, se traitait de menteuse, de lâche, d'hypocrite – et laissait les choses en l'état.

À la mi-octobre, les pluies arrivèrent enfin, transformant les routes en bourbiers et la cloîtrant dans la maison. Alors, elle s'enferma dans sa chambre et fouilla dans la malle d'« objets divers » que Madeleine avait envoyée d'Eden. Elle passa des heures penchée sur le vieux journal moisi d'un contremaître de Fever Hill, qui lui fit toucher du doigt ce qu'était la véritable infortune, lui donna plus envie que jamais de retrouver la vraie Jamaïque, et la compagnie piquante de Grace McFarlane et d'Evie. Mais elle continua de tergiverser.

Cependant, un après-midi où sévissait un déluge particulièrement violent, elle ne put en supporter davantage, et décida de s'expliquer une bonne fois avec Alexander. Elle le trouva dans son bureau, en train de lire un journal.

— Alexander, lui dit-elle dès le seuil, il faut que nous ayons une conversation sérieuse.

— Vous avez tout à fait raison, lui répliqua-t-il avec un sourire. J'ai été une parfaite brute : partir tout ce temps pour Kingston et vous laisser seule…

— Ce n'est pas pour ça…

— Mais je vous *promets* que ce sera différent quand nous serons mariés, l'interrompit-il gravement. D'abord, nous habiterons à Waytes Valley, et vous aurez votre propre maison. Ça vous donnera quelque chose à faire…

Elle serra les dents et se demanda par où commencer. Alexander avait dû lire sur son visage qu'elle n'était pas apaisée, car il reposa son journal, s'approcha d'elle et lui mit les mains sur les épaules.

— Vous savez, ma chère, nous devons vraiment fixer une date. Quand le ferons-nous ?

Aussi doucement qu'elle le put, elle se dégagea de ses mains.

— C'est de cela que je voulais vous parler.

Le visage d'Alexander s'illumina.

— Oh, je ne peux pas vous dire combien ça me fait plaisir… Alors, quand ?

Elle leva les yeux vers son visage : il était si peu exigeant, si facile à vivre, et il avait l'air si heureux…

— Euh… au printemps prochain ?

« Lâche, lâche, se blâma-t-elle. Voilà, tu as rendu les choses dix fois pires ! »

— Oh, murmura-t-il avec un infime froncement de sourcils, est-ce que ce n'est pas un délai affreusement long ? Je pensais plutôt à novembre…

Le cœur de Sophie chavira dans sa poitrine.

— Mais c'est le mois prochain !

Il lui adressa son plus charmant sourire.

— Je suis une brute de vous presser ainsi, mais c'est juste que je suis fatigué d'attendre.

— Novembre est trop tôt, dit-elle, en se détournant pour qu'il ne puisse pas voir son visage.

— Très bien. Alors, coupons la poire en deux et faisons-le en décembre ?

— Et… après Noël ? suggéra-t-elle faiblement.

Il hésita un moment, puis sourit.

— Comme vous voulez. Janvier. Je vais courir en avertir mon père, il sera ravi.

Elle lui fit un sourire crispé.

Quand il fut parti, elle sortit dans la galerie et resta longtemps à regarder la pluie qui martelait le sol et faisait virer l'allée au brun-rouge. Elle était le pire genre de lâche qui fût. Elle avait laissé passer sa chance, et maintenant ça allait être encore plus dur qu'avant de rompre.

Les semaines qui suivirent furent prises dans un tourbillon d'activités. Les invitations partirent, le petit déjeuner de mariage fut programmé avec la rigueur d'une opération militaire ; tous les jours, Sophie était résolue à arrêter les choses, et tous passaient sans qu'elle intervienne.

Puis, le 25 novembre, un élément nouveau rendit la situation pis encore : des dizaines d'invitations gravées, aux contours dorés d'une parfaite simplicité, parvinrent à tous ceux qui comptaient à Trelawny.

Mr Benedict Kelly, chez lui le lundi 26 décembre à vingt heures. Bal masqué. R.S.V.P.

La bonne société du nord de l'île s'en donna à cœur joie dans l'indignation.

— Scandaleux ! clama Sibella.

— C'est un vrai goujat, affirma Gus Parnell d'un air satisfait.

— Bien sûr que c'en est un, mon cher, répartit Cornelius avec un rire, en lui donnant une claque dans le dos. Seul quelqu'un de tel peut se moquer ainsi des règles en ne se donnant pas la peine de faire une seule visite, puis en s'attendant que tout le monde lui fasse des courbettes, simplement à cause de son argent. J'appelle ça le dernier degré de la goujaterie.

— Mais comment peut-il *imaginer* que nous ayons envie de faire sa connaissance ? demanda sa fille aînée Davina.

— Comment pourrions-nous même le faire ? plaida Olivia Herapath. Un homme qui n'a pas de sang ? Pas d'éducation ? Qui est sa famille, qui étaient ses grands-parents ?

— De mon temps, expliqua la vieille Mrs Pitcaithley, fort affligée, on naissait gentleman, on ne le devenait pas. Je ne comprends pas du tout cela !

— Je l'ai toujours plutôt bien aimé, avoua alors Clemency, surprenant tout le monde.

Elle s'était étonnamment bien accommodée de son départ de Fever Hill, et faisait souvent le trajet d'Eden à Parnassus dans son petit cabriolet.

— Oh, tante Clemmy, s'écria Sibella, vous ne l'avez même jamais rencontré !

— Si, je l'ai rencontré, répliqua doucement Clemency. Il y a des années, quand c'était encore un jeune garçon. Je lui ai donné un bonbon au gingembre. Je

413

crois même qu'il en a mangé plusieurs. Je me demande s'il s'en souvient…

— Quoi qu'il en soit, la coupa Sibella d'un ton sec, personne ne peut y aller. N'est-ce pas ?

— Je suis d'accord, dit Alexander en regardant Sophie. Et vous, ma chérie ?

Elle prit son sourire le plus inexpressif et répondit que, bien sûr, elle aussi était d'accord. Tout le monde approuva, en essayant de ne pas montrer qu'ils auraient passionnément voulu savoir ce qu'elle ressentait vraiment.

Ils auraient été étonnés s'ils avaient su la brutalité de sa réaction. Pendant une semaine, elle s'était reproché de ne pas oser rompre avec Alexander, mais maintenant tout était balayé par sa colère contre Ben. Le 26 décembre ? Le *26 décembre ?* La nuit même où elle était allée le retrouver à Romilly, où Fraser était mort ? Comment pouvait-il faire ça ?

Une semaine plus tard, la bonne société fut une nouvelle fois en émoi, quand le bruit se répandit qu'un personnage aussi important que Miss May Monroe avait accepté son invitation – ou du moins fait savoir qu'elle enverrait sa voiture et son valet Kean.

— Je suppose que ça règle toute l'affaire ? demanda Rebecca Traherne à son mari.

— Je dirais que oui, répondit Cornelius. On ne peut guère aller contre une famille aussi ancienne que les Monroe.

Et il fit un petit salut courtois à Sophie.

— Ça va de soi, renchérit Olivia Herapath. Personnellement, je considère comme de mon devoir d'y aller. En plus, c'est trop intrigant pour laisser passer l'occasion. J'ai entendu dire qu'il était terriblement beau, et en plus catholique romain. J'ai toujours bien aimé les catholiques romains. Une bouffée d'encens est presque aussi excitante que le soufre, ne trouvez-vous pas ?

— Je ne manquerais ça pour rien au monde, affirma Davina en jetant à sa sœur un regard acide.

Sibella ne répondit rien. Elle feuilletait le dernier numéro des *Modes* pour avoir des idées de nouvelles robes.

— Mais croyez-vous que les gens iront vraiment ? bêla la pauvre Mrs Pitcaithley.

— Vous pouvez y compter, dit Cornelius avec un regard à Gus Parnell, qui avait observé un silence maussade. Tout le monde ira, simplement parce qu'ils ne peuvent pas supporter de rester à l'écart. J'ai entendu dire que même la vieille Mrs Palairet n'ose pas ne pas y aller.

Seule Clemency déclina l'invitation, par loyauté envers Madeleine et Cameron, qui avaient envoyé leurs regrets par retour du courrier.

— Nous ne pouvons pas y aller ! lança Sophie un peu plus tard à Alexander, en entrant dans son bureau.

— Pourquoi pas, ma chérie ? répliqua-t-il en cessant de lire une lettre pour lui adresser un sourire. Je pense plutôt que nous le devons.

Elle le contempla, très troublée.

— Mais je ne pourrai pas, je ne pourrai pas…

Il se leva, fit le tour de son bureau et lui prit la main.

— C'est justement pourquoi nous devons y aller, lui dit-il doucement. Pour montrer à tout le monde qu'il n'est plus rien pour vous aujourd'hui.

— Je pourrais le montrer tout aussi bien en n'y allant pas.

— Non, vous ne pourriez pas, affirma-t-il d'un ton patient. Ma chérie, les gens ont beaucoup de mémoire.

Ça m'ennuie de vous dire cela, mais ce petit épisode vous a plutôt rabaissée à leurs yeux.

— *Rabaissée ?*

— Voyons, bien sûr. Ça rabaisse toujours une jeune fille de nouer une relation en dehors de son propre milieu.

Elle ouvrit la bouche pour protester, mais il la devança :

— Je ne dis pas cela pour vous faire de la peine, ma chérie. C'est du passé. Mais ne voyez-vous pas que précisément pour cela, nous devons y aller ? Pour montrer à tout le monde que ça ne signifie rien pour vous.

Elle sentit ses nerfs se hérisser.

— Donc, je dois assister au bal masqué de Noël de Mr Kelly simplement parce que ça ne signifie rien pour moi, alors qu'il m'est interdit de voir Evie McFarlane, précisément parce qu'elle est mon amie ! Non, Alexander, je dois dire que je ne vois pas la logique de tout cela.

— Je ne crois pas que ce soit indispensable, rétorqua-t-il d'un ton plus sec. Tout ce que vous avez à faire, c'est vous laisser guider par moi.

Après que Sophie fut partie, en claquant la porte derrière elle avec une force qui se répercuta dans toute la maison, Alexander resta quelque temps assis, en se frottant les tempes.

Quel ennui ! Tout était tellement en désordre : Sophie traînait les pieds, son père avait l'air furieux, et il avait reçu une lettre étonnamment discourtoise de Guy Fazackerly. Lui demandant quand la dette serait réglée. « *VINGT MILLE LIVRES*, avait-il écrit en lettres capita-

les insultantes, *absolument dues pour le jour de l'an.* »
De quoi l'homme s'inquiétait-il ? Ne se rendait-il pas
compte que maintenant la date du mariage étant fixée,
Alexander pouvait aller chez les juifs et emprunter la
somme le temps que tout soit conclu ? Qu'il aurait son
sale argent, au penny près ? Comme les gens étaient
déplaisants !

Et, pour couronner le tout, il y avait cet autre petit
désagrément.

Sur le sous-main devant Alexander était posée la
lettre d'Evie, qu'il avait juste eu le temps de retourner
quand Sophie était entrée. Il la reprit d'un air maussade.

Alexander chéri,

*Pourquoi n'es-tu pas venu me voir ni ne m'as-tu
écrit une ligne ? Ça fait des semaines que je t'ai dit ce
qui m'arrivait, et je n'ai plus entendu parler de toi.
Crois-tu que ce soit gentil ? Tu as promis de me rendre visite. Tu as promis de m'aider. Je suis si seule !
Je ne peux le dire à personne, et je ne peux penser à
rien d'autre. Je ne sais pas quoi faire. Mon amour,
j'ai besoin de toi plus que jamais...*

Quel ennui ! Pourquoi les femmes se mettaient-elles
dans de tels pétrins ? Après tout, les hommes affron-
taient chaque jour des affaires bien plus difficiles, et ne
faisaient jamais autant d'histoires. Lui-même n'avait-il
pas réussi à maintenir sa relation avec Evie, en parallèle
avec son engagement envers Sophie, dès sa descente du
vapeur ? Ç'avait été difficile, mais il avait réussi. Alors,
pourquoi Evie ne pouvait-elle s'occuper de son petit
problème avec la même subtilité ?

Quand on y pensait, elle l'avait trompé de la manière la plus affreuse. Il avait toujours pensé qu'une fille comme elle savait parfaitement ce qu'elle faisait dans ce genre de circonstances. Que sûrement elle ne se laisserait pas mettre dans un tel pétrin – ou, à tout le moins, que si elle le faisait elle se débrouillerait pour en sortir. Comment aurait-il pu deviner qu'elle était aussi ignorante des choses de la vie ? Qu'elle serait assez négligente pour se retrouver enceinte ?

Vraiment, quand on y réfléchissait bien, il avait été honteusement trompé.

La pendule sur la bibliothèque sonna dix-huit heures trente. Il poussa un grand soupir. Dans dix minutes, il devrait aller s'habiller pour dîner. Bon sang, pourquoi ne lui laissait-on jamais le temps de souffler ?

Avec le sentiment d'être grandement maltraité par le monde en général et par les femmes en particulier, Alexander prit son stylo et commença à écrire.

Chère Evie,

Je t'avais tout particulièrement demandé de ne jamais écrire. En le faisant, tu as rendu la situation particulièrement difficile pour moi. Je t'ai dit que je te verrais, et je le ferai – le moment venu. Mais tu dois comprendre que lorsque tu m'as annoncé la nouvelle l'autre semaine, j'ai été tellement pris au dépourvu que je savais à peine où j'en étais. Et, pardonne-moi, mais je dois te poser la question : es-tu absolument sûre qu'il est de moi ? Si tu me dis que oui, alors, bien sûr, je ne peux que te croire sur parole ; mais il était de mon devoir de m'en enquérir.

De plus, je dois avouer que, jusqu'à ce réveil brutal, je m'étais cru autorisé à penser que tu savais comment éviter ce genre de désagrément. Tu dois admettre que tu ne m'as jamais incité à penser le contraire, donc j'étais fondé à le croire. Je dois ajouter que tu as choisi le pire moment pour cette histoire, étant donné mon mariage imminent.

Il fit une pause. Son mariage, à la vérité, ne pouvait guère être qualifié d'« imminent » ; mais peu importait. En plus, Evie ignorait sans doute ce que le mot signifiait.

Cependant, personne ne peut dire que je me suis jamais dérobé à mes obligations. J'inclus par conséquent dans cette lettre un billet de cinq livres, qui, je suppose, te permettra de régler ta petite difficulté rapidement, de façon définitive, et satisfaisante pour toi.

J'espère passer te voir la prochaine fois que je me rendrai en ville. En attendant, je t'en prie, je t'en prie, ne m'écris plus. Bien à toi,

A. T.

Chapitre 26

« Où sont les esprits quand on a besoin d'eux ? » se demanda tristement Evie, assise sur la tombe de sa grand-mère.

Chaque soir, depuis son retour à Fever Hill, elle venait ici, au fond du jardin de sa mère, et leur demandait conseil : un signe pour lui indiquer si elle devait garder l'enfant ou s'en débarrasser. Mais rien ne venait. Les arbres seuls se penchaient vers elle, comme pour écouter ses pensées.

Seigneur Dieu, quelle idiote elle avait été ! Comment avait-elle pu imaginer qu'elle était assez bien pour Alexander Traherne ?

Une vague de honte la submergea alors qu'elle se souvenait de son fantasme secret : il se rendrait compte qu'il ne pouvait pas épouser Sophie, et l'épouserait, elle, à la place. Il la ramènerait fièrement à Parnassus et la présenterait à sa famille ; alors, elle se tournerait vers Cornelius Traherne avec un sourire froid, et le défierait de se rappeler la toute jeune fille effrayée qu'il avait essayé de violer dans le champ de canne, sept ans plus tôt.

« Seigneur Dieu, quelle idiote !... »

Un murmure de voix arriva jusqu'à elle, dans la douceur du soir. Elle se retourna vers la maison, où sa mère était assise à fumer la pipe avec cousine Cecilia et la vieille mémé Josephine. Pour la première fois depuis des années, elle eut envie de se joindre à elles. Elle aurait voulu jeter ses chaussures d'un coup de pied, sentir la poussière entre ses orteils, juste s'asseoir et discuter un moment. Mais elle ne le pouvait pas. Ce qu'elle portait en elle la mettait à part.

Et le temps s'écoulait. Au milieu d'octobre, elle avait découvert qu'elle attendait un enfant. Elle l'avait annoncé à Alexander trois jours plus tard, et il avait promis de la soutenir. Et elle l'avait cru.

Au début, ne recevant plus de nouvelles de lui, elle l'avait cru malade. Puis, au bout de plusieurs semaines à désespérer, la lettre était arrivée. « *Tu as rendu les choses particulièrement difficiles pour moi... Es-tu absolument sûre qu'il est de moi ?... Tu as choisi le pire moment pour cette histoire... Je t'en prie,* je t'en prie, *ne m'écris plus.* »

Lui réécrire ? Comment pouvait-il imaginer qu'après un tel affront elle reprendrait un jour contact avec lui ? Toutes les nuits, elle les passait éveillée, à hurler contre lui dans sa tête. Tous les matins, elle se levait, lourde de fatigue, continuant de crier en silence.

Tous ces mensonges. Ces baisers, ces caresses, ces promesses ardentes ! « Sophie ne signifie rien », lui avait-il affirmé. C'était juste un mariage de convenance. C'était elle, Evie, qu'il aimait.

À quoi cela se résumait-il, finalement ? Une étreinte moite, un dîner à bon marché dans une auberge quelconque, une ombrelle en papier et un billet de cinq livres.

Cet argent était maintenant glissé dans son corsage ; tout comme cette chaîne en or que le père d'Alexander lui avait donnée autrefois, et qu'elle avait perdue dans leur lutte à Bamboo Walk. *Son père*. Pourquoi ne s'était-elle pas rendu compte qu'ils étaient exactement pareils ?

Un souffle de brise agita le piment au-dessus de sa tête. Elle pressa ses doigts sur ses yeux jusqu'à voir des étoiles. « Seigneur Dieu, ma fille ! Cesse de revenir sur ce qui est passé, et *réfléchis* ! Le temps s'écoule. On est déjà le 15 décembre, et tu en es à plus de trois mois. Tu dois faire quelque chose ! »

Mais quoi ?

S'en débarrasser ? Mais si elle se faisait prendre, on la jetterait en prison. Ce serait la fin de tout. Et si elle donnait naissance à l'enfant, ce serait aussi la fin de tout. Elle ne pourrait plus enseigner à l'école, ni rêver d'un mariage respectable avec un homme respectable. Sa vie serait à jamais brisée.

Elle ne savait pas quoi faire, elle aurait voulu en parler à quelqu'un. Ben peut-être, ou Sophie – sauf que Sophie était la dernière personne à qui elle pouvait le dire…

Un bruit derrière elle ; elle ouvrit les yeux pour voir sa mère debout près de la tombe de mémé Semanthe, baissant les yeux vers elle, les mains sur ses hanches.

— Qu'est-ce qui ne va pas, ma fille ? lui demanda-t-elle doucement.

— Rien, murmura Evie.

Sa mère retira un brin de tabac d'entre ses dents.

— Ça fait un moment que tu es revenue, et tu n'as pas dit deux mots. Tu as toujours des pensées grandes et hautes, et des sentiments noirs en plus. Non ?

Evie secoua la tête.

— Des peines d'amour ? Des peines d'amour, où tu es là-bas ?

Evie réfléchit un instant, puis acquiesça.

— Un homme buckra à la bouche sucrée, commenta sa mère, et Evie sursauta.

— Pourquoi dis-tu ça, mère ?

— *Tcha*[*] ! Je ne suis pas stupide. Quel nom il a, cet homme ?

Mais, de nouveau, Evie secoua la tête. Elle en était certaine : sa mère ne devait jamais être mise au courant. Grace McFarlane avait accompli de sombres choses en son temps. Si elle apprenait qui avait fait ça à sa fille, il ne vivrait pas longtemps. Ensuite, Grace serait pendue pour meurtre, et les Traherne auraient gagné.

— Mère, dit-elle, en descendant de la tombe où elle était assise, ne t'inquiète pas pour moi. C'est fini, à présent.

— Evie…

— J'ai dit : c'est fini. C'est réglé. Maintenant je suis fatiguée, je vais me coucher.

Le lendemain matin, quand elle se réveilla, la situation était devenue étrangement claire dans son esprit. Non qu'elle sût ce qu'elle allait faire, mais elle était sûre qu'elle prendrait sa décision dans la journée. Tandis qu'elle était allongée dans son lit, regardant maître Anancy tisser sa toile dans les chevrons, elle se demanda comment elle avait pu arriver à une telle certitude. Est-ce qu'un esprit avait rêvé pour elle pendant qu'elle dormait ?

Elle mit ses vêtements de ville et annonça à sa mère qu'elle allait à la maison busha, voir Mr Kelly.

— Qu'est-ce que tu lui veux ? lui dit sa mère en l'examinant de près. Est-ce que c'est lui l'amoureux ?

— Oh, mère ! Bien sûr que non !

423

— Vrai de vrai ? Tu le jures sur la Bible ?

— Il a toujours été comme un frère pour moi, tu le sais.

« Et j'espère, ajouta-t-elle pour elle-même, qu'il va encore l'être aujourd'hui. »

Mais lorsqu'elle arriva là-bas, à son grand désarroi, Ben n'était pas chez lui.

— J'ai peur qu'il ne soit sorti faire une promenade à cheval, lui déclara l'homme noir et laid qu'elle rencontra dans la véranda.

Il était très noir, avec un visage osseux et intelligent qui lui rappela désagréablement son cousin Danny Tulloch, en plus jeune. Elle éprouva une antipathie instinctive envers lui.

— Je m'appelle Isaac Walker, ajouta-t-il avec un sourire en lui tendant la main.

Elle lui fit un simple signe de tête et ignora sa main.

— Evie McFarlane, marmonna-t-elle.

« Noir comme un Nègre du Congo, pensa-t-elle avec mépris. Trop noir, trop laid et trop poli. Pour qui est-ce qu'il se prend ? »

Le sourire d'Isaac s'élargit quand il eut saisi son nom.

— La fille de Grace McFarlane ? J'étais impatient de…

— S'il vous plaît, dites à Mr Kelly que je suis venue, le coupa-t-elle d'un ton froid, et elle tourna les talons.

— Vous êtes sûre de ne pas vouloir attendre ? Ou ne voulez-vous pas que je lui transmette un message ?

Elle le regarda de haut en bas, avec le dédain que seule une belle femme peut avoir pour un homme laid.

— Non, pas de message. Bonne journée à vous, monsieur.

Et elle redescendit l'allée, en colère. « Ne commencez pas vos discussions mielleuses avec moi, dit-elle mentalement à Isaac Walker. Vous avec vos sourires hypocrites, vos manières fausses et doucereuses. »

Maintenant, elle savait sur quoi sa mère et les mémés étaient en train de marmonner la veille au soir : un homme noir et riche à la maison busha – et pas marié ! Quelle bonne chose ce serait s'ils pouvaient se rencontrer, avec Evie !

« Bien sûr, songea-t-elle en grinçant des dents, leur Evie n'est pas assez bien pour quelqu'un de mieux. Pas assez bien pour un homme blanc avec des yeux bleus et des boucles dorées ! »

Sa colère dura environ deux kilomètres et demi. Le temps qu'elle arrive à la route, il n'en subsistait qu'un lourd et profond malaise. Elle avait soudain réalisé que son idée de voir Ben n'avait rien été d'autre qu'un moyen de gagner du temps. Non, Ben ne pouvait pas lui dire que faire. Elle devait se décider par elle-même.

Lorsqu'elle rentra chez sa mère, il faisait nuit, et le fufu bouillonnait dans l'âtre.

— Tu sais qu'il est plus de huit heures ? lui lança Grace d'une voix brusque. Où as-tu été toute la journée ?

— Dehors, marmonna Evie.

Elle lança son chapeau dans la poussière, se jeta sur l'escalier. Elle était fatiguée, courbatue de partout, et elle sentait encore sur ses vêtements la puanteur de la baraque du médecin de brousse. Elle s'étonna que sa mère ne la sente pas elle aussi.

— Où ça, « dehors » ? insista Grace.

— Juste dehors. Cousin Moses m'a emmenée jusqu'à Montego Bay, et j'ai été faire des courses.

Ce qui, en un sens, était vrai.

— Des courses ? Cho ! J'ai l'impression que tu n'as rien acheté.

— Non.

Là, c'était un mensonge. La petite bouteille brune de médicament qu'elle avait dans la poche avait coûté plus de la moitié des cinq livres d'Alexander. Le reste était parti dans un billet de train pour Montpelier, et un siège dans la malle-poste pour revenir de Montego Bay.

Elle avait voyagé toute la journée. Toute la journée elle avait senti le regard des gens sur elle, imaginé leur condamnation silencieuse ; même à Montpelier, où personne ne la connaissait.

Sa mère donna un petit coup sur les braises et vint s'asseoir à côté d'elle.

— Evie, commença-t-elle, cet amoureux que tu as…

Evie se crispa.

— Ne me fais pas de réponse maintenant, ma fille. Écoute-moi seulement. (Elle fit une pause.) Tu sais que ça ne fait pas de bien, de se mêler à ce genre d'homme.

Evie sourit faiblement.

— Oui, mère, je sais.

Grace l'examina un moment, puis demanda :

— Evie… tu as quelque chose à me dire ?

Sa fille croisa son regard sans ciller.

— Non.

Elle savait prendre l'air inexpressif, et ça marchait. Grace fit un brusque signe de tête et retourna surveiller le feu.

Evie s'assit et le contempla elle aussi. Il lui semblait que, dans les braises, elle revoyait le regard entendu et lubrique du vieux médecin de brousse tandis qu'il lui tendait le médicament.

426

Sa baraque se trouvait aux abords de Montpelier. Pour y arriver, on dépassait les portes du Montpelier Hotel – « l'hôtel le plus luxueux de Jamaïque » – d'après les guides touristiques. Un an plus tôt, dans la griserie du début de leur liaison, Alexander avait promis à Evie de l'emmener là-bas. Aujourd'hui, tout ce qu'elle en apercevait était deux énormes portes, et une allée de majestueux catalpas haïtiens, menant vers un palais de conte de fées qu'elle ne verrait jamais.

La baraque du médecin de brousse sentait la chèvre, l'huile fraîchement pressée et la ganja. Il avait des yeux jaunes et limpides, des gencives édentées et luisantes, qu'il découvrait dans un sourire permanent.

— Un peu de quinine, avait-il gloussé, en tapotant la bouteille de son ongle long et pointu, et de l'huile d'herbe aux coqs. Et de l'huile de persil, plus d'autres choses encore. Avalez-la bien d'un trait, comme une bonne petite fille…

« De l'huile d'herbe aux coqs, plus d'autres choses encore ». Ça paraissait inoffensif, mais elle ne doutait pas que si elle décidait de l'utiliser, ça marcherait. De telles mixtures étaient secrètes et difficiles à obtenir, mais elles existaient depuis très longtemps. Evie se rappelait un passage dans le journal de Cyrus Wright où Congo Eve faisait une fausse couche. Il la soupçonnait d'avoir pris des « potions infectes » pour la provoquer.

À côté d'elle, sa mère attrapa un bâton et dessina un cercle dans la poussière.

— Tu sais, Evie, ton père était un gentleman buckra, lui aussi.

Evie redressa la tête.

— Je sais, mère. Mais ce n'est pas parce que tu en as connu un que tu peux me dire quoi faire…

— Non, je n'en avais pas l'intention.

Elle tapota le cercle avec son bâton, fronça les sourcils.

— Je vais te révéler une chose, Evie : je n'ai pas *voulu* connaître ton père. C'est lui qui m'y a forcée.

— Qu'est-ce que tu veux dire ?

Grace haussa les épaules.

— Tu sais bien ce que je veux dire. Il y a des années, un après-midi, je dois aller à Salt Wash. Je coupe à travers Pimento Piece, vers Bulletwood, et il est là à cheval et il me voit. Et il est trop fort pour moi.

Elle ouvre ses mains, comme pour faire comprendre le reste.

Evie la regarde. Grace a parlé de son ton de tous les jours, comme s'il était question d'un panier d'ignames qui se serait renversé. Evie essaie de parler, mais aucun son ne sort d'abord. Elle s'éclaircit la gorge.

— Tu veux dire… qu'il t'a forcée ?

— Ce n'est pas moi qui le lui ai demandé – ça, c'est sûr ! gronde sa mère.

Evie s'humecte les lèvres. Dans tous ses fantasmes au sujet de son père, pas une fois elle n'avait imaginé qu'il ait pu forcer sa mère. Grace McFarlane ? La Mère des Ténèbres ? Ce n'était pas possible…

Grace barra le cercle et jeta le bâton.

— Ça s'est passé comme ça, ajouta-t-elle d'une voix éteinte. Les femmes ont besoin de beaucoup, beaucoup de courage pour vivre dans ce monde mauvais.

Evie secouait la tête, toujours interdite.

— Mais, tu… tu n'en as jamais parlé à personne ?

Sa mère grommela, sans répondre.

— Tu aurais pu aller trouver les magistrats…, insista Evie.

Grace rejeta la tête en arrière et cria :

— La paix miséricordieuse, ma fille ! Tu es professeur, mais tu es aussi stupide qu'un pickney qui vient de naître ! Qu'est-ce qu'ils auraient fait, même si j'avais parlé ? L'homme était *trop fort,* tu comprends ? Trop fort dans tous les fichus sens du mot !

— Mais… qu'est-ce que tu as fait ?

Elle haussa les épaules.

— J'ai pensé à beaucoup, beaucoup de choses. Pensé à m'enfuir loin d'ici. Ou à laisser le fleuve Missis s'en occuper. Ou à aller dans la campagne et prendre des médicaments de brousse, pour le tuer à l'intérieur de moi. (Elle fronça les sourcils.) Pour te tuer, je veux dire.

Evie tressaillit. Jusqu'à présent, elle n'avait considéré ce qu'elle avait à l'intérieur que comme un terrible problème. Pour la première fois, elle se rendit compte qu'il s'agissait d'un enfant. Aurait-elle le courage – ou la lâcheté – de faire ce que sa propre mère n'avait pas pu faire ?

Grace se leva de sa marche et alla s'accroupir auprès du feu. Elle souleva le couvercle, et l'odeur familière de thym, de callaloo et de piments parfumés remplit l'air.

— Mais je suis contente de comment ça a tourné, continua-t-elle en remuant la marmite. Ma fille, ma propre fille à moi.

Evie cligna des yeux. Sa mère ne lui avait jamais dit toutes ces choses…

Mais pourquoi les lui disait-elle maintenant ? Était-ce le signe qu'elle attendait ? Les esprits lui conseillaient-ils de jeter le médicament et d'avoir l'enfant ?

— Mère…, déclara-t-elle lentement. Pourquoi est-ce que tu me dis ça maintenant ?

Grace haussa les épaules.

— Il fallait bien que tu l'apprennes un jour... En plus, ajouta-t-elle avec un sourire ironique, tu as des peines d'amour, alors c'est peut-être juste que je te raconte un peu des miennes...

— Mais pourquoi est-ce que tu ne me l'avais jamais raconté avant ?

— Parce que ce n'était pas nécessaire. C'est tout du passé.

— Pardonner et oublier ? Ça ne te ressemble pas.

Grace soupira.

— Parfois tu peux te venger par toi-même, Evie ; d'autres fois, non. Cet homme, ton père, il a fait beaucoup, beaucoup de vilaines choses. La vengeance viendra pour lui à la fin. Mais pas par moi.

— Qui est-ce ?

Grace soupira.

— Écoute, Evie, à quoi est-ce que...

— Dis-moi.

— Non.

— Si. Je suis une adulte, je dois savoir le nom de mon propre père.

Il y eut un long silence. Sa mère porta la cuillère à ses lèvres, souffla la vapeur pour goûter le fufu. Puis elle jeta dedans un peu plus de thym, hocha la tête d'un air satisfait et remit le couvercle.

— D'accord, lâcha-t-elle. Peut-être que tu as raison, peut-être qu'il est temps.

Elle se leva et prit Evie par le poignet.

— Viens.

Elle l'emmena, sous les arbres, jusqu'aux tombes au bout du jardin. Devant celle d'arrière-grand-mère Leah, elle s'arrêta, posa la main de sa fille à plat sur la pierre froide.

— D'abord, tu dois jurer. Jure sur ton arrière-grand-mère Leah que tu n'essaieras jamais de l'affronter ni de lui tenir tête.

— Pourquoi pas ? répliqua Evie d'une voix dure.

— Tu ne m'as pas écoutée, ma fille ? Il est trop fort ! Il te ferait du mal !

Evie réfléchit un instant, puis elle jura. Sa mère hocha la tête d'un air satisfait.

— Bien, parfait. Maintenant, je vais te le dire. Ton père, c'est ce Cornelius Traherne.

Evie chancela sur ses jambes ; ensuite, elle se pencha sur le côté de la tombe et commença à avoir des nausées.

Le carrefour au pied d'Overlook Hill marque la limite de la terre d'Eden. Si vous vous arrêtez là-bas, avec le domaine derrière vous, vous avez le choix entre trois chemins.

À votre droite, le sentier disparaît dans les bois qui couvrent Overlook Hill, grimpant vers la clairière du grand arbre duppy, puis redescendant la pente rocailleuse à l'ouest vers la Martha Brae et le pont de Stony Gap.

À votre gauche, court la route de terre, accueillante et familière, qui passe à l'est devant l'usine de Maputah, avant de continuer vers Bethlehem, Simonstown et Arethusa.

Mais droit devant vous, et plein sud, c'est l'étroit sentier pierreux qui remonte en serpentant vers le hameau éloigné de Retournement, et le début des Cockpits.

Les Cockpits n'appartiennent à personne. Elles sont le domaine des gens de la montagne et des duppies. Les Cockpits sont une vaste région hostile de ravins profonds et de grandes collines vertes bizarrement coniques. Avec de soudains précipices guettant ceux qui ne se méfient pas, des grottes hantées et des dolines cachées. Si on a des ennuis, on peut y attendre longtemps de l'aide ; en plus, les gens de la montagne n'aiment pas les étrangers. Ce sont des descendants d'esclaves fugitifs, aussi robustes et silencieux que la terre qui les a portés. Ils ne quittent les collines que pour une maladie ou une neuvième nuit ; sinon, ils restent dans leurs villages éloignés et jamais visités, qui s'appellent Regard-en-Arrière, Déception, Retournement.

— Retournement, lançait souvent Madeleine à sa fille, ça dit bien ce que ça veut dire. Alors, qu'est-ce que tu fais quand tu arrives au carrefour ?

— Demi-tour, répondait Belle.

Sa mère détestait les Cockpits. Belle ignorait pourquoi – elle savait juste qu'une fois, avant même qu'elle soit née, sa mère y avait fait une mauvaise expérience. C'est pourquoi Madeleine avait fait promettre à sa fille de ne jamais aller toute seule au-delà du carrefour. Et c'est pourquoi Biscotte s'arrêta, par la force de l'habitude, quand sa maîtresse arriva ce jour-là sur son dos au carrefour, après avoir réussi à semer Quaco.

Il était dix heures et demie du matin, et Belle sentait le soleil taper sur son chapeau et ses épaules. Le chant de râpe des grillons était assourdissant, comme l'étaient les battements de son cœur.

Là-bas, le sentier grimpait le long d'un étroit défilé, semé de buissons d'épineux et de blocs de rochers éboulés, avant de contourner un éperon puis de disparaître en direction de Retournement.

« Demi-tour. »

Mais sûrement, se disait-elle, la promesse qu'elle avait faite à sa mère pouvait être mise de côté en cas d'urgence ?

Dans la poche de sa jupe d'amazone, elle avait la liste de vœux qu'elle avait rédigée deux semaines plus tôt :

Que maman et papa soient plus heureux et qu'ils ne se disputent plus jamais. Que les prix du sucre montent ou qu'on trouve un trésor, pour que papa n'ait plus à travailler aussi dur. Que tante Sophie vienne en visite et se réconcilie avec maman.

Elle ne savait pas très bien comment elle allait s'y prendre pour accomplir ces vœux, mais elle savait qu'elle devait essayer. Après tout, personne d'autre ne le ferait à sa place.

Deux semaines auparavant, elle avait été réveillée au milieu de la nuit par des bruits de voix dans la véranda. Allongée dans son lit, les yeux rivés à la moustiquaire au-dessus d'elle, elle osait à peine respirer. Ses parents ne se disputaient jamais – ou *pas vraiment*.

Retenant toujours sa respiration, elle avait écarté le tulle, et enjoint entre ses dents à Scout de ne pas bouger. Puis elle était allée sur la pointe des pieds à la porte de sa chambre, qui donnait sur la véranda, et s'était efforcée de voir dehors.

Sa mère faisait les cent pas dans la véranda, dans son peignoir couleur rouille. Ses pieds étaient nus, ce que Belle n'avait jamais vu auparavant, ses longs cheveux sombres ébouriffés.

— Un autre enfant ? cria-t-elle. Comment as-tu pu seulement le suggérer ? Comment as-tu pu même penser à en reparler ?

— Madeleine, chut, dit papa.

Sa voix était basse, mais Belle sentait qu'il était en colère. Lui aussi était en peignoir, et d'une certaine manière, ça effraya Belle plus que tout le reste. Comme si leur dispute était trop violente pour être contenue dans leur propre chambre, qu'elle avait débordé de façon terrifiante dans la véranda.

— Tu t'imagines que nous pouvons le remplacer ? gronda sa mère.

Il y eut un silence avant que son père réponde :

— Je crois, déclara-t-il doucement, que quand tu réfléchiras à ce que tu viens de dire, tu le regretteras.

— Pourquoi ? Ce n'est pas ce que tu penses ?

— Bon sang, Madeleine, c'était aussi mon fils !

— Oui, et maintenant tu veux faire comme s'il n'avait jamais existé !

— Madeleine... arrête. *Arrête !*

Sa voix était dure ; Belle ne l'avait entendu parler sur ce ton que deux fois dans sa vie.

— Ne fais pas ça, ajouta-t-il. Ne me repousse pas.

Maman se tourna vers lui, le regarda. Elle respirait fort, ses bras raides le long de son corps, mais Belle voyait bien qu'elle tremblait. Comme si elle avait conscience d'être allée trop loin.

Pendant quelque temps, ils se firent face en silence ; puis papa s'approcha d'elle, lui posa les mains sur les épaules et l'attira contre lui. Au bout d'un moment, elle l'entoura de ses bras, et ses mains lui serrèrent le dos. Il la berça doucement dans ses bras, en lui parlant à voix basse. Belle vit d'abord les épaules de sa mère se mettre à trembler, puis elle entendit ses sanglots profonds, douloureux, incontrôlables.

La fillette était terrifiée. C'était déjà affreux que ses parents se disputent, se disputent vraiment, comme s'ils n'étaient plus un. C'était encore pire d'entendre sa mère pleurer.

— Je ne sais pas ce qui se passe, murmurait-elle, la voix étouffée contre la poitrine de papa. Je pensais que nous avions traversé ça il y a des années. Mais maintenant qu'elle est revenue, ça ressort d'un seul coup, et je ne peux pas faire comme si… je ne peux pas…

Papa pencha la tête vers la sienne et murmura quelque chose que Belle ne réussit pas à entendre. Maman finit par hocher la tête et elle se laissa aller contre lui, comme si elle était épuisée. Ensuite, ils se tournèrent et repartirent lentement vers leur chambre.

« Mais maintenant qu'elle est revenue. »

« Elle » ne pouvait être que tante Sophie. Et ça étonnait Belle, parce qu'elle adorait tante Sophie, et elle savait que papa et maman aussi. Mais c'était vrai que tout se passait bien avant que tante Sophie ne revienne…

Enfin, était-ce la vérité ? Ou Belle avait-elle seulement *pensé* que tout se passait bien ?

Biscotte releva sa tête hirsute et grogna, impatiente qu'une décision soit prise concernant le carrefour. Belle lui caressa l'encolure et lui dit de se calmer.

Une semaine après la dispute dans la véranda, quelque chose d'autre était arrivé qui l'avait fait réfléchir. Elle avait accompagné son père dans une de ses rares visites à Parnassus ; et tante Sophie et lui étaient allés se promener sur les pelouses, la traînant derrière eux.

À un moment, papa s'était tourné vers tante Sophie et avait dit doucement :

— Sophie, viens à Eden. Il est temps. Il est vraiment temps !

Belle avait eu l'impression que ce n'était pas la première fois qu'il le lui demandait.

Mais tante Sophie avait croisé les bras et secoué la tête. Elle avait l'air triste, et papa aussi.

— Juste pour quelques jours, avait-il insisté. Ou même un après-midi.

Tante Sophie avait regardé le sol, puis murmuré :

— Elle ne veut pas de moi.

— Mais si... Elle n'en a peut-être pas conscience, mais si. C'est cela qui la rend si malheureuse.

Tante Sophie avait secoué la tête.

— Elle m'en veut encore.

— Pourquoi ? Pour Fraser ?

— Elle m'en veut, Cameron. Je sais qu'elle m'en veut.

— Tu penses vraiment que c'est ça ? N'est-ce pas plutôt toi qui t'en veux encore ?

Tante Sophie n'avait pas répondu. À la fin, papa avait soupiré, s'était penché pour l'embrasser sur la joue, puis tout le monde était reparti.

Belle ne comprenait pas. « En vouloir » ? Qu'est-ce qu'ils voulaient dire par là ? On n'avait à en vouloir à personne pour ce qui était arrivé à Fraser. Elle le savait, parce que papa le lui avait expliqué quand elle était petite. Fraser était tombé très malade et les docteurs n'avaient pas réussi à le sauver, alors il était mort. Juste comme le petit chiot mastiff qui avait eu une pneumonie en octobre dernier.

De nouveau, Biscotte envoya la tête en arrière. Belle jeta un coup d'œil incertain au sentier.

Son plan lui avait paru tellement simple à réaliser, dans la sécurité de sa chambre ! De tous les vœux qui figuraient sur sa liste, « trouver un trésor » était le plus facile. Dans ses *Contes des rebelles marrons,* il y avait une histoire sur des jarres espagnoles que les pirates avaient remplies de doublons d'or et cachées dans des grottes dans les Cockpits. Et, d'après la carte dans le bureau de son père, il y avait justement plusieurs grottes près du sentier menant à Retournement.

Pourquoi hésitait-elle ? C'était le seul moyen. Elle le savait, elle avait essayé tout le reste : elle avait prié, imploré le bébé mort de tante Clemmy ; elle avait même essayé de demander à Grace McFarlane...

... et ç'avait été le pire de tout. Elle avait attendu au carrefour, à minuit, la nuit où Braverly avait annoncé que Grace allait parler au grand arbre duppy sur Overlook Hill. Mais Grace avait paru si différente, quand elle était arrivée à grandes enjambées dans le clair de lune bleu ; elle ressemblait tant à une véritable sorcière ! Elle portait un combinaison blanche retroussée au-dessus de ses mollets, comme un fantôme ; un foulard blanc, et un collier de becs de perroquet qui faisait un horrible cliquetis lorsqu'elle marchait. Belle en avait eu le souffle coupé ; elle s'était cachée dans la pénombre jusqu'à ce que Grace soit passée, puis elle avait couru tout le chemin du retour jusqu'à la maison.

C'était deux jours plus tôt. On était aujourd'hui le 19 décembre, deux semaines entières s'étaient écoulées depuis la dispute dans la véranda, et elle était fatiguée de se traiter sans arrêt de lâche.

En plus, elle avait pris toutes les précautions pour se protéger, et protéger Biscotte, des duppies : elle avait passé un brin de romarin et un de madame-destin dans sa ceinture, et en avait attaché un gros bouquet au frontal du poney. Tout devait bien se passer pour eux.

Elle reprit donc ses rênes et poussa Biscotte dans le sentier de Retournement.

Au début, il ressemblait à tous les autres sentiers, et c'était plutôt rassurant. Belle reconnut un leonurus et un calebassier, du pain-de-cochon, des boutons d'or jamaïcains et de la honte-des-dames. Mais ensuite le terrain commença à grimper en pente raide, et bientôt elle dut mettre pied à terre pour conduire Biscotte entre des pentes menaçantes, couvertes de blocs de rocher qui ne demandaient qu'à s'écrouler et de buissons d'épineux.

Il n'y avait aucun chant d'oiseau ; même le bruit de râpe des grillons semblait ici étouffé. Elle avait l'impression de sentir des yeux posés sur elle, mais quand elle s'arrêtait et se retournait, elle ne remarquait personne. N'empêche, ça l'inquiétait que le carrefour ait maintenant disparu de sa vue.

La chaleur augmentait ; le soleil était haut dans le ciel, son éclat si violent sur les rochers que ça faisait mal aux yeux. Elle parvint à un embranchement du sentier. Sur la carte dans le bureau, si on prenait à main droite, on arrivait bientôt dans la zone hachurée comportant des grottes. Du moins, c'est ce qui lui semblait.

Il était midi lorsqu'elle la trouva. Le sentier avait souvent bifurqué, mais Belle avait veillé à marquer chaque embranchement avec un nœud d'herbe bien apparent, comme son père le lui avait appris. Elle était en train de penser à lui quand elle contourna un rocher et l'aperçut : une grande bouche d'ombre, environ vingt mètres au-dessus de sa tête. Elle était à moitié cachée par un épineux, obstruée par un figuier étrangleur, mais c'était manifestement une grotte.

Belle toucha le romarin à sa taille, et il lui parut terriblement insuffisant. À quoi les herbes pouvaient-elles servir contre les duppies, et peut-être contre la Vieille Sorcière elle-même ? Mais elle était allée trop loin pour rebrousser chemin maintenant. Elle attacha Biscotte à un buisson d'épineux, fit un signe de croix et commença à monter.

Tandis qu'elle approchait, elle remarqua que l'entrée de la grotte était garnie de bromélies hérissés de pointes, ainsi que d'une petite plante grimpante avec des tiges gris-vert et de minuscules fleurs vertes couvertes de protubérances. « Des orchidées, pensa-t-elle, son cœur battant à toute allure dans sa poitrine. Des *orchidées fantômes.* » Elle regretta de s'être rappelé leur nom.

Depuis l'intérieur de la grotte lui parvint une sorte de gémissement, et Belle se figea. Mille possibilités se présentèrent aussitôt à son esprit : la Bête errante ? La Vieille Sorcière ? Un duppy ?…

Un autre gémissement ; cette fois, ça ressemblait davantage à un cri d'animal. Un chat blessé ? Une chèvre ? Mais est-ce que les chèvres blessées faisaient ce genre de bruit ?

Serrant fortement les herbes dans son poing, Belle s'approcha.

Un courant d'air froid et sentant la terre lui passa sur le visage. Au début, elle ne put rien voir ; mais quand ses yeux furent habitués à l'obscurité, elle distingua des parois rugueuses avec des crottes de chauves-souris, un sol en terre – et, dans un coin, une couverture froissée avec une grande tache noire dessus.

Son cœur chancela. À côté de la couverture, une femme était recroquevillée, immobile, et aussi grise qu'un duppy. C'était Evie McFarlane.

Chapitre 27

« Cette fille très malade, disent les voix contre les parois de la grotte. Bébé mort, lui mort à l'intérieur d'elle. Et, sûr comme le péché, cette fille prête à mourir elle aussi. »

« *Ploc, ploc, ploc* » fait la source au fond de la grotte. « Père, frère, amant. Péché, péché, péché ! »

La douleur lui brûle le ventre, Evie crie. Mais le seul son qu'elle produit est une respiration sifflante, comme dans un cauchemar.

Un moment plus tôt, une petite fille est venue et lui a donné de l'eau. Evie a senti ses cheveux lui balayer le cou, comme une aile de papillon, la douceur de son souffle sur sa joue. Mais ensuite, la petite fille a pressé un brin de romarin dans sa paume, lui a murmuré qu'elle allait chercher de l'aide, puis a disparu derrière les parois de la grotte.

Maintenant, tout ce qu'Evie entend est le « *ploc, ploc* » du péché, et le murmure des gens de la grotte. « Qu'est-ce que tu fais dans ce vieux trou de pierre, ma fille ? Ça n'est pas un endroit pour toi… C'est un endroit porte-malheur, plein d'esprits et de souvenirs des morts… »

Puis vient une nouvelle voix, une voix de femme :
« Si c'est ça, vivre, alors je ne veux plus… »

Qui a dit ça ? Congo Eve, ou Evie McFarlane ?

« Une femme a besoin de beaucoup, beaucoup de courage pour vivre dans ce monde mauvais… Tu as du courage, Evie ? Tu as de la volonté ? »

— Seigneur, Evie, Seigneur ! murmure l'homme agenouillé à côté d'elle.

Ben ? Qu'est-ce que Ben fait ici, dans les collines ? Est-ce qu'il est mort lui aussi ? Est-ce qu'il est coincé dans le vieux trou de pierre, avec Evie McFarlane et Congo Eve, et tous les esprits qui sont jaloux et qui murmurent ?

Elle entend le bruit des cailloux, tandis qu'il descend la pente à l'arrière de la grotte en direction de la source. Puis ses pas qui reviennent, et le tintement du seau quand il le pose.

— Seigneur, Evie, Seigneur !

Sa voix tremble, et il jure tout bas.

La fraîcheur inonde sa bouche. Elle avale, hoquète et tente d'avaler encore. La fraîcheur se diffuse en elle, tout au fond, là où le feu brûle. Ben commence à lui laver le cou et les bras, mais elle le repousse – ou du moins, elle essaie.

— Bon sang, Ben, protesta-t-elle, je suis une femme, pas un de tes fichus chevaux…

Mais les mots ne sortent pas de sa bouche ; tout ce qu'elle entend, c'est un gémissement rauque et sourd.

Où a-t-il trouvé le seau ? Ah oui, elle se rappelle maintenant : elle l'a apporté avec elle. Elle a tout prévu – le seau et la couverture, la galette de pâte dure, et la petite bouteille de médicament amer et brun. Rien que d'y penser lui donne un haut-le-cœur.

Ben la soulève d'un bras pour l'aider à boire. La douleur flamboie dans son ventre.

Elle ouvre les yeux ; mais ce n'est pas Ben qui la regarde, c'est Cyrus Wright.

— Allez-vous-en, murmure-t-elle. Coquin de bâtard de vieille carne, allez-vous-en…

Mais Cyrus Wright n'écoute pas. La soutenant toujours dans le creux de son bras, il retire sa veste et la roule pour en faire un oreiller. C'est doux, lorsqu'il repose dessus. Ça sent le cheval et le cigare, ça a la chaleur de son corps.

Elle a dû s'endormir, parce que, lorsqu'elle émerge à nouveau, Cyrus Wright est reparti et elle est seule. C'est si calme qu'elle entend les petits tourbillons de poussière sur le sol, et le « *ploc* » de la source, et les murmures interminables des gens de la grotte qui débitent leurs sortilèges pour la faire dormir.

Lorsqu'elle se réveilla une fois de plus, les gens de la grotte étaient partis. Ne lui parvenaient que le murmure du vent dans l'épineux à l'entrée de la grotte, le cri solitaire et lointain de la buse à queue rousse.

La douleur était toujours là, au fond de son ventre, mais elle était plus sourde désormais et ne la brûlait plus autant qu'avant. « Bébé mort, lui mort. » Des larmes lui piquèrent les yeux, et elle les refoula. D'autres vinrent, qui laissaient des traînées chaudes et salées sur ses joues.

Elle tourna la tête, et la lumière de dehors parut lui envoyer comme des éclats de verre dans la tête. Elle gémit.

Un rocher sombre près de l'épineux bougea et se mua en Ben. Il vint s'agenouiller à côté d'elle, et prit de l'eau dans ses mains serrées en forme de coupe pour la faire boire. L'eau avait un goût de terre et de fer. Une fois de plus, elle sentit sa force froide se glisser en elle : la force de la terre, du fer et des esprits qui vivaient dans la grotte. La force des Cockpits.

— Depuis quand es-tu ici ? lança-t-elle.

Elle était étonnée par la faiblesse de sa propre voix.

— Quelques heures.

— Comment est-ce que tu m'as trouvée ?

Il ne répondit pas mais, à la place, demanda :

— Comment te sens-tu ?

Elle détourna la tête.

À l'entrée de la grotte, un petit lézard vert prenait le soleil sur un rocher. Evie suivit des yeux l'oscillation rapide de ses flancs : dedans, dehors, dedans, dehors. Elle s'humecta les lèvres puis, sans bouger la tête, s'enquit :

— Qu'est-ce que tu as fait de la couverture ?

— Je l'ai brûlée.

Elle essaya d'avaler sa salive, mais sa gorge était trop serrée.

— Est-ce qu'il y avait… Tu as vu quelque chose dessus ?

— Non. Pas grand-chose.

Elle ferma les yeux de toutes ses forces, mais les larmes continuaient néanmoins d'en sortir.

Il y eut un moment de silence pendant qu'il s'agenouillait près d'elle, la main sur son épaule, et qu'elle pleurait. Elle entendit, de nouveau la buse à queue rousse crier dans les collines : elle était haut, lointaine et solitaire. Le son le plus solitaire qui fût au monde.

Lorsqu'elle cessa de pleurer, Ben lui demanda :

— Evie, parle-moi. Dis-moi quelque chose.

Elle se retourna vers lui.

— Quand tu délirais, poursuivit-il, tu m'as appelé Cyrus. Je n'ai pas compris le nom de famille…

— Wright. Cyrus Wright.

— C'est lui le père ?

Elle secoua la tête.

— Cyrus Wright est mort il y a longtemps – en tout cas, je l'espère.

Il y eut un silence, le temps qu'il y réfléchisse, puis il insista :

— Alors, qui est le père ?

Elle ne répondit pas.

— Evie ?

— Ben… non. Je ne veux pas le dire.

— Mais…

— J'ai dit non.

Après un autre silence, il murmura :

— Bon Dieu, Evie, à quoi est-ce que tu pensais ? Pourquoi est-ce que tu n'es pas venue me voir ? Je t'aurais trouvé les meilleurs médecins…

— Les meilleurs médecins sont blancs. Ils ne soigneraient pas une mulâtresse qui ne vaut pas mieux que ce qu'elle paraît.

— Alors, je t'aurais trouvé un médecin noir.

— Il n'y a qu'un médecin noir dans le nord de l'île, et c'est mon cousin.

— Et tu ne veux pas que quiconque soit au courant, n'est-ce pas ? C'est pour ça que tu t'es réfugiée ici ?

Elle acquiesça.

— Même pas ta mère ?

— Seigneur, non ! Surtout pas ma mère…

Elle s'interrompit, pour reprendre un peu de forces.

— Elle pense que je suis allée à Mandeville, pour voir une amie. Et il faut qu'elle continue de le croire, Ben : tu dois me le promettre !

Il hocha la tête, mais quelque chose dans son regard la mit mal à l'aise.

— Comment est-ce que tu m'as trouvée ? lui redemanda-t-elle.

Il lui raconta qu'il se promenait à cheval dans les collines et qu'il avait rencontré une petite fille effrayée, sur un poney.

— Elle bredouillait à propos de quelque chose qu'elle avait trouvé dans une grotte, alors nous sommes revenus ici et… tu étais là. J'ai fait ce que j'ai pu pour toi, puis j'ai ramené Belle chez elle. Du moins, je l'ai accompagnée jusqu'au carrefour, où la route devient sûre.

Evie fronça les sourcils.

— Elle s'appelait Belle ?

— Oui. Isabelle Lawe.

Elle ferma les yeux, en plein désarroi. Elle s'imaginait Belle racontant à ses parents, très excitée, son aventure dans les collines… Cela voulait dire que maintenant le vieux Braverly savait, ainsi que Moses et Poppy, et la plus grande partie de Trelawny. Dont sa mère.

— Ne t'inquiète pas au sujet de Belle, dit Ben, devinant ses pensées. Elle n'en soufflera pas un mot.

Elle lui jeta un regard méfiant.

— Pourquoi ?

— Parce qu'une fois arrivés au carrefour, tout ce qui l'inquiétait, c'était la réaction de ses parents s'ils apprenaient qu'elle était allée dans les Cockpits. Alors, j'ai suggéré un pacte : je ne dirais rien sur elle si elle ne disait rien sur toi.

— Et tu es sûr qu'elle le respectera ?

— Oui.

Elle examina son visage, puis constata :

— Tu me caches quelque chose.

Il tourna la tête vers l'entrée de la grotte, revint vers Evie et avoua :

— J'ai envoyé chercher de l'aide.

Le cœur de la jeune femme sombra dans sa poitrine.

— Quel genre d'aide ?

— J'ai rencontré le jeune Neptune Parker, et je l'ai envoyé chercher des chevaux et des provisions.

Seigneur Dieu ! Neptune Parker était son deuxième cousin ! Elle ouvrit la bouche pour protester, mais Ben lut à nouveau dans ses pensées.

— Ne t'inquiète pas là encore : il ne sait pas que tu es ici. Je lui ai seulement dit que j'avais trouvé quelque chose d'intéressant dans une grotte.

Mais elle sentait que ce n'était pas tout.

— Tu as envoyé Neptune chercher seulement des provisions ?

Et, de nouveau, Ben détourna les yeux.

— Non. Je l'ai aussi envoyé porter un mot.

— Un mot ?

Il ne répondit pas.

— Qui as-tu envoyé chercher, Ben ? Qui ?

— Écoute, Evie, elle n'en parlera à personne. Tu sais que tu peux lui faire confiance.

Dans un éclair, Evie comprit avec horreur de qui il voulait parler. Mais elle aurait déjà dû le savoir : avec Ben, on en revenait toujours à la même femme. Toujours ! Même s'il ne le reconnaissait pas lui-même.

Elle essaya de se soulever sur un coude, mais la douleur la fit retomber en arrière.

— Seigneur Dieu, Ben ! Sophie est la dernière personne à qui tu aurais dû le dire !

— Écoute, souffla-t-il entre ses dents. Je n'ai pas plus envie que toi de la voir ici. Mais je devais trouver quelqu'un, et au moins elle aura une idée de ce qu'il faut faire.

Sophie n'avait aucune idée de ce que Ben imaginait qu'elle pût faire, mais sa requête était si étonnante qu'elle y obéit immédiatement.

E. M. a besoin de vous. Apportez des médicaments. Ne le dites à personne (y compris Neptune). B. K.

C'était juste un gribouillage sur un morceau de papier à lettres. En l'espace de quelques secondes, elle passa de l'étonnement qu'il puisse rechercher son aide à l'indignation devant son arrogance, puis à l'anxiété à l'égard d'Evie. « Apportez des médicaments. » Des médicaments pour quoi ?

Par chance, elle était seule quand le mot arriva. Alexander était parti pour un match de polo à Rio Bueno ; Cornelius était avec Gus Parnell à Montego Bay ; Rebecca faisait sa sieste d'après le déjeuner. Enfin, au grand soulagement de Sophie, Sibella passait la journée à Ironshore avec Davina et les petits Irving. Ces derniers temps, elle avait été impossible : nerveuse, irritable et de mauvaise humeur. Mais, quand Sophie avait prétexté une migraine pour rester à la maison, elle l'avait à peine remarqué.

Sortir sans être vue avait été étonnamment facile – même si c'était sans doute dû à la chaîne des domestiques qui avaient conspiré pour l'aider. Neptune Parker était parent de Danny Tulloch, le chef palefrenier, et aussi d'Hannibal, le second valet de pied ; à Parnassus, ça comptait plus que la loyauté envers le maître et la maîtresse.

Cependant, à la grande déception de Sophie, Neptune ne lui dit rien sur leur destination. Il était poli, respectueux, mais inébranlable. Dans un silence tendu, ils chevauchèrent au sud-est à travers les champs de canne jusqu'à l'extrémité du domaine. Le temps qu'ils atteignent la route de Fever Hill, Sophie en avait assez.

— Neptune, qu'est-ce que tout ça signifie ? demanda-t-elle en remettant son cheval au pas.

Le garçon contempla le sol d'un air malheureux et secoua la tête. Grand et solennel, avec un visage intelligent, il avait visiblement été choisi pour cette tâche à cause de son naturel silencieux.

— Je ne sais pas, Miss Sophie, murmura-t-il. Maître Ben à juste dit d'aller vite vous chercher.

— Mais où est-ce que nous allons ? Vous devez me répondre, ou je n'irai pas plus loin.

Il eut l'air si malheureux qu'elle en ressentit un pincement de culpabilité.

— Quelque part près de Retournement, murmura-t-il.

— Retournement ? Mais c'est à des kilomètres, dans les Cockpits !

— Oui, m'dame.

— Et qu'est-ce qu'il y a là-bas ?

— Je ne sais pas, m'dame.

Elle renonça ; ce n'était pas juste de le soumettre à un interrogatoire. En plus, étant donné la mise en garde de Ben au sujet d'Evie, elle ne pouvait pas lui en demander beaucoup plus.

Ils franchirent les portes de Fever Hill et remontèrent l'allée, s'arrêtant brièvement aux écuries pour prendre des chevaux frais et ce que Neptune appela, laconiquement, des « provisions ». Puis ils laissèrent la grande maison derrière eux et suivirent l'étroit filet de la Rivière verte, au sud, vers la Martha Brae. Sophie n'eut pas le temps de regarder autour d'elle, ni de ressentir autre chose qu'un bref regret, lors de cette visite furtive au domaine où elle avait commencé sa vie en Jamaïque.

Mais maintenant, tandis qu'ils chevauchaient au sud, à travers les champs de jeunes pousses de canne de Glen Marnoch, elle se rendit compte qu'ils se dirigeaient droit vers Eden. Une fois qu'ils auraient atteint la Martha Brae, ils devraient soit tourner à droite vers Stony Gap, soit à gauche vers Romilly. S'ils allaient à Retournement, la route de l'est, via Romilly, serait la plus directe.

Romilly était sur la terre d'Eden. Rien que d'y penser lui donna une sueur froide ; elle fut étonnée de la force même de sa réaction. Plus que jamais, elle savait qu'elle ne pourrait aller nulle part près d'Eden.

Le temps qu'ils atteignent la Martha Brae, elle devait serrer ses rênes pour empêcher ses mains de trembler. Neptune fit une courte halte pour faire boire les chevaux, mais elle resta en selle, prête à s'enfuir.

Eden était maintenant tout proche : si elle avait jeté une pierre sur la rive opposée, elle l'aurait touché. À travers le feuillage arrondi des bambous géants, elle pouvait voir les jeunes cannes d'Orange Grove, où Evie et elle jouaient à cache-cache. À moins d'un kilomètre vers l'aval se trouvait Romilly. Et sur les berges rouges, en pente douce, juste en face d'elle, le vieux Braverly avait appris à pêcher à Fraser, le dernier été de sa courte vie.

Trop de rappels, trop de souvenirs. Elle ne supportait pas ce retour en arrière. Cameron ne savait pas ce qu'il lui demandait.

— Miss Sophie ? interrogea Neptune.

Elle sursauta. Il la regardait d'un air bizarre, comme s'il avait dû prononcer son nom plusieurs fois avant qu'elle ne réagisse.

— Nous y allons, à présent ? Oui ?

— Ça dépend, lui répondit-elle. Par quel chemin ?

Il lui jeta un regard perplexe, puis tourna la tête de son cheval à droite, vers Stony Gap.

— Maître Ben a dit d'éviter les terres d'Eden, lui expliqua-t-il.

Elle l'entendit à peine ; elle en tremblait de soulagement.

Ils remontèrent la rivière jusqu'au pont de Stony Gap, puis Neptune emprunta un chemin que Sophie ne connaissait pas. Il contournait les pentes nues de l'ouest d'Overlook Hill, avant de faire une boucle vers le sud, au pied de la colline, et d'arriver juste au sud du carrefour.

Maintenant qu'elle pouvait oublier Eden, elle avait le temps de s'interroger au sujet de Ben. Elle ne l'avait pas revu depuis ce jour au Myrtle Bank Hotel, et n'avait pas envie de le revoir. Surtout pas après son invitation à son bal masqué du 26 décembre. À quoi jouait-il aujourd'hui ? Et elle, dans quoi se lançait-elle ?

Une heure plus tard, Neptune remit sa monture au pas en arrivant près d'un calebassier chétif ; puis il descendit de cheval, et désigna l'entrée à demi cachée de la grotte, quelque vingt mètres plus haut que le chemin. Ben n'était visible nulle part.

— Est-ce qu'il est là-haut ? demanda Sophie en montrant la grotte.

Neptune secoua la tête. L'absence du chapeau de Ben sur le rocher près de l'épineux lui indiquait qu'il était parti ailleurs.

Son absence étonna Sophie. Elle venait de faire quinze kilomètres à travers champs sous un soleil torride, et il n'avait même pas la décence d'être là quand elle arrivait ! Serrant les dents, elle mit pied à terre, attacha son cheval, et demanda d'un ton raide à Neptune de lui montrer le chemin. Mais il refusa poliment. Il avait pour instructions expresses de ne pas s'approcher de la grotte.

Elle ne sut pas si cette réponse la faisait se sentir mieux ou plus mal ; mais quand elle déboucla sa sacoche de selle, contenant la série de médicaments qu'elle avait préparés en hâte avec l'aide de la gouvernante de Parnassus, elle fut gagnée par l'angoisse. Tout semblait bizarrement calme et silencieux. Elle jeta un coup d'œil à la bouche d'ombre béante qui la surplombait. Qu'allait-elle trouver à l'intérieur ? Et qu'est-ce que Ben attendait d'elle ? Elle n'était pas médecin, même pas infirmière.

Elle prit une grande inspiration et adressa à Neptune ce qu'elle espérait être un sourire rassurant.

— Bien, lâcha-t-elle d'une voix un peu brusque. Si maître Ben revient, où qu'il soit parti, vous voudrez bien lui dire que je suis là-haut ?

Puis elle chargea la sacoche de selle sur son épaule et commença à grimper.

Une heure plus tard, elle ressortit de la grotte, s'essuyant les mains à son mouchoir. Ben était là – assis par terre, à mi-chemin du sentier, les coudes sur les genoux et lui tournant le dos. Il sauta sur ses pieds dès qu'il l'entendit.

— Comment va-t-elle ? lui lança-t-il.

Pas de salut, pas de « Grâce à Dieu, vous êtes venue… ». Qu'elle ait tout laissé tomber, au vu d'un bref mot de sa part, et parcouru quinze kilomètres sous le soleil de l'après-midi ne lui faisait apparemment rien. Ni qu'elle soit chancelante sur ses jambes, malade de la puanteur de sang et de désespoir qui régnait dans cette grotte.

Réfrénant sa colère, elle mit un doigt sur ses lèvres et lui fit signe de la suivre dans la pente.

Neptune avait dû partir faire boire les chevaux, parce qu'il ne restait sous le calebassier qu'un tas de provisions. Remarquant une boîte en bois, posée à l'ombre, Sophie s'assit dessus et se prit la tête dans les mains.

— Comment va-t-elle ? répéta Ben.

— Je lui ai donné un fébrifuge et de la poudre pour dormir.

— Et ?

— Et elle s'est endormie, répondit-elle d'un ton un peu sec.

Elle retira son chapeau, le lança au sol et se massa la nuque.

— Elle est très faible et elle n'a pas le moral, ce qui n'a rien d'étonnant. Et elle est furieuse contre vous de m'avoir fait venir.

Elle avait dit « fait venir » comme un reproche, mais il l'ignora.

— Mais elle ira bien ? insista-t-il.

— Pour ce que je peux en voir, oui.

Il avait le visage tendu et ne paraissait pas la croire.

— J'ai été étonnée de ne pas vous trouver à mon arrivée, ajouta-t-elle abruptement. Où étiez-vous ?

— Quoi ? Oh… Elle voulait de la madame-destin, je suis allé en chercher.

452

Elle regarda ses mains vides.

— Pas étonnant que vous n'en ayez pas trouvé : ça ne pousse pas par ici.

Mais il n'écoutait pas ; il regardait en haut, en direction de la grotte, et l'inquiétude crispait ses traits. Une nouvelle fois, elle se demanda s'il était le père de l'enfant d'Evie. Mais, si oui, n'aurait-il pas mieux veillé sur elle ?

Il se retourna vers Sophie.

— Elle vous a dit qui est le père ? questionna-t-il.

Elle secoua la tête.

— Qui est-ce ? Vous le savez ? répliqua-t-elle.

— Bien sûr que non. C'est pour ça que je vous le demande.

Il vit son expression et hocha la tête.

— Vous pensiez que c'était moi ?

— Ça m'est venu à l'esprit, oui.

— Vous croyez honnêtement que si j'étais le père, je l'aurais laissée monter là-haut ?

— J'ai juste dit que ça m'était venu à l'esprit. Je ne…

— Tôt ou tard, l'interrompit-il, elle devra me révéler son nom. Et quand elle le fera, je lui arracherai les os.

Sophie savait qu'il parlait sérieusement, et elle envia presque Evie d'inspirer une résolution aussi acharnée. Mais il la regarda soudain droit dans les yeux.

— Vous êtes sûre qu'elle ira bien ?

— Je vous l'ai dit, je le crois d'après ce que je peux en voir.

Il la regarda encore un moment, puis se laissa tomber sur un rocher, mit ses coudes sur ses genoux et prit sa tête dans ses mains.

— Mon Dieu, murmura-t-il, mon Dieu…

Alors, elle réalisa combien il avait été inquiet. Et cela éveilla un lointain souvenir, au fond de son esprit : ce jour à la clinique, quand elle lui avait demandé pour sa sœur. « Est-ce qu'elle a été enceinte ? Est-ce qu'elle a dû aller chez une… faiseuse d'anges ? C'est comme ça qu'on les appelle, n'est-ce pas ? »

Il avait tressailli comme si elle l'avait frappé ; manifestement, ça avait touché un nerf sensible chez lui. Ce qui était arrivé à Evie en avait peut-être touché un également. Fait remonter de mauvais souvenirs à la surface.

Ce jour lointain, à Bethlehem… Elle se rappelait chaque détail : Belle accroupie sous l'arbre à pain avec Spot. Ben faisant tourner le jouet dans ses mains et souriant tout à coup. Puis ce bref moment, extraordinaire, quand il l'avait embrassée pour la première fois.

Soudain, elle ressentit une énorme tristesse. Elle pensa : « Quels enfants nous étions ! Et regardez-nous maintenant. Evie est là-haut dans la grotte, pleurant son enfant mort ; moi, je suis coincée à Parnassus, dans d'impossibles fiançailles ; et Ben… Ben quoi ? »

Pendant qu'il se redressait, elle le dévisagea. La richesse lui avait donné un air d'autorité nouveau, mais ne semblait lui avoir apporté ni le bonheur ni la paix. Il était tête nue et ébouriffée, en culottes de cheval, bottes poussiéreuses et manches de chemise roulées aux coudes – exactement pareil à ce qu'il était autrefois. Presque comme si les sept années écoulées n'avaient pas eu lieu, qu'elle était juste allée faire une promenade à cheval un après-midi et l'avait rencontré par hasard dans les collines. Seule la cicatrice qui coupait son sourcil en deux témoignait du passage du temps.

Il y eut un silence embarrassé, puis il observa :

— Je suppose que je devrais vous remercier d'être venue.

— Oh, je vous en prie, ne faites rien juste parce que vous « devriez » le faire...

Ça parut le surprendre ; puis il fronça les sourcils.

— J'espère que ça ne vous causera pas de problèmes ?

— Quel genre de problèmes ?

— Je veux dire, avec votre... fiancé.

Elle se sentit rougir. Jusqu'alors, elle avait complètement oublié Alexander. Complètement oublié qu'en venant ici elle avait enfreint toutes ses interdictions : ne pas faire de longues promenades à cheval, ne pas voir Evie McFarlane, et ne rien avoir à faire avec Ben Kelly.

— Il n'y aura pas de problème, assura-t-elle d'une voix ferme. Neptune a été très discret. En parlant de Neptune, ajouta-t-elle après une pause, vous lui avez dit d'éviter Eden. Pourquoi ?

Il haussa les épaules.

— Je ne suis pas en très bons termes avec votre beau-frère – comme vous le savez déjà, j'en suis sûr.

— Non, justement. Je ne les vois pas souvent.

Elle regretta aussitôt ces mots ; mais elle était fatiguée, et un malin génie la poussait à en dire trop. Comme toujours quand elle était avec Ben.

Ainsi qu'elle le craignait, il releva sa phrase.

— Qu'est-ce que vous voulez dire par : « Je ne les vois pas souvent » ?

— Juste ça, rien de plus. Il y a un moment que je ne suis pas retournée là-bas.

— Ça fait combien, « un moment » ?

Elle ne répondit pas.

— Vous n'y êtes jamais retournée depuis votre départ d'ici. C'est vrai ou pas ?

Que lui répondre ? Elle serra les lèvres.

— Sept ans…, murmura-t-il, incrédule. Dieu tout-puissant !

Comme elle devait lui paraître pitoyable ! Si terrifiée par le passé qu'elle ne pouvait même pas s'y rendre une fois en visite. Lui, au contraire, semblait avoir tiré un trait avec une remarquable facilité.

Elle le regarda sortir sa montre et grimacer, puis la refermer avec un bruit sec.

— Il est tard, constata-t-il en se levant et en frottant la poussière sur ses mains. Neptune va bientôt revenir avec les chevaux. Il vous ramènera chez vous.

— Merci, mais je préfère attendre et vous aider à ramener Evie.

— Elle ne vient pas.

Elle fronça les sourcils.

— Comment ça ?

— Elle veut rester ici jusqu'à ce qu'elle aille mieux.

— Quoi ? Mais c'est impossible !

— Essayez de le lui dire.

— Dans une grotte ? Mais…

— Écoutez, elle veut que personne ne soit au courant, surtout pas sa famille. Et au cas où vous l'auriez oublié, vous ne pouvez pas faire deux mètres dans ce pays sans tomber sur une demi-douzaine de McFarlane, de Tulloch ou de Parker.

— Je n'ai pas oublié. Je n'oublie jamais rien.

Il lui jeta un curieux regard avant de lui assurer :

— Vous n'avez pas à vous inquiéter. Elle ira bien. Je resterai avec elle ce soir, et demain…

— Demain, je viendrai voir comment elle va.

— Ça ne sera pas nécessaire.

— Je crois que ça le sera, si.

Il soupira.

— Vous ne pourrez jamais faire ça sans que votre fiancé l'apprenne.

— Je m'en débrouille, d'accord ?

Elle ne savait pas exactement comment elle s'y prendrait, mais du diable si elle allait se laisser congédier comme une domestique dont on n'a plus besoin…

Ben, les mains sur les hanches, fit quelques pas dans le sentier, puis pivota vers elle. Elle crut qu'il allait protester, mais au lieu de ça, il déclara :

— Je crois que j'ai des excuses à vous faire.

— Pourquoi ? demanda-t-elle avec étonnement.

— L'autre jour, à Kingston. Je vous ai fait passer un moment désagréable. J'ai poussé les choses un peu loin.

Elle y réfléchit, puis, en levant le menton, répondit avec un accent distingué :

— À la vérité, j'ai l'impression que oui, en effet.

Il rit.

— Très bien, je le méritais. À ma décharge, je crois que j'étais encore un peu en colère contre vous. Mais tout est fini maintenant.

Elle sentit que quelque chose chavirait dans son estomac.

Au loin, Neptune apparut avec les chevaux. Ben les suivit un moment des yeux, puis fixa de nouveau Sophie :

— Il y a sept ans…, commença-t-il avant de s'interrompre en fronçant les sourcils.

— Oui ? Il y a sept ans, quoi ?

Il jeta encore un coup d'œil à Neptune, mais celui-ci était toujours hors de portée de voix.

— Juste ceci : j'étais stupide, et vous avez eu raison. Vous avez eu raison de rompre. Ça n'aurait jamais marché.

Lentement, elle se leva, ramassa son chapeau et l'épousseta.

— Sans doute pas, en effet.

Il lui fit un signe de tête, le visage grave.

— Je pensais juste que ça devait être dit, c'est tout.

— Je vois.

— Bien. Je vais demander à Neptune de vous ramener.

— Oui. Merci.

Après une hésitation, il lui tendit la main.

— Au revoir, Sophie.

Elle le regarda en silence, puis elle serra sa main et tâcha de sourire.

— Au revoir, Ben.

Chapitre 28

Noël dans le nord de l'île est une période étrange.

Les gens le célèbrent comme partout en allant à l'église et en mangeant trop de Christmas pudding, ainsi qu'en faisant des défilés de Johnny Canoë, mais il y a toujours un fantôme à la fête : l'ombre de la Grande Révolte esclave de Noël 1831.

Les Blancs l'appellent l'Insurrection de Noël, les Noirs la Guerre de la Famille noire. Tout le monde connaît quelqu'un qui l'a vécue, et tout le monde peut en raconter les histoires. Cinquante-deux plantations du Nord détruites, des douzaines de grandes maisons réduites en cendres, des milliers d'hectares de canne incendiés. Fever Hill, Kensington, Parnassus, Montpelier ; même la maison du vieux Duncan Lawe à Seven Hills – celle que deux ans plus tard, dans son amertume après l'émancipation des esclaves, il rebaptisa Burntwood[1].

Grand-tante May avait douze ans quand elle s'assit dans le chariot à côté de son vieux père, le sinistre Alasdair Monroe, et qu'elle regarda leur grande maison

1. « Bois brûlé ». *(N.d.T.)*

partir en flammes. Elle vit les champs de canne détruits, de même que l'usine de sucre au pied de Clairmont Hill ; elle vit la cheminée de l'énorme chaudière s'écraser au sol comme la flèche d'une cathédrale.

Sept semaines plus tard, après que l'insurrection eut été sévèrement réprimée, elle était encore assise à côté de son père pour regarder les pendaisons sur la place. Pendant la révolte, quatorze Blancs étaient morts et environ deux cents esclaves. Quelque quatre cents autres furent tués lors des représailles que le vieil Alasdair aida à organiser.

Au cours des quatre-vingts années suivantes, grand-tante May n'avait jamais apporté son témoignage à quiconque – sauf une fois, à Clemency. Des années plus tard, lors d'une sombre veillée de Noël, une Clemency plus harcelée encore que d'habitude pour avoir une histoire l'avait à son tour raconté à une Sophie de treize ans.

Depuis, Noël avait toujours gardé pour Sophie un arrière-goût sombre et mystérieux. Il ne lui paraissait jamais totalement réel. C'était une période où la lumière et l'obscurité, la vie et la mort, le passé et le présent dansaient ensemble une grande mascarade.

La mort de Fraser y avait ajouté une obscurité supplémentaire ; Noël était devenu une période où de terribles souvenirs remontaient subitement à la surface. Elle pouvait être assise en train de prendre le thé avec Rebecca Traherne, ou de faire à Clemency la lecture d'un reportage de mode du supplément du samedi, et se trouver soudain transportée sur les marches d'Eden, en chemise de nuit, guettant le bruit des roues de la voiture dans le noir. Elle entendait le frôlement d'un manteau du soir en satin bronze dans la poussière, voyait le sang refluer sur le visage de sa sœur, puis venait ce cri terrible, déchirant, ce cri d'animal.

Lumière et ténèbres, passé et présent, vie et mort. Irréel, irréel !

Ce soir-là, elle était assise dans sa robe de bal au côté d'Alexander – cet homme qui, du jour au lendemain, était devenu un étranger pour elle –, tandis que le phaéton roulait lentement dans l'allée vers la grande maison de Fever Hill.

Une semaine s'était écoulée depuis l'étrange rencontre avec Ben dans les Cockpits, et tout au long de cette semaine elle avait mené une double vie : des journées passées en somnambule – en somnambule polie – à Parnassus, ponctuées de chevauchées sauvages dans les collines pour voir Evie. Personne ne semblait remarquer son absence. Rien n'avait plus de sens.

Elle se tourna et regarda Alexander. Il était d'humeur sombre, car Cornelius avait pris dans son brougham Lyndon le détesté, et les avait relégués dans la seconde voiture ; pourtant, même sa mauvaise humeur n'entachait pas sa beauté. Il avait choisi de se costumer en marin, et l'uniforme blanc ajusté, avec ses riches galons dorés, lui allait à la perfection. « Pas étonnant qu'Evie soit tombée amoureuse de lui », pensa-t-elle.

Mais elle ne parvenait toujours pas à y croire tout à fait. L'avant-veille, elle avait apporté quelques livres à Evie et l'avait trouvée reprenant vite ses forces – et, avec ses forces, sa colère. Une parole incontrôlée sur Parnassus lui avait échappé ; Sophie avait deviné le reste.

Evie et Alexander. Toutes ces visites à Kingston « pour affaires ». Bien sûr...

Après, Evie avait relevé le menton et soutenu son regard, mais l'inquiétude se lisait aussi dans ses yeux.

— Si ça peut te réconforter, avait-elle dit à Sophie, ça a commencé bien avant que tu le rencontres à Londres.

— Je n'ai pas besoin d'être réconfortée, avait répondu Sophie. C'est juste… inattendu, c'est tout. Mais ça n'est pas grave, vraiment pas.

Pourtant, dans les jours qui suivirent, elle découvrit que ce n'était pas tout à fait vrai : c'était grave. Grave qu'elle se soit autant trompée sur Alexander. Grave qu'il ait pu la tromper aussi facilement. Grave qu'il n'ait jamais couru qu'après son argent.

Et quelle terrible hypocrisie ! L'avoir mise en garde contre ce qu'il y avait d'inconvenant à être l'amie d'une mulâtresse, alors que lui-même avait engrossé ladite fille, puis l'avait rejetée…

« Mon Dieu, pensa-t-elle tandis que le phaéton remontait lentement l'allée, comment est-ce que tout a si mal tourné ? Tu es là avec cet homme faible, menteur, infidèle, que tu as l'intention de quitter après Noël dès que la décence le permettra – tu es là, roulant vers Fever Hill, pour aller à un bal masqué donné par Ben… Rien de tout cela n'a vraiment de sens. »

Les voitures autour d'eux étaient nombreuses, aussi avançaient-ils lentement. Sophie tourna la tête et s'absorba dans la contemplation des lampes tremblotantes suspendues entre les palmiers royaux. Rubis, safran, saphir, émeraude… Elle aperçut la grande maison sur la colline, brillant de tous les feux de l'électricité. Ça ne pouvait pas être Fever Hill. Non, pas Fever Hill. C'était irréel, irréel !

Ils dépassèrent l'étang et l'aqueduc, les ruines de l'ancienne usine envahies de plantes grimpantes. Soudain, des torches se mirent à flamboyer au milieu des pierres effondrées. Une silhouette sombre traversa les flammes, torse nu, à peine humaine sous son redoutable masque à cornes de taureau. Sophie en eut le souffle coupé. D'un seul coup, elle se trouva reportée sept ans en arrière, au défilé Jonkunoo de Bethlehem, en train de chercher Ben des yeux.

— On dirait que notre Mr Kelly, commenta Alexander à côté d'elle, permet aux ouvriers du domaine de faire leur propre parade – et à la vieille usine, s'il vous plaît. Étant donné que ces gueux l'ont réduite en cendres pendant la Révolte, ça me paraît d'un goût plutôt douteux.

Sophie ne répondit pas. Elle se rappelait la fumée des piments à Bethlehem, leur odeur si particulière, et la peur qui la tenaillait de ne pas trouver Ben.

« Mais c'était il y a longtemps, songea-elle, et nous sommes aujourd'hui. *Tout est fini.* » C'était ce qu'il avait dit.

Elle ne l'avait pas revu depuis cette rencontre dans les collines ; il s'était arrangé pour être absent chaque fois qu'elle rendait visite à Evie. Mais elle en était plutôt heureuse : elle ne voulait pas le revoir. Ce soir non plus, elle n'en avait pas envie. À quoi bon ? Tout était fini désormais.

— Votre grand-père n'aurait jamais permis une chose pareille, reprit Alexander, l'interrompant dans ses pensées.

— Quelle chose ?

— Une parade de Johnny Canoë dans la vieille usine… Vous ne m'écoutiez donc pas ?

Elle baissa les yeux vers ses genoux, se rendit compte qu'elle serrait les poings. Alexander ne savait pas encore qu'elle savait, pour Evie. Mais il semblait avoir senti que quelque chose avait changé en elle, et ne pas vouloir la laisser en paix.

— Il paraît que notre Mr Kelly a ressorti toute sa famille pour Noël, poursuivit-il sans la quitter des yeux. Est-ce que ce n'est pas charmant – même si, bien sûr, le fait qu'ils soient morts ajoute une note un peu lugubre ? Je me suis laissé dire qu'il avait mis les cercueils dans les ruines de la serre. Juste derrière le cimetière de votre famille.

— Il paraît, oui. Sibella en a entendu parler en ville il y a trois jours et nous l'a raconté. Vous ne vous en souvenez pas ?

— C'est vrai, oui. Chère Sib ! Elle semble s'être prise d'une véritable fascination pour notre beau Mr Kelly.

Il fit claquer légèrement ses gants contre sa cuisse.

— Ça a dû être diablement difficile de faire transporter les cercueils par des Noirs. Vous ne croyez pas ?

Elle ne répondit rien.

— Il semblerait qu'il soit même question d'un mausolée. Je trouve ça vulgaire à l'extrême.

— D'autres gens ont des mausolées, répliqua-t-elle.

Alexander sourit avant de répondre :

— Je savais bien que vous finiriez par prendre sa défense.

— Pourquoi dites-vous ça ?

— Ma chérie, je me demande comment vous pouvez même me poser la question, alors que vous l'avez rencontré en secret dans les collines.

Ah ! Donc, c'était ça. Elle croisa son regard.

Il faisait toujours claquer doucement ses gants contre sa cuisse, et ne semblait guère affligé.

— Désolé d'avoir dû en parler, ajouta-t-il, mais j'ai pensé que c'était mieux ainsi.

— Comment le savez-vous ? s'enquit-elle. Vous m'avez fait suivre ?

— Est-ce que ça a de l'importance ?

Elle secoua lentement la tête. Après ce qu'il avait fait à Evie, rien de tout cela n'avait d'importance. Et pourtant, absurdement, elle se sentait coupable. Elle lui avait menti, et elle avait été démasquée.

— Si cela peut vous consoler, lui déclara-t-elle, il ne s'agissait pas d'un rendez-vous secret. Il n'y a rien entre Mr Kelly et moi.

— Je n'ai jamais imaginé qu'il y avait quelque chose. Le problème, reprit-il d'un ton affecté, c'est que les autres gens ne le verront pas ainsi.

Elle baissa les yeux vers le masque qu'elle avait sur les genoux. Il était d'un bleu nuit profond, comme sa robe, semé de petits brillants sur le pourtour. Mais elle ne pourrait pas le porter, pas maintenant. Les masques la rendaient malade.

« Pourquoi attendre jusque après Noël pour s'expliquer avec lui ? se demanda-t-elle. Pourquoi ne pas le faire maintenant, et en finir une fois pour toutes ? » Elle releva la tête et dit d'un ton calme :

— Je suis allée dans les collines pour aider Evie. Vous vous rappelez Evie ? Evie McFarlane ?

Pas un trait du visage d'Alexander ne tressaillit.

— Elle avait besoin d'aide, poursuivit-elle. Vous voyez, quelqu'un – un homme – l'a laissée tomber d'une manière plutôt vilaine.

— Et alors, elle s'est enfuie dans les collines ? Seigneur, le genre de choses que font ces gens…

— Alexander, le coupa-t-elle d'un ton las, cessons de feindre. Je ne peux pas vous épouser : je sais, pour Evie.

Après un nouveau silence, il passa son pouce sur sa lèvre inférieure, lui fit un petit sourire triste et lança :

— Et alors ? Quelle importance ?

Comme elle fronçait les sourcils, il ajouta doucement :

— Je suis vraiment désolé si je vous ai blessée, ma chère, mais vous devez comprendre que tout cela ne signifie rien. Ce genre d'affaires ne signifie jamais rien.

— Ça signifie quelque chose pour Evie.

— Eh bien, ça n'aurait pas dû. Elle savait parfaitement ce qu'il en était. Et je ne lui ai jamais rien promis.

— Est-ce que ça excuse tout, d'après vous ?

— En tout cas, ça… c'est le genre de choses qui arrive sans cesse. Tout le monde le sait.

Elle ne répondit rien ; il prit sa main et la serra.

— Vous voulez me punir, je le comprends. Et je reconnais que je me suis fort mal conduit. Mais à présent j'ai été puni, et je promets que je ne le referai jamais. Plus de mauvaise conduite. Je serai l'époux le plus fidèle de la chrétienté, vous avez ma parole.

Elle ouvrit la bouche pour répliquer, mais il lui posa un doigt sur les lèvres.

— Soyez raisonnable, ma chérie. Pardonnons-nous nos offenses et tout ça, vous voulez bien ?

— Non, vous ne comprenez pas…

— Désolé d'insister, mais je crois vraiment que si. Et je pense que vous devriez me pardonner mon petit péché, comme je vous pardonne le vôtre.

— Vous me… pardonnez ? répondit-elle, incrédule.

Il sourit.

— Bien sûr.

— Me pardonner de quoi ? Je vous l'ai dit, il n'y a rien entre moi et…

— Mais il y a eu, n'est-ce pas ?

Elle croisa son regard et ils se dévisagèrent quelques instants ; puis il continua, du même ton indulgent :

— Il y a sept ans, vous… comment puis-je dire cela sans paraître indélicat ? Vous avez connu cet homme, au sens biblique du terme.

Elle avala sa salive.

— Depuis quand le savez-vous ?

Il eut un petit rire.

— Comme ça vous ressemble, de ne même pas essayer de nier…

— Pourquoi est-ce que je nierais ? Et depuis quand le savez-vous ?

— Oh, depuis toujours. Votre sœur a laissé échapper une phrase, après votre départ pour l'Angleterre, et la chère Sib n'a eu qu'à en tirer les conclusions qui s'imposaient. Et, bien sûr, à m'en parler ensuite. Mais l'important n'est pas là, mon amour. L'important, c'est que vous *ne devez pas* vous inquiéter : je n'en soufflerai jamais mot à âme qui vive.

Quelque chose, dans la manière dont il prononçait ces mots, était tout sauf rassurant.

— Qu'est-ce que vous entendez par là ? demanda-t-elle, mal à l'aise.

— C'est vraiment très étonnant, la différence d'appréciation que le monde applique à ce type de situation. Vous ne trouvez pas ?

Elle commençait à voir où il voulait en venir, et se sentit mal à l'aise.

— Imaginons que nous fassions une petite expérience, poursuivit-il. Que nous allions raconter à des braves garçons, au Calédonien, une histoire sur Miss Monroe et cette affreuse petite brute de palefrenier ; et ensuite une autre histoire sur maître Alex Traherne et sa jolie petite mulâtresse. Qu'est-ce qu'ils diraient, d'après vous ? Ils me donneraient des claques dans le dos, en me félicitant de ma bonne fortune, tandis que vous, ma pauvre chérie, vous deviendriez complètement infréquentable. (Il secoua tristement la tête.) Vous ne pourriez plus vous montrer nulle part, et je frémis pour votre sœur et sa petite fille chérie en pensant au scandale que ça ferait. Les gens sont parfois si mauvaise langue…

Elle ouvrit la bouche pour répliquer, mais ils arrivèrent juste à ce moment-là devant la maison ; des valets de pied en livrée accoururent pour leur ouvrir les portes, et il ne fut plus temps de parler.

Tout le monde passait un sacré bon moment, semblait-il à Ben. Tout le monde, sauf lui-même.

Il regardait la vieille Mrs Palairet arriver à petits pas au bras de son neveu, un jeune et grand garçon débarqué d'Angleterre pour les vacances. La vieille dame fit un gracieux signe de tête à leur hôte, et le jeune homme un sourire légèrement contraint.

Ben inclina la tête. Il ne se faisait pas d'illusions sur le fait qu'ils puissent l'accepter comme un des leurs. La bonne société du nord de l'île, les deux cents personnes qui comptaient n'étaient venus à sa fête que pour le mettre en pièces, de leurs griffes élégamment gantées de chevreau. Mais une chose assez étrange arrivait : à la surprise générale, la bonne société trouvait que, grâce à Austen, tout était « plutôt bien fait ». Aussi ses membres avaient-ils décidé d'en profiter et de s'amuser.

Isaac et Austen eux-mêmes semblaient ravis. Isaac – déguisé en marin, comme une douzaine d'autres invités – discutait avec un groupe de riches planteurs de bananes de Tryall ; et Austen circulait parmi les convives avec cette aisance qui semblait naturelle aux membres de la gentry, fussent-ils les gens les plus timides du monde par ailleurs. Lui avait choisi de se costumer en docteur ; la redingote sombre et le sévère masque noir lui allaient bien, dissimulant quelque peu son grand nez. Comme il était bon danseur, il ne manquait pas de partenaires. Il avait notamment invité Sibella Palairet, même s'il avait été incapable de lui dire un mot.

Ben la voyait maintenant, la petite veuve, virevoltant autour de la salle de bal au bras d'Augustus Parnell. Elle avait été l'une des premières à arriver, avec sa belle-mère, en compagnie de laquelle elle passait Noël. Ben avait remis à plus tard le moment de lui parler.

À l'occasion des fêtes, Sibella avait fait une interprétation assez libérale de son demi-deuil, portant une tenue corsetée de satin mauve, avec un masque de dentelle dorée qui ne cachait pas grand-chose et une coiffure de lilas en soie mauve. Les lilas rappelaient à Ben les imitations de violettes de Kate. « Six pence douze douzaines, mais on doit payer soi-même le papier et la colle. » Il chassa résolument le souvenir de son esprit et vida son verre.

La petite veuve avait vu qu'il la regardait. Elle se tourna d'un air timide pour parler à Parnell, avec un regard en coin plein d'une insouciance affectée, et qui ne pouvait tromper personne.

« Oh, mon Dieu ! » pensa Ben avec lassitude. Il remettait la chose à plus tard depuis des semaines, mais ce soir il devait prendre une décision. Soit il répondait aux attentes de la vieille sorcière de Duke Street et séduisait la petite veuve ; soit il allait lui dire franchement qu'il revenait sur le marché tacitement conclu entre eux.

C'était une perspective humiliante, et il se sentait plus isolé que jamais. Il promena les yeux sur la vaste salle de bal qui l'entourait, brillant de tous ses feux. Que faisait-il ici ? Comment en était-il arrivé là ?

Fever Hill – sa chère vieille maison, havre de paix, de silence et de doux soleil – semblait avoir subi une invasion. Où qu'il se tournât, c'étaient un flamboiement de chandeliers électriques, une cascade étincelante de satin, une forêt de fougères et de grands pots d'orchidées à l'orientale.

Ces fichues orchidées ! Il les avait prévues comme un signe adressé à Sophie.

— Faites dans le goût jamaïcain, avait-il recommandé à Austen, quand ils avaient discuté de l'organisation de la fête. La nourriture, les décorations, tout jamaïcain. Et qu'il y ait beaucoup d'orchidées, veillez-y.

C'était avant qu'il ne la rencontre dans les collines, mais par la suite il n'avait pas modifié ses instructions, aussi y avait-il des orchidées partout. De grandes broughtonias écarlates, des dames de noces blanches et cireuses, et les délicats pétales veinés des orchidées coquillages.

Le lourd parfum lui rappelait douloureusement Romilly ; il soulignait aussi l'absence de Madeleine et Cameron Lawe, qui n'étaient pas revenus sur leur décision, contrairement à ce qu'il avait espéré. Pour couronner le tout, le groupe de Parnassus n'était pas encore arrivé – et quand ils arriveraient, les orchidées ne lui évoqueraient sans doute rien. Elle avait oublié Romilly ; pourquoi, sinon, épouserait-elle Alexander Traherne dans une quinzaine de jours ?

Oui, tout allait à l'encontre de ce qu'il avait escompté. Mais aussi, un bal masqué le 26 décembre ! Qu'est-ce qui lui était passé par la tête ? Lui avait-il donc menti, ce jour-là, dans les collines ? Se pouvait-il qu'il soit encore en colère contre elle, sans même le savoir ?

Soudain, il se sentit oppressé. Ignorant ses invités, il traversa rapidement la salle de bal et gagna l'arrière de la maison.

Le souper était en train d'être dressé, sur les pelouses sud nouvellement aménagées. Près de la cuisine, un cochon entier grésillait sur un barbecue de bois de piment ; plus près de la maison, des valets de pied en livrée installaient de grands plats d'argent remplis de spécialités jamaïcaines sur de longues tables couvertes de damas. Du mulet de montagne et de la soupe à la tortue, des huîtres dans de la sauce au poivre chaude ; des pigeons de la Jamaïque et des crabes de terre noirs.

Quand il était gamin, Ben aurait donné un de ses bras pour un repas comme celui-ci. Il imagina ses frères et sœurs s'abattant dessus telle une volée de moineaux, puis se couchant ensemble en tas pour digérer.

Il aurait voulu aller jusqu'aux ruines de la serre, de l'autre côté de la colline, les retrouver dans l'obscurité. Trois lourds cercueils d'acajou, scellés avec du plomb, et dedans les restes de Robbie, de Lil et de Kate. Penser à eux, là-bas dans les ruines, lui donnait l'impression d'être lui-même un fantôme. Il ne pouvait faire tout tenir ensemble dans sa tête : son frère et ses sœurs là-bas, et lui ici.

Sur une autre table, deux domestiques disposaient des mangues de Bombay et des figues, à côté d'un plat de gingembre en conserve. Au centre de la table, une grande coupe en cristal contenait des pommes étoile pourpres, de la noix muscade et de la crème : un autre plat jamaïcain typique, qu'on appelait mariage. Encore un signe adressé à Sophie. Même si elle ne le remarquerait sans doute pas.

Il songea combien il devait lui paraître pitoyable. Faire tout cela, juste pour lui montrer à quoi il était arrivé...

Pourquoi lui avait-il fallu si longtemps pour s'en rendre compte ? Encore l'autre jour, quand Evie le lui avait fait remarquer une fois de plus, il avait vivement nié.

— Ben, lui avait-elle dit, quand vas-tu regarder les choses en face ? Tout ce que tu fais, tu le fais à cause d'elle.

Il en était resté muet de colère. Si Evie n'avait pas été aussi faible, il l'aurait secouée. Et pourtant, elle avait raison. Acheter Fever Hill, revenir à la Jamaïque, organiser cette fichue fête : tout cela, c'était à cause de Sophie. Mais en quoi cela lui importait-il ? Elle allait épouser Alexander Traherne.

Il repensa à elle, ce jour dans les collines, le ton sec et brutal sur lequel elle lui avait parlé. Il s'était trompé sur elle, à Kingston : elle n'avait pas du tout changé.

Un valet de pied passa avec un plateau de champagne ; Ben échangea son verre vide contre un plein, et revint dans la maison. Il était temps de redevenir un hôte consciencieux, de retourner à son poste dans la véranda nord et d'accueillir les retardataires. Onze heures. Encore sept heures à passer. Hélas...

L'instant d'après, elle fut là, montant le grand escalier au bras de son fiancé.

Ben la vit avant qu'elle ne le voie, et s'en félicita. Elle portait une robe à taille haute et jupe étroite couleur bleu nuit, mêlée de vert d'eau, et coupée devant comme derrière en un V si profond qu'il laissait nues ses blanches épaules, exception faite de deux minces lanières bleues. Pas de bijoux, ni de masque. Ses cheveux brun clair, ondulés, était attachés en arrière à la hauteur des tempes et pendaient librement dans son dos, seulement retenus par un étroit bandeau de soie bleue sur lequel était fixé un petit poisson d'émail.

Il sut tout de suite ce que ce costume représentait. Elle était la Maîtresse de la rivière – la fantomatique sirène qui hante les rivières jamaïcaines et attire les hommes à leur perte. Des années plus tôt, Sophie lui avait raconté qu'enfant elle descendait jusqu'à la Martha Brae et demandait à la Maîtresse de la rivière de veiller sur lui. L'avait-elle oublié ? Ou était-ce une sorte de message muet, comme les orchidées et le mariage l'étaient pour lui ?

Il s'avança pour les accueillir.

— Je croyais que la Maîtresse de la rivière n'apparaissait qu'à midi, lui déclara-t-il en lui prenant brièvement la main.

Elle lui adressa un sourire étudié.

— Parfois, je peux faire une exception.

— Je suis honoré que vous en ayez fait une pour moi.

Ben se tourna vers Alexander et lui tendit la main.

— Comment va Kelly ? demanda le fiancé, en effleurant juste le bout de ses doigts.

— Comment va Traherne ? répliqua Ben, du même ton, mais Traherne ignora la réplique et constata :

— Je vois que vous faites jouer le privilège de l'hôte, pour vous soustraire à la fois au masque et au déguisement. Je vous envie la queue-de-pie, je dois le dire. Ce costume de marin est affreusement chaud. Et je ne pourrai jamais supporter un masque.

— Alors, n'en portez pas, dit Ben avec un sourire, puis il ajouta à l'adresse de Sophie : J'ai été surpris que vous acceptiez de venir. Je n'aurais jamais cru que vous le feriez.

— Alexander a dit que nous devions, lui répliqua-t-elle doucement.

Elle semblait nerveuse, et Ben se demanda s'ils s'étaient disputés. « Une dispute d'amoureux, pensa-t-il avec amertume, avec tout le plaisir de la réconciliation à venir. »

— Et vous obéissez à votre fiancé, commenta-t-il. Comme c'est bien et convenable !

Elle n'apprécia pas sa remarque ; les fossettes aux coins de sa bouche se creusèrent de façon menaçante.

— Était-ce bien la voiture de grand-tante May que nous avons vue près de l'escalier ? répliqua-t-elle. Donc, elle a tenu parole ? Nous brûlons de savoir : qu'avez-vous fait, pour la persuader de vous l'envoyer ?

Mon Dieu, comme elle était rapide ! se dit-il en tressaillant. Si on la piquait au vif, elle vous rendait aussitôt la pareille... Mais il était impossible qu'elle sût rien du sordide petit marché passé entre Miss Monroe et lui. Personne n'était au courant en dehors d'eux.

— Je lui ai fait une promesse, répondit-il d'un ton vague.

— Quel genre de promesse ?

— Je ne peux pas le dire.

Alexander réprima un bâillement.

— Comme c'est intriguant, murmura-t-il. Venez, ma chérie, nous ne devons pas monopoliser notre hôte.

Mais Sophie avait remarqué la réaction de Ben, et elle n'entendait pas désarmer aussi vite.

— Et cette promesse, quelle qu'elle soit, insista-t-elle, la tiendrez-vous ?

Au même moment, Sibella Palairet fit son apparition dans la galerie, sortant prendre l'air au bras du jeune garçon d'Angleterre, et évitant résolument de regarder vers Ben. Elle était jolie, les joues rouges, et l'air mal à l'aise.

— Tiendrez-vous votre promesse ? répéta Sophie.

— Je ne sais pas, murmura Ben.

— Vous ne savez pas ? Mais quand comptez-vous vous décider ?

Il se tourna, plongea les yeux dans ceux de Sophie, et demeura quelques instants ainsi.

Des années plus tôt, à son arrivée à la Jamaïque, la vieille Cecilia Tulloch l'avait mis en garde au sujet de la Maîtresse de la rivière. « Ne va pas croiser ses yeux, mon garçon, lui avait-elle recommandé, en agitant son gros doigt devant son visage, ou tu seras fichu. »

« Ne va pas croiser ses yeux, mon garçon... » Le regard toujours plongé dans les yeux couleur de miel, il songea : « Bravo de m'en souvenir, seize ans trop tard... »

Son regard se posa ensuite brièvement sur le fiancé de Sophie, revint à elle. « Mais quelle importance ? se dit-il avec colère. Elle va se marier dans deux semaines ; vraiment, quelle importance ? »

— Je pense, articula-t-il très lentement, que j'honorerai sans doute ma part du marché, après tout.

— Quand ?

— Quand quoi ?

— Quand honorerez-vous ce mystérieux « marché » ?

Il y réfléchit un court instant, puis lâcha :

— Plus tard, cette nuit.

Chapitre 29

Chaque fois que Sibella voyait Ben Kelly, son estomac chavirait.

Elle n'avait jamais ressenti ça auparavant, et elle n'aimait pas du tout. C'était terrifiant, et humiliant. Mais elle n'avait pas envie que ça cesse.

Elle le voyait maintenant, en train de valser avec Olivia Herapath. Ils faisaient un curieux couple : l'aristocrate petite et grosse avec sa tenue criarde, robe imprimée et foulard de femme obeah ; et le grand et mince aventurier, dans sa chemise immaculée et son impeccable queue-de-pie noire. Il fallait y regarder de près pour déceler dans sa tenue le seul détail résolument non conformiste : ses boutons de manchettes, non pas les perles toutes simples qui étaient de rigueur, mais de très petits diamants noirs.

— Des diamants noirs, avait murmuré Alexander à ses amis. Je trouve ça diaboliquement vulgaire.

— Ou juste diabolique tout court ? railla Dickie Irving.

— Quoi, diabolique ? commenta Walter Mordenner, qui avait toujours un temps de retard. C'est ça qu'il est censé être, vous croyez ? Drôle de plaisanterie…

Sibella ne voyait pas la moindre plaisanterie là-dedans. Ben Kelly l'impressionnait beaucoup. Il la troublait et la mettait très mal à l'aise : se languissant de sa présence quand il n'était pas là, mais perdant tous ses moyens dès qu'il apparaissait. Depuis cet épisode inoubliable sur la route de Fever Hill, trois semaines plus tôt, elle rêvait de lui chaque nuit. Les rêves les plus frappants, les plus fiévreux, les plus terrifiants, dans lesquels il lui faisait des choses que… Non, elle ne pouvait même pas y penser !

Et pourtant, dans ces rêves, elle le laissait faire, elle gémissait même pour qu'il continue ; et quand elle se réveillait, elle gémissait encore, ne demandant qu'à retourner dans son rêve. Elle ne se connaissait plus. Il y avait une autre femme en elle, une créature sauvage et farouche, qui luttait pour prendre son envol.

Ça ne servait à rien de se répéter qu'il était un vaurien né dans la rue, sans une goutte de sang convenable dans les veines. Elle s'en fichait. Elle ne voulait pas lui *parler,* elle voulait juste qu'il l'embrasse de nouveau.

C'était pour cela qu'elle était ici, dans cette grande salle de bal noire de monde, en train de compter les minutes jusqu'à ce qu'elle puisse aller le retrouver. « Le cimetière, à minuit », disait son billet. Chaque fois qu'elle y repensait, elle se sentait défaillir.

Il n'avait pas dansé avec elle ni ne lui avait adressé une parole de toute la soirée, hormis les plus brèves formules d'accueil quand elle était arrivée. S'il n'y avait eu ce billet glissé dans son invitation, elle aurait pu croire qu'elle avait tout imaginé. Mais c'était bien là, dans ce mot griffonné à la hâte :

Le cimetière, à minuit ; au moins pour vous rendre ce gage que vous avez laissé tomber l'autre jour.

« Au moins » ? Qu'est-ce que ça signifiait ? Et « le cimetière, à minuit » ? Ils y seraient seuls, absolument seuls. Elle imagina les longues herbes pâles brillant au clair de lune, se vit allongée comme en sacrifice sur une tombe de marbre : les yeux fermés, les mains croisées sous sa poitrine. Passive, livrée à lui.

Soudain, elle ne put supporter de rester un instant de plus dans la salle de bal. Elle se fraya un chemin à travers la foule, sortit en courant dans la véranda, puis descendit l'escalier vers les pelouses. Là, elle aspira longuement l'air chaud de la nuit. L'odeur du jasmin étoilé assaillit ses narines, les lampes suspendues entre les arbres formaient un long serpent coloré.

— Êtes-vous souffrante ? s'enquit une voix d'homme derrière elle.

Elle se retourna vivement, en eut un pincement au cœur de déception. Gus Parnell se tenait sur la marche du bas et la regardait.

— Nnon…, balbutia-t-elle. Je vais tout à fait bien, merci.

Il était déguisé en docteur, comme ce pauvre et si laid Freddie Austen. Mais, contrairement à Austen, ce costume ne lui allait pas : il lui donnait des allures d'ordonnateur des pompes funèbres.

— Pardonnez-moi, reprit-il, mais vous paraissiez un peu rouge.

— C'était la foule dans la salle de bal. Et la nuit est si chaude pour la saison. Vous ne trouvez pas ?

— J'ai peur de ne guère pouvoir dire si c'est de saison ou pas, puisque c'est mon premier Noël sous les tropiques.

— Oui, bien sûr, j'oubliais.

— Si vous avez trop chaud, peut-être auriez-vous envie d'une glace ?

Elle se força à sourire.

— Comme c'est gentil à vous ! Vous iriez m'en chercher une ?

— Ce serait pour moi un privilège.

Elle le regarda partir, puis souleva le pan de sa robe et courut vers les pelouses à l'ouest, de l'autre côté de la maison, pour qu'il ne puisse la retrouver à son retour.

Chaque fois qu'elle pensait à Gus Parnell, son moral flanchait. Si elle n'y faisait pas attention, elle ne tarderait pas à le détester. Ils se connaissaient depuis sept mois, étaient sur le point de se fiancer ; mais il lui parlait toujours comme s'ils venaient de se rencontrer. Elle essayait de se convaincre que les choses s'amélioreraient une fois qu'ils seraient mariés, mais elle savait que non. On ne pouvait pas plus demander à ce genre d'homme de se montrer naturel avec une femme que de devenir l'ami de son valet de chambre.

Et pourtant, quand il lui demanderait sa main, elle avait l'intention d'accepter. Si elle ne se remariait pas, elle ne serait plus rien, une morte-vivante. Et papa attendait qu'elle le fasse. Il le lui avait très clairement signifié, au cours de cet affreux entretien dans son bureau : il avait besoin de Parnell pour garder le domaine à flot.

D'ailleurs, pourquoi aurait-elle hésité ? Gus Parnell était un gentleman, et il était extrêmement riche. Elle aurait tout ce qu'elle désirait : des maisons à Belgrave Square et dans le Berkshire, un hôtel particulier à Neuilly et un pavillon de chasse en Écosse, des comptes ouverts chez Worth et chez Poiret. Toutes ses amies la jalouseraient.

— Mais tu ne l'aimes pas, lui avait fait remarquer Sophie quelques jours plus tôt, avec cette manie exaspérante qu'elle avait de dire crûment ce qu'elle pensait.

— Qu'est-ce que ça peut faire ? lui avait-elle rétorqué. Je n'« aimais » pas non plus Eugene, et pourtant nous nous entendions parfaitement bien.

Sophie l'avait regardée d'un air de doute.

— Mais… est-ce qu'il te rendait heureuse ?

— Oh, Sophie, arrête de faire l'enfant ! Quel rapport cela a-t-il ?

Sophie n'avait pas ajouté un mot ; elle s'était contentée de poser la main sur l'épaule de Sibella, et de la regarder avec un air de compassion qui avait donné à Sibella l'envie de la gifler.

Que savait Sophie de toutes ces choses ? Rien du tout ! Elle croyait encore que le mariage était une occasion de recevoir des cadeaux et de « rendre les gens heureux ». Eh bien, il était temps qu'elle découvre la vérité. Le mariage, c'était un grand homme rougeaud qui s'introduisait de force en vous, tout en pressant une paume sur votre bouche pour étouffer vos cris. Le mariage, c'étaient neuf mois à subir les pires désagréments. C'était être traitée comme un animal par de vieux médecins méprisants ayant mauvaise haleine et des taches de vieillesse sur les mains. C'étaient deux jours de souillure et de douleurs atroces, puis un enfant mort-né, et des gens qui vous répétaient de ne pas trop vous en faire, parce que d'autres naissances suivraient bientôt. Voilà ce qu'était le mariage !

Un flot de musique arriva de la salle de bal. Sibella se tourna vers elle, et aperçut dans la véranda Ben

Kelly, qui rôdait silencieusement au milieu de ses invités costumés comme un loup dans une bergerie.

Toutes ses idées sur le mariage s'envolèrent, Gus Parnell cessa d'exister. Elle ne pouvait plus penser à rien d'autre qu'à ses sensations, quand cet homme l'avait embrassée sur la route de Fever Hill.

Ça avait commencé si innocemment ! Et personne, non, personne ne pourrait lui reprocher sa conduite. Elle y avait longtemps réfléchi, et elle en était tout à fait sûre. Cela la réconfortait beaucoup.

Elle était allée à Falmouth, et sortait juste du petit studio d'Olivia Herapath quand elle était tombée sur lui dans la rue. Au début, cela l'avait inquiétée : elle était seule, sans aucun allié en vue, ni le moindre passant pour se sentir en sécurité. La dernière fois qu'ils s'étaient rencontrés, elle avait essayé de le blesser et avait ri de lui.

Mais, à son grand soulagement, lui ne rit pas d'elle. Il souleva son chapeau avec sérieux et courtoisie, lui demanda comment elle allait, puis fit avec elle les quelques pas qui les séparaient de sa voiture. Ensuite il l'aida à y monter, la complimenta à propos de Princesse, sa petite jument grise, et prit congé.

Au bout de quelques pas, cependant, il se retourna et lui suggéra, comme c'était jour de marché et qu'il y avait beaucoup de trafic sur la route de la côte, de rentrer plutôt par la route de Fever Hill, pour arriver à Parnassus par l'arrière, à travers les champs de canne. C'était une suggestion parfaitement convenable, et qu'un gentleman pouvait faire à une dame ; elle l'en remercia donc – sans lui indiquer si elle avait l'intention de la suivre ou non.

Pourtant, tandis que son petit équipage roulait bon train sur la route de Fever Hill, le cœur de Sibella commença à cogner dans sa poitrine. Quand elle atteignit la portion de la route où les bambous géants formaient un tunnel vert, la tête lui tournait.

« C'est juste le manque d'air là-dessous », pensa-t-elle. Mais elle ralentit Princesse, la mit au pas, et guetta le bruit d'un cavalier derrière elle. Bien sûr, il n'y en avait pas.

Ensuite, il lui sembla que la jument s'était mise à boiter. Pas de façon grave, pourtant elle jugea plus prudent de s'arrêter à l'ombre et d'attendre que quelqu'un passe pour obtenir de l'aide. Sans quoi, Princesse risquait de rester boiteuse, non ?

Au bout de quelques minutes, Ben arriva.

— C'est sans doute juste un caillou, lui déclara-t-il après avoir mis pied à terre et examiné rapidement la jument. Mais nous ne voudrions pas qu'elle se blesse, n'est-ce pas ?

Assise très droite dans sa voiture, Sibella remua à peine la tête.

— Est-ce que vous ne devriez pas attacher votre cheval ? suggéra-t-elle cependant timidement, car il avait négligemment laissé les rênes sur la selle de sa monture.

Il lui jeta un coup d'œil par-dessus son épaule et sourit.

— Ne vous inquiétez pas, elle ne partira pas.

Et en effet, la grande alezane au poil luisant restait patiemment immobile à côté de son maître, tel un chien.

Pour une raison qu'elle ignorait, cela fit rougir Sibella. Elle regarda Ben retirer ses gants, les jeter dans l'herbe avec son chapeau, puis soulever doucement l'antérieur de la jument grise et explorer avec ses doigts le dessous de son sabot.

Cette vision accentua le trouble de Sibella. « Aucun gentleman, songea-t-elle tandis que son cœur battait la chamade, n'a ce genre de mains brunes, avec des poils noirs sur les poignets. »

— Voilà, dit-il bientôt.

Il prit dans sa poche un petit couteau à manche de perle, dégagea adroitement un caillou, puis reposa le sabot de la jument et lui fit une caresse distraite. Sibella contempla la ligne de son menton, la façon dont ses cheveux noirs lui tombaient dans les yeux, et sentit son estomac chavirer.

— Vous devriez pouvoir rentrer jusque chez vous maintenant, ajouta-t-il, en repoussant ses cheveux en arrière pour la regarder en face. Mais allez-y doucement, ne la bousculez pas.

Elle hocha la tête, incapable de répondre autrement.

— Et quand vous arriverez à Parnassus, poursuivit-il, sans cesser de la fixer dans les yeux et de flatter d'une main l'encolure de la jument, dites au vieux Danny qu'elle a une petite coupure dans la sole. Qu'il la lui lave avec un peu d'huile phéniquée.

— De l'huile phéniquée, répéta-t-elle tout en regardant sa bouche.

Il avait une belle bouche, au dessin ciselé, comme celle d'une statue…

— C'est cela.

Elle essaya d'avaler sa salive, murmura :

— Tout le sabot ?

Elle avait l'impression que ses propres lèvres étaient sèches et gonflées.

Il secoua la tête.

— Non, juste la coupure. Voulez-vous que je vous montre ?

Elle ne dit pas oui ; du moins, par la suite, elle ne se rappela pas l'avoir dit. Mais l'instant d'après, il l'aidait à descendre de la voiture – respectueusement, nul n'aurait pu y voir la moindre offense – et elle se tenait à côté de lui, à l'ombre bruissante des bambous géants.

Il se pencha pour soulever le sabot de la jument, afin de lui montrer l'endroit, et elle vit les muscles de ses épaules se tendre sous sa veste. Ensuite il reposa le sabot, se redressa et répéta les instructions pour Danny ; mais, les yeux de nouveau rivés à cette bouche, Sibella n'entendit pas un mot. Ensuite, il sortit son mouchoir et s'essuya les mains.

— Vous savez, déclara-t-il calmement tout en le remettant dans sa poche, j'ai pensé à vous.

Puis il posa légèrement les mains sur ses épaules, se pencha et l'embrassa.

Elle y avait repensé une bonne centaine de fois depuis, mais était incapable de se rappeler exactement comment c'était arrivé. À un moment, elle avait été près de lui, à constater qu'il était plus grand que dans son souvenir, et que le vert de ses yeux avait des paillettes de brun roux – était-ce le signe d'un danger ? – et, l'instant suivant, sans aucune force ni contrainte, il avait mis les mains sur ses épaules, doucement, si doucement ! et posé la bouche sur la sienne.

De toute sa vie, elle n'avait expérimenté rien d'aussi merveilleux que ce baiser. Chaleur, vertige, chute dans un gouffre de plaisir comme elle n'avait jamais imaginé qu'il en existât d'aussi profond. Il sépara les lèvres de Sibella, glissa la langue dans sa bouche ; ses genoux se dérobèrent sous elle, elle gémit comme un animal et jeta les bras autour de son cou. Puis elle ouvrit la bouche aussi grand qu'elle le put, se serra contre lui jusqu'à ne plus parvenir à respirer, et avoir des points noirs devant les yeux. C'est alors qu'il s'écarta d'elle, fit descendre sa bouche jusqu'au point délicat qu'elle avait en haut de la gorge, l'y embrassa, et le plaisir était tellement intense qu'elle en défaillit presque.

Soudain, mais avec toujours autant de douceur, il s'arrêta.

— Je suis désolé, murmura-t-il. Je suppose que je n'aurais pas dû faire ça.

Incapable de parler, elle restait agrippée à lui, haletante et frissonnante.

Sans un mot, il la ramena à sa voiture, la prit par la taille et la hissa légèrement jusqu'au siège. Ensuite, il mit les rênes entre ses mains, inertes, et lui conseilla de faire marcher doucement la jument jusqu'à chez elle. Il paraissait imperturbable, seulement soucieux qu'elle arrive chez elle en sécurité.

Sibella demeura tremblante sur le siège, sentant encore la force de ses mains sur ses épaules, la chaleur de sa bouche sur sa gorge. Dans un brouillard, elle vit Ben marcher jusqu'à son cheval. Mais il s'arrêta, et se baissa pour ramasser quelque chose dans la poussière. C'était le petit foulard rose qu'elle portait autour du cou.

Il revint vers elle comme pour le lui rapporter ; puis, se ravisant, il le plia et le mit dans sa poche de poitrine.

— Peut-être une autre fois, dit-il, ses lèvres esquissant un sourire.

Elle ne répondit rien ; elle ne le pouvait toujours pas. Les mots ne sortaient pas.

Ce ne fut qu'après avoir atteint l'embranchement menant au domaine qu'elle s'en souvint : le foulard était un cadeau de Gus Parnell, comme la petite broche de diamant qui l'attachait. « Mais quelle importance désormais ? » pensa-t-elle, tandis que Princesse traversait lentement les champs de canne. Tout était différent maintenant. Tout.

Cela se passait trois semaines plus tôt. Depuis, elle avait vécu dans un tourbillon de crainte et de remords, de chaleur soudaine et honteuse. Encore et toujours, elle revivait ce baiser. Comment était-ce arrivé ? Comment l'avait-elle laissé arriver ? Elle n'aimait pas Ben. Il était si loin en dessous d'elle dans l'échelle sociale que c'était presque dégradant d'être dans la même pièce que lui. Et pourtant, elle le désirait tant…

Embrasser une femme ainsi ! Était-ce un talent réservé aux gamins des rues, ou les gentlemen savaient-ils, eux aussi, donner autant de plaisir ? Pas Eugene, en tout cas : pour lui, embrasser n'était qu'une ennuyeuse perte de temps.

Chaque dimanche, à l'église, elle priait pour oublier tout ce qui concernait Ben Kelly. Mais, à sa grande horreur, elle ne cessait de penser à lui. Elle se prenait à examiner la bouche des hommes qu'elle rencontrait. Peu importait où, ni qui ils étaient : elle ne pouvait s'empêcher de les fixer des yeux et de comparer. La lèvre supérieure de son frère Alexander dessinait un « M » complaisant, comme un sourire de mépris arboré en permanence. Son père avait une lèvre inférieure charnue, qui devenait couleur prune foncé quand il était contrarié. Gus Parnell n'avait pas de lèvres du tout.

Comment cela se pouvait-il ? Comment était-il possible qu'un homme bien né et bien éduqué n'eût pas de lèvres du tout, alors qu'un vaurien des rues avait une bouche aussi belle que celle d'une statue ?

— Ah, vous êtes là ! constata Gus Parnell derrière elle.

Elle se retourna.

— Je vous ai fait peur ? ajouta-t-il en lui tendant la glace. Pardonnez-moi. L'air est si agréable de ce côté-ci de la maison, observa-t-il après une pause. Je comprends pourquoi vous l'avez préféré.

Elle murmura des remerciements et se pencha sur la glace. La première cuillerée lui parut d'une fraîcheur merveilleuse contre ses lèvres qui la brûlaient.

— Vous avez vraiment risqué un coup de chaleur, on dirait, remarqua Parnell en la regardant de près.

Elle réussit à sourire.

« À minuit au cimetière, songeait-elle. Et il n'est que onze heures et demie ! »

Elle se demanda comment elle allait se débarrasser de Parnell. Et aussi comment elle survivrait à la prochaine demi-heure.

Alexander vit sa sœur se débarrasser de Gus Parnell sur un nouveau prétexte, une fois de plus, et jura entre ses dents. À quoi la stupide petite garce jouait-elle ? Ne voyait-elle pas que Parnell n'en supporterait pas beaucoup plus ? Pensait-elle que les riches soupirants banquiers poussaient comme des feuilles sur les arbres ?

Il prit un autre cognac sur un plateau qui passait et l'avala d'un trait, puis il descendit les marches menant aux pelouses pour fumer un cigare.

Tout allait de travers, et il ne savait que faire. Dieu tout-puissant, il *fallait* que Sib fasse ce mariage ! Une fois Parnell ferré pour de bon, il aurait une assise sérieuse pour obtenir un prêt. Mais est-ce qu'elle s'en souciait seulement ? Est-ce qu'elle pensait jamais à rien d'autre qu'à sa petite personne ?

Alexander songea que s'il avait besoin de Parnell, il avait aussi besoin de Sophie. Et voilà que cette dernière se mettait en rogne à cause de cette maudite petite mulâtresse. Mon Dieu, quelles infernales hypocrites étaient les femmes ! Evie lui avait dit un nombre incalculable de fois qu'elle l'aimait. L'amour devait-il ruiner tous ses projets, à cause d'une simple dispute ?

Il se tourna et contempla la grande maison, brillant de tous ses feux. Inconcevable, que Dieu pût être aussi injuste : qu'il permette à un vaurien comme Ben Kelly de jeter ainsi des milliers de livres par la fenêtre !

La maison était méconnaissable, si l'on songeait à la ruine tout écaillée qu'elle était un an plus tôt. Les galeries avait été ouvertes, les boiseries restaurées, le parc redessiné, de nouvelles terrasses aménagées. On avait même reconstruit la volière du vieux Jocelyn. Oui, c'était trop injuste : qu'est-ce que ce vaurien avait fait pour mériter ça ?

Le monde était devenu fou. Sa dette arriverait à échéance dans cinq jours, et aucun de ces affreux prêteurs juifs ne lui avancerait un penny. Ils avaient tous entendu les rumeurs selon lesquelles les choses n'avançaient pas avec Sophie, et Cornelius Traherne songeait à reprendre à son fils son cadeau de Waytes Valley. Cet horrible petit Lyndon lui ricanait à présent sous le nez ; et Davina elle-même lui lançait des piques sur la carrière d'éleveur de moutons en Australie. Mon Dieu, qu'allait-il faire ?

Il ne pouvait forcer Sophie à l'épouser. Malgré son chantage dans le phaéton, l'un comme l'autre le savaient.

Mais était-il encore possible qu'il la convainque ? Ou sinon, qu'ils restent assez amis pour qu'elle lui *prête* simplement l'argent ? Il y avait beaucoup pensé au cours de la soirée, et par moments ça lui avait paru être une solution. Mais il y avait toujours le maudit beau-frère de Sophie : Cameron Lawe ferait sûrement échouer l'affaire.

Alors, que se passerait-il si Sib faisait l'idiote et que Parnell lui filait entre les doigts ? S'il n'arrivait pas à amadouer Sophie ? Et si le jour de l'an arrivait et que sa dette restait impayée ? Il serait fini, brisé. La nouvelle qu'Alexander Traherne n'avait pas honoré une dette se répandrait comme une traînée de poudre. Il serait rejeté de tous les clubs qu'il avait fréquentés. Son père romprait avec lui sans lui donner un penny. Il ne serait plus personne. Il pourrait tout aussi bien se trancher la gorge. Et tout ça pour une misérable dette de jeu !

Alexander jeta son cigare et demeura un moment indécis à le regarder se consumer dans la pénombre. Puis, sourcils froncés, il l'écrasa sous son talon, et retourna dans la maison.

Tout était si atrocement injuste !

Il était minuit moins le quart, et Sophie en avait assez.

Elle avait dansé une gavotte lente avec Cornelius et une autre avec Alexander, qui ne lui avait pas dit un mot de toute la soirée, ou presque. Au souper, elle avait fait la connaissance de Mr Walker, l'associé de Ben Kelly, et avait reconnu avec étonnement en lui le mystérieux gentleman noir passé à St. Cuthbert huit mois plus tôt. Mais il avait gâché leur échange en lui demandant des nouvelles de « Miss McFarlane » ; elle s'était sentie obligée de nier toute relation entre elles, aussi lui avait-il adressé un sourire contraint avant de s'éloigner d'un air triste. Mais ce n'était qu'une petite fausse note dans une soirée qui en avait comporté bien d'autres.

Sophie détestait ce retour à Fever Hill. Pour elle, cet endroit bruissant d'ombres et de murmures, au délabrement plein d'élégance, comme une belle fleur fanée, avait été magique. Elle détestait le voir brillamment illuminé, livré aux bavardages indiscrets et mordants des convives. C'était comme d'exposer les petits travers d'une vieille tante aux regards d'un public indifférent. Pis encore, ça la faisait repenser à Maddy. Maddy qui était à Eden, et qui paraissait pourtant si loin d'ici ! Tout semblait faussé, dénaturé...

Et puis, Sophie détestait aussi être déguisée. Pendant le souper, sa traîne s'était prise sous le pied de quelqu'un et déchirée ; et en attendant, assise dans les toilettes des dames, qu'une femme de chambre l'eût recousue, Sophie s'était vue dans le miroir. Qu'est-ce qui lui avait pris de venir ici en Maîtresse de la rivière ? Elle était maigre, les yeux enfoncés dans leurs orbites, et ressemblait plus à une noyée qu'à autre chose.

Ensuite, elle était retournée dans la salle de bal et était demeurée pendant des heures, un sourire figé sur le visage, à recevoir les jérémiades de Mrs Pitcaithley et à regarder Ben Kelly danser. Peu à peu, aux bavardages autour d'elle, elle se rendit compte que l'opinion générale virait en sa faveur. « Bien sûr, pensa-t-elle non sans amertume. Il est riche, beau, célibataire, et il y a des filles à marier. »

« Certes, ma chère, entendait-elle, il y a cette question de naissance à considérer – mais comme je l'ai toujours dit, si un manque d'éducation est une malchance, ce ne peut être une faute. Après tout, comment la bonne société se renouvellerait-elle sans apport de sang nouveau ? Qu'étaient les Traherne il y a trois générations ? Et pour ce qui est des Monroe – je veux dire les Monroe d'aujourd'hui, pas le cher vieux Jocelyn –, elles ne peuvent guère prétendre être légitimes... »

« Comme les gens sont versatiles », se dit-elle tandis que passant de la salle de bal dans la véranda, elle se cognait presque à un vase d'orchidées. Sept ans plus tôt, tout le monde avait poussé des hauts cris à l'idée de Sophie Monroe accordant son amitié à un palefrenier ; aujourd'hui, ils étaient trop heureux de boire son champagne et de danser dans sa salle de bal.

Elle aperçut Alexander à l'autre bout de la galerie, se cacha derrière les orchidées. Pourquoi s'était-il lancé dans cette maladroite tentative de menace ? Il devait bien se rendre compte qu'il ne pouvait la contraindre à l'épouser...

Mais quelles en seraient les répercussions pour Eden ? C'était le nœud du problème aux yeux de Sophie. Alexander était assez vindicatif pour faire courir une rumeur scandaleuse à propos d'elle et de Ben. Et quand Cornelius, le financier le plus puissant du nord de l'île, apprendrait qu'elle n'épouserait pas son fils, sa bienveillance envers les Lawe se dissiperait comme brume du matin. De nouveau, elle aurait amené des ennuis à Eden.

Ça lui importait plus que tout le reste – plus que l'affront fait aux Traherne ; ou l'humiliation liée à l'annulation des invitations, aux petits billets polis à rédiger pour renvoyer les cadeaux de mariage, et aux commérages.

Et après Parnassus, où irait-elle ? Eden était hors de question, mais elle ne se voyait pas ailleurs que dans le nord de l'île. Retourner en Angleterre ? Son cœur sombrait à cette perspective. Quelque chose lui disait que si elle quittait encore une fois la Jamaïque, elle n'y reviendrait plus. Ce serait l'ultime défaite.

Elle s'imagina habitant avec Mrs Vaughan-Pargeter, dépensant pour se nourrir et se loger l'argent de la vente de Fever Hill. Elle vivrait sur l'argent de Ben !

Elle le voyait à cet instant, debout près des portes au milieu d'une foule de gens et contemplant les valseurs. Il ne lui avait plus parlé depuis son accueil, tendu, sur les marches de l'escalier. Pas une fois il n'était venu vers elle pour lui glisser un mot discret sur Evie, comme elle avait pensé qu'il le ferait. Mais il ne l'avait pas évitée non plus : à plusieurs occasions au cours de la soirée, leurs chemins s'étaient croisés et il lui avait adressé un signe courtois avant de s'éloigner. Visiblement, de son point de vue, ils s'étaient fait leurs adieux dans les collines, et il n'y avait plus rien à ajouter...

Ben se tourna pour parler à la femme debout à côté de lui, et elle aussi se tourna pour l'écouter. Avec un choc, Sophie reconnut Sibella Palairet. Elle fixait intensément Ben, lèvres entrouvertes, ne quittant pas sa bouche des yeux.

Le regard de Sophie passa alternativement de Sibella à Ben. Elle eut la vision du vieux brougham arrêté au bord de l'allée, avec le valet de grand-tante May à l'intérieur, et fut prise d'un vertige : se pouvait-il qu'il s'agisse là du mystérieux « marché » ?

Non, impossible. Et pourtant, les éléments en sa possession s'emboîtaient aussi précisément que les pièces d'un puzzle chinois. Quelle belle revanche ce serait pour grand-tante May que de parvenir à briser une alliance Parnell-Palairet, et d'en faire peser le scandale sur les Traherne d'un seul et même coup ! Il suffisait pour cela d'une petite veuve vaniteuse, sotte, aveugle, joliment emballée de satin mauve et de dentelle dorée.

Et puis, Ben accepterait volontiers d'être l'instrument de la vengeance. Il n'avait pu oublier ce que les Traherne lui avaient fait subir...

« Oui, voilà tout l'enjeu de ce maudit bal, comprit soudain Sophie. Montrer aux Traherne quel homme il est devenu, et leur rabattre leur superbe... Et le pire, pensa-t-elle, en cueillant une orchidée dans un vase pour la déchiqueter lentement, le pire, c'est qu'il devait déjà avoir cela en tête, ce fameux jour dans les collines ! »

Elle se sentit étourdie et malade. Jamais elle n'avait imaginé que Ben pût avoir autant changé, qu'il soit capable d'un acte aussi calculé, sordide et destructeur.

« C'est vraiment la fin, constata-t-elle, anéantie. Le Ben que tu connaissais est définitivement envolé. »

Elle rouvrit la main, regarda les pétales en lambeaux tomber au sol. Puis elle releva la tête, et le chercha du regard tandis que ses yeux s'embuaient de larmes.

Il n'était plus là. Sibella non plus.

Chapitre 30

— Pour la dernière fois, crie Pa, où est Kate ?

— Je ne sais pas, grogne Ben.

Pa lui prend le bras, le tire brutalement pour le faire se lever et lui flanque des coups. *Bang, bang, bang.* La pièce se met à tourner, des lumières lui éclatent dans les yeux.

Robbie est recroquevillé dans son coin, le visage vers le mur, se balançant d'un côté à l'autre. « C'est bien, lui dit Ben en silence. Reste là et laisse-moi m'occuper de ça. »

— Où est-ce qu'elle est allée, bon Dieu ? dit Pa, en le secouant par le bras jusqu'à le déboîter ou presque.

— Je ne sais pas, répète Ben entre ses dents.

Pa le frappe encore un peu, puis l'envoie valser contre le mur. De nouvelles lumières lui flamboient devant les yeux, du sang salé-sucré lui remplit la bouche, il s'effondre en un tas. « Encore un coup comme ça, se dit-il confusément, et tu es fichu. »

Pa le regarde tout en tanguant sur ses jambes. Il pue la bière à des kilomètres mais il est loin d'être affaibli, malheureusement pour Ben.

— Tu ne veux pas me le dire, hein ? gronde-t-il d'une voix très basse et calme.

D'une main tremblante, Ben s'essuie le visage avec sa manche. Il essaie de bouger, mais ne peut pas. Ses jambes sont comme du coton.

Pa va en titubant jusque dans le coin où est Robbie, prend celui-ci par une cheville et le lève en l'air, la tête en bas. Robbie ne dit rien, pas même un cri. Il se laisse pendre au bout du bras de Pa comme un rat d'égout, serrant sa poupée de paille contre sa poitrine.

— Laisse-le tranquille, râle Ben, en essuyant le sang qu'il a dans les yeux. Il ne sait rien, c'est juste un idiot.

— Alors, tu ne veux toujours pas me le dire ? lance Pa par-dessus son épaule.

Il fait tournoyer Robbie en l'air, comme s'il allait balancer sa tête contre le chambranle de la porte.

— Tu en es sûr ?

— Arrête, murmure Ben.

— Robbie ou Kate ? Qu'est-ce que tu choisis ?

Ben lutte pour se remettre sur pied, s'appuie contre le mur. La douleur éclate dans sa tête.

— Arrête ! répète-t-il.

— Pourquoi j'arrêterais ? Robbie s'en fiche bien – pas vrai, Rob ?

Pa n'arrête pas de faire tourner Robbie, rapprochant un peu plus chaque fois sa petite tête rousse de la porte. Robbie serre sa poupée et n'émet pas un son, mais sa bouche est toute grande ouverte.

— Allez, Ben, dit Pa. Il faut que tu choisisses.

Ben se retourne, écrase son front contre le mur. Du plâtre moisi s'effrite, avec des bouts de punaise croustillante. Ses yeux sont chauds, piquants, et il a une énorme boule dans la gorge. Comment est-ce qu'il peut choisir ? Comment ?

« Kate est grande et forte, pense-t-il. Elle tiendra bon contre Pa, et elle a aussi Jeb pour veiller sur elle.

Robbie, lui, est incapable de tenir contre personne, et il n'a que moi... »

— Allez, Ben ! insista Pa. Qui, Robbie ou Kate ?

— Ben ? gémit Robbie, Ben !

— Slippers Place, lâche Ben d'une voix rauque, haletante.

— Quoi ? s'écrie Pa. Qu'est-ce que t'as dit ?

Ben écrase sa tête contre le mur, broyant le plâtre dans une bouillie de sang et de larmes.

— Elle est à Slippers Place, près de Jamaica Road. Maintenant, laisse-le tranquille !

La lumière du soleil frappa les yeux de Ben et il se réveilla. Il transpirait, son cœur cognait dans sa poitrine ; il ne savait plus où il était.

« Tu n'aurais pas dû le lui dire, Ben. Tu as fait le mauvais choix, tu le sais ? Tu n'aurais pas dû lui dire, pour Kate. »

Sous sa main, les punaises écrasées laissèrent place à la surface laquée de la table de nuit. Il porta cette main à sa joue, essuya ses larmes.

« Tu as perdu Kate, se dit-il, puis tu as perdu Sophie. C'est pour cela que les rêves continuent à t'assaillir : une perte en rappelle une autre. »

La femme de chambre glissa en silence de la fenêtre au lit, lui tendit un plateau sur lequel était posée une petite enveloppe couleur crème.

— Qu'est-ce que c'est ? murmura-t-il, en s'appuyant sur son coude.

Sur la table de nuit, sa montre indiquait neuf heures du matin. Seigneur ! Il avait dormi à peine plus d'une heure... Il était sept heures bien sonnées quand le dernier invité était parti.

— Un message, maître Ben, répondit la femme de chambre, en détournant les yeux avec déférence. Une voiture attend la réponse. Il paraît que c'est urgent.

Jurant entre ses dents, il saisit l'enveloppe et l'ouvrit, parcourut la lettre. Elle était de la petite veuve. Une fois arrivé au bout, il la froissa et la jeta à travers la chambre.

« Et alors, songea-t-il avec amertume, de qui croyais-tu que c'était ? Sophie Monroe, pour te remercier de la soirée ? »

Il se rappela l'air qu'elle avait, quand elle montait les marches avec son fiancé. La lueur moqueuse dans ses yeux couleur de miel, sa moue ironique. « Quand honorerez-vous ce mystérieux marché ? »

Il porta de nouveau une main à son visage. Il se sentait épuisé et encore un peu ivre, lourd de fatigue et de dégoût de lui-même. Et ce rêve qui s'accrochait à son esprit. Mal agir et perdre ceux qu'on aime : y était-il condamné, encore et toujours ?

À côté du lit, la femme de chambre toussota discrètement.

— La voiture attend une réponse, maître Ben...

Il eut la vision de la petite veuve engoncée dans sa robe, avec ses fleurs artificielles, et son ruban de satin mauve autour du cou – comme un collier de chien, de petit chien. « Tu n'aurais pas dû faire cela, Ben. »

Il avait un goût aigre dans la bouche. Il tendit la main vers la carafe, se versa un verre d'eau et le but d'un trait.

— Dites qu'il n'y a pas de réponse, marmonna-t-il.

Une demi-heure plus tard, il s'était habillé. En descendant, il tomba sur Isaac dans l'entrée. Son associé était en vêtements de ville et avait une grande valise à ses pieds.

Ben s'arrêta sur la marche du bas et agrippa la rampe, en proie à une soudaine crise de panique, qui le surprit lui-même. Isaac menaçait de partir depuis plusieurs jours – depuis qu'il s'était mis en tête des idées absurdes à propos d'Evie et de Ben –, mais il s'était toujours laissé convaincre de rester. Du moins jusque-là.

« Ne t'en va pas, lui demanda Ben silencieusement. Pas maintenant, pas aujourd'hui. Je t'en prie ! »

À voix haute, il dit :

— Donc, tu t'en vas.

Isaac attendit que trois domestiques transportant des orangers en pots aient fini de traverser la pièce. Ensuite, il répondit :

— Je serai à Arethusa pour une semaine encore environ. Après, je partirai.

— Où ?

— Je ne sais pas. Ça dépend.

— Isaac…

— J'envisage de vendre. Si je le fais, je demanderai au notaire de te donner la priorité sur Arethusa.

— Pour l'amour du ciel, Isaac ! Ça ne m'intéresse pas…

Isaac leva les yeux vers lui, et son visage était tendu.

— Qu'est-ce qui t'intéresse, Ben ?

Ben ignora la question.

— Pour la dernière fois, il n'y a rien entre Evie McFarlane et moi. Juste de l'amitié.

— Alors, dis-moi où elle est.

Ben hésita, puis lança :

— Non.

— Pourquoi ?

— Elle ne veut pas qu'on la trouve.

— Je ne te crois pas… Je la trouverai, Ben, avec ou sans ton aide. Cette fille a des problèmes. Je l'ai vu quand elle est venue ici l'autre jour. Elle a besoin d'un ami.

— Elle a un ami.

Isaac secoua tristement la tête.

— Tu ne me fais toujours pas confiance, n'est-ce pas ?

— Bien sûr que si.

— Non, tu ne me fais pas confiance. Ni à personne d'autre, tu ne l'as jamais fait.

Il mit son chapeau et ramassa sa grosse valise.

— Au revoir, Ben. Et bonne chance. Quelque chose me dit que tu en auras besoin.

Ben demeura sur les marches, à écouter le bruit de la voiture qui s'éloignait. Mal agir et perdre ceux qu'on aime. Il ne se rappelait pas s'être jamais senti aussi déprimé.

Et merde, après tout ! Si Isaac voulait partir, qu'il parte. De toute façon, ce n'était pas un ami, juste un fichu associé d'affaires.

Il haussa les épaules, plongea les mains dans ses poches et se mit à errer dans la maison puis sur les pelouses au sud, où le nettoyage battait son plein. Dans la rude lumière du soleil de décembre, les pelouses offraient un triste spectacle de chaises renversées, de verres sales et de grands vases d'orchidées commençant à brunir sur les bords. Partout, ce n'étaient que femmes de chambre et valets de pied en train de débarrasser, ramasser les restes et remettre de l'ordre. Aucun d'eux ne croisait son regard.

Ben se demanda s'ils avaient peur de lui. Ou s'ils lui en voulaient parce qu'autrefois lui aussi avait été un domestique. Parce qu'il n'était pas et ne serait jamais un gentleman...

Il flâna autour de la maison, trouva un peu d'ombre sur un banc, sous l'arbre à pain, et envoya chercher une bouteille de champagne. Après il s'assit confortablement, et suivit des yeux un couple d'inséparables qui avaient une prise de bec dans la volière.

L'étrange de la situation était qu'il aurait facilement pu rassurer Isaac au sujet d'Evie, car elle allait redescendre de la grotte ce matin même. Pourquoi donc ne lui avait-il pas révélé où elle était ? Parce que Isaac était amoureux ? Parce que c'était la dernière chose à laquelle lui, Ben, avait envie de penser pour le moment ?

Le champagne arriva ; il avala sa première coupe d'un trait, et attendit l'éclaircissement de ses pensées qui devait s'ensuivre. Du côté des inséparables, c'était la guerre ouverte.

Il y avait toujours eu une volière ici, du plus loin qu'on s'en souvînt ; mais, jusqu'à ce que Ben la fasse reconstruire, c'était une ruine. Le vieux maître Jocelyn en avait fait édifier une dans les années 1840 pour sa jeune femme, Catherine McFarlane –, mais il avait donné l'ordre de la détruire un an plus tard, quand elle était morte. On disait qu'il n'avait jamais surmonté la douleur de cette mort, qu'il n'avait plus jamais regardé une autre femme de sa vie...

« Grand bien lui fasse », pensa Ben avec aigreur en se servant une autre coupe.

Une ombre lui cacha le soleil ; il leva les yeux pour découvrir Austen, debout devant lui.

— Bonjour, Austen, lui dit-il. Asseyez-vous et prenez un verre.

Avec hésitation, Austen se jucha sur l'extrémité du banc, mais refusa le champagne.

— Non merci, Mr Kelly.

Ben lui jeta un regard en coin. Ces jours-ci, Austen ne l'appelait « Mr Kelly » que quand il se drapait dans sa dignité.

— Alors, lança-t-il en se resservant. Qu'est-ce que vous avez en tête ?

Austen s'éclaircit la gorge et regarda ses pieds.

— J'ai cru comprendre qu'il y avait eu une voiture ici. Et une lettre de… d'une dame.

— C'est exact.

— Puis-je vous demander à quel sujet ?

— Je ne crois pas, non.

Après un autre raclement de gorge, Austen déclara d'un ton solennel :

— Mr Kelly, j'ai besoin de vous parler.

— N'est-ce pas ce que vous êtes en train de faire ?

— Pas de secrétaire à employeur : d'homme à homme.

Ben soupira.

— Le fait est, Austen, que je n'ai pas beaucoup dormi et que je me sens un peu patraque. Ça ne peut pas attendre ?

— J'ai peur que non.

Ben le regarda avec surprise ; il n'aurait pas imaginé une telle franchise chez son secrétaire. Ou peut-être pas une telle force de sentiments. « Oh, mon Dieu, songea-t-il, pas encore un amoureux, un de plus ! On dirait que je ne suis entouré que par de foutus inséparables. » Il poussa un long soupir.

— Alors, allez-y, lâcha-t-il.

Les joues maigres d'Austen se couvrirent de taches rouges, sa pomme d'Adam fit un rapide aller-retour dans sa gorge.

— La nuit dernière, expliqua-t-il, j'ai vu quelque chose. Je veux dire, je vous ai vus, vous et Mrs Palairet, en train de discuter, puis… vous avez disparu tous les deux. Alors, j'ai pensé… (Il avait viré à l'écarlate)… C'est-à-dire, j'en ai assez vu pour avoir des raisons d'être inquiet.

Ben fut grandement irrité par une telle délicatesse de sentiments.

— Bien sûr, rétorqua-t-il d'un ton sec. Vous avez vu, mais vous n'avez pas participé. Ça résume toute votre vie, n'est-ce pas ?

— Mr Kelly, insista Austen, plus embarrassé que jamais. Je voulais vous demander : est-ce que vous allez… je veux dire, est-ce que vous avez l'intention de l'épouser ?

— Qui ?

— Mrs Palairet.

Ben le contempla, puis éclata de rire.

— Sibella ? Bien sûr que non !

Austen garda un instant de silence. Ensuite, il posa les deux mains sur ses genoux et se leva très vite.

— Alors, j'ai le regret de vous informer que je ne peux rester à votre service un jour de plus.

Ben leva les yeux vers lui, et fit un geste de la main dans sa direction.

— Ne soyez pas ridicule, Austen. Vous ne savez même pas ce que…

— Avec tout le respect que je vous dois, Mr Kelly, ça n'a rien de ridicule. C'est même la seule chose honorable qu'un homme puisse faire.

Ben était fort surpris. Il avait déjà lu des choses sur les hommes qui plaçaient les femmes sur un piédestal, il avait souvent taquiné Austen pour être un de ceux-là, mais il n'y avait jamais réellement cru jusque-là.

— Austen, déclara-t-il d'un ton las, ne faites pas l'idiot. Il n'y a vraiment pas de raison pour que nous nous disputions.

— Au contraire, Mr Kelly, répliqua doucement Austen. Je suis certain qu'il y en a une.

Il semblait on ne peut plus sérieux. Le moral de Ben tomba en chute libre. « D'abord Isaac, et maintenant Austen. Mal agir et perdre ceux qu'on aime. Non, non, non… »

Il se pencha en avant, les coudes sur les genoux.

— Je peux vous expliquer, pour Mrs Palairet, lâcha-t-il d'une voix sourde. Mais, s'il vous plaît, je vous demande… je vous prie de rester.

Le visage d'Austen se crispa ; puis il secoua la tête, tourna les talons et s'éloigna à travers la pelouse.

Sans bouger de son banc, Ben le regarda partir. Quelques minutes plus tard, la voiture arriva devant le perron ; Austen descendit avec ses bagages, monta dedans et partit rapidement le long de l'allée.

« Ça en fait deux, et il n'en reste plus, songea Ben. Maintenant, tu es tout seul. » Il était surpris lui-même par l'intensité de son regret.

Il se versa une coupe de plus, écouta le chant strident des grillons, regarda les inséparables toujours en guerre. Une image lui vint à l'esprit, de Sophie au cours du souper la veille au soir. Quelqu'un avait marché sur son ourlet et l'avait déchiré ; l'espace d'un instant, avant de se ressaisir et que la politesse l'emporte, elle avait été sur le point de faire une remarque sèche. Il connaissait si bien l'expression qu'elle avait dans ces cas-là : les yeux brillants, les ombres qui se creusaient au coin de la bouche. Il aimait cette expression.

Il se leva, fit quelques pas sur la pelouse, revint s'asseoir sur le banc. Un domestique qui démontait les lampes dans l'allée lui jeta un regard curieux.

Que faire à présent ? Il n'y avait rien dont il eût envie. Il pouvait partir se promener à cheval sur un de ses beaux pur-sang, ou rester ici et boire du champagne toute la journée. Il pouvait aller dans son bureau consulter les plans pour le mausolée ; ou bien aller dans les collines chercher Evie et la ramener chez sa mère. Mais il ne voulait rien faire de tout cela. Tous ces choix lui étaient offerts et il n'y avait rien, absolument rien, dont il eût envie. Le moral au plus bas, il n'avait aucune idée de la façon dont il allait terminer la journée.

Au retour du bal masqué, Sophie s'assit dans la galerie du haut, à Parnassus, guettant le lever du soleil.

Elle avait longuement attendu, à Fever Hill, que Sibella réapparaisse, mais en vain. Aux alentours de deux heures du matin, n'en pouvant plus, elle avait laissé Alexander à son cognac, qu'il buvait avec de vieilles connaissances des champs de courses, et elle était rentrée dans le brougham avec Rebecca et Cornelius.

— Quelque chose ne va pas, ma chère ? lui avait demandé Rebecca, une fois installée dans la voiture.

Sophie lui avait serré la main, avait tenté de sourire. « Qu'est-ce qui n'irait pas ? songeait-elle. Je viens de plaquer votre fils, et Ben Kelly a une aventure avec Sibella. Tout va pour le mieux ! »

Sitôt à Parnassus, elle était allée droit à sa chambre. Elle n'avait même pas essayé de dormir mais s'était assise dans la galerie, écoutant le murmure du vent dans les cannes et les cris distants de Patoo.

C'était le matin du 27 décembre. Sept ans s'étaient passés depuis qu'elle était allée avec Ben à Romilly. Elle se rappelait chaque détail : l'odeur des orchidées, le bruissement discret des animaux nocturnes sur la berge. Comme il avait l'air jeune, comme il était attentif et grave tandis qu'il défaisait son bas et touchait son genou…

Elle s'efforçait de penser à lui tel qu'il était aujourd'hui, mais n'y parvenait pas. Chaque fois qu'elle évoquait son image, une autre s'imposait : Ben tel qu'il était dans la clairière d'Overlook Hill, sept ans plus tôt. Pâle, tremblant, incapable de comprendre qu'elle était en train de mettre un terme à quelque chose entre eux.

Jusque-là, elle ne s'était jamais autorisée à se demander ce qui serait arrivé si elle avait eu le courage de rester avec lui. Quelle importance, puisqu'elle avait eu raison, oui, raison d'y mettre un terme ?

Pourtant, et si elle ?…

Ils pourraient être mari et femme, vivre ensemble à Fever Hill. Ils pourraient avoir des enfants. Elle tenta d'imaginer à quoi ils ressembleraient : seraient-ils beaux et bruns comme lui, ou châtains et quelconques comme elle ?

Vers cinq heures, le chant des grillons passa de la sourde vibration nocturne au bruit de râpe de l'aube. La brise de mer se leva, un vol de tiaris se posa sur les buissons d'hibiscus qui entouraient l'escalier.

Sophie tira sa chemise de nuit sur ses genoux, se pelotonna dans son châle. Le 27 décembre. Sept ans plus tôt, elle avait passé la nuit avec Ben, et Fraser était mort.

Madeleine était-elle assise dans la véranda d'Eden, au milieu des coussins écossais, avec elle aussi les genoux sous sa chemise de nuit, et pensant à Fraser ?

Sophie se frotta les yeux. Tout allait de travers. Pourquoi était-elle ici, étrangère dans cette grande maison, pendant que Ben était là-bas avec Sibella ? Pourquoi était-elle ici, alors que Madeleine était à Eden sans elle ? Comment avait-elle permis que tout cela arrive ? Et comment pouvait-elle y remédier ?

Vers onze heures, elle fut réveillée par une femme de chambre qui lui posa la main sur le bras. Elle releva la tête, incertaine. Les yeux lui piquaient ; son cou était endolori, d'avoir dormi recroquevillée.

La femme de chambre lui annonça que Miss Sibella était en bas dans le salon bleu, et voulait lui parler « tout de suite ». Aussitôt, Sophie fut pleinement réveillée.

— Il fallait que je te voie ! s'exclama Sibella dès qu'elle arriva dans le salon.

Sophie jeta un coup d'œil par-dessus son épaule pour vérifier que la porte était fermée, puis se retourna vers Sibella. Celle-ci avait une allure affreuse : une robe attachée n'importe comment, un visage bouffi et couvert de marbrures pour avoir pleuré. Pourtant, Sophie ne parvenait pas à la plaindre. Elle ne pouvait s'empêcher de repenser au regard que Sibella posait sur Ben quand ils se trouvaient ensemble dans la salle de bal, à la façon dont elle contemplait sa bouche pendant qu'il parlait.

— Qu'est-ce que tu veux ? lui lança-t-elle d'une voix dure.

Sibella, qui faisait tourner ses bagues sur ses doigts potelés, se jeta soudain sur le canapé et fondit en larmes. Sophie se mura dans le silence ; elle aurait voulu être à des millions de kilomètres de là.

— Je me sens si honteuse ! se lamenta Sibella. Si salie, si… humiliée ! Je lui ai écrit, j'ai supplié, j'ai attendu sa réponse… Et tu sais ce qu'il a fait ? reprit-elle après avoir ravalé un sanglot, en repoussant ses cheveux sur son front d'un air indigné. Il a dit qu'il n'y avait pas de réponse. Tu peux imaginer ça ? « Pas de réponse »...

Sophie ne voulait rien imaginer ; elle essayait surtout de ne pas penser à Ben et Sibella ensemble. Mais Sibella lui prit la main, l'attira à côté d'elle sur le canapé.

— Il faut que tu y ailles et que tu lui parles.

— Quoi ? Mais...

— Sophie, il le faut ! Tu es la seule qui puisses m'aider...

Sophie tenta de retirer sa main, mais Sibella s'y accrochait avec fièvre.

— Tout cela n'a aucun sens, remarqua Sophie, le plus doucement qu'elle le put. Tu es fatiguée et à bout de nerfs, tu as besoin d'aller te coucher.

Sibella la regarda d'un air d'incompréhension, puis s'effondra à nouveau.

La femme de chambre passa la tête à la porte, mais Sophie lui fit signe de s'éloigner. Sibella se mit à parler de façon désordonnée, sans cesser de sangloter ni avoir lâché sa main.

Peu à peu, à contrecœur, Sophie rassembla les différentes pièces du puzzle. Il était question d'un foulard disparu et d'une broche de diamant, tous deux cadeaux de Gus Parnell ; de la promesse qu'avait faite Ben de les rendre – promesse qui n'avait pas été tenue –, et d'un rendez-vous à minuit au cimetière. L'idée du rendez-vous blessait Sophie plus que tout le reste. Un rendez-vous amoureux au milieu des tombes des Monroe... C'était comme un coup de poignard qu'elle aurait reçu, un coup de poignard intentionnel.

Maintenant, à en croire Sibella, Parnell était « en rogne » et demandait qu'elle lui montre ces maudites affaires ; et papa était horrible avec elle.

— Il faut que tu me les rapportes ! cria-t-elle à Sophie, en lui serrant la main si fort que ses bagues s'imprimèrent dans sa chair. C'est un menteur et un vaurien, mais il t'écoutera, je sais qu'il le fera. Il te les donnera si tu le lui demandes.

— Sibella, répondit-elle avec lassitude, il n'écoutera personne. Surtout pas moi.

Sibella prit une inspiration haletante et s'essuya les yeux.

— Mais il n'y a personne d'autre. Tu es ma seule, ma seule amie.

« Sa seule amie ? » songea Sophie, et son visage trahit son désarroi.

Sibella le nota et insista :

— Dis que tu iras… Oh, Sophie, dis que tu iras !

« Que vais-je pouvoir lui dire ? » s'interrogeait-elle, tandis qu'elle franchissait les grandes portes en pierre de Fever Hill.

À l'occasion du bal masqué, ces portes avaient été débarrassées de leurs plantes grimpantes et, pour la première fois depuis qu'elle les connaissait, les armoiries des Monroe apparaissaient clairement à Sophie. Elle se demanda quand Ben déciderait de les faire enlever. De la part d'un homme qui avait donné un rendez-vous d'amoureux dans le cimetière des Monroe, ce n'était sans doute qu'une question de temps.

Elle suivit lentement l'allée ; à deux reprises, elle remit son cheval au pas et fut sur le point de faire demi-tour, de laisser Sibella arranger elle-même ses petites histoires. Sibella l'irréfléchie, l'insensible, qui – si même elle s'en souvenait – avait sans doute estimé que Sophie avait dépassé depuis longtemps ses sentiments anciens pour Ben.

Les hommes qui décrochaient les lanternes de couleur suspendues entre les palmiers regardèrent passer la jeune femme avec une curiosité non dissimulée, mais elle les ignora. Pour la centième fois, elle maudit Sibella, d'être vaniteuse, d'être faible, d'être jolie.

Lorsqu'elle atteignit enfin la maison, le temps n'était plus aux questions ni aux doutes. Un valet accourut pour lui prendre son cheval, une femme de chambre descendit l'escalier pour la conduire à l'intérieur. On la fit entrer directement dans le bureau de Ben.

C'était autrefois celui de son grand-père, et elle fut surprise de constater combien la pièce avait peu changé. Elle était toujours remplie de livres du sol au plafond, et de tableaux de la Jamaïque sur les murs ; au fond, en face des portes qui donnaient sur la véranda sud, trônait un grand bureau en noyer.

Ben était assis derrière ce qui ressemblait à des plans, étalés devant lui. Quand on fit entrer Sophie, il se leva et son visage s'éclaira brièvement. Puis il saisit son expression fermée, et la sienne devint indéchiffrable. Il était pâle et semblait fatigué, avec des cernes sous les yeux.

« Rien d'étonnant, pensa-t-elle en se rappelant le visage marbré et creusé de larmes de Sibella. Je me sens si salie, si… humiliée ! »

Ben et Sibella dans le cimetière. Ça paraissait impossible. Elle tâcha de repousser les images qui lui venaient à l'esprit.

— Je ne pensais pas que je vous verrais, lui dit-elle en traversant le bureau.

— Je ne pensais pas que vous viendriez, répondit-il.

Il lui désigna un fauteuil de l'autre côté du bureau et se rassit dans le sien. Elle s'installa, serra ses mains l'une contre l'autre sur ses genoux. Elles étaient froides et tremblantes.

— Comment avez-vous pu faire cela ? lui lança-t-elle dès l'abord.

Il fronça les sourcils.

— Qu'est-ce que j'ai fait, cette fois-ci ?

— N'essayez pas de vous défiler. Je viens de voir Sibella. Elle est dans un état affreux.

— Ça signifie qu'elle n'a pas apprécié la fête, je suppose…

Elle baissa les yeux vers ses mains ; comment était-il possible qu'il le prenne autant à la légère ?

— C'est parce que c'est une Traherne, je le sais, dit-elle d'une voix sourde. Je sais tout cela. Mais jamais je n'aurais pensé, jamais je n'aurais imaginé que vous tomberiez aussi bas.

— Et maintenant, vous l'imaginez ? répliqua-t-il avec un rapide sourire. Vous êtes toujours prête à penser le pire de moi, n'est-ce pas ?

— Vous vous êtes servi d'elle. Vous vous êtes servi d'elle pour vous faire bien voir de grand-tante May.

Une rougeur passa sur son visage, mais il se reprit rapidement.

— Et bien sûr, dans la bonne société, rétorqua-t-il d'un ton sec, personne ne se sert jamais de personne. Je l'oublie toujours.

— Le moins que vous puissiez faire, déclara-t-elle, c'est de me rendre ces affaires qui lui appartiennent.

— Ah, c'est donc pour ça que vous êtes venue…

Il s'enfonça dans son fauteuil.

— Elle a des problèmes avec son amoureux, son amoureux que – faut-il le préciser ? – elle déteste cordialement, et c'est vous qu'elle envoie pour faire le sale travail…

Sophie rougit.

— Vous voyez, poursuivit-il en fronçant les sourcils, vous me disiez à l'instant que j'étais une canaille de m'être servi d'elle ; mais une personne non avertie pourrait croire qu'*elle* s'est servie de vous. Même si c'est impossible, bien sûr, puisque dans la bonne société personne ne se sert jamais de personne… Par exemple, elle ne se sert pas de Gus Parnell pour s'acheter un avenir confortable. Et son père ne se sert pas d'elle, ou de Parnell, pour se racheter une sécurité financière. Quant à son frère, il ne se sert sûrement pas de vous pour sortir de son petit problème personnel.

— Alexander n'a aucun problème, riposta-t-elle d'un ton sec, puis elle se sentit furieuse contre elle-même d'avoir pris sa défense.

— Ça prouve au moins combien vous êtes bien informée, commenta-t-il. Et vous, au fait ? ajouta-t-il soudain. À quelle fin vous servez-vous d'Alexander ?

— Qu'est-ce que vous voulez dire ?

— Pourquoi l'épousez-vous ? Pour vous acheter un refuge ? Un endroit sûr et solide loin d'Eden, pour que vous n'ayez jamais besoin de…

— Je ne suis pas venue ici pour me bagarrer, l'interrompit-elle. Donnez-moi juste le foulard et la broche, et je partirai.

— Pourquoi est-ce que je le ferais ?

— Parce que vous n'en avez pas besoin ! Vous avez eu ce que vous vouliez. Vous les gardez simplement pour marquer un point.

— Ah oui ? Et quel genre de point ?

— Pour nous montrer à tous combien vous êtes devenu puissant.

Il rit.

— Et vous pensez que j'ai besoin de ces deux babioles pour cela ?

— Apparemment, oui.

D'un seul coup, son sourire disparut. Il se leva, contourna le bureau et vint s'appuyer contre celui-ci, les bras croisés, le regard fixé sur Sophie. Ses yeux brillaient, et elle se demanda avec inquiétude s'il avait bu.

— Vous êtes si prompte à penser le pire de moi, observa-t-il d'une voix sourde.

— Vous ne me laissez guère le choix.

Pendant quelques instants, il garda les yeux plongés dans les siens ; puis il se redressa, alla jusqu'à la bibliothèque, ouvrit une grande boîte en bois de cèdre, et en sortit un petit paquet de papier brun qu'il jeta sur le bureau en face d'elle.

— Voilà : un foulard, une broche. Tous les deux légèrement usagés. Comme leur propriétaire.

Elle saisit le paquet et se leva pour partir.

— Merci, murmura-t-elle, au bord de la nausée.

Ben repassa derrière le bureau pour aller ouvrir les portes de la véranda sud, et, tournant le dos à Sophie, se mit à regarder au-dehors.

— Si elle est furieuse contre moi, lui lança-t-il par-dessus son épaule, ce n'est pas parce que je l'ai retrou-vée au cimetière, mais parce que je ne l'ai pas fait.

Elle baissa les yeux vers le paquet, les reporta sur lui.

— Quoi ? Vous voulez dire…

— Elle a attendu, mais je ne suis pas venu. Voilà. À présent, vous savez.

Elle repensa au visage indigné de Sibella. « Je me sens si honteuse !… Je lui ai écrit, j'ai supplié, j'ai attendu sa réponse. »

— Vous… vous n'avez jamais eu l'intention de la retrouver là-bas, n'est-ce pas ?

Il rit.

— Oh, je ne me hasarderais pas jusque-là. La vérité, c'est que je n'y ai pas beaucoup pensé. J'ai pris la décision sur le moment.

— Elle a attendu pendant des heures, dans le noir…

— Vraiment ?

— Puis elle a risqué le scandale en venant ici et en suppliant pour récupérer ses affaires.

— Et alors ? répliqua-t-il, et il se retourna pour lui faire face. Ça lui fera du bien. La petite idiote n'a sans doute jamais eu à supplier pour rien, dans sa vie entière. Maintenant, elle sait ce que ça fait.

Sophie baissa de nouveau les yeux vers le paquet qu'elle tenait dans les mains. D'une certaine façon, ça rendait les choses presque pires, qu'il ait ainsi joué avec les sentiments de Sibella.

— Si je n'étais pas venue réclamer ces objets, lui demanda-t-elle lentement, les lui auriez-vous renvoyés ?

— Sans doute pas.

— Pourquoi ?

— Pourquoi aurais-je dû le faire ?

— Mais vous auriez ruiné sa vie…

Il rit de nouveau.

— C'est un peu mélodramatique, non ?

Elle secoua la tête.

— Qu'est-ce qui vous est arrivé, Ben ?

Il lui jeta un regard irrité, mais elle poursuivit :

— Regardez-vous, vous avez tout. Une énorme maison, de beaux vêtements, de superbes chevaux. Mais à l'intérieur de vous, quelque chose est parti. (Elle se frappa la poitrine.) Là-dedans. C'est parti.

Dans le contre-jour, elle distinguait mal le visage de Ben.

— Je crois que vous feriez mieux de vous en aller, déclara-t-il doucement.

— Qu'est-ce qui vous est arrivé ? insista-t-elle. Est-ce que de devenir riche a tout brûlé en vous ?

Il pivota vers la véranda et lâcha :

— Ce n'est pas l'argent qui en est la cause.

Chapitre 31

Extrait du journal de Cyrus Wright – Second volume.

28 JANVIER 1832. Terrible, terrible calamité ! J'écris ceci de Falmouth, où je me suis retiré avec Mr Monroe & sa famille, alors que le pays a été emporté par le chaos. Les esclaves ont été pris de folie meurtrière. Fever Hill est réduite en cendres, & aussi Seven Hills, Parnassus, & beaucoup d'autres domaines. Seule la demeure de Mad Durrant à Eden a été épargnée, car il a toujours été anormalement doux avec ses nègres, & n'a jamais fouetté une femme, seulement les hommes.
La milice patrouille nuit et jour. Je prie Dieu de nous protéger des mauvais desseins de nos esclaves. J'ai mis Congo Eve au collier pour l'empêcher de s'enfuir, car le Strap de Mr Traherne fait partie des rebelles.

Plick ! Une hirondelle vint boire à l'aqueduc. Evie releva les yeux de la page.

Elle n'était revenue que depuis une petite heure, mais elle était déjà installée dans son coin préféré sur le mur, adossée au tronc d'un ackee, ses tibias nus étalés au soleil. À son soulagement, sa mère était absente quand elle était arrivée.

Étrange. Elle avait été impatiente de rentrer à la maison, mais maintenant qu'elle y était, elle avait envie de retourner dans les collines. Là-haut, dans la grotte, elle s'était sentie en sécurité. C'était comme si une présence la protégeait, une ombre toujours à la limite de son champ de vision. Ici, elle se sentait vulnérable. Plus encore, l'espèce de tension nerveuse, d'incertitude, qu'elle avait éprouvée dès son réveil ce matin-là, puis tout le long du trajet pour redescendre des collines avec Ben, continuait de l'habiter ; une sorte de vibration dans l'air ambiant lui donnait l'impression qu'un événement marquant était imminent. Elle baissa les yeux vers le livre sur ses genoux. Était-ce là-dedans ?

Le second volume du journal de Cyrus Wright… Sophie le lui avait offert comme un cadeau quelques jours avant Noël. Elle lui avait dit qu'elle avait retrouvé le premier volume quelques semaines plus tôt, parmi les affaires que Madeleine lui avait envoyées, et qu'elle l'avait lu d'une traite. Après, elle avait demandé à Miss Clemmy de fouiller dans les caisses de maître Jocelyn à Eden, et celle-ci avait mis la main sur la suite.

Sophie l'avait triomphalement apporté à Evie, qui en avait été touchée, mais n'avait pas voulu le lire dans la grotte ; elle avait trop peur de ce qu'elle pourrait y trouver. Elle ne voulait pas apprendre que Cyrus Wright avait fini par briser le caractère de Congo Eve, ou encore qu'il l'avait battue une fois de trop et laissée mourir dans un fossé.

Et pourtant, Evie avait *besoin* de savoir. Plus encore : elle sentait que Congo Eve essayait de lui dire quelque chose. Peut-être était-ce pour cette raison que le journal avait d'abord échoué entre ses mains ?

Avec un frisson d'appréhension, elle le rouvrit et recommença à lire.

22 FÉVRIER 1932. *Je viens d'échapper à un très grand danger. Je revenais à Falmouth depuis Salt Wash quand un nègre a bondi sur moi et m'a fait tomber de mon cheval. C'était le nègre Strap, mais très changé & avec une figure effrayante. Il m'a frappé de toutes ses forces, en criant : « C'est pour ce que vous avez fait à Congo Eve », mais grâce à la Providence j'ai pu me protéger de ses coups avec ma canne. Il m'a repoussé dans le marais & j'ai crié : « Au meurtre ! » Alors, des hommes de la milice sont arrivés & se sont saisis du vaurien & l'ont battu jusqu'à ce qu'il perde connaissance. J'ai souffert d'un coude contusionné, très douloureux, & j'étais très sale à cause du marais. La peur m'a mis tout à fait hors de moi.*

7 MARS. *Grâce à Dieu, je suis maintenant complètement remis & grandement réjoui, car la rébellion a été réprimée. Mr Monroe a été extrêmement actif aux réunions du tribunal. J'ai moi-même été plusieurs fois sur la place pour assister aux châtiments, et hier j'ai vu Strap être fouetté et pendu. La brute s'est assez bien comportée pendant l'exécution. Dîné avec Mr Monroe : conque grillé, un jambon & une bonne bière brune.* Cum *Congo Eve dans la cave*, supra terram. *Lui ai raconté la fin de son amant. J'ai dit : « Maintenant il est parti pour toujours. Que ce soit une leçon pour tous les nègres qui lèveraient leur main contre un homme blanc. »* Elle

517

n'a rien répondu. Je la garderai au collier pour la nuit.

14 MARS. Depuis la dernière fois que j'ai écrit dans ce journal, il y a une semaine, j'ai été malade de la dysenterie presque jusqu'à la mort. Je crois que c'était un infect empoisonnement nègre par Congo Eve, parce qu'elle s'est enfuie la nuit même où je suis tombé malade. Je n'ai pas réussi à savoir comment elle s'était libérée du collier, mais je soupçonne les autres nègres de l'avoir aidée. Ils ont peur d'elle parce qu'elle connaît l'obeah, le myal, etc.

28 JUILLET. Congo Eve est toujours en fuite. Ça fait plus de quatre mois, & toutes les tentatives pour la retrouver ont échoué. J'ai le moral extrêmement bas, et j'ai fait un cauchemar qui m'a beaucoup troublé. Je ne dois pas être tout à fait remis de la dysenterie. Cum Jenny à Bullet Tree Piece, sed non bene.

5 AOÛT. Un des ouvriers nègres de Mad Durrant a vu une femme « ressemblant beaucoup à Congo Eve », il y a quelques semaines, qui se dirigeait au sud vers les Cockpits ! J'ai envoyé des hommes à sa poursuite & j'ai promis une récompense.

6 AOÛT. J'ai interrogé moi-même l'ouvrier nègre de Mad Durrant. Il a en effet vu la femme se diriger au sud, vers la région connue sous le nom de Retournement. J'ai envoyé davantage d'hommes avec des chiens.

— Te voilà, dit Grace McFarlane.

Evie sursauta, puis referma le livre avec un bruit sourd et le serra dans ses mains. Son cœur cognait dans sa poitrine. « *La région connue sous le nom de Retournement.* » Bien sûr.

— Alors ? reprit sa mère. Tu étais loin…

Elle remarqua les pieds et les tibias nus de sa fille, son expression méfiante, mais ne fit pas de commentaire.

Evie acquiesça. « Oui, pensa-t-elle, j'étais loin. J'étais dans "*la région connue sous le nom de Retournement*" – peut-être dans la grotte où Congo Eve est restée cachée, il y a des années de ça. »

Elle en était troublée, mais pas vraiment surprise. Une part d'elle-même – la part à quatre yeux qu'elle détestait autrefois – l'avait peut-être deviné depuis le début.

Grace passa sa langue sur ses dents et cracha par terre.

— Tu es maigre, ma fille. On dirait que tu as été malade, là-bas à Mandeville avec ton amie.

— J'ai eu la fièvre.

— Hmmm…

— Mais je vais mieux, à présent. Je suis bien plus forte.

Grace lui jeta un long regard pénétrant, puis hocha la tête.

— C'est ce que je vois. Tu vas lire encore beaucoup de ça ? ajouta-t-elle en désignant le livre.

— Je ne sais pas.

— Quand tu auras fini, viens à la maison. Je fais de la soupe aux pois rouges.

Evie acquiesça. Sa mère tourna les talons, mais lança encore par-dessus son épaule :

— Tu es revenue, maintenant ? Oui ?

— Oui, mère. Je suis revenue.

Une fois Grace partie, Evie demeura en silence près de l'aqueduc, regardant les libellules effleurer l'eau verte. « Je suis revenue, pensa-t-elle, mais pour combien de temps ? Et qu'est-ce que je vais faire ? »

De nouveau, cette sensation de tension et d'incertitude. L'air paraissait lourd et chaud autour d'elle, vibrant d'énergie invisible. Elle rouvrit le livre.

Bizarrement, il n'y avait plus que cinq pages d'écrites. Elle résista à l'envie d'aller tout de suite à la dernière et reprit là où elle s'était arrêtée.

Quand Cyrus Wright avait envoyé les chiens, en août 1832, ç'avait été en vain. La suite du journal consistait d'abord en une paire de petites coupures de presse, au papier moisi, du *Daily Gleaner*, collées avec soin sur les pages. C'étaient deux annonces extraites d'une rubrique sur le bétail égaré et ces esclaves fugitifs.

1ᵉʳ janvier 1835, disait la première. *Enfuie : Congo Eve, un mètre soixante-cinq & portant la marque au fer CW sur l'épaule gauche, appartenant à Mr Cyrus Wright du domaine de Fever Hill. Qui ramènera ladite négresse recevra une récompense de dix shillings. Cyrus Wright.*

La seconde coupure contenait une annonce identique, datée de l'année suivante. La récompense était doublée.

Suivaient trois pages de brèves notations faites par Cyrus Wright – d'une seule ligne et souvent une seule par année. Plus de commentaires sur le temps qu'il faisait ni sur ses aventures sexuelles, pas plus que sur les menus de ses dîners. Cyrus Wright semblait avoir perdu son intérêt pour les petits détails de sa vie. Mais de temps en temps il notait, laconiquement, que sa santé et son moral demeuraient « médiocres ». Et, chaque année, il mentionnait brièvement que Congo Eve n'avait pas encore été retrouvée.

L'avant-dernière notation était plus longue, mais d'une écriture tremblée. À cette date, Cyrus Wright était un vieil homme, de quatre-vingts ans.

13 NOVEMBRE 1849. *Congo Eve toujours pas reprise, mais le bruit court qu'elle est encore vivante et dans les collines. Aujourd'hui, maître Jocelyn Monroe s'est marié à Miss Catherine McFarlane. Miss McFarlane a apporté avec elle plusieurs nègres du domaine de son père – dont Leah, la sœur de Congo Eve, et la fille de Leah, Semanthe. Cette fille est aveugle, mais elle ressemble à Congo Eve. On dit que la mère et la fille sont toutes les deux en contact avec Congo Eve, & qu'elles ont appris d'elle les mauvais secrets de l'obeah & du myal. Je les ai interrogées avec énergie, mais les misérables refusent de parler d'elle.*

Enfin, la dernière notation datait de six semaines plus tard et était rédigée dans une autre écriture, grande et maladroite :

2 JANVIER 1850. *Aujourd'hui, Mr Cyrus Wright est mort dans son sommeil. Par Elizabeth Mordenner, sa femme.*

Evie referma le livre et posa la main sur la couverture. Ainsi Cyrus Wright était « mort dans son sommeil », avec une épouse à son côté – une femme qu'il n'avait pas une seule fois pris la peine de mentionner dans son journal.

Le fait qu'il soit décédé paisiblement, en ayant échappé au châtiment pour toutes les cruautés qu'il avait commises, aurait autrefois scandalisé Evie ; aujourd'hui, elle se sentait presque désolée pour lui. Il ressortait clairement de ses petites notations amères qu'il avait passé le reste de sa vie – dix-neuf années –, souffrant de savoir que Congo Eve vivait libre dans les collines, dans « *la région connue sous le nom de Retournement* ». Il avait pu survivre à une tentative d'empoisonnement, échapper à l'agression de Strap ; mais au bout du compte, Congo Eve avait eu sa revanche.

Evie avait beaucoup pensé à sa propre revanche, pendant qu'elle reprenait des forces dans la grotte. Elle avait promis à sa mère qu'elle n'irait jamais affronter son père, Cornelius Traherne, et avait l'intention de tenir cette promesse ; pourtant, elle avait soif de justice à l'égard des Traherne. Justice pour elle-même, pour sa mère, et pour cet enfant engendré dans l'inceste et qu'elle avait sacrifié dans la grotte.

Mais qu'allait-elle faire ? Devait-elle imiter son ancêtre et tenter un empoisonnement ? Ou bien devait-elle se comporter comme une enseignante civilisée, du XXᵉ siècle, et tendre l'autre joue ?

Qui était-elle ? Toute la question était là. Jusqu'à ce qu'elle y apporte une réponse, elle ne saurait pas quoi faire.

Toute sa vie, Evie avait rêvé d'être blanche. Toute sa vie, elle avait envié Sibella Traherne – la riche, la jolie, l'insouciante Sibella, qui possédait tout ce qu'elle-même avait toujours voulu avoir. Sibella Traherne, sa demi-sœur.

Mais à cet instant, bizarrement, Evie ne l'enviait plus. Comment aurait-elle pu ? Sibella n'était qu'une pauvre et faible femme, terrifiée par son propre père, et détestant l'homme qu'elle allait épouser. Et si Evie ne pouvait l'envier, alors, pour quelle raison devrait-elle continuer à vouloir aussi fort être blanche ?

Elle n'était pas blanche, elle était mulâtre. Elle était la fille à quatre yeux de Grace McFarlane, et parente de Congo Eve. Ne devait-elle pas en être fière ? N'était-ce pas ce que Congo Eve essayait de lui dire depuis le début ?

Un coup de vent agita l'ackee au-dessus de sa tête. Elle contempla, autour d'elle, les ruines couvertes de plantes grimpantes du vieux village d'esclaves – ce village qu'Alasdair Monroe, dans sa rage meurtrière, avait réduit en cendres après la Révolte. Et soudain une idée lui vint.

D'un air songeur, elle traça un triangle sur la couverture du journal. « Oui, c'est peut-être ça ! se dit-elle, et son cœur s'accéléra. Peut-être qu'il est temps de lever ta propre petite révolte de Noël. »

Pour atteindre le cimetière de Fever Hill, on traversait les pelouses à l'arrière de la maison, on prenait le sentier qui franchissait le sommet de la colline et on redescendait à mi-pente de l'autre côté.

Mais si l'on continuait après le cimetière, le sentier serpentait à travers un bosquet de charmes de Caroline, et menait jusqu'à une ruine envahie de plantes grimpantes, dans un petit vallon sombre. Les gens évitaient cet endroit, car c'étaient les ruines de la vieille serre, autrement dit l'hôpital des esclaves. Un endroit rempli de duppies et de mauvais souvenirs – certains remontant à longtemps, d'autres plus récents.

Justement parce que personne n'y venait, il y régnait une curieuse paix. En tout cas aux yeux de Ben. C'est pourquoi il avait voulu que les trois cercueils soient placés ici, sous un abri provisoire de bambous, en attendant que le mausolée puisse être édifié. C'est aussi pourquoi il était venu s'isoler à cet endroit, après être allé chercher Evie.

Il était assis sur un bloc de pierre, les coudes sur les genoux, regardant un mille-pattes cheminer le long du cercueil qui contenait les restes de son frère. La clairière était paisible, mais nullement silencieuse. Le bruit de râpe des grillons s'enflait et retombait comme la rumeur de la mer. Un vol de corneilles de la Jamaïque passa bruyamment au-dessus de sa tête. Une mangouste émergea de sous une feuille de bâton-muet, aperçut Ben et disparut dans les broussailles.

La vie suivait ainsi son cours autour de lui. Active, belle, insouciante. Pourquoi ne pouvait-il trouver la paix ? Après tout, il était allé au bout de ce qu'il voulait accomplir : il avait retrouvé Robbie, Lil et Kate, les avait ramenés à la chaleur et la lumière. Pourquoi n'était-ce pas assez ?

— Que veux-tu de moi, Kate ? prononça-t-il à voix haute.

Un quiscale se posa sur le toit de l'abri, le contempla de son œil jaune et perçant.

— J'ai fait le mauvais choix et tu as payé pour ça, reprit Ben. Je suis désolé. J'ai essayé de réparer. Qu'est-ce que tu veux de plus ?

Le quiscale sautilla le long du toit, puis s'envola.

Le chant des grillons s'intensifiait. Ben était étourdi de fatigue, encore à moitié ivre – et encore dégoûté de lui-même. Cette expression qu'il y avait eu sur le visage de Sophie… « Qu'est-ce qui vous est arrivé, Ben ?… À l'intérieur de vous, quelque chose est parti. »

Il n'avait acheté Fever Hill que pour faire revenir Sophie, il le comprenait maintenant. Il l'avait acheté parce qu'elle vivait là autrefois, parce qu'elle aimait cette maison. C'était peut-être la raison pour laquelle il en était tombé amoureux lui aussi. « Qu'est-ce qui vous est arrivé, Ben ?… À l'intérieur de vous, quelque chose est parti. »

Avait-elle raison ? Était-ce pour cela qu'Isaac l'avait quitté, et aussi Austen ? Mais à quoi bon se poser la question ?

Lentement, il se remit debout, et commença à remonter le sentier.

Il avait franchi le faîte de la colline et foulait les hautes herbes en direction du cimetière quand il aperçut un reflet blanc et s'immobilisa, la gorge sèche : devant lui, un fantôme était assis sur le banc au-dessous du poinciana.

C'était une femme, habillée de blanc vaporeux, à la mode vingt ans plus tôt. Un chemisier à col montant avec des manches gigot, une jupe en forme de cloche serrée à la taille, un chapeau de paille à brides orné de rubans. Le peu qu'il pouvait voir de son visage était d'un jaune de cire.

Puis elle pivota vers lui, lui sourit ; il aperçut une mèche de cheveux teints en gris qui s'échappait du chapeau et recouvra sa respiration.

— Bonjour, mon cher, déclara-t-elle d'un ton calme. Je me demandais à quel moment nous tomberions l'un sur l'autre.

Il retira son chapeau et alla vers elle.

— Bonjour, Miss Clemmy.

— Ça ne vous ennuie pas que je sois passée sans m'être annoncée, j'espère ? Votre lettre disait que je pouvais venir ici n'importe quand.

— C'était vrai. Je suis content de vous voir, Miss Clemmy.

Il était sincère. Il n'avait plus envie d'être seul.

Il ne l'avait rencontrée qu'une fois, des années plus tôt, quand il était gamin et qu'elle l'avait fait venir à Fever Hill pour le charger d'une course. À l'époque, il avait pensé qu'elle était folle et plutôt pitoyable. Mais elle l'avait traité avec cette courtoisie naturelle dont elle usait envers tout le monde, et il ne l'avait pas oublié.

Miss Clemmy tapota de la main le banc à côté d'elle et lui demanda s'il avait envie de s'asseoir. Elle semblait aussi joyeuse que si elle était à un thé, et non en train de communier avec l'esprit de son enfant mort. Ben hésita.

— Est-ce que vous ne désirez pas plutôt être seule avec Elliot ?

Elle sourit.

— Vous savez, il n'est pas vraiment ici. Il est là-haut, au paradis. Je viens dans cet endroit juste parce qu'il est joli, tranquille, et tellement plus pratique pour qu'il m'accorde son attention.

Ben ne trouvait rien à répondre ; aussi, il jeta son chapeau dans l'herbe et s'assit. Miss Clemmy replia ses mains pâles sur ses genoux, regarda un papillon jaune prendre le soleil sur une grande tombe en forme de voûte à l'extrémité du cimetière.

— Vous avez l'air en forme, Miss Clemmy, remarqua Ben.

— Merci, mon cher, répondit-elle, toujours en regardant le papillon. J'ai été occupée, et j'imagine que cela me réussit. J'ai eu tant à faire, pour veiller sur Belle – quelle étrange enfant ! – et sur la chère Madeleine, bien sûr.

— Comment va-t-elle ? Madeleine, je veux dire...

Son joli visage de jeune vieille fille se crispa.

— Sa sœur lui manque affreusement. Mais elles sont toutes les deux trop fières pour faire le premier pas. Ou peut-être trop effrayées de ce qui arriverait si ça ne donnait rien. Je ne sais pas. Mais en tout cas, je sais que rien n'ira bien tant que ça ne sera pas arrangé.

Ben garda le silence.

— Madeleine est allée à Falmouth, continua Clemmy en souriant. Elle passe la journée avec les Mordenner – je vais la rejoindre dès que j'en aurai fini ici. Et la chère petite Belle y est allée elle aussi, sur son poney, pour prendre le thé ! Elle a harcelé Maddy jusqu'à ce qu'elle le lui permette.

Ben coupa un brin d'herbe et le fit tourner entre ses doigts.

— Voudriez-vous... voudriez-vous transmettre mes amitiés à Madeleine ?

Les yeux bleu porcelaine de Miss Clemmy se troublèrent.

— Oh, je suis désolée, mon cher, mais je ne crois pas que ce serait sage. Vous comprenez, elle vous associe à des souvenirs si douloureux...

Il s'efforça de ne pas montrer sa déception.

— Bien sûr. Je comprends.

Elle lui tapota le genou, comme pour le réconforter.

— Allons, fit-elle d'un ton enjoué. J'ai entendu dire que vous aviez fait revenir votre frère et vos sœurs pour qu'ils soient ici avec vous. Je trouve cela *très* bien.

Cette déclaration sonnait comme une joyeuse partie de pique-nique, et il ne put s'empêcher de sourire.

— Et où mettrez-vous le mausolée ? ajouta-t-elle.

— À la vérité, Miss Clemmy, je ne crois pas que je vais le construire.

— Mais pourquoi ? Il paraît que les plans sont prêts…

— Ils le sont. Et sur le papier, ça paraissait une bonne idée. Mais ce n'est pas pour eux, c'est trop solennel.

Il regarda, autour de lui, les simples tombes aux formes arrondies qui sommeillaient depuis des décennies dans les hautes herbes.

— Peut-être que les Monroe avaient fait le bon choix, remarqua-t-il en désignant la grande tombe voûtée où le papillon prenait toujours le soleil. Peut-être que je construirai quelque chose dans le genre à la place.

— Oh, ne copiez pas celle-là ! protesta Miss Clemmy avec une étonnante fermeté de ton. C'est la tombe du vieil Alasdair. Ça n'irait pas du tout.

— Pourquoi donc ?

— C'était un horrible vieil homme. Tout à fait horrible. Mort d'apoplexie juste après qu'ils ont libéré les esclaves. Ses domestiques le détestaient tellement qu'ils ont construit cette tombe spécialement pour lui. Des murs de cinquante centimètres d'épaisseur, dans un ciment spécial fait avec les cendres de sa propre grande maison, plus quelques autres choses que je ne veux même pas mentionner.

Il la regarda avec surprise.

— Comment savez-vous tout cela ?

— Parce que la mère de Grace, la vieille Semanthe, a aidé à la construire. Le but était de le retenir à l'intérieur, vous comprenez. Il fallait l'empêcher d'aller rôder partout.

Ben y réfléchit.

— Et est-ce que ça a marché ?

— Oh, mon Dieu, oui. Les Jamaïcains en connaissent un rayon sur les fantômes.

Tout en regardant le papillon s'envoler de la tombe, Ben songea combien c'était bizarre – bizarre, mais tellement répandu ! – que les gens attribuent une telle importance au cadavre lui-même. En théorie, la plupart d'entre eux acquiesçaient à l'idée qu'une fois l'esprit disparu ne subsistait plus que de la « glaise » ; mais ce n'était pas vrai. Semanthe McFarlane s'était donné beaucoup de mal pour empêcher le corps du vieil Alasdair de s'évader. Et lui, Ben, avait remué ciel et terre pour retrouver les restes de son frère et de ses sœurs, et les ramener ici. Pourquoi ? Pour les libérer ? Les avoir avec lui ? Pour se racheter du crime d'être vivant ?

Se tournant vers Miss Clemmy, Ben lui demanda si elle croyait aux fantômes.

— Mais bien sûr, mon cher. Pas vous ?

— Je ne sais pas. Autrefois, non. Quand mon frère Jack s'est fait tuer dans les docks, je me rappelle avoir pensé : « Voilà, c'est fait, comme une lampe qui s'éteint. » Pareil quand Lil est morte tubarde. (Il rougit.) Désolé, je veux dire de tuberculose.

Miss Clemmy sourit, acquiesça et attendit qu'il continue.

— Mais ensuite, il y a plusieurs années, Evie a vu quelque chose – quelque chose que je ne peux pas expliquer. Depuis, je ne sais plus quoi croire.

Miss Clemmy secoua la tête.

— Cette pauvre enfant ! Elle voyait toujours des choses et elle détestait ça. Elle venait me trouver en pleurant.

Ce fut au tour de Ben de sourire.

— Est-ce que vous lui donniez des bonbons au gingembre ?

Elle parut ravie de sa question.

— Oui, je le faisais… Vous étiez un garçon si farouche, ajouta-t-elle après l'avoir dévisagé un moment. Et vous aimiez tellement Madeleine et Sophie !

Ben ne répondit pas. Il jeta son brin d'herbe, tendit la main pour en cueillir un autre et commença à en détacher les bractées. Un quiscale – peut-être celui des ruines de la serre – se posa sur la tombe d'Alasdair Monroe, déploya une brillante aile bleu-noir et entreprit de la lisser.

Miss Clemmy effleura de la main l'épaule de Ben.

— Qui est Kate ?

Il ouvrit la bouche pour répondre, mais ensuite la referma et secoua la tête.

— C'est juste que je vous ai aperçu à la vieille serre, lui expliqua-t-elle. Je prends toujours par là depuis la route d'Eden – c'est moins indiscret que de passer par la maison –, et, au moment où j'arrivais, vous demandiez pardon à Kate.

Ben ramassa son chapeau, le fit tourner dans ses mains puis le relança dans l'herbe.

— Kate était ma sœur aînée, expliqua-t-il.

— Ah… Et pourquoi vous excusiez-vous ?

Ben n'avait jamais parlé de cela à personne, pas même à Sophie. Mais quelque chose dans la franchise de ton de Miss Clemmy, sa douceur, son naturel, faisait qu'on pouvait tout lui dire ou presque.

Aussi lui raconta-t-il. À partir du jour où Kate était partie, jusqu'à celui où son père l'avait forcé à choisir entre elle et Robbie.

— Alors, je lui ai dit où elle était, conclut-il simplement. J'ai pensé qu'elle était plus capable de se protéger que Robbie.

— Et… vous aviez raison ?

— Non. Je n'aurais pas pu me tromper davantage.

Elle attendit qu'il poursuive.

— Vous comprenez, j'avais oublié qu'elle était enceinte. J'avais oublié le bâton noir. C'est une sorte de plomb, Miss Clemmy ; les filles l'achètent et en font des pilules, pour se débarrasser de… eh bien, pour sortir de leurs problèmes.

— Oh, fit Miss Clemmy, et elle croisa avec soin les mains sur ses genoux.

— Elle en avait trop pris et ça l'avait rendu malade. Vraiment malade, crampes et tout. Alors, quand Pa – mon père – l'a attrapée, elle était trop faible pour se protéger. (Ben prit une longue inspiration.) Je pensais que Jeb serait là pour veiller sur elle, mais il n'y était pas, il était sorti quelque part. Kate était seule lorsque Pa l'a trouvée.

— Et qu'est-ce qui est arrivé ?

Il secoua la tête.

— Je ne sais pas. Elle était morte à mon arrivée là-bas. Étendue dans le caniveau, avec un côté du visage enfoncé. (Il dut s'éclaircir la gorge pour continuer.) Elle était passée par la fenêtre. Il a dû la pousser, ou elle est tombée, je ne sais pas. Quand je suis arrivé, il était devant le caniveau, la tenant dans ses bras. Il pleurait toutes les larmes de son corps. (Il fit une pause.) C'est drôle, ça : je m'en souviens pour la première fois.

Miss Clemmy émit une sorte de claquement de langue, qui était à la fois parfaitement inadéquat et extrêmement réconfortant.

— J'ai fait le mauvais choix, reprit Ben en fronçant les sourcils. J'aurais dû trouver un moyen de les sauver tous les deux. De sauver et Robbie et Kate.

— Mais comment auriez-vous pu ? Vous n'étiez qu'un enfant.

— J'aurais pu me battre contre lui. Pas simplement me recroqueviller contre le mur et lui dire où elle était. Si je m'étais battu contre lui, Robbie aurait pu se sauver. Alors, ça n'aurait plus eu d'importance, ce qu'il aurait fait ensuite.

— Mais sans doute… sans doute votre père vous aurait tué à la place.

Il acquiesça.

— C'est ce que je veux dire, oui. J'ai fait le mauvais choix.

Le quiscale déploya ses ailes, après s'être envolé de la tombe d'Alasdair Monroe, et partit vers le nord.

Il survola la grande maison de Fever Hill et les champs de canne d'Alice Grove ; puis il traversa la route de Fever Hill et prit à l'ouest, dans le domaine de Parnassus. Tandis qu'il passait au-dessus des champs de canne de Waytes Valley, quelque chose de brillant attira son attention. Il plongea vers le sol, mais fit une brusque embardée et remonta dans le ciel. Ce qui avait paru depuis là-haut une agréable et jolie lueur était en fait une allumette, allumée par des mains humaines. Avec un cri indigné, le quiscale se dirigea alors vers l'est, et les écuries de Parnassus.

Derrière lui, à Waytes Valley, une brise de mer faisait frissonner la canne non coupée. La flamme craqua et grésilla, tandis que les mains l'approchaient d'un tas de feuilles mortes.

Cette année-là, le temps avait été parfait, avec de bonnes et fortes pluies en octobre, puis deux mois secs et chauds pour faire monter le sucre. Mais, alors que certains planteurs avaient commencé la récolte avant Noël, à Parnassus, les choses avaient été plus lentes, et une grande part de la canne restait encore non coupée. On murmurait d'ailleurs que maître Cornelius aurait peut-être des difficultés pour payer ses ouvriers agricoles.

La brise attisa les flammes, une main rajouta des feuilles mortes sur le tas. Elles noircirent, se recroquevillèrent et commencèrent à fumer.

Des étincelles s'envolèrent dans le ciel.

Le vent les emporta à l'intérieur des terres. Elles filèrent vers le sud – vers la canne non coupée, sèche et bruissante.

Chapitre 32

— Quand il y a un duppy dans le coin, avait expliqué Quaco à Belle pendant qu'il l'aidait à monter sur Biscotte, vous avez tout d'un coup un vent chaud sur le visage, et une odeur très douce. C'est là que vous devez courir vite et jeter beaucoup, beaucoup de sel. Mais vous savez déjà tout ça, Missy Belle. Pourquoi vous voulez l'entendre encore ?

— Juste pour être sûre, répondit-elle.

Il avait raison : elle le savait déjà. Elle savait que les duppies vivaient dans les ruines et les cimetières, mais surtout dans les fromagers. Elle savait qu'à la pleine lune tous les arbres duppies de Trelawny quittaient leur emplacement et allaient dans la forêt pour se parler les uns aux autres. Tous, sauf le grand arbre duppy d'Overlook Hill ; lui, les autres arbres venaient à lui.

Ce ne serait pas la pleine lune cette nuit-ci, et tant mieux. En plus, l'obscurité était encore loin, car on était seulement à l'heure du thé. Du moins, on était à l'heure du thé dans le monde extérieur. Mais ici, dans la forêt sur Overlook Hill, il faisait à moitié noir. Et il y avait une sorte d'affreux silence, qui lui faisait retenir son souffle.

Une forêt n'aurait pas dû être aussi silencieuse. Il aurait dû y avoir des chants d'oiseaux et des insectes bourdonnants. Seulement, toutes ces petites créatures savaient, elles, qu'il fallait rester éloignées de la clairière du grand arbre duppy. Les seuls bruits qu'entendait Belle étaient celui de sa propre respiration, ou celui d'une feuille tombant de là-haut pour venir se poser dans le sous-bois.

Levant la tête, elle contempla, à l'envers, le monde de l'arbre duppy. Les grandes branches déployées, assez vastes pour contenir tout un nid de duppies, lui masquaient le ciel. Des cordons de thunbergies pourpres pendaient autour d'elle, et aussi les branches torturées de figuiers étrangleurs. Des lambeaux de mousse espagnole s'accrochaient à ces branches, aux mauvaises épines vertes des bromélies, et à des orchidées écarlates dont les extrémités évoquaient des flammèches.

Belle vacilla sur ses jambes, et l'arbre duppy parut s'incliner vers elle. Elle aperçut sur l'énorme tronc les marques noires et creusées, là où des clous avaient été plantés. Quaco disait que si quelqu'un était malade, c'était parce que l'homme obeah avait volé son ombre et l'avait clouée à l'arbre. La fillette se demanda si les ombres étaient encore ici, se tortillant au bout des clous.

Son cœur commença à battre la chamade ; les duppies eux aussi étaient-ils ici, en train de la regarder ? Et Fraser, était-il parmi eux ? Était-il l'un des rares *bons* duppies, de ceux que Quaco appelait une « bonne mort » ? La protégerait-il parce qu'elle était de sa famille ? Ou bien était-il de l'autre genre de duppies, ceux qui jetaient des pierres et mettaient la main sur les gens ?

Elle chercha dans sa poche le romarin et le sac de sel. Elle regrettait de ne pas avoir amené Biscotte ici, au lieu de l'attacher au carrefour pour qu'elle ne soit pas effrayée. À présent, Belle aurait aimé s'enfuir, mais elle avait une offrande à faire.

Ses mains étaient moites de sueur tandis qu'elle faisait glisser le cartable de son épaule, sortait la bouteille de rhum qu'elle avait achetée à un colporteur près de Bethlehem. C'était seulement deux heures plus tôt, il lui semblait que des jours entiers s'étaient écoulés.

La fillette avait échappé discrètement à Quaco, tout comme elle l'avait prévu. Ils avaient quitté la ville après le déjeuner et s'étaient arrêtés à mi-chemin, dans le village de Prospect, pour boire une boisson fraîche. Ç'avait été facile de convaincre Quaco de faire un petit somme. Après, elle était partie.

Le chemin le plus direct pour Overlook Hill aurait été de prendre la route d'Eden, de franchir le pont de Romilly, puis de descendre jusqu'au carrefour et de tourner à droite ; mais elle ne pouvait le prendre, de peur de tomber sur papa. Aussi, à la place, avait-elle tourné à l'est à travers la forêt de Greendale, passé le pont, puis fait une boucle au sud-ouest par Bethlehem, en ne quittant pas les chemins de cannes pour éviter de passer trop près de l'usine ou de la maison de Maputah. Elle était fière d'avoir trouvé toute seule sa route ; et quand elle s'était arrêtée au Tom Gully pour faire boire Biscotte, elle avait eu l'impression de vivre une aventure. Mais elle n'était plus aussi contente d'elle maintenant.

Elle jeta un regard de doute à la bouteille de rhum qu'elle tenait dans la main. Qu'était-elle venue faire ici ? Comment osait-elle demander de l'aide à l'arbre duppy ? Et de toute façon, comment effectuait-on une offrande ? Devait-elle verser tout le contenu de la bouteille sur racines ? Ou juste la laisser débouchée, pour que l'arbre duppy puisse la prendre quand il en aurait envie ?

Elle se décida pour un compromis, en versa la moitié sur les racines puis appuya la bouteille contre le tronc. Elle accomplit le tout avec le plus grand soin. Si vous heurtiez un arbre duppy, il pouvait en être contrarié et mettre la main sur vous. Comment un arbre faisait-il pour « mettre la main » sur vous ? Elle préférait ne pas y penser.

Lorsque la bouteille à moitié pleine fut bien calée dans un repli du tronc, Belle prit sa liste de demandes dans son cartable et la déplia. Son cœur battait si fort qu'elle en avait la nausée.

— Voilà ma liste, déclara-t-elle.

Sa voix résonnait affreusement fort dans le silence ambiant, et elle sentait l'arbre duppy se pencher plus près d'elle pour l'écouter. Elle n'osa pas relever les yeux de la page.

— « Que maman et papa soient plus heureux et qu'ils ne se disputent plus jamais. Que les prix du sucre montent ou qu'on trouve un trésor, pour que papa n'ait plus à travailler aussi dur. Que tante Sophie vienne en visite et se réconcilie avec maman… » C'est la fin de ma liste, conclut-elle d'une voix enrouée.

Elle se demanda si elle devrait ajouter quelque chose. Ça lui paraissait présomptueux de dire « merci » alors qu'elle ne savait pas si l'arbre duppy avait l'intention de l'aider. Mais ce serait encore pire d'avoir l'air ingrate.

— Merci, grand arbre duppy, dit-elle, et elle lui fit un salut respectueux.

Puis elle replia la liste et la glissa derrière la bouteille de rhum.

Le silence était plus profond que jamais. Belle n'entendait que son propre souffle, et la chute d'une nouvelle feuille dans le sous-bois. Ensuite, une autre encore lui effleura la main. Elle baissa les yeux, et constata que ce n'était pas une feuille, mais une grande cendre noire. Perplexe, elle releva les yeux.

L'arbre duppy était couvert de cendres. De grandes scories noires, pour certaines aussi longues que son index, descendaient en se balançant silencieusement à travers les feuillages, et venaient se poser sur les fougères et la végétation qui tapissaient le sol.

Pendant quelques terribles secondes, la fillette pensa que cela provenait de l'arbre duppy : il lui signifiait par là qu'il était furieux contre elle. Puis une des scories lui effleura le visage, et elle sentit l'odeur amère du sucre brûlé. « De la cendre de canne, pensa-t-elle avec soulagement. C'est juste quelqu'un qui fait un feu de canne. » Et elle se traita d'idiote. Un feu de canne normal, comme on en faisait tous les jours, pour brûler les déchets et faciliter la récolte.

Et pourtant, il y avait quelque chose d'un peu bizarre là-dedans. D'abord, c'était trop tôt dans la journée pour faire un feu de canne. Et puis, qui le faisait, et où ? Papa n'avait rien annoncé à ce sujet ; quant à Fever Hill, ils ne devaient pas commencer la récolte avant deux semaines encore, papa l'avait dit au petit déjeuner.

Il fallait qu'elle sache où était le feu, parce que ça pourrait modifier son trajet de retour jusqu'à Falmouth. Elle avait prévu d'aller reprendre Biscotte, puis d'éviter soigneusement la maison en prenant à l'ouest et en contournant le bas d'Overlook Hill, enfin de traverser la rivière à Stony Gap. Après, elle suivrait la Martha Brae le long de la rive d'en face – qui passait à l'intérieur du domaine de Fever Hill, mais personne ne la verrait à cet endroit-là –, ensuite elle couperait à l'est à travers les champs de canne de Bellevue, puis rattraperait la route d'Eden quelque part au nord de Romilly. Elle pouvait même arriver chez les Mordenner sans que maman ait la moindre idée d'où elle avait été.

Mais le problème avec ce plan, c'était que si papa faisait un feu dans un des champs de canne d'Orange Grove, de ce côté de la rivière, il la verrait à coup sûr et elle se ferait sévèrement gronder.

Pendant un moment, cette perspective lui fit oublier sa peur de l'arbre duppy. Que faire ? Bien sûr, elle pouvait braver le risque et prendre délibérément au nord depuis le carrefour : dépasser la maison, puis Romilly, et continuer tout droit sur la route d'Eden jusqu'à la ville. Mais ce serait terriblement hasardeux.

Une autre solution serait d'aller faire une rapide reconnaissance à pied à l'orée ouest de la forêt, pour voir quel champ de canne faisait brûler son père, afin de l'éviter ensuite. Il lui faudrait un bon quart d'heure pour marcher jusque là-bas, et la pauvre Biscotte l'avait déjà pas mal attendue. Mais, d'un autre côté, si ça lui évitait de se faire attraper par papa…

Autour d'elle, on aurait dit que la forêt retenait son souffle, dans l'attente de sa décision. Le seul son perceptible était le léger bruissement, à peine perceptible, des cendres qui descendaient se poser.

Sur la route de Fever Hill, un massif de bambous géants prit feu. Les flammes s'enroulaient comme des serpents le long des tiges, les feuilles sèches prenaient feu les unes après les autres en crépitant ; ensuite les tiges, explosaient, dans un bruit retentissant de fusillade. Le grand hongre bai de Ben s'ébroua et poussa un hennissement.

— Tais-toi, Partisan, gronda-t-il entre ses dents. Il n'est pas encore ici.

Mais le cheval avait perçu la tension de son maître et faisait nerveusement des écarts. Ben le remit au pas et sortit sa montre. Quatre heures et demie. Bon Dieu… Il ne s'était écoulé qu'une demi-heure depuis qu'on les avait avertis de l'incendie, et ça paraissait des heures. Une demi-heure d'ordres donnés, de décisions hâtives et d'évacuations précipitées. À peine le temps de comprendre ce qui se passait. Un feu de canne. Comme une énorme bête affamée, qui accourait vers eux en provenant de Waytes Valley.

Il rajusta ses rênes, et mit Partisan au petit galop sur le chemin menant vers la nouvelle usine. Il sentait déjà la fumée et devait tenir la bride de sa monture, pour l'empêcher d'accélérer l'allure. Une légère couche de cendres noires descendait se mêler à la poussière rouge, comme une neige venue de l'enfer. « Il n'est plus très loin, pensa-t-il. Bon sang, comme il avance vite ! »

À son soulagement, la nouvelle usine était déserte, de même que les baraquements des ouvriers agricoles à l'arrière. Ben rebroussa chemin vers la route, et partit au petit galop sur le chemin longeant l'aqueduc pour aller voir le vieux village d'esclaves. Grâce à Dieu, lui aussi était vide : Neptune avait réussi à convaincre Grace et Evie de partir.

Une fois de plus, Ben retourna vers la route, puis il fit gravir la colline à Partisan en direction de la grande maison. Un coup d'œil par-dessus son épaule lui apprit que les palmiers royaux près des portes du domaine

s'étaient déjà embrasés comme des torches. Ça continuait de paraître irréel, impossible.

Le premier indice qu'ils avaient reçu du feu avait
été l'odeur de sucre brûlé flottant dans l'air et quelques cendres dispersées. Quelques minutes plus tard,
un ouvrier agricole était arrivé de Waytes Valley, pani-
qué, sur une mule. Le feu se dirigeait au sud, vers eux,
à une vitesse terrifiante. Des mois de temps sec et
chaud avaient créé les conditions parfaites pour sa pro-
pagation ; une brise le poussait depuis la mer, attisant
les flammes au sud et à l'est.

Parnassus avait été pris complètement au dépourvu,
de même que Fever Hill. On n'avait pas le temps
d'allumer un contre-feu le long de la route de Fever
Hill, afin d'ouvrir une brèche capable d'arrêter les
flammes quand elles arriveraient. Pas le temps non
plus de le faire autour de la nouvelle usine et de la
grande maison de Fever Hill. Seul choix possible :
celui de l'endroit où battre en retraite et, à partir de là,
lutter contre l'incendie.

Ben avait résolu d'envoyer la moitié de ses hommes
à l'ouest, brûler une trouée est-ouest pour protéger les
champs de canne de Glen Marnoch ; et l'autre moitié
le long d'Eden Road, commencer à brûler une trouée
allant du bout de Greendale Wood jusqu'au pont de
Romilly. Il n'espérait guère sauver Glen Marnoch ;
mais si la seconde trouée fonctionnait, ça épargnerait
au moins les champs de canne à l'est de Greendale,
ainsi que les terres de Cameron Lawe à Bullet Tree
Walk.

Il avait également dépêché un groupe de cavaliers,
sur tous les chevaux disponibles, avertir Isaac à
Arethusa, Cameron Lawe à Eden, et faire évacuer les
habitations qui se trouvaient entre les deux. Enfin, il

avait fait partir un cavalier à Parnassus – officiellement pour obtenir plus d'informations sur le feu, en réalité pour s'assurer que Sophie était en sécurité.

Sitôt arrivé à la grande maison de Fever Hill, déjà en alerte, il la fit évacuer, expédiant les hommes aider aux contre-feux tandis que les femmes fuyaient en charrette dans la campagne. Il se mit en devoir de tout vérifier, la cuisine, la buanderie, les appartements des domestiques : tout était désert. Quelqu'un avait même pensé à ouvrir les portes de la volière pour laisser sortir les oiseaux.

Revenu sur la route, il arrêta Partisan pour jeter un dernier regard à la maison. Des mois de rénovation lui avaient conféré une tranquille majesté, comme une vieille dame jadis belle et possédant toujours une élégance fanée.

Pour la première fois, l'énormité de l'incendie lui apparut. Cette maison qu'il aimait se trouvait droit sur sa trajectoire, et il n'y avait rien qu'il pût faire pour la sauver. Cette maison dont il avait la garde. Cette maison dans laquelle une Sophie de douze ans était restée alitée pendant des mois, prisonnière de sa maladie. Cette maison où un Ben Kelly de quatorze ans était venu voir avec inquiétude une pauvre folle appelée Miss Clemmy. Cette maison qui, quelques mois plus tôt, l'avait accueilli avec son charme démodé, où il s'était senti chez lui pour la première fois de sa vie. Aujourd'hui, il allait la perdre.

Au loin, sur la route de Fever Hill, d'autres bambous géants partaient en flammes. Partisan s'ébroua et tira sur les rênes. « Tout s'en va en fumée…, songea Ben, avant de réagir : mais non, pas tout. Au moins Kate, Robbie et Lil sont-ils en sécurité. »

Après un dernier regard à la maison, il fit faire demi-tour à son cheval, enfonça les talons dans ses flancs et le mit au petit galop en direction des écuries. Après s'être assuré qu'elles étaient désertes elles aussi, il traversa le filet d'eau de la Rivière verte et prit à l'est, à travers les champs de canne de Bellevue.

Il n'avait pas fait cinq cents mètres qu'il rattrapait la charrette à bœufs transportant les cercueils, et constatait avec consternation qu'elle penchait dangereusement, une roue arrière étant tombée dans un fossé d'irrigation. Les quatre ouvriers agricoles qu'il avait chargés de s'en occuper faisaient cercle autour d'elle en secouant la tête.

— Hé, Amos, cria-t-il une fois près d'eux, bon sang, qu'est-ce que vous faites ?

— On voudrait la sortir du trou, maître Ben, dit l'homme d'un air embarrassé.

— Et alors, qu'est-ce que vous attendez ?

— Ce feu court aussi vite qu'une fourmi noire, maître Ben. On vient de voir Garrick et Caesar passer par ici. Ils disent que le pare-feu à Alice Grove tiendra jamais, que tout Glen Marnoch va brûler, c'est sûr.

— Alors, remerciez votre bonne étoile de ne pas être à Glen Marnoch, répliqua Ben d'un ton sec. Maintenant, oubliez tout ça et sortez-moi cette roue du fossé !

Les hommes s'avancèrent avec précaution et commencèrent à pousser de l'épaule contre la charrette. Le cœur serré, Ben se rendit compte que s'il n'était pas passé par hasard ils auraient sans doute abandonné la charrette pour s'enfuir en courant. C'étaient des hommes bons, consciencieux, travailleurs ; mais ils étaient également terrifiés, et pas seulement par le feu. C'était trop demander à un Jamaïcain de la campagne que d'escorter trois cercueils, contenant des duppies buckras puissants et à l'air libre ou presque.

Ben se tourna pour regarder en arrière. Au nord, il voyait un rideau de fumée grise long de près de deux kilomètres. Amos avait raison. Le feu filait vers la maison à travers Alice Grove ; après, il avalerait Glen Marnoch à l'ouest et Bellevue à l'est.

Il jeta un coup d'œil aux cercueils. Ici, en plein air, ils semblaient bien plus petits et plus vulnérables. Et, avec seulement des bœufs pour tirer la charrette, leur progression serait extrêmement lente, bien plus lente que celle du feu. S'ils avaient eu des chevaux, ils auraient pu y arriver ; mais toutes les montures avaient été prises par les messagers. Où allait-il en trouver d'autres ?

À trois kilomètres de là, on distinguait le guango et le bambou géant qui marquaient la route d'Eden.

— Bien, dit-il à Amos, voilà ce qu'on va faire. Vous remettez la charrette sur le chemin, le plus vite possible, pendant que je vais voir si je peux emprunter une paire de chevaux à quelqu'un. Puis je reviendrai vous accompagner, et nous pourrons tous nous mettre en sécurité rapidement.

Sans attendre de réponse, il enfonça ses talons dans les flancs de Partisan et le lança au galop dans le chemin de canne menant vers la route d'Eden.

Oh, Dieu merci ! Une voiture était là, droit devant, qui venait de la ville. Qui que ce soit, ils ne refuseraient pas de prêter leurs chevaux. Un feu de canne incontrôlé menace tout le monde, et tout le monde s'entraide.

Mais, en approchant, Ben constata que la voiture était le cabriolet de Miss Clemmy. Ce n'était pas possible :

elle était partie pour la ville trois heures plus tôt, il l'avait vue…

Ce n'était pas possible, et pourtant c'était bien elle. Elle avançait calmement vers le sud sur la route d'Eden, se dirigeant tout droit vers le trajet qu'allait emprunter le feu.

Quand elle reconnut Ben, elle mit son cheval au pas et attendit poliment qu'il soit à sa hauteur.

— Miss Clemmy, cria-t-il sitôt à portée de voix, mais qu'est-ce que vous faites ?

— Eh bien, mon cher, je vais à Eden…

— Il y a un feu, Miss Clemmy ! Vous ne le voyez pas ? Il va couper la route d'Eden avant que vous soyez là-bas…

— Oh, je le sais, répondit-elle à sa grande surprise. J'ai rencontré un garçon sur une mule qui m'a tout raconté. Il a ajouté que Cameron et les hommes de ce charmant Mr Walker sont en train d'allumer un contre-feu du côté ouest de la route, depuis Romilly jusqu'à…

— Je sais, l'interrompit-il avec impatience, j'ai envoyé des hommes pour les aider. C'est justement pour cela que vous devez faire demi-tour. Ça va être le chaos là-bas.

— Mais je ne vais pas rester sur la route d'Eden, insista-t-elle. Dans cinq cents mètres, je tournerai dans le chemin à l'est qui passe par Greendale Wood ; ensuite je ferai une boucle par Bethlehem…

— Miss Clemmy…

— Il faut que je le fasse, le coupa-t-elle d'un ton particulièrement ferme. Vous comprenez, Belle est partie pour une de ses missions secrètes dans les collines, alors moi je…

— Quoi ? Belle Lawe ? La fille de Madeleine ?

— Vous ne savez pas combien elle peut être déso-
béissante ! Elle était censée rejoindre sa mère pour
prendre le thé chez les Mordenner... mais je crois que
je vous l'ai déjà dit, non ? En tout cas, Quaco l'a perdue de vue en chemin ; puis son cheval s'est mis à boiter, alors il n'a pas pu la poursuivre ni même aller
trouver Madeleine pour donner l'alarme – il est complètement désespéré, le pauvre garçon. C'est là que je
suis tombé sur lui, en me rendant chez les Mordenner.
C'était une chance, n'est-ce pas ? Bien sûr, il voulait
absolument remettre la main dessus lui-même, mais
j'ai pensé qu'il ne saurait pas où la chercher ; donc je
me suis dit que je ferais mieux d'y aller à sa place...
Voilà pourquoi je suis là, conclut-elle avec un sourire
triomphant.

Ben se passa la main sur les yeux.

— Et vous, vous savez où la chercher ?

— Oh oui. Elle est allée soit dans cette grotte à
Retournement – oui, elle m'en a parlé, mais je ne l'ai
répété à personne d'autre, et elle non plus ; soit au
cimetière de Fraser sur la colline à l'arrière de la maison ; soit dans n'importe lequel de la demi-douzaine
d'autres endroits auxquels je peux penser.

Elle se pencha en avant et ajouta, dans un murmure
confidentiel :

— Madeleine est encore avec les Mordenner ; elle
n'est pas au courant, Dieu merci. Mais je sens vraiment que je dois aider Sophie à la retrouver.

— Sophie ? s'exclama Ben.

Miss Clemmy parut inquiète.

— Je ne vous l'ai pas dit ? Je l'ai rencontrée juste
après être tombée sur Quaco. Elle se rendait en ville,
mais bien sûr, dès que je lui ai raconté, elle a fait
demi-tour pour chercher elle aussi Belle, alors je...

— Où ? Vers où s'est-elle dirigée ?

— Mais enfin, vers Eden, bien sûr ! Je lui ai dit de passer par Greendale, et…

— À cheval ou dans une voiture ?

— Sur sa petite jument grise. Je crois qu'elle l'appelle Gambade, c'est ça ?

— Quand ? Quand l'avez-vous vue ?

— Je ne pourrais pas le dire. Ça fait déjà un moment, en tout cas.

Au loin, un nouveau bruit de fusillade retentit. D'autres bambous géants, mais plus près cette fois-ci. « Ce n'est pas déjà la Rivière verte », pensa Ben. D'où ils étaient, il aurait dû apercevoir la grande maison de Fever Hill, mais il ne voyait que le grand rideau de fumée. La culpabilité l'étreignit une fois encore : il avait laissé la vieille maison affronter le feu toute seule. Il n'y avait personne pour la regarder brûler.

« Bon Dieu, Sophie, à quoi penses-tu ? Seule à Eden, au milieu d'un feu de canne ? »

Son esprit s'emballa. Il jeta un regard à la femme courageuse, et écervelée, dans son cabriolet, puis un autre aux champs de canne derrière lui. Au loin, perdue quelque part au milieu des hautes tiges, la charrette à bœufs transportant son frère et ses sœurs devait progresser lentement. Du moins, si les hommes ne l'avaient pas déjà abandonnée.

Le temps manquait, cruellement.

Sophie se dirigeait droit vers la trajectoire du feu. Mais sûrement, dès qu'elle se rendrait compte du danger, elle ferait demi-tour et reviendrait en ville pour demander de l'aide ? À quoi cela servirait-il de partir à sa recherche maintenant ? Il ne la verrait jamais, au milieu de tout ce chaos. Quant à Belle Lawe, il n'avait qu'à faire parvenir un message à son père, qui veillerait à la retrouver ; il n'aurait ni besoin ni envie d'avoir Ben Kelly à son côté.

Robbie, Lil et Kate étaient coincés au milieu de Bellevue avec le feu qui filait vers eux, songea ensuite Ben. Il n'était pas question qu'il les perde de nouveau. Sophie s'en tirerait. Et puis, de toute façon, elle n'oserait jamais aller jusqu'à Eden : elle lui avait avoué elle-même qu'elle était incapable de retourner là-bas.

Ben pivota vers Miss Clemmy, qui avait attendu docilement sa décision.

— Miss Clemmy, lui dit-il, il faut que vous fassiez demi-tour et que vous repartiez en ville. Tout de suite.

— Mais…

— Il n'y a pas de « mais ». Écoutez-moi : j'arrive juste de Bellevue, j'ai…

— Je sais, le garçon sur la mule me l'a dit. Vous avez mis votre frère et vos sœurs en sécurité.

Quelque chose derrière elle attira le regard de Ben, et il retint sa respiration. Grâce à Dieu… À quelque cinq cents mètres, sur la route, une charrette remplie d'ouvriers agricoles arrivait de Prospect – sans doute pour aider aux coupe-feu. Il expliqua alors à Miss Clemmy :

— Il faut que je rattrape la charrette à bœufs, sans quoi les hommes l'abandonneront. Promettez-moi de faire demi-tour et de retourner en ville.

— Mais, et Belle ?

— Un groupe d'ouvriers agricoles arrive derrière vous, vous les voyez ? Je vais aller vers eux, leur faire dételer leur cheval et envoyer un homme vers Mr Lawe, aussi vite qu'il le pourra, pour le prévenir que Belle a disparu.

Elle ouvrit la bouche pour protester, mais il la devança.

— Miss Clemmy, un homme sur un cheval arrivera bien plus vite que vous dans votre voiture. Maintenant, vous devez me *promettre* de faire ce que je vous demande. Sans quoi, je ne peux pas vous laisser seule pour mettre à l'abri mon frère et mes sœurs.

Elle le regarda, ses yeux bleu porcelaine pleins d'inquiétude.

— Bien sûr, je vous le promets. Mais vous êtes sûr de prendre la bonne décision ?

— Comment ça ? répliqua-t-il d'un ton brusque, dans sa hâte de partir.

Elle fit un geste en direction de Bellevue.

— Je veux dire, pour *vous*. Je détesterais que vous fassiez le mauvais choix, encore une fois.

Il tira sur ses rênes et fit pivoter Partisan.

— Mais qu'est-ce que vous voulez dire ?

— Eh bien, vous avez l'air de penser que Sophie court peut-être un danger, répondit-elle à sa manière douce et persuasive. Alors, ne se préoccuper que de la charrette à bœufs pourrait être le mauvais choix, non ?

Partisan remua nerveusement la tête, et Ben s'aperçut en baissant les yeux qu'il tirait inconsciemment sur les rênes. Il lui fallut un effort de volonté pour desserrer son emprise.

— Sophie ne court pas de danger, affirma-t-il calmement. Tout ira bien pour elle. À présent, Miss Clemmy, je vous en prie, faites comme je vous ai dit.

« Tout ira bien pour Sophie, se répéta-t-il, tandis qu'il piquait des deux et se dirigeait vers les ouvriers agricoles. Elle fera demi-tour quand elle verra le feu. Elle n'est pas folle. »

Chapitre 33

« Comme c'est bizarre que tu aies choisi ce jour entre tous pour aller voir Maddy à Falmouth », pensait Sophie en traversant au petit galop Greendale Wood.

C'était censé être une occasion de rencontrer sa sœur en terrain neutre, et de rétablir une sorte de contact avec elle. Au lieu de quoi elle était en train de traverser une forêt, avec quelque part un feu de canne derrière elle, et elle se dirigeait vers Eden.

Eden. Elle refusait d'y penser. Peut-être quelque chose surviendrait-il qui l'empêcherait d'arriver là-bas. Peut-être rattraperait-elle Belle en chemin, ou apprendrait-elle par quelqu'un sur la route qu'on l'avait retrouvée, et elle pourrait repartir en ville. Elle se détestait pour sa lâcheté, mais ne cessait de prier pour que quelque chose de ce genre arrive.

Rien n'arriva. Elle traversa le pont de Greendale, puis fit obliquer Gambade vers le sud et prit le chemin de Bethlehem. Les champs de canne étaient déserts et sinistres, la cendre noire descendait doucement sur eux. Des cendres, si loin à l'est ? Alors qu'au dire de Clemency le feu avait pris à Waytes Valley ? C'était à des kilomètres…

Sophie ne voulait pas penser à ce que ça signifiait – ni à ce qui pouvait être en train de se produire dans les alentours.

— Fever Hill tout en flammes, Missy Sophie, avait dit le garçon rencontré sur la route.

Fever Hill en flammes ! Mais alors, où était Ben ? Et Cameron ? Et Belle ?

Elle ne rencontra personne sur la route jusqu'à quelques centaines de mètres de Bethlehem ; là, dans un tournant, elle tomba sur un petit groupe d'hommes avec des serpettes sur leurs épaules, qui se dirigeaient vers le sud au pas de course. Ils lui déclarèrent qu'ils étaient de Simonstown et qu'ils venaient aider. Aucun d'eux n'avait vu Belle, ni même appris qu'elle avait disparu. Mais ils l'informèrent que tout Orange Grove avait été abandonné au feu, et que maître Cameron avait allumé un contre-feu sur une grande ligne nord-sud, pour protéger la maison, les champs de canne de l'est et l'usine de Maputah.

Si on pouvait le mener à bien en temps voulu, le pare-feu ainsi créé s'étendrait de Greendale Wood au nord jusqu'au-delà du carrefour au sud. Alors, le feu n'aurait plus nulle part où aller, sauf au sud, dans les collines.

— Maître Cameron veut pousser ce feu au sud, dans les broussailles, ajouta l'homme le plus âgé du groupe. Quand il sera là-bas, il s'éteindra tout seul dans les pierres, si ça plaît à maître Dieu.

— Où est maître Cameron en ce moment ? lui demanda-t-elle. Vous le savez ?

— Peut-être à Romilly ? suggéra-t-il après avoir secoué la tête. Peut-être plus loin au nord ? Mais vous ne devriez pas continuer, Missy Sophie. Vous feriez mieux de faire demi-tour tout de suite, il y a trop de fumée par là-bas. Et ne vous inquiétez pas pour Missy Belle : elle sera bientôt en sécurité, maître Cameron va vite la trouver.

Devant elle, Sophie voyait le toit de la chapelle de Bethlehem qui dépassait au-dessus des arbres. Cinq kilomètres plus loin, se dressait la grande maison d'Eden. L'homme avait sans doute raison : elle devait faire demi-tour sans plus attendre et gagner la ville. C'est ce qu'elle avait envie de faire, indiscutablement. Et, selon toute probabilité, Cameron trouverait Belle sans son aide. Il l'avait sans doute déjà fait et expédiée, très mécontent d'elle, auprès de sa mère.

Mais si ce n'était pas le cas ? Si la nouvelle de sa disparition ne lui était même pas parvenue ? Non, il n'y avait pas d'alternative : si elle rebroussait chemin maintenant et que quelque chose arrivait à Belle, elle ne se le pardonnerait jamais.

Elle souhaita bonne chance aux hommes et leur recommanda d'être vigilants, pour le cas où ils apercevraient Belle. Puis elle reprit ses rênes et remit Gambade au petit galop vers Bethlehem.

Le village était désert. Elle prit le trot et traversa la clairière silencieuse en face de la chapelle. Elle passa devant la vieille clinique – abandonnée depuis longtemps par le Dr Mallory – et l'arbre à pain sous lequel, sept ans plus tôt, un jeune palefrenier s'était penché pour examiner le zèbre bien-aimé d'une fillette de cinq ans.

— Belle ? cria-t-elle.

Sa voix se répercuta de façon sinistre de maison en maison, mais personne ne sortit, pas même un chien. Tout ce qu'elle pouvait entendre était le faible murmure des cendres qui tombaient du ciel.

Elle ne remit Gambade au pas qu'à l'autre bout du village, en arrivant au Tom Gully, le petit ruisseau qui marquait la limite entre Bethlehem et les terres d'Eden. Gambade baissa la tête pour boire, et quand elle eut fini, elle secoua la tête, faisant voler des gouttelettes autour d'elle. Sophie avait soif elle aussi, mais était certaine qu'elle ne pourrait rien avaler : elle avait la gorge trop serrée pour ça. À moins d'un mètre d'elle, de l'autre côté de ce filet d'eau couleur rouille, commençait Eden.

« Ce n'est que de la terre, se dit-elle, tandis que son cœur battait sourdement. Tu n'as aucune raison de te mettre dans cet état. » Mais cela ne marcha pas.

Par-dessus son épaule, elle jeta un coup d'œil au village désert, puis revint au chemin, devant elle, qui menait à l'usine de Maputah et à la grande maison d'Eden. « Tu n'es qu'une misérable lâche, ne cessait-elle de se reprocher. Belle a besoin de toi. Comment peux-tu même hésiter ? »

Enfin, Sophie prit une grande inspiration et fit avancer la jument dans le ruisseau.

« Rien n'est plus réel », songea-t-elle, tandis qu'elle galopait vers la maison. Elle avait l'impression de vivre dans un rêve, d'être la dernière personne restée vivante sur Terre.

Par habitude, elle contourna le côté de la maison jusqu'au jardin, où elle descendit et attacha Gambade au pied de l'escalier. Tout lui semblait douloureusement familier, et bizarrement étranger à la catastrophe pourtant si proche, qui menaçait de tout emporter.

— Belle ? appela-t-elle.

Pas de réponse.

Le jardin était tel qu'elle se le rappelait. Les mêmes hibiscus écarlates et les fougères arborescentes vert-doré ; les mêmes palmiers royaux hérissés de pointes, et les bougainvillées blancs. Et en bas, près de la rivière, les mêmes berges couvertes de gingembres, d'héliconias écarlates ; et des panaches ondulant dans la brise des bambous géants, qui feraient franchir la rivière à l'incendie en un rien de temps, si le coupe-feu de Cameron ne remplissait pas son rôle.

Tout était merveilleusement paisible et fourmillant de vie grâce aux oiseaux. Elle apercevait l'éclat émeraude d'un colibri, la tache gris cendré d'un pique-orange. Elle entendait le rapide *zizizi* des promerops dans l'hibiscus, et la trille haut perchée d'un tiaris. À Eden, la vie continuait dans une terrible inconscience du feu qui était sur le point de tout emporter. On aurait presque pu croire qu'il n'existait pas, s'il n'y avait eu les cendres noires qui descendaient lentement du ciel.

Sophie grimpa l'escalier en courant.

— Belle ?

Sa voix faisait écho dans la maison vide. Où qu'elle portât les yeux, elle voyait des traces d'activités brutalement interrompues. Un balai en fibre de coco abandonné sur les carreaux par une domestique. Un exemplaire du *Daily Gleaner* jeté sur les coussins écossais du canapé.

Elle vérifia rapidement une chambre après l'autre, pour le cas où Belle se cacherait et aurait peur de sortir. La chambre d'amis et la nursery étaient inoccupées. Tout en se sentant affreusement indiscrète, Sophie alla jusqu'à la chambre de Cameron et Madeleine – elle aussi vide, mais qui semblait porter les traces d'une présence toute récente. La mangeoire à oiseaux, près

554

de la porte, se balançait doucement ; une des chemises de Cameron était jetée en tas sur le sol.

Elle se tournait pour partir quand des photographies sur la table de nuit attirèrent son attention. Il y en avait trois, dans un cadre en écaille de tortue, à côté d'un roman à couverture jaune, ainsi que d'un porte-bagues laqué qu'elle se rappelait avoir donné à Madeleine pour son anniversaire, des années plus tôt.

La première photographie montrait Belle à huit ans, faisant une grimace à l'objectif et tenant Spot serré sous son menton.

La deuxième était de Fraser ; il portait son costume marin préféré et était tête nue, ses cheveux bouclés faisant un halo clair autour de son petit visage plein d'enthousiasme. Il était fièrement debout derrière Abigail, le mastiff, une de ses petites mains posée sur sa massive tête noire et l'autre sur son dos, prêt semblait-il à lui grimper dessus et à le chevaucher comme un poney.

« Il avait l'habitude de faire ça, se rappela Sophie. Quand il tombait, Abigail le remettait debout avec son nez et le poursuivait autour de la maison, en agitant la queue et en faisant semblant de le mordre, tandis qu'il poussait des cris de plaisir... » Le chagrin lui noua la gorge.

Elle s'arracha à Fraser et tourna les yeux vers la troisième photographie. Avec un sursaut de surprise, elle se reconnut. Elle ne s'y attendait pas. Depuis la mort de Fraser, Madeleine l'avait à peine regardée dans les yeux. Et pourtant, il y avait une photographie d'elle sur sa table de nuit.

Madeleine l'avait prise sept ans plus tôt, le jour du pique-nique de la Société historique. Sophie était debout sous une fougère arborescente, l'air timide et mal à l'aise dans une robe vert pâle qui ne la flattait guère.

Ce pique-nique… Sophie se souvint du retour à Eden avec Ben. Il n'avait pas prononcé une seule parole de toute la route jusqu'à Romilly ; puis elle l'avait forcé à parler, et ils avaient eu une dispute.

Elle pressa les mains sur sa bouche. D'abord Fraser, puis Ben… Pas *maintenant* ! Elle n'en avait pas le temps.

Elle ressortit en courant vers l'escalier à l'arrière de la maison et là se tint indécise, ne sachant vers où se diriger. Clemency avait dit que Belle était sortie pour une mission secrète dans les collines. Mais où ?

Serait-elle allée dans la grotte à Retournement, comme Clemency le croyait ? Ça paraissait peu probable, étant donné que la présence d'Evie dans la grotte avait donné à Belle la peur de sa vie. Alors où, plus près de la maison ? Où un enfant avec des idées noires irait-elle pour remplir une « mission secrète » ?

Elle y réfléchissait lorsqu'un mouvement dans le sous-bois attira son attention. Cela recommença : quelque chose de clair, au milieu de la végétation dense qui recouvrait la pente. Elle ne l'entrevit qu'une seconde, mais cela suffit à lui couper le souffle : on aurait dit une tête d'enfant à cheveux blonds.

« Impossible ! pensa-t-elle, soudain prise d'un frisson. Il n'y a pas d'enfants aux cheveux blonds à Eden. Il n'y en a plus. »

— Belle ? appela-t-elle.

Dans le silence, sa voix paraissait tremblante et craintive. Elle toussota pour la raffermir.

— Fraser ?

Des corbeaux s'envolèrent des feuillages avec force battements d'ailes. Une fois qu'ils se furent éloignés, il régna un silence frémissant, presque palpable dans l'air. Comme si les arbres et la maison elle-même s'étaient figés quand elle avait prononcé ce nom.

Sophie se força à garder son calme. Penser à Belle, se concentrer sur elle : où irait-elle donc pour remplir une mission secrète ?

Fraser était enterré assez près de la maison, dans la pente de la colline. De là où elle se trouvait, Sophie voyait le sentier qui y menait : étroit, mais régulièrement foulé, disparaissant dans une jungle verte de réglisses, d'arbres à pain et de philodendrons aux grandes feuilles.

Belle pouvait-elle être là-bas ?

« On ne dirait jamais qu'elle *joue* avec ses poupées, avait expliqué Madeleine une fois. Elle organise juste leur enterrement. »

Sophie fut prise d'une sueur froide ; elle ne pouvait pas aller là-bas. Non, pas à la tombe !

« Oh, c'est beau, Sophie ! lui avait déclaré Clemency à son sujet. Maddy en a fait un petit jardin secret. Elle y a planté toutes sortes de fleurs. Elle m'a dit une fois qu'après sa mort, elle n'avait plus qu'une envie : faire pousser des choses. C'était tout ce dont elle était capable : faire pousser des choses. »

De nouveau, Sophie aperçut ce mouvement au milieu des feuillages et en eut la gorge sèche. Non… C'était juste un oiseau, ou un serpent jaune, ou… En tout cas, pas le doux petit garçon, aux yeux gris et aux cheveux blonds, qui était mort dans ses bras sept ans plus tôt.

Elle appela encore une fois Belle, et sentit de nouveau ce silence presque palpable autour d'elle – troublé seulement par le flottement paresseux des cendres dans l'air. Alors, elle prit une longue inspiration et monta en courant le chemin qui menait au cimetière.

C'était aussi beau que l'avait dit Clemency. Une petite clairière ovale, entourée de fougères arborescentes, d'amandiers sauvages et de canneliers, plantée d'une éblouissante profusion de fleurs. Il y avait des plumbagos bleu poudré, des jasmins et des hibiscus ; les mauves subtils et les blancs-verts des orchidées ; le cobalt et l'orange brillants des strelitzies, les préférées de Fraser.

Au milieu s'élevait une petite tombe toute simple, blanche et voûtée, avec cette seule inscription :

FRASER JOCELYN LAWE
1897 – 1903

Finalement, après toutes ces années, elle se trouvait près de sa tombe…

Sophie suivit des yeux une cendre noire qui descendait se poser sur le marbre. D'un geste timide, elle avança la main et la chassa. La pierre était douce et fraîche. Nullement inquiétante ; au contraire, étrangement réconfortante.

— Je suis tellement désolée, Fraser, mon chéri, murmura-t-elle. Je suis tellement désolée de n'avoir pas pu te sauver !

Elle promena les yeux autour d'elle, se pencha pour couper un brin d'orchidées et le posa sur le marbre. Alors, quelque chose se libéra à l'intérieur d'elle.

Maintenant, au moins, elle comprenait ce qui avait poussé Ben à faire venir ses morts à la Jamaïque. Il avait décidé de ne plus les fuir, et au contraire les avait fait rechercher.

Elle redressa les épaules, s'essuya les yeux. Puis elle entreprit de fouiller la clairière ; mais elle ne trouva aucun signe indiquant que Belle y était venue. Pas d'herbes rituelles, pas de citrons coupés ou autres précautions contre les duppies, telles qu'un enfant pouvait les prendre.

Elle-même connaissait sans doute tout là-dessus, puisque dans son enfance, elle aussi avait eu sa période superstitieuse. Elle avait vécu dans la terreur des arbres duppies, ne sortait jamais sans son brin de romarin ou de madame-destin...

Elle se figea. Les *arbres duppies !*

Des bribes de conversation lui revinrent : « Tu as demandé à l'arbre duppy ? s'était enquise Belle à Parnassus, en la fixant avec ses grands yeux sombres. Tu lui as fait une offrande ? »

Tout à coup, Sophie sut. La « mission secrète » de Belle n'avait rien à voir avec la tombe de Fraser : elle était allée faire une offrande au grand arbre duppy sur Overlook Hill. C'était là-bas qu'elle était en ce moment même.

Un frisson de terreur parcourut alors Sophie. Cameron se trouvait quelque part au nord, travaillant avec ses hommes à établir un contre-feu depuis Greendale Wood jusqu'au-delà du carrefour. Son objectif était en effet de bloquer l'avancée du feu vers l'est, pour qu'il n'ait nulle part d'autre où aller qu'au sud...

Au sud, vers Overlook Hill !

Chapitre 34

Belle n'était pas auprès de l'arbre duppy.

Mais elle y avait été récemment, Sophie en était sûre : une demi-bouteille de rhum était appuyée contre le tronc, avec autour de son col un ruban écarlate, noué de façon nette et précise.

— Belle ? cria-t-elle. *Belle !* C'est tante Sophie ! Où es-tu ?

Mais aucune voix ne lui répondit. La cendre descendait en voltigeant dans le sous-bois, et au nord, elle entendait un rugissement lointain : celui du feu.

Devant elle, le chemin serpentait sous les arbres vers l'extrémité ouest de la forêt. Belle n'était sûrement pas partie par là-bas. Mais où, alors ? Si sa nièce avait été quelque part près du chemin venant du carrefour, songea Sophie, elle l'aurait vue...

Elle n'avait plus le temps d'y réfléchir : elle poussa Gambade en avant, en direction de l'ouest.

C'était difficile d'avancer, car le chemin était une vraie jungle. Elle fut obligée de mettre pied à terre et de tenir sa jument par les rênes, en s'arrêtant souvent pour retirer les branches qui se prenaient dans les étriers et en parlant à Gambade pour la calmer. La fumée la rendait nerveuse ; elle rabattait ses oreilles et ne cessait de jeter la tête en arrière en tirant sur les rênes, ce qui rendait la progression lente et difficile.

« Ben aurait su faire trotter calmement Gambade sur ses talons, comme un retriever » se dit-elle, mais elle chassa cette idée car elle ne voulait pas penser à lui maintenant. « Fever Hill tout en flammes, Missy Sophie », lui avait-on dit. Mais Ben en sortirait sain et sauf, elle n'avait aucun doute là-dessus.

Un perroquet s'envola au-dessus de la cime des arbres – *ah-iik, ah-iik* – et quelque chose se noua dans la gorge de Sophie : était-ce une fausse impression, ou la température était-elle montée ? Quoi qu'il en soit, l'odeur de sucre brûlé était plus forte, l'air autour d'elle se voilait, et elle ne trouvait aucun signe du passage de Belle sur ce chemin. Ni branches cassées ni crottin de cheval, rien !

Après dix minutes d'une progression difficile, Sophie aperçut une trouée de ciel blanc et sale entre les branches des arbres. Elle hâta le pas, tirant derrière elle une Gambade de plus en plus réticente.

Quand elle atteignit l'orée de la forêt, la puanteur du sucre brûlé lui frappa brutalement les narines. La jument poussa un hennissement perçant, tirant si fort sur ses rênes qu'elle la fit presque tomber en arrière. Le feu était terriblement proche : un mur rugissant de flammes, à moins d'un kilomètre de distance. Par-derrière, les champs de canne d'Orange Grove disparaissaient sous un manteau de fumée grise et sale.

Traînant toujours Gambade derrière elle, Sophie se fraya un chemin entre les rochers et les buissons d'épineux, pour contourner le flanc de la colline. Quelque part sur le versant sud-ouest, un chemin sinueux descendait vers le pont de Stony Gap.

De ce côté de la colline, si le feu était un peu moins proche, les bambous géants qui bordaient la Martha Brae, à environ deux kilomètres de là, disparaissaient presque à travers un halo gris-bleu.

— Belle ! cria-t-elle de nouveau. Belle !

Comme sa voix semblait faible, par rapport au rugissement du feu…

— Ici ! répondit une voix enfantine, si près qu'elle en tomba presque de saisissement.

Belle se tenait à quelques mètres d'elle sur le chemin. Elle était sale, son visage et sa tenue d'équitation couverts de poussière et de suie.

— Oh, tante Sophie, je suis vraiment désolée ! s'exclama-t-elle. J'essayais de faire le tour pour voir où ça allait, mais j'ai glissé et je me suis cogné le genou. Après, j'ai essayé de trouver un autre chemin pour remonter et je me suis un peu perdue…

Elle semblait plus énervée qu'effrayée. Après avoir ressenti un immense soulagement, Sophie fut tentée de courir jusqu'à elle et de la secouer une bonne fois ; mais elle remarqua alors son dos voûté, ses épaules recroquevillées, ses poings serrés contre son jeune corps.

— Ça n'est pas grave, lui hurla-t-elle, pour couvrir le rugissement du feu. Est-ce que tu vas bien ?

Belle lui fit un petit signe de tête, raide et crispé.

— Qu'est-ce qu'on fait maintenant ?

— Reste où tu es. Il faut que je réfléchisse.

Le sentier descendait en serpentant le long du flanc ouest de la colline, abrupt et nu, vers l'endroit où se trouvait Belle. Le sol était pierreux et instable, avec, côté gauche, un à-pic d'une quinzaine de mètres au-dessus d'un ravin garni d'épineux. Mais si elles arrivaient au pied de la colline, elles pourraient atteindre Stony Gap avant que le feu ne leur coupe le passage, et ensuite elles se réfugieraient dans les pâturages de l'autre côté de la rivière.

Une autre solution consistait à faire demi-tour, remonter le chemin jusqu'à la forêt, puis repasser devant l'arbre duppy et retourner au carrefour...

Chaque fibre de son être poussait Sophie à regagner l'abri ancestral de la forêt. Oui, mais si elles n'arrivaient pas à la retraverser suffisamment vite ? Au moment où elle quittait Eden, elle avait entendu les cris des hommes de Cameron, qui travaillaient à allumer le contre-feu. Elle n'avait pas eu le temps d'aller les interroger, mais ils ne lui avaient pas paru très éloignés... Le temps que Belle et elle atteignent le carrefour, leur route n'allait-elle pas être barrée par le contre-feu destiné à protéger Eden ? Ou encore, n'allaient-elles pas être surprises par le feu de canne pendant leur traversée même de la forêt ? Avec une terrifiante clarté, Sophie eut la vision d'elles deux prises dans l'enchevêtrement du sous-bois, des branches brûlantes leur tombant dessus, la chaleur et la fumée devenant étouffantes et bientôt insupportables.

— Reste où tu es, dit-elle à Belle. Je descends vers toi.

Belle parut effrayée.

— Mais, et Biscotte ? s'écria-t-elle. On ne peut pas la laisser !

— Quoi ? répondit Sophie, attentive à l'endroit où elle posait le pied, pour ne pas risquer de glisser.

Derrière elle, Gambade continuait de renâcler et de tirer sur ses rênes.

— Je l'ai attachée, expliqua Belle d'une voix anxieuse. Elle ne pourra pas s'enfuir, elle va brûler !

— Non, elle ne brûlera pas, affirma Sophie, de manière peu convaincante.

Elle glissa sur une pierre instable et faillit perdre l'équilibre. Une poignée de cailloux dévalèrent la pente en rebondissant et se perdirent en bas parmi les rochers. Le chemin était plus raide qu'il n'y paraissait. « Mon Dieu, pensa-t-elle, j'espère que je ne commets pas encore une erreur… »

— Je n'ai pas vu Biscotte quand je suis arrivée, déclara-t-elle à Belle, donc elle a dû se libérer et s'enfuir.

— Tu es sûre ?

— Absolument.

Gambade tira de nouveau sur ses rênes.

— Tante Sophie…

— Oui ?

Encore un coup sur les rênes. La poussière et les cailloux pleuvaient autour de Sophie.

— Gambade, viens ! lança-t-elle sans regarder la jument.

— Tante Sophie, hurla alors Belle, fais attention !

Une pierre frappa violemment l'épaule de Sophie, la faisant se retourner, et elle vit la jument s'affaisser sur les genoux – lentement, comme dans un cauchemar –, puis tomber la tête la première et glisser le long du chemin vers elle.

Ben atteignit le carrefour un peu avant les hommes de Cameron Lawe. Il les entendait à travers l'épais nuage de fumée, à quelques centaines de mètres au nord. L'air était âcre et empestait le sucre brûlé. De l'ouest provenait le rugissement du feu en train d'engloutir Orange Grove, et qui progressait vers eux.

Les hommes ne cessèrent pas de travailler à son arrivée près d'eux, et il ne s'était pas attendu qu'ils le fassent. Il ne faudrait plus très longtemps maintenant pour que l'incendie soit là ; et si la trouée ne remplissait pas son office, les flammes la franchiraient et avaleraient la grande maison, l'usine de Maputah et le reste du domaine.

Malheureusement, aucun des hommes n'avait vu Sophie ni Belle. Mais ils lui dirent que maître Cameron était plus loin, vers Romilly ; peut-être devrait-il lui poser la question ?

« Pas le temps, songea Ben en faisant pivoter Partisan et en repartant au galop vers le carrefour. Pas le temps d'aller discuter avec Cameron Lawe. » En plus, Romilly était sur la route d'Eden, et Sophie n'avait pas pris ce chemin-là. Elle avait coupé à travers champs par Greendale, comme lui.

« Mais vous êtes sûr de prendre la bonne décision ? » s'était inquiétée Miss Clemmy. Pourquoi ne l'avait-il pas écoutée tout de suite, au lieu de perdre du temps à rejoindre la charrette ? Peut-être ces quelques minutes d'hésitation allaient-elles l'empêcher de sauver Sophie et Belle ? Peut-être avait-il *déjà* refait le mauvais choix, irrémédiablement ? Bon sang, était-ce une fatalité ?

Dans son esprit, il revoyait Sophie telle qu'elle était ce jour-là dans son bureau – n'était-ce pas ce matin même, en fait ? Si, pas plus tard que ce matin… Elle était furieuse contre lui, mais avait des larmes dans les yeux. Ça devait bien signifier quelque chose : peut-être l'aimait-elle encore ?

Mais même s'il se trompait, même si tous les sentiments qu'elle avait eus pour lui étaient morts des années auparavant, ça n'avait pas d'importance. Ce qui comptait, c'était que lui l'aimait toujours, et qu'elle avait besoin de son aide !

Il atteignit le carrefour et arrêta son cheval, sous une pluie de poussière et de cendres. Quel chemin prendre ? Quel chemin ?

D'après Miss Clemmy, Belle se dirigeait vers la grotte près de Retournement. Mais si Miss Clemmy se trompait ? Ou si Belle avait pris un chemin et Sophie un autre ?

Ben mit pied à terre et commença à faire le tour du carrefour, en cherchant des traces. Partisan allongea la tête, toussa, mais lui emboîta néanmoins le pas.

Ben savait que Sophie était allée à la grande maison d'Eden ; mais ensuite, il avait perdu sa piste. Encore était-ce le hasard qui le lui avait appris, pour Eden : quand il y était arrivé, il doutait qu'elle l'ait atteint, malgré ce que lui avaient déclaré les hommes de Simonstown quand il les avait dépassés. Puis il s'était rappelé les mots de Miss Clemmy, à propos de la tombe du petit garçon. Et lorsqu'il l'avait découverte, il y avait une orchidée coquillage sur le marbre lisse et blanc. Sophie était venue ici, et c'était moins d'une heure plus tôt, il en était certain ; la tige cassée était encore suintante de sève…

Dans la poussière près du carrefour, Ben aperçut une trace de sabot : une jument, d'après sa taille. Quelques mètres plus loin, il repéra le petit croissant de lune nettement dessiné d'une empreinte de poney. Il continua de chercher, mais le sol devenait trop sec et cailouteux pour lui livrer d'autres indices. Il était incapable de dire si Sophie et Belle étaient ensemble, ni par quel chemin elles étaient parties.

« Allez, Ben, quel chemin ? s'interrogea-t-il. Retournement ? Oui, sans doute. Où Belle aurait-elle pu aller autrement ? »

Il se remit en selle, et repartait vers l'est quand un cri derrière lui le fit s'arrêter net. Partisan dressa les oreilles et hennit en réponse.

Belle avait dissimulé son poney avec soin, l'attachant à un jeune guango dans une clairière, à l'écart du chemin qui conduisait sur le flanc est, boisé, d'Overlook Hill. Le petit alezan sentait depuis longtemps la fumée ; il avait les yeux blancs de terreur et tirait désespérément sur ses rênes. Le bouquet d'herbes fanées accrochées à son frontal s'agitait en tout sens.

Le cœur de Ben chavira. Où qu'elle soit, Belle devait être loin d'ici, hors de portée de voix. Jamais elle n'aurait laissé son poney bien-aimé crier ainsi sans venir à son secours.

— Tu dois être Biscotte, dit-il après avoir sauté à terre, attaché Partisan et marché jusqu'au poney – en se forçant à le faire lentement, pour ne pas le paniquer davantage. Où ta maîtresse est-elle allée, Biscotte ?

Le poney fit un écart et roula des yeux, mais ses oreilles pivotèrent vers lui pour l'écouter.

— Du romarin et du madame-destin, commenta-t-il, tandis qu'il débouclait la sangle et retirait la selle du dos en sueur de l'animal. Qu'est-ce qu'elle voulait faire avec ces herbes, dis-moi ?

Sans cesser de parler, il déboucla la jugulaire et enleva la bride, gardant les rênes autour de l'encolure du poney pour pouvoir encore le contrôler. Puis il l'emmena, ou plutôt le tira, sur le chemin.

— Vas-y, maintenant, lança-t-il en faisant glisser les rênes au-dessus de sa tête et lui donnant une claque sur la croupe. Et ne traîne pas en route !

Biscotte ne se le fit pas dire deux fois ; relevant la queue, elle partit bruyamment en direction de Maputah.

« Du romarin et du madame-destin, se répéta Ben tandis qu'il repartait à cheval vers Retournement. Qu'est-ce que Belle voulait faire avec ça ? Se protéger contre les duppies ? Mais quels duppies ? »

Tout à coup, il se rappela les terreurs d'enfant de Sophie envers les arbres duppies, et les pièces du puzzle se mirent en place. « Une de ses missions secrètes dans les collines. » L'arbre duppy à Overlook Hill !

— Oh, bon Dieu, droit dans le trajet du feu !

Faisant faire demi-tour à Partisan, Ben galopa de nouveau vers le carrefour puis lança le hongre sur le chemin d'Overlook Hill. Il se pencha contre l'encolure en sueur dès que sa monture pénétra dans le sous-bois, et des branches lui fouettèrent le visage. Alors, les souvenirs affluèrent à son esprit : l'expression de Sophie tandis qu'elle se tenait dans la clairière de l'arbre duppy, sept ans plus tôt. « C'est fini, Ben », avait-elle affirmé.

« Non, ça ne l'est fichtrement pas ! se dit-il. Il reste encore du temps, du temps ! »

Un autre perroquet s'envola en criant au-dessus des feuillages : *ah-iik ! ah-iik !* Belle et Sophie échangèrent des regards nerveux et coururent à travers la forêt.

« L'arbre duppy ne peut pas être beaucoup plus loin devant, pensa Sophie. Mais est-ce une bonne idée de revenir dans la forêt, ou bien est-ce la dernière de tes volte-face, qui va vous mener droit à la catastrophe ? »

Sa respiration lui brûlait les poumons, son avant-bras la lançait là où il avait cogné contre les rochers quand elle était tombée. Elle était fatiguée et commençait à boiter.

Le rugissement du feu s'était rapproché – elle entendait des branches crépiter quelque part sur sa gauche –, mais où était-il arrivé ? Au pied de la colline ? À mi-pente ? À une vingtaine de mètres d'elles ? Elle avait l'impression qu'elles étaient traquées par une sorte de grand chat, susceptible de bondir sur elles à n'importe quel moment.

— Tu es sûre que Biscotte va bien ? s'inquiéta Belle d'une petite voix.

Elle serrait la main de Sophie si fort que ça lui faisait mal.

— Je ne sais pas, murmura Sophie, trop fatiguée pour mentir.

— Mais tu as dit que oui…

— Belle, je ne sais pas. Avec un peu de chance, les hommes la trouveront quand ils viendront faire le contre-feu.

Belle eut l'air un peu tranquillisée. Sophie aurait voulu être elle-même aussi facilement rassurée. Le contre-feu était maintenant l'une de ses principales angoisses. Et si les hommes atteignaient le carrefour avant elles ? Elles se trouveraient prises au piège entre un feu incontrôlé dans leurs dos et un autre, contrôlé mais non moins mortel, devant elles… Sophie repoussa les feuilles en lambeaux d'un philodendron, et la clairière de l'arbre duppy apparut brusquement.

— Grâce à Dieu ! souffla-t-elle, en trébuchant contre l'arbre et en se laissant tomber sur une de ses grandes racines.

D'ici, descendre jusqu'en bas de la colline ne pouvait pas leur prendre plus de vingt minutes – à condition, bien sûr, qu'elles aient encore vingt minutes devant elles pour échapper au feu.

Belle paraissait effrayée.

— Tu ne devrais pas t'asseoir là…, dit-elle à Sophie.

— Juste un moment, pour reprendre mon souffle.

— Tu ne devrais pas t'asseoir sur ses racines. Ce n'est pas... un endroit sûr.

Sophie faillit rire. « Sûr » ? Quel endroit était sûr ?

Elle était épuisée et sentait son genou devenir raide. Il lui paraissait impossible de réussir à se remettre debout et courir jusqu'en bas de la colline.

Belle saisit sa main et tira dessus.

— S'il te plaît, est-ce que nous pouvons partir, à présent ? S'il te plaît...

Sophie prit une grande inspiration. De la cendre tombait tout autour d'elle, elle devait se lever... C'est alors que lui parvint, quelque part devant, le hennissement d'un cheval.

Un cheval ?

Un grand hongre bai taché d'écume surgit soudain avec fracas à travers les fougères, dans la clairière. Sophie sauta sur ses pieds, tandis que Ben – *Ben !* – courait vers elle et la saisissait par les épaules, si fort que ça lui fit mal.

— Bon Dieu, Sophie... Qu'est-ce que vous faisiez là, assise sur cette fichue racine d'arbre ?

Il était hors d'haleine, couvert de suie et de sueur, et avait une longue balafre sanglante sur la joue.

— Je n'étais pas... je veux dire, j'ai trouvé Belle...

Elle leva comme une preuve le petit poignet sale de Belle.

— Je suis *tout à fait* désolée, murmura la fillette, avec un regard en biais vers l'arbre duppy.

— Bon Dieu ! répéta Ben entre ses dents.

Il lâcha Sophie, se détourna, mit les deux mains sur l'encolure en sueur de son cheval et secoua la tête. Puis, par-dessus son épaule, il demanda :

— Qu'est-ce qui est arrivé à votre bras ?

— Je suis tombée. Comment est-ce que vous nous avez trouvées ? Est-ce que vous...

— Vous avez trouvé Biscotte ? l'interrompit Belle. Je l'avais attachée à un arbre où personne ne peut la voir, elle doit avoir vraiment très...

— Je l'ai trouvée, oui.

Ben se retourna vers Sophie, sortit son mouchoir et l'enroula autour de son avant-bras en serrant très fort. Elle eut un cri de douleur, mais il l'ignora : il était déjà revenu à Belle.

— Je l'ai détachée et laissée partir, lui expliqua-t-il. Elle doit être à mi-chemin de Simonstown.

— Oh, merci !

Belle soupira de soulagement ; visiblement, elle n'était plus inquiète, maintenant que son poney était sauf, et qu'elle avait deux adultes pour veiller sur elle.

Sophie essaya de desserrer le mouchoir sur son avant-bras.

— Est-ce que les hommes sont déjà arrivés au carrefour ? demanda-t-elle à Ben.

— Pas encore, mais bientôt, répondit-il en faisant passer les rênes par-dessus la tête de son cheval, prêt à remonter dessus.

— Dans combien de temps ?

— Dix minutes, peut-être ? Je n'en sais rien.

— Nous n'y arriverons pas...

— Si, nous y arriverons, si nous nous dépêchons. Mais dites-moi, qu'est-ce que vous faisiez, à vous promener à côté d'un fichu feu de canne ?

Elle n'eut pas l'occasion de répondre, car un bruit de fusillade retentit à travers la forêt ; quelque part, un massif de bambous devait partir en fumée. Belle hurla, le cheval se cabra et une nuée d'oiseaux s'envola des feuillages.

Une fois qu'il eut calmé sa monture, Ben lança à Sophie :

— Vite, il est temps de partir ! Où est votre cheval ?

Sophie ouvrit la bouche, puis la referma, et ce fut Belle qui répondit :

— Elle est tombée.

Ben les regarda l'une après l'autre, perplexe.

— « Tombée » ?

— On essayait de descendre la pente à l'ouest, vers Stony Gap, expliqua Sophie. Mais c'était trop abrupt, et elle est tombée. Elle a même bien failli me tomber dessus.

Il la fixa comme s'il avait du mal à comprendre ce qu'elle disait. Pour la première fois, elle remarqua combien il était épuisé : ses traits étaient tirés et il avait des ombres bleuâtres sous les yeux.

— Elle a eu un drôle de mouvement quand elle a frappé les rochers, murmura Belle, et ensuite elle n'a plus bougé. On pense qu'elle s'est cassé le cou.

Mais Ben l'écoutait à peine. Son regard allait de Sophie à Belle, puis à son cheval. Enfin, il se passa une main sur le visage.

— Bien, fit-il, bien.

Il marcha vers Belle, la prit sous les bras et la hissa sur la selle. Ensuite, il s'approcha de Sophie et, avant qu'elle ait compris ce qui arrivait, il la propulsait sur la selle derrière la fillette.

— Baissez la tête, recommanda-t-il en raccourcissant les étriers pour celle-ci, et talonnez-le bien. Il s'appelle Partisan et il a déjà eu son compte, mais il vous fera franchir le carrefour. Quoi qu'il arrive, ne vous arrêtez pas. Continuez d'avancer et criez, toutes les deux, pour que les hommes sachent que vous êtes là. Tout se passera bien.

Alors seulement, Sophie comprit qu'il ne venait pas avec elles. Elle se pencha et lui saisit l'épaule.

— Et vous ?

— Je vais tenter ma chance à pied, répondit-il tout en resserrant la sangle.

— Je ne vous laisserai pas ici.

— Si, vous le ferez.

— Non !

— Pour l'amour du ciel, Sophie ! explosa-t-il. Réfléchissez un peu ! Un cheval épuisé ne pourra pas porter un homme, une femme et une enfant !

— Je ne vous laisserai pas, répéta-t-elle, les yeux brillants.

— Alors, qu'est-ce que vous suggérez ? Que Partisan reparte tranquillement au petit trot pour que je puisse venir avec vous, et que nous soyons rattrapés tous les trois par l'incendie ?

Les larmes emplissaient à présent les yeux de Sophie. Devant elle, Belle qui avait attrapé une poignée de crinière commença à trembler.

— Écoutez, reprit Ben plus doucement, pour une fois dans ma vie je fais le bon choix, et je ne vous laisserai pas gâcher ça. D'accord ?

— Quel « bon choix » ? De quoi est-ce que vous parlez ?

Mais il se contenta de secouer la tête, puis il lança les rênes par-dessus la tête de Partisan, et referma les mains de Sophie sur elles avec ses propres mains.

Une autre explosion de bambous retentit ; le hongre s'ébroua et fit un écart.

— Allez-y, dit Ben, en le faisant tourner. Partez d'ici !

Mais Sophie se pencha et lui saisit une main.

— Il y a une chose que vous devez savoir, lui déclara-t-elle d'une voix sourde. Rien n'a changé. Je veux dire pour vous et moi. Ce que je ressens, c'est la même chose qu'avant, que toujours.

Il leva les yeux vers elle, et son regard brillait.

— Je sais, ma chérie. C'est pareil pour moi.

Puis il l'attira vers lui et l'embrassa sur les lèvres.

— Mieux vaut tard que jamais, n'est-ce pas ?

— Promettez-moi, promettez que vous allez nous suivre de près !

Il ne répondit pas.

— Ben, je ne partirai pas si…

— Ne vous arrêtez pas et ne regardez pas en arrière. Maintenant, allez-y.

— Ben, je vous en prie…

Il donna une claque sur la croupe de Partisan.

— Allez-y !

En pleurs, Sophie enfonça ses talons dans les flancs du cheval, qui commença à s'éloigner dans le sous-bois.

Elle se retourna une fois, et vit alors, à travers ses larmes, que Ben avait saisi la bouteille de rhum appuyée contre l'arbre duppy et en prenait une longue gorgée. Après quoi, la fumée bleu-gris se referma sur lui.

Chapitre 35

Il pleuvait toujours quand Sophie et Belle quittèrent la grande maison d'Eden et partirent lentement le long de la berge en direction de Romilly.

Le vent avait changé deux heures plus tôt, amenant de la pluie venue du nord. Pas une averse tropicale, mais un crachin régulier, pénétrant : une « pluie de petite vieille », comme on l'appelait en Jamaïque, car elle allait son bonhomme de chemin comme si elle ne devait jamais s'arrêter.

— Est-ce que nous n'aurions pas dû attendre à la maison ? dit Belle d'une petite voix.

Elle se blottissait contre Sophie dans son imperméable, serrant toujours sa poignée de crinière, car la fatigue faisait trébucher Partisan.

— Il faut que ton papa sache que tu vas bien, répondit Sophie.

C'était vrai, mais ce n'était pas toute la vérité. La vérité, c'était qu'elle n'aurait pu supporter de voir la maison vide un instant de plus.

Elles étaient arrivées au carrefour en même temps que les hommes de Cameron, et l'avaient traversé sous leurs acclamations. Cameron lui-même n'était pas là, et personne ne semblait savoir où il se trouvait. Les hommes avaient suggéré qu'elles aillent l'attendre à la maison. Ils avaient dit qu'il ne tarderait sûrement pas à arriver.

La maison était dans l'état où Sophie l'avait laissée quelques heures plus tôt. Après être allée chercher du pain et du lait pour Belle, elle était ressortie sur la véranda pour attendre Ben. Mais il n'était pas venu. Elle s'était penchée au-dehors aussi loin qu'elle le pouvait, scrutant le nuage de fumée, de crachin, de vapeur d'eau qui enveloppait Overlook Hill et se forçant à croire qu'il avait réussi à traverser.

Personne n'était arrivé. Elle ne cessait de repenser à l'expression qu'avait Ben au moment où il lui avait dit de partir sans lui, ajoutant : « Pour une fois dans ma vie, je fais le bon choix. » Qu'est-ce qu'il entendait par là ? Ça sonnait sinistrement, comme une épitaphe.

Un coup de vent fit frissonner les bambous géants, les aspergeant de gouttes de pluie. Partisan secoua sa crinière et Sophie serra les dents. Elle se rendait vaguement compte qu'elle était mouillée, épuisée et qu'elle avait froid, mais elle ne le ressentait pas vraiment. Elle avait l'impression de cheminer dans un long tunnel sombre avec un seul objectif devant elle : trouver Cameron, lui confier Belle et partir à la recherche de Ben. Rien d'autre ne comptait, parce que c'était en dehors du tunnel.

Elle tourna la tête, vit de l'autre côté de la rivière la canne brillante et intacte de Bullet Tree Piece, exceptionnellement verte dans la lumière grise du jour finissant. « Bien, pensa-t-elle mécaniquement, ça veut dire que le pare-feu a fonctionné. » Elle savait que c'était une bonne chose, mais sans l'apprécier véritablement. C'était en dehors du tunnel.

Des voix s'élevèrent devant elles. Elles devaient être proches de Romilly. Elles atteignirent l'enceinte de pierre écroulée, et envahie de plantes grimpantes, dans laquelle sept ans plus tôt Ben avait fait un feu. Sophie chercha des yeux des orchidées coquillages, mais n'en trouva pas. C'était comme un sinistre présage. Elle n'avait pas la force de se convaincre que cette absence ne signifiait rien.

Soudain, Sophie et Belle sortirent de sous le couvert des bambous et pénétrèrent dans la clairière. Partisan se fraya un chemin entre les petits groupes d'ouvriers agricoles, qui se reposaient sur le sol et s'étonnaient de les voir là.

— Regarde, c'est papa ! s'écria Belle, en s'agitant sur la selle devant elle.

Cameron était près du pont et ne les avait pas encore remarquées. Il était tête nue, trempé par la pluie, et venait visiblement de se poster là pour accueillir un cavalier arrivant de la ville. Il fallut un moment à Sophie pour s'apercevoir qu'il s'agissait de sa sœur. Madeleine, elle aussi tête nue, était trempée. La robe d'après-midi couleur bronze dont elle était vêtue parfaitement inadaptée à la situation et maculée de suie ; et elle l'avait retroussée jusqu'à ses genoux pour pouvoir monter à califourchon. Elle devait descendre à l'instant de cheval, car elle avait encore les mains sur les épaules de Cameron ; ils se regardaient l'un l'autre, l'air très inquiet, complètement indifférents à ce qui les entourait. Tandis que Sophie se dirigeait vers eux, leurs voix lui parvinrent.

— Mais je croyais qu'elle était avec toi ! disait Cameron.

— Elle l'*était* ! répliqua Madeleine. Du moins, elle était avec Quaco jusqu'à ce qu'elle le sème ! Dieu sait où elle est maintenant…, ajouta-t-elle, et sa voix se brisa.

Au même moment, Belle sauta à terre.

— Je vais bien ! Je suis ici ! Je suis sauvée !

Ils se tournèrent et la virent en même temps. De stupéfaction, Madeleine porta ses deux mains à sa bouche ; Cameron s'avança, souleva sa fille dans ses bras et la tint un moment au-dessus de lui, comme s'il n'arrivait pas à y croire. Puis il la reposa au sol, et Madeleine se mit à genoux pour la saisir par les épaules.

— Où es-tu allée ? cria-t-elle en la secouant.

— À l'arbre duppy…, murmura Belle avec difficulté.

— L'arbre duppy ? s'exclamèrent ses parents, horrifiés. Bon sang, demanda Cameron, qu'est-ce que tu faisais là-bas ?

— Une… offrande, répondit Belle, embarrassée. Il n'y avait personne à la maison, alors nous avons pensé que nous ferions mieux de venir vous chercher ici, s'empressa-t-elle d'enchaîner.

Elle se tourna vers Sophie, en quête d'une confirmation de sa part, mais ni Madeleine ni Cameron ne quittèrent leur fille des yeux.

— Tu es toute pleine de suie, dit Belle à sa mère. Est-ce que tu as traversé le feu pour venir me sauver ?

— Bien sûr que non, dit d'un ton sec Madeleine, qui recouvrait peu à peu son calme. Il était fini le temps que j'arrive ici… Quel genre d'offrande ?

— Je… j'avais fait une liste, murmura Belle, puis elle ajouta : Tante Sophie a été absolument *sensationnelle* ! Elle m'a suivie jusqu'à Eden, et elle a deviné pour l'arbre duppy, et elle m'a retrouvée dans la forêt… enfin, pas vraiment dans la forêt, parce qu'à ce moment-là j'avais…

Pendant qu'elle continuait de raconter, d'une voix haletante, Madeleine redressa la tête et aperçut enfin Sophie. Celle-ci descendit de cheval, tendit ses rênes à Moses et s'approcha de sa sœur. Elle se sentait engourdie, froide et distante, comme si elle voyait Madeleine de très loin.

Toujours à genoux, Madeleine leva le bras et lui saisit les mains. Son visage se crispa.

— Tes mains sont glacées, constata-t-elle. Et tu as oublié ton imperméable.

Sophie ne répondit rien ; elle savait que si elle essayait de parler elle fondrait en larmes.

— Merci, murmura Madeleine.

Sophie secoua la tête, puis elle tenta de s'écarter, mais Madeleine lui tenait toujours les mains.

— Merci, murmura-t-elle de nouveau.

— … et Mr Kelly a été si courageux ! expliquait Belle à son père. Il nous a prêté son cheval – il s'appelle Partisan –, parce que celui de tante Sophie était tombé dans un ravin, et il a sauvé Biscotte… Est-ce que tu l'as retrouvée ?

Cameron secoua la tête, luttant visiblement pour comprendre ce qu'elle disait.

— Et il n'est pas venu avec nous, parce qu'il disait que ça nous ralentirait et que l'incendie nous attraperait tous. Il a dit qu'un cheval fatigué ne pouvait pas porter un homme, une femme et un enfant ; alors nous avons dû le laisser en arrière.

Cameron se tourna vers Sophie et demanda :

— Ce qu'elle raconte est vrai ?

Sophie acquiesça.

— C'est son cheval, dit-elle, en désignant Partisan. Ben était censé nous suivre à pied, poursuivit-elle, en commençant à claquer des dents, mais je ne crois pas qu'il y soit parvenu. Il n'a pas pu, si ? Nous l'avons attendu longtemps à la maison…

Madeleine vint derrière elle et lui posa les mains sur les épaules.

— Il n'aurait jamais eu le temps d'en sortir, vous ne croyez pas ? continua Sophie d'une voix angoissée. Je veux dire, nous avons tout juste réussi à le faire nous-mêmes, et nous étions à cheval… Est-ce que le feu… est-ce qu'il est allé jusqu'à la colline ?

Cameron hocha la tête.

— Peut-être qu'il a trouvé un autre moyen d'en descendre, suggéra Madeleine. Si quelqu'un sait se débrouiller, c'est bien Ben.

Les dents de Sophie claquaient maintenant si fort qu'elle pouvait à peine parler.

— Je vais aller à sa recherche, déclara-t-elle en se retournant vers Partisan.

Mais Cameron s'interposa.

— Non, Sophie.

— Mais je dois le faire, je dois le trouver !

— Sophie, dit-il doucement, dans dix minutes il fera nuit. Tu es épuisée, et ce cheval ne peut plus aller nulle part.

— Mais…

— J'enverrai un homme le rechercher.

— Viens, Sophie, renchérit Madeleine. Tu ne peux plus rien faire ce soir. Reviens à la maison avec nous.

Le regard de Sophie alla de Cameron à sa sœur, puis revint vers lui.

— Est-ce qu'il a une chance ?

— Je ne sais pas, répondit-il franchement. Nous le saurons demain matin.

Sophie était dans son ancienne chambre à Eden, essayant de dormir. En pensée, elle était aussi à Romilly, enroulée dans la couverture de Ben et attendant son retour.

Au bout d'un moment, elle le sentit derrière elle, qui s'installait contre son dos. Mais elle était si fatiguée qu'elle était incapable de bouger. Elle aurait voulu sortir une main pour le toucher, seulement son bras était trop lourd. Elle ne pouvait même pas rassembler assez d'énergie pour ouvrir les yeux…

— Je suis contente que tu sois revenu, murmura-t-elle.

— Sophie…, l'appela doucement Madeleine.

Elle se réveilla en sursaut.

— Quoi ? Quoi ?

Il faisait sombre dans la pièce. À la lumière d'une unique bougie sur la table de nuit, la chemise de nuit de Madeleine formait une tache floue dans la pénombre.

— Il va bien, Sophie, ajouta Madeleine en s'asseyant à côté d'elle. Ben va bien. Nous venons juste de recevoir la nouvelle.

Le regard trouble, Sophie se frotta les yeux. Elle se sentait lourde et malade de fatigue.

— Où est-il ? Est-ce qu'il est blessé ?

Madeleine secoua la tête.

— Je pense qu'il passe la nuit quelque part dans les prairies. Il a envoyé un garçon pour s'assurer que Belle et toi étiez sauves.

Sophie se pencha en avant, mit sa tête sur ses genoux.

— Après vous avoir laissées dans la colline, il a réussi à descendre vers Stony Gap, expliqua Madeleine, mettant sa main entre les omoplates de Sophie et la massant doucement de haut en bas. Il y est arrivé avant le feu, d'après le garçon, et a sauté du pont dans la rivière… Quoi qu'il en soit, il a envoyé un mot.

Sophie prit une grande inspiration.

— Qu'est-ce qu'il dit ?

— Tu veux que je te le lise ?

Elle acquiesça, entendit bruire la chemise de nuit de Madeleine tandis que celle-ci s'approchait de la bougie.

— « *Finalement, la Maîtresse de la rivière m'a protégé. Ben.* » C'est tout ce qu'il y a. Est-ce que ça signifie quelque chose pour toi ?

Sophie fit un signe affirmatif. Au bout d'un moment, elle demanda :

— Quelle heure est-il ?

— Trois heures du matin.

Madeleine replia le mot et le lui tendit.

— Il fera jour dans quelques heures. Alors, tu pourras aller le voir.

Sophie prit le mot et acquiesça.

— Tout ira bien à présent, reprit Madeleine en lui caressant les cheveux. Tu peux dormir tranquille.

Comme elle s'apprêtait à repartir, Sophie lui prit la main.

— Et toi, est-ce que tu vas bien ? Et Cameron ? Et Belle ?

Elle distingua son sourire dans la pénombre.

— Nous allons tous bien, grâce à toi.

— Non, ce n'est pas à ça que je pensais…

— Mais moi si.

Il y eut un silence, puis Sophie demanda :

— Et le domaine ?

— Le domaine ? répéta Madeleine en riant. Oh, ne t'inquiète pas pour ça. Cameron dit que s'il travaille vingt-quatre heures sur vingt-quatre, il peut récolter une bonne part d'Orange Grove avant que ça soit pourri. Et nous avons encore Bullet Tree Piece, donc il semble que nous ne soyons pas complètement ruinés. Tu sais, remarqua-t-elle après une pause, le bruit court que le feu a été allumé délibérément…

Sophie ne put retenir un bâillement.

— Vraiment ?

Le sommeil la reprenait, elle pouvait à peine garder les yeux ouverts.

— … mais je suppose que c'est juste une rumeur, dit Madeleine. Rendors-toi.

Chapitre 36

Le lendemain de l'incendie, Alexander Traherne s'éveilla de sa première vraie nuit de sommeil depuis plusieurs semaines, paisible et détendu. Toujours en chemise de nuit, et avant même de boire sa tasse de chocolat, il écrivit en vitesse trois courts billets.

Le premier était pour Sophie, lui affirmant qu'elle avait absolument raison, et la libérant de sa promesse.

Le deuxième était pour ses assureurs, les informant de la destruction de sa maison et de son domaine de Waytes Valley, et leur donnant instruction de verser immédiatement le montant des indemnités sur son compte.

Le troisième était pour Guy Fazackerly, lui annonçant que la totalité de la dette serait remboursée pour le jour de l'an.

Puis, sa tâche terminée, Alexander descendit prendre son petit déjeuner.

À sa grande surprise, il n'y avait personne, pas même sa mère, qui d'habitude lui servait toujours son thé. Enfin, le maître d'hôtel lui apporta un message de son père, lui disant qu'il était attendu dans son bureau.

Alexander fut soulagé de voir que Cornelius le saluait joyeusement et semblait d'excellente humeur – même si Bostock, son homme d'affaires, avait les traits d'un homme qui est resté debout toute la nuit.

Cornelius alluma un cigare, désigna du doigt l'humidificateur à son fils, et pendant un moment ils fumèrent en silence. Bostock, assis un peu à l'écart, contemplait le sol.

Alexander se demandait, non sans curiosité, ce qui allait suivre. Son père et lui n'avaient guère l'habitude de partager ce genre de silence. Il finit par enlever d'une chiquenaude un grain de poussière sur son genou, et par faire la remarque que cet incendie était une sale affaire.

Étrangement, Cornelius la balaya d'un geste.

— Ce sont des choses qui arrivent. Ça signifie simplement que je vais devoir faire la récolte plus tôt que je n'en avais l'intention, et que ça me coûtera beaucoup plus cher en main-d'œuvre.

Il se pencha en arrière dans son fauteuil et éclata soudain de rire en ajoutant :

— Heureusement que Waytes Valley n'est pas encore à toi, hein, mon garçon ? Sans quoi, tu devrais t'initier en catastrophe à l'art de faire la récolte à la vitesse grand V !

Le cigare d'Alexander s'immobilisa à mi-chemin de ses lèvres.

— Je croyais un peu que c'était à moi, répondit-il prudemment, avec une nonchalance étudiée.

— Oh non, mon vieux ! Pas avant que tu sois marié en bonne et due forme.

— Ah, murmura-t-il.

Un contretemps, un sérieux contretemps. Surtout maintenant qu'il venait d'envoyer cette lettre à Sophie.

Mais bon. Il pourrait la faire changer d'avis sans trop de peine. En revanche, c'était fort ennuyeux pour l'argent des indemnités.

— Donc, la récolte va te coûter cher ? Tu vas devoir dépenser beaucoup ?

— Énormément, j'en ai peur. Il va falloir faire venir des hordes de coolies de St. Ann, et ces brutes épaisses reviennent très cher.

— Mais est-ce que tout ça ne sera pas couvert par l'assurance ?

— J'en doute, répliqua Cornelius en examinant son cigare. Ils ont tendance à ne pas payer quand il s'agit d'un incendie volontaire.

Alexander s'étouffa presque avec son cigare.

— Incendie volontaire ?

— Bizarre, n'est-ce pas ? lança son père sans le regarder. Bostock m'a dit qu'on avait vu un homme avec une boîte d'allumettes, « se conduisant de façon suspecte », selon la formule.

Alexander jeta un regard étonné à Bostock, mais l'homme d'affaires continuait de fixer le sol.

— Bien sûr, poursuivit son père en faisant tourner son cigare entre ses doigts, s'ils trouvent le type qui a fait ça, il sera pendu. Et je prendrai le plus grand plaisir à assister au spectacle.

Alexander passa sa langue sur ses lèvres et en oublia de respirer.

— Mais ce n'est pas de ça que je voulais te parler, reprit Cornelius d'un ton brusque.

— Non ? répondit-il d'une voix faible. Tu veux dire qu'il y a autre chose ?

— Oh, certainement, rétorqua son père – et cette fois, quand il regarda son fils, ses petits yeux bleus étaient nettement moins cordiaux. Je ne pense pas que tu aies vu Parnell ce matin ?

Alexander secoua la tête. Comment son père pouvait-il penser à Parnell dans un moment pareil ? Pendu ? Pour quelques misérables plants de canne ?

— Parce qu'il est parti, poursuivit son père. Assez tôt ce matin, et apparemment très perturbé.

Alexander se concentra sur la conversation.

— Quoi ? Où est-il allé ?

— Retourné en Angleterre. Du moins, c'est ce que disait sa lettre. Des âneries à propos d'une affaire urgente. Il n'a même pas eu le courage de me le dire en face.

Il tira sur son cigare, plissant les yeux pour se protéger contre la fumée.

— Il est parti sans même m'informer que le mariage avec ta sœur était annulé. En fait, tout est annulé. Y compris ma propre petite affaire avec lui. Ce qui, je pourrais ajouter, me met dans une situation particulièrement épineuse en ce moment.

— Je suis désolé, déclara Alexander sans conviction.

— Moi aussi. D'autant plus qu'apparemment c'est à toi qu'on doit tout ça.

Le sang d'Alexander se figea dans ses veines.

— À moi ?

Il se demandait comment Parnell avait pu découvrir, pour le feu – et aussi en quoi ça avait bien pu le perturber. Qu'est-ce que ça pouvait lui faire que quelques hectares de canne soient partis en fumée ? Ça n'avait aucun sens.

— Tu sais ce qui l'a autant bouleversé ? Non ? Tu veux que je te le dise ? Il semblerait qu'il ait entendu parler de toi et d'une certaine petite mulâtresse. En tout cas, il a appris quelque chose et ça l'a horrifié.

L'estomac d'Alexander chavira.

— Pour te parler franchement, continua Cornelius en le fixant de ses yeux bleus, j'aurais cru qu'il fallait davantage que ce genre de broutille pour le faire fuir. Mais c'est peut-être la manière dont la petite garce lui a tout révélé… Dommage qu'il ne m'ait pas dit qui c'était, ajouta-t-il après une pause. J'aurais bien aimé mettre la main sur elle.

Il jeta à Alexander un regard inquisiteur, mais celui-ci ne répondit rien. Il n'était pas idiot à ce point-là. Si Evie avait été assez vicieuse pour tout révéler à Parnell, il préférait ne pas imaginer ce qu'elle pourrait faire au cas où il parlerait d'elle à son père.

— Donc tu vois, Alexander, dit Cornelius en écrasant son cigare, grâce à toi, ta sœur vient de manquer un mariage fort avantageux, et moi je vais être contraint de restreindre beaucoup mon train de vie. Je devrai peut-être même vendre une partie de la propriété.

Alexander sentit la panique le gagner. Dans quatre jours, le monde saurait qu'il n'avait pas honoré une dette de vingt mille livres. À cela s'ajoutait la menace des désagréments – il ne voulait pas chercher de terme plus précis – suite à ce foutu feu. Et visiblement, il ne devait s'attendre à trouver aucune soutien à la maison. Malgré le calme affiché par son père, il était visible qu'il bouillait intérieurement. Tout était si affreusement injuste !

Cornelius se leva et consulta sa montre.

— Je suis content que nous ayons eu cette petite conversation, affirma-t-il, mais je ne dois pas te retenir plus longtemps. Ton bateau part dans un peu plus d'une heure.

— Mon bateau ? s'enquit Alexander faiblement.

— Le vapeur côtier pour Kingston. Il devrait t'amener là-bas à temps pour attraper le paquebot à destination de Perth.

— Perth ? s'écria Alexander. Mais est-ce que ce n'est pas en Australie ?

— Bien vu, Alexander.

Son père examina l'humidificateur sur la petite table puis se choisit un autre cigare.

— Tu pourras voir les détails avec Bostock pendant le trajet vers la ville, lui dit-il sans même le regarder. Oh ! et il a quelques papiers pour toi à signer. Pour renoncer à tes droits, ce genre de choses.

La flamme de la rébellion s'alluma dans la poitrine d'Alexander.

— Je ne renoncerai à rien, monsieur, lança-t-il fièrement.

Son père rit.

— Oh, je crois bien que si ! Les assureurs peuvent être affreusement tenaces quand ils enquêtent sur un feu.

Alexander ouvrit la bouche puis la referma.

— Haut les cœurs, mon vieux, lui conseilla Cornelius d'un ton cassant. Tu auras une allocation de vingt livres par mois…

— Vingt livres par mois ? Mais je ne pourrai pas vivre avec ça !

— … vingt livres par mois, continua Cornelius, imperturbable, à condition que nous ne te revoyons jamais… jamais. Maintenant, va-t'en.

Il referma d'un coup sec le couvercle de l'humidificateur.

— Et dis au revoir à ta mère en partant.

C'est le milieu de la matinée à Salt Wash. Evie aide à servir un en-cas aux ouvriers agricoles, avant qu'ils commencent à faire la récolte.

Il y a comme un air de vacances dans le village. Tout le monde s'entraide et se serre les coudes. C'est comme le jour de la Liberté, Noël et la Fête des récoltes réunis en un seul et même jour. Même sa mère ne prend pas la perte de sa maison aussi au tragique qu'elle l'aurait cru.

— J'aurai de nouvelles choses, a-t-elle remarqué en haussant les épaules. Et il était temps de changer.

« Oui, pense Evie, tandis qu'elle verse une bonne cuillerée de porridge à la banane verte dans les bols qu'on lui tend. Il était temps de changer. » Et elle réprime un sourire.

En son for intérieur, elle ne peut s'arrêter de sourire. Pour la première fois depuis des mois, elle pétille même de bonne humeur. La vengeance a un goût agréable. Tôt ce matin, elle est sortie faire une promenade le long de la route de la côte ; deux voitures sont passées à côté d'elle, et maintenant leur souvenir lui fait chaud au cœur.

La première transportait maître Alexander, en route vers le quai d'embarquement. Dieu, que cet homme était blanc ! Le regard fixé droit devant lui, comme s'il venait de voir son propre duppy. La voiture avait presque dépassé Evie lorsque, en tournant la tête, il l'avait vue, et ç'avait été le meilleur moment de toute l'histoire : lire sur son visage qu'il la savait responsable de ce qui lui arrivait.

Neptune avait raconté à Evie que lorsque maître Cornelius avait appris le départ de Mr Parnell, il avait brisé tout ce qui se trouvait sur la tablette de la cheminée.

Tout. Il y avait presque de quoi se sentir désolée pour Alexander. Presque.

La seconde voiture était apparue un peu plus tard, alors qu'Evie avait déjà obliqué vers Salt Wash. Elle se dirigeait dans le sens opposé, vers Montego Bay ; ce Mr Austen qui avait été le secrétaire de Ben, ainsi que son nouvel employeur, Mr Augustus Parnell, étaient à l'intérieur.

Mr Parnell avait regardé Evie sur son passage, mais il ne l'avait pas vraiment vue. Pourquoi l'aurait-il fait ? Pour lui, elle n'était qu'une fille de couleur marchant sur la route. Comment aurait-il deviné qu'elle était l'auteur de la petite lettre ayant servi de déclencheur aux derniers événements ?

Étrange comme ç'avait été simple et efficace à la fois. Ces derniers mois, Augustus Parnell avait préféré fermer les yeux sur bien des vicissitudes dans sa future belle-famille : le donjuanisme effréné du père et du fils, sa propre fiancée qui s'était entichée de Ben. Mais ce qui l'avait plongé dans le désarroi le plus total, et qui lui avait fait prendre ses jambes à son cou, c'était la perspective d'avoir une belle-sœur de couleur. Il avait suffi de l'informer que Cornelius Traherne avait une fille métisse, une demi-sœur négro pour Miss Sibella, pour qu'il s'enfuie. Apparemment, la simple idée d'être apparenté à une mulâtresse était plus qu'il n'en pouvait supporter.

Étrange, vraiment étrange ! Pendant ces quelques derniers jours, Evie avait imaginé toutes sortes de vengeances absurdes à l'encontre des Traherne : poison, vol d'ombre, chaque nouvelle idée étant plus folle que la précédente. Puis elle avait soudain eu la révélation, dans toute sa simplicité. Ce que Congo Eve et l'arrière-grand-mère Leah lui avaient légué, ce que sa propre mère lui avait transmis, ce n'était pas seulement d'avoir quatre yeux et de mettre la main sur les gens : c'était d'être elle-même, Evie Quashiba McFarlane. Une fois qu'elle avait compris ça, tout le reste s'était mis en place.

Fredonnant tout bas, Evie alla à la cuisine chercher davantage de porridge, puis retourna prendre sa place devant la file des ouvriers. Elle venait juste de retrouver le bon rythme de la distribution quand le suivant dans la file bloqua tout en n'avançant pas.

— Allez-y, lui dit-elle sans relever tout de suite les yeux.

Mais il restait toujours immobile devant elle.

— Qu'est-ce qui ne va pas ? lui demanda-t-elle. Vous voulez manger, oui ou non ?

— Oui, m'dame, répondit Isaac Walker, je le veux, c'est sûr.

Elle fronça les sourcils. Isaac avait l'air fatigué, ses élégants vêtements étaient froissés et noirs de suie. Il ne souriait pas, mais on avait l'impression qu'il était sur le point de le faire.

La bonne humeur d'Evie s'envola. Quelque chose chez cet homme lui faisait peur : la manière dont il la considérait avec ses petits yeux intelligents. Il ne la regardait pas comme un homme le fait en général avec une jolie fille, ou pas seulement ; plutôt comme un être humain en regarde un autre quand il désire lier une amitié.

Mais elle ne voulait pas devenir son amie. Elle ne voulait devenir l'amie de personne.

— Si vous voulez manger, lança-t-elle d'un ton sec, vous feriez mieux d'y aller, maître Walker. À présent, avancez, j'ai du travail.

— Je voulais juste m'assurer, déclara-t-il de sa voix douce et tranquille, que votre mère et vous alliez bien.

— Nous allons bien. Mère est de l'autre côté, chez cousine Cecilia. C'est la deuxième maison sur la droite, près du ramón. Pourquoi n'allez-vous pas lui rendre visite ?

— Non merci, dit-il poliment. Je suis venu pour vous voir.

— Je suis occupée, rétorqua-t-elle d'une voix brusque.

— Je le vois, oui.

Son expression n'était pas facile à déchiffrer, mais à l'évidence, il ne se laissait pas aisément décourager. Elle songea que bien des gens devaient prendre à tort sa douceur pour de la faiblesse.

Elle baissa les yeux vers le porridge dans la marmite, commença à le rassembler en une masse compacte.

— J'en ai encore pour très longtemps, le prévint-elle d'un ton froid.

— Prenez le temps que vous voudrez. Je peux attendre.

La route d'Eden Road offrait un bien triste spectacle. Du côté droit, quand on allait vers le nord, se dressait la canne fraîche de Bullet Tree Piece, lavée par la pluie et intacte, sous les cendres répandues par endroits ; tandis qu'à gauche, c'était la désolation de Bellevue. « La vie et la mort côte à côte », songea Sophie, séparées par un étroit ruban de chaussée rougeâtre.

Elle ne pouvait s'empêcher de penser que si les choses s'étaient passées différemment la veille au soir, même rien qu'un peu, si Ben avait mis plus longtemps à décider que faire et où aller, elle ne serait pas en route pour le rencontrer, mais plutôt pour se rendre à son enterrement. Cette idée l'empêchait d'éprouver toute la joie, ou même le soulagement, que cette perspective aurait dû lui procurer. Elle avait l'impression d'être au bord d'un gouffre noir, penchée en avant, et de voir le fond monter vers elle à toute vitesse.

Elle atteignit la silhouette, brûlée et décharnée, du guango qui marquait l'embranchement vers les terres de Fever Hill, et commença à traverser les champs de canne. Sur des hectares, ce n'étaient que silence et désolation. D'interminables rangées de canne brûlée, comme une armée de squelettes noircis. Rien qui bougeait, rien qui vivait. Son cheval avançait avec précaution sur le sol noir et carbonisé, soulevant sur son passage une odeur amère. Un vautour solitaire prit son envol et s'éloigna en tournoyant dans l'air.

Sophie retrouva Ben au bout de trois kilomètres, près des vestiges noircis de la charrette dont Clemency lui avait parlé. Il était tête nue, assis sur le sol et les contemplait. La chaleur du feu avait dû être intense, car il ne restait des cercueils qu'un tas de cendres fumantes.

À son approche, il se tourna pour la regarder, mais à sa surprise, ne se leva pas ni ne vint vers elle. Embarrassée, elle descendit de cheval.

— J'ai eu votre lettre, lui déclara-t-elle.

Il hocha la tête. Il portait la même tenue d'équitation que la veille, mais avec une chemise de calicot blanc propre, qu'il avait visiblement empruntée. Il s'était lavé mais pas rasé, et il avait les traits tirés, des cernes sous les yeux. Une coupure sur sa joue avait séché en formant une croûte.

Elle s'arrêta à quelques pas de lui.

— D'après ce qu'a dit Madeleine, vous avez sauté dans la rivière pour échapper au feu.

Il acquiesça.

— C'était la meilleure solution.

Sa voix était rauque ; elle se demanda si c'était la fumée ou d'avoir trop crié. Ses yeux étaient bordés de rouge, ses cils hérissés.

Elle essaya d'imaginer ce qu'il pouvait ressentir, à voir ainsi emportés par un feu de canne, après les avoir fait revenir de Londres, les restes de son frère et de ses sœurs. Elle brûlait d'envie de se laisser tomber sur les genoux et de lui passer les bras autour du cou, mais quelque chose l'incitait à garder ses distances. Ben n'avait pas l'air heureux de la voir ici. Il évitait même son regard.

Du ton le plus léger possible, elle lança :

— Belle voudrait savoir si vous avez rencontré un alligator.

Il essaya de sourire, sans beaucoup de conviction.

— Comment va-t-elle ?

— Elle est désolée de ce qu'elle a fait. Et elle n'arrête pas de dire que Partisan est un héros. Ce matin, elle a préparé pour lui et pour Biscotte une de ses bouillies spéciales de mélasse chaude, et quand je suis partie, elle tressait leurs crinières.

Elle savait qu'elle parlait trop, mais ne pouvait s'en empêcher. Elle s'inquiétait pour lui.

— Donc, vous êtes retournée à Eden, constata-t-il.

— Oui. Enfin, c'est un début.

Il acquiesça.

— C'est bien que vous y soyez retournée.

— Madeleine veut que vous veniez habiter là-bas, jusqu'à ce que vous ayez pu reconstruire. Cameron le veut aussi.

— Vraiment ?

Il secoua la tête.

— Je ne crois pas qu'ils le veuillent, pas vraiment.

— Vous vous trompez. Madeleine savait que vous ne me croiriez pas, alors elle vous a écrit un mot.

Elle le lui tendit, le regarda se lever et faire quelques pas pour le lire. Il demeura un bon moment à le contempler, puis il le replia avec soin et le mit dans sa poche de poitrine. Après quoi, il toussota pour s'éclaircir la voix.

— Remerciez-la de ma part, mais il vaut mieux que je ne vienne pas.

— Ben, qu'est-ce qui ne va pas ?

Il lui lança un regard en coin, puis se baissa pour ramasser une poignée de cendres avant d'ouvrir la main et de laisser la brise l'emporter.

— Regardez autour de vous, Sophie. Tout est parti.

— Mais… vous pouvez sûrement récolter au moins une partie de la canne ? Et…

— Ce n'est pas ça, l'interrompit-il. Bien sûr, je peux en récolter au moins un peu. Bien sûr, j'ai encore de l'argent à la banque. Ce n'est pas ça.

Il fit une pause avant de poursuivre.

— C'était la grande maison des Monroe, la maison de votre grand-père. Puis c'était la mienne, et maintenant elle est partie. Tout est parti, répéta-t-il en jetant un coup d'œil en direction des cercueils. Je n'ai rien pu sauver.

— Comment pouvez-vous dire cela ? Vous avez sauvé les gens. Vous nous avez sauvées, Belle et moi !

Il ne répondit rien. Elle le regarda faire le tour de la charrette, ramasser un morceau de bois brûlé et le casser entre ses doigts. Alors, elle comprit : ce n'était pas la destruction de la grande maison, ni même la perte des restes de son frère et de ses sœurs qui l'affectaient. Ou plutôt, ce n'était pas seulement ça. Ben était tout simplement arrivé à bout de résistance. Sophie lui avait toujours cru des ressources illimitées. À ses yeux, il était toujours prêt à se battre ; quoi qu'il lui arrivât, il pouvait se relever et recommencer, parce que c'était dans sa nature... Mais, à cet instant, elle se rendait compte que personne n'était ainsi, pas indéfiniment.

Elle le rejoignit de l'autre côté de la charrette.

— Hier, à Overlook Hill, commença-t-elle, vous m'avez dit que cette fois vous faisiez le bon choix. Je n'ai pas compris ce que vous entendrez par là jusqu'à ce matin... Clemency est venue après le petit déjeuner, poursuivit-elle après une pause. Elle m'a dit, pour Kate. Pour le choix que vous aviez dû faire quand vous étiez enfant.

De nouveau, il se força à sourire. Son expression était douloureuse à voir.

— Tout ce que je fais finit en cendres.

— Si vous n'étiez pas aussi épuisé, vous sauriez que c'est absolument faux.

Il hocha la tête, mais visiblement il ne la croyait pas. Elle fit une autre tentative.

— Vous m'avez dit une fois que vous étiez comme votre père, que vous détruisiez les choses que vous aimiez. Vous pensez toujours que c'est vrai ?

Il ne répondit pas tout de suite.

— Pauvre vieux ! lâcha-t-il enfin. Vous savez, quand il est mort, il n'avait que deux ans de plus que moi aujourd'hui. Il n'a pas survécu longtemps à Kate.

— Ça veut dire que vous lui avez pardonné ?

— Je ne sais pas. Peut-être.

— Et vous ne croyez pas qu'il est temps de vous pardonner à vous aussi ?

Il hésita.

— Sophie, je les ai fait venir ici pour qu'ils soient avec moi. Je sais que ça paraît bizarre, mais c'était important pour moi. Et maintenant, regardez-les, juste des cendres dispersées.

— Et alors, qu'est-ce que ça a de si tragique ? répliqua-t-elle avec une brusquerie délibérée. Ils sont là, dans le soleil et dans l'air frais. Ce n'est pas un si mauvais endroit.

Il ne répondit pas.

— Ben…

Elle posa les mains sur ses épaules et le força à se tourner, pour lui faire face.

— Non mais, regardez-vous : vous avez voulu venir ici, alors que vous êtes épuisé. Quand avez-vous dormi pour la dernière fois ?

Il fronça les sourcils.

— En plus, vous n'avez sans doute rien mangé depuis Dieu sait quand, et vous venez de perdre votre maison. C'est normal que vous soyez déprimé.

Elle mit la paume contre sa joue rugueuse, puis elle se haussa sur la pointe des pieds et l'embrassa sur les lèvres. Il ne lui rendit pas son baiser.

— Venez à la maison, lança-t-elle rapidement, pour couvrir sa gêne. Je veux dire, venez à Eden. Mangez quelque chose, dormez correctement, et je vous promets que vous vous sentirez mieux après.

Il avait les yeux baissés vers elle, fronçant toujours les sourcils. Soudain, il prit une grande inspiration, l'entoura de ses bras et la serra fort contre lui, si fort qu'elle pouvait à peine respirer.

Elle sentit son cœur qui battait vite, la chaleur de son souffle sur sa tempe. Elle respirait son odeur si particulière, d'herbe fouettée par le vent, de poussière rouge, de Ben. Elle passa les bras autour de lui, enfouit son visage dans son cou.

Quand ils finirent par se séparer, tous les deux refoulaient leurs larmes.

— Quoi qu'il arrive, marmonna-t-il entre ses dents, vous n'allez pas épouser Alexander Traherne !

C'était si inattendu qu'elle se mit à rire.

— Quoi ?

— Je le pense, Sophie. Il…

— Je le sais. J'ai rompu avec lui le 26 décembre.

Il eut l'air déconcerté.

— Quoi ?

— À votre bal masqué.

— Mais vous… vous ne me l'aviez pas dit !

— Vous ne m'en avez jamais donné l'occasion. Vous étiez trop occupé à séduire Sibella.

— Je ne l'ai pas vraiment séduite…

— Je sais, je sais.

Elle commençait à se sentir de nouveau heureuse. Se chamailler était toujours un bon signe.

— Dites-moi franchement, demanda-t-il en la regardant dans les yeux. Ça ne vous ennuie vraiment pas, pour la maison ?

Elle le secoua doucement par les épaules.

— Non ! Nous en construirons une autre. Et à Noël prochain, nous donnerons une énorme fête et nous inviterons tous les gens de Trelawny. Y compris grand-tante May.

Il la regardait avec attention, comme s'il ne pouvait pas encore tout à fait croire qu'elle était sérieuse.

— Et nous classerons les réponses en trois piles, continua-t-elle. Une pour les acceptations, une pour les regrets, et une pour les « jamais même dans un million d'années ».

Ben rit.

Remerciements et note de l'auteur

Comme pour *Jamaïca*, je dois remercier mes cousins Alec et Jacqui Henderson du domaine d'Orange Valley, Trelawny, Jamaïque, pour leur aide quand je faisais des recherches en vue de ce livre ; ainsi que ma tante, Martha Henderson.

Concernant le récit lui-même, les principales familles et propriétés jamaïcaines figurant dans ce livre sont entièrement fictives, et j'ai pris quelques libertés avec la géographie locale autour de Falmouth afin d'y intégrer les domaines d'Eden, de Fever Hill, de Burntwood et de Parnassus.

Michelle PAVER

Dans la bonne société coloniale...

(Pocket n° 12581)

Fin du XIXe siècle. Madeleine, jeune orpheline, accepte d'épouser Sinclair, un pasteur en partance pour la Jamaïque, pour échapper à sa condition. Elle quitte donc Londres et se rend sur cette île magique dont sa mère lui a tant parlé. Mais, dans le domaine de Fever Hill, la vie est loin d'être idyllique : sa belle-famille est ouvertement hostile et son mari se révèle tyrannique et ombrageux. Madeleine se trouve alors tiraillée entre les conventions de la bonne société et ses envies de liberté…

Il y a toujours un Pocket à découvrir